CE PAYS QUI AIME LES IDÉES

DU MÊME AUTEUR

Francs-Maçons sous le Second Empire. Les loges provinciales du Grand-Orient à la veille de la Troisième République (avec Vincent Wright), Rennes, Presses universitaires de Rennes, 2001.

La Légende de Napoléon, Paris, Tallandier, 2006 ; rééd. Points, 2008.

La Saint-Napoléon. Quand le 14 Juillet se fêtait le 15 août, Paris, Tallandier, 2007.

Le Mythe gaullien, Paris, Gallimard, 2010.

Sudhir HAZAREESINGH

CE PAYS QUI AIME LES IDÉES

Histoire d'une passion française

Traduit de l'anglais par Marie-Anne de Béru

Flammarion

L'ouvrage original a paru sous le titre :
How the French Think :
An Affectionate Portrait of an Intellectual People (Penguin Books, 2015).

ISBN : 978-2-0813-0353-9

À Karma,
qui fait toute chose belle.

Avant-propos

Cela fait quatre décennies que je me passionne pour le spectacle de la vie politique et culturelle française. Tout a commencé lorsque adolescent, à l'île Maurice, où je suis né, mon intérêt a été éveillé par diverses influences. Au Collège royal de Curepipe, où j'ai fait mes études secondaires, j'ai été abondamment nourri des grands textes classiques français : Molière, Racine, Saint-Exupéry, Gide, Sartre et l'incontournable Camus. L'influence familiale s'est également révélée décisive, notamment celle de mon père, Kissoonsingh, historien formé à Cambridge et à la Sorbonne. Chef de cabinet du Premier ministre sir Seewoosagur Ramgoolam, il cultivait des liens étroits avec les élites politiques et littéraires françaises et africaines, notamment André Malraux et Léopold Sédar Senghor. Mon frère Sandip, féru d'histoire napoléonienne, a été une autre source d'inspiration : c'est grâce à lui que j'ai exploré avec ferveur tous les aspects de la légende impériale.

Sans compter la présence de l'attaché culturel français de l'époque, Antoine Colonna, grand ami de notre famille. D'origine corse, non seulement il nous reliait à l'île natale du héros de mon frère, mais il nous faisait bénéficier d'abonnements au *Nouvel Observateur*, au *Point* et à *L'Express*, ce qui me permettait de suivre de très près les débats qui agitaient alors l'opinion publique française et de constater sa prédilection pour les oppositions binaires. Je me souviens d'avoir été tout particulièrement captivé par la confrontation entre les deux camps de l'époque : d'un côté, Valéry Giscard d'Estaing et son entourage ; de l'autre, l'Union de la gauche. Je penchai personnellement pour celle-ci, l'adolescent que j'étais alors admirant le passé héroïque et le dogmatisme sans concession des communistes français staliniens. Je m'imprégnais des analyses de leurs économistes dénonçant le capitalisme monopoliste d'État, dévorais les poèmes et les romans d'Aragon, vouais un culte à leurs héros et martyrs – Gabriel Péri, journaliste antifasciste fusillé par les nazis au mont Valérien en 1941, ou Henri Rol-Tanguy, un des chefs de la Résistance qui, depuis son bunker souterrain de Denfert-Rochereau, avait lancé l'insurrection qui accompagnerait la libération de Paris en août 1944. Pour autant, je me souviens également de la fascination avec laquelle je lus *Démocratie française* (1976), l'essai de Valéry Giscard d'Estaing, dont je ne pouvais m'empêcher d'admirer l'élégance clinique et l'ambition programmatique.

Tout aussi essentielles ont été pour ma francophilie les émissions de télévision, telle *Apostrophes*, présentée par Bernard Pivot, qui m'ont initié à la scène littéraire et permis d'en goûter l'atmosphère de raffinement éthéré. Je me rappelle en particulier une discussion qu'il eut avec Marguerite Yourcenar en 1979 sur la question de savoir si les notions de bien et de mal étaient véritablement « nécessaires ». Ces propos restaient légers, aucune conclusion ne se dégageait, mais les mots *sonnaient* remarquablement bien et, même si tant de subtilité avait quelque chose de légèrement cocasse (tout particulièrement lorsqu'on l'observait d'une île tropicale de l'océan Indien), personne ne pouvait à l'époque rivaliser avec l'énergie intellectuelle et le panache des Français – ni les Américains, encore paralysés par le traumatisme de la guerre du Vietnam, ni surtout les Britanniques, englués dans des grèves sans fin, financièrement exsangues, spectateurs impuissants des querelles intestines du Parti travailliste. *A posteriori*, il semble évident que la passion que j'éprouve depuis toujours pour l'histoire et les idées politiques françaises est le fruit de ces exaltations adolescentes.

Tout en enseignant à Oxford depuis le début des années 1990, je continue de vivre à Paris une partie de l'année et j'appartiens à différents cercles intellectuels – instituts d'études supérieures, comités de rédaction de revues scientifiques, maisons d'édition, réseaux de chercheurs, jurys littéraires et associations commémoratives. Ces nombreuses interactions me donnent le loisir d'observer l'évolution de la pensée française dans toute sa gloire, sa complexité et ses particularités. De ces points de vue privilégiés, j'ai progressivement pris conscience que ces traditions de pensée s'incarnent concrètement dans la vie : idéaux et valeurs sont affirmés au cours de rituels sociaux, culturels et académiques – festivals, commémorations, *rentrées littéraires**, manifestations, pétitions et même soutenances de thèse : le lien profond qui unit réflexion et représentation m'est toujours rappelé de manière frappante lorsque je suis invité à faire partie d'un jury de thèse où je peux observer l'incomparable talent rhétorique de mes collègues français.

Cette profonde immersion dans la vie culturelle française m'a également permis de saisir l'influence de la littérature, qui non seulement reflète, mais aussi façonne la tournure d'esprit propre aux Français. *Candide* et *La Nouvelle Héloïse* ont été fondamentaux dans la dissémination des idéaux d'autonomie et d'authenticité des Lumières, tout comme les romans d'Alexandre Dumas ont fait davantage que tous les historiens de leur temps pour donner aux lecteurs la mémoire de leur passé monarchique. Plus proche de nous, il n'y a pas de meilleur moyen pour comprendre la complexité de l'Occupation, de la Résistance ou de la collaboration entre 1940 et 1944 que de lire *L'Armée des ombres*, de Kessel, *Le Silence de la mer*, de Vercors, ou *D'un château l'autre*, de Céline. Dans le même temps, ces œuvres littéraires soulignent une des caractéristiques les plus profondes (et admirables) de l'esprit français : une obstination à s'éloigner des sentiers battus, un culte du sentiment et du mystère, et une résistance à tout conformisme.

Le but principal de ce livre est d'identifier ce qui fait la singularité de l'univers intellectuel français : une cosmologie qui est autant affaire de contenu que de tempérament, de style ou d'idiome. Comme nous le verrons, la pensée française est imprégnée de concepts, d'images et de métaphores religieuses. Bien que les institutions publiques, les croyances collectives et les coutumes populaires aient été complètement laïcisées, les Français

* Les mots et expressions en italique accompagnés d'un astérisque sont en français dans le texte original.

continuent à vivre à l'ombre d'une culture catholique autrefois dominante. J'en ai pris conscience à Maurice dès les années 1970, lorsque j'ai commencé à me plonger dans la vie intellectuelle et politique française : le bien et le mal n'étaient pas seulement des sujets de discussions littéraires ou philosophiques, mais aussi des concepts régulièrement utilisés dans le discours politique. Pour preuve, le titre de l'un des essais phares de ces années, *Le Mal français*, d'Alain Peyrefitte, associait subtilement la religion au domaine organique en suggérant à la fois le péché et la maladie. En dépit de la séparation officielle de la sphère temporelle et de la sphère spirituelle en France, cette sensibilité néoreligieuse se manifeste partout. Il n'est pas rare qu'on utilise le terme de *clerc** pour désigner un intellectuel, dont les positions sont alors décrites en termes de foi, d'engagement, de délivrance ou d'hérésie. Comparant son expérience au sein du Parti communiste pendant les années 1940 et 1950 à une forme de « mysticisme religieux », Edgar Morin confessait que son adhésion au communisme avait représenté l'« espérance du salut dans la rédemption collective ». De même, les penseurs français ont constamment été fascinés par l'occulte et par l'attirance qu'exercent les figures providentielles, de Napoléon à Charles de Gaulle. La conception qu'ils se font de la nation conserve, aujourd'hui encore, une dimension quasi messianique, voire sacrée. Le républicanisme, tradition politique dominante, a longtemps fait office de religion civique, générant son propre culte, ses martyrs, ses missionnaires et ses textes sacrés : ce n'est pas une coïncidence si le Panthéon, cénotaphe des héros de la nation, est une ancienne église. Ce que le philosophe Alfred Fouillée disait de ses concitoyens au début du XXe siècle demeure en grande partie vrai de nos jours : « La France est à la recherche de quelque forme idéale d'inspiration dont la lumière puisse réjouir toutes les âmes sincères [1]. »

Introduction

UNIVERSALISTES – SINON RIEN !

Une question de style

En février 2003, alors que le Conseil de sécurité débat de l'opportunité d'employer la force contre le régime de Saddam Hussein en Irak, Dominique de Villepin prononce un discours à la tribune des Nations unies, à New York. S'exprimant au nom d'un « vieux pays » et d'un « vieux continent » qui ont connu « la guerre, l'occupation, la barbarie », le ministre des Affaires étrangères déclare, de manière prophétique, qu'une guerre contre le régime irakien aurait des conséquences catastrophiques pour la stabilité de la région : « L'option de la guerre peut apparaître *a priori* la plus rapide. Mais n'oublions pas qu'après avoir gagné la guerre il faut construire la paix. » Il affirme que « l'usage de la force ne se justifie pas aujourd'hui », avant de conclure en exprimant sa foi en la capacité de la communauté internationale à construire un monde plus harmonieux : « Nous sommes les gardiens d'un idéal, nous sommes les gardiens d'une conscience. La lourde responsabilité et l'immense honneur qui sont les nôtres doivent nous conduire à donner la priorité au désarmement dans la paix. » [1]

Ce discours, qui exprimait un désir largement partagé sur le plan international de mettre en œuvre une politique différente fondée sur l'humanisme plutôt que sur l'emploi de la force, fut acclamé dans le monde entier. Et, dans la vision qu'il proposait comme dans la façon dont elle s'énonçait, il y avait quelque chose d'indéniablement français : une virilité séduisante et une verve enracinées dans ce que la rhétorique politique française peut offrir de meilleur, un appel à la raison et à la logique permettant de placer le débat sous le signe d'une dichotomie (conflit et harmonie, intérêt personnel et bien commun, politique de puissance et moralité), le sentiment d'être le porte-parole d'une sagesse ancestrale reposant sur des siècles d'expériences historiques parfois douloureuses et enfin un optimisme confiant sous-tendu par un sentiment de supériorité culturelle. De toute évidence, même s'il ne le faisait pas de manière explicite (ce qui le rendait bien plus convaincant), ce discours sonnait comme un défi lancé à l'Amérique de George Bush et à sa complaisante alliée, la Grande-Bretagne, accusées devant l'opinion publique mondiale de menacer la paix et la stabilité. La diabolisation silencieuse des infâmes « Anglo-Saxons » constitua l'apothéose de cette magistrale démonstration oratoire, tout comme la prétention typiquement française de s'exprimer au nom de principes universels – avec d'autant plus de sincérité que lesdits principes, chacun le sentait bien, coïncidaient exactement avec les intérêts de la France.

Les idées de Villepin n'étaient pas le simple reflet de la façon dont les Français du XXIe siècle considèrent le monde : elles étaient imprégnées de traditions de pensée bien plus anciennes dont on peut retracer l'origine au XVIIIe siècle. Dans le discours de l'ONU résonne l'écho subtil mais intense de l'idéalisme de l'abbé de Saint-Pierre (1658-1743) proposant la création (sous la conduite de la France, naturellement) d'une confédération d'États partageant les mêmes intérêts, qui serait le meilleur moyen de garantir la paix dans le monde. La noble éloquence du ministre des Affaires étrangères rappelle également le style du pacifiste Aristide Briand, qui, pendant l'entre-deux-guerres, chercha à promouvoir la paix par la diplomatie et la coopération entre États.

Le but de ce livre est d'explorer les différentes facettes de cet univers intellectuel, de mettre en lumière ses constantes, ses évolutions et sa prééminence dans la culture contemporaine. Il s'agit

Le sommet de la rhétorique internationaliste française : le ministre des Affaires étrangères Dominique de Villepin prononce son fameux discours contre l'intervention armée en Irak devant le Conseil de sécurité de l'ONU, le 14 février 2003.

ainsi de montrer comment et pourquoi les activités de l'esprit occupent en France une place si importante dans la vie publique. Mon ambition n'est pas seulement d'identifier les multiples manières dont les Français se sont représentés à eux-mêmes ou comment ils imaginent le monde, mais d'expliquer *comment* les Français pensent – en d'autres termes, d'identifier leurs concepts, paradigmes et modes de raisonnement privilégiés ainsi que leurs formes rhétoriques de prédilection. Par exemple, les Français sont convaincus d'être des penseurs particulièrement créatifs, ce que Blaise Pascal affirmait déjà au sujet de ses compatriotes : « Je ne parle pas des fous, je parle des plus sages et c'est parmi eux que l'imagination a le grand don de persuader les hommes. » Ils ont également le sentiment de faire preuve d'une clarté d'expression exceptionnelle, qualité qui découlerait des propriétés mêmes de la langue française : « Ce qui n'est pas clair n'est pas français », selon l'impérieuse formule de Rivarol. Cette rigueur d'expression ne serait cependant pas incompatible avec une certaine légèreté hédoniste : au XIXe siècle, Hippolyte Taine remarquait que le plus grand désir d'un Français consiste à « entretenir en lui-même et en vous un pétillement d'idées agréables ». Déjà Montesquieu avait noté cette insouciance de comportement qui lui fait « faire les choses frivoles sérieusement, et gaiement les choses sérieuses ». Il faut ajouter à ces caractéristiques une tendance à l'impertinence liée à l'esprit de contradiction : « Nous ne naissons pas dociles ni respectueux », écrivait Ernest Lavisse ; ce que confirmait l'analyse de Jules Michelet, qui considérait ce trait de caractère comme l'un des attributs singuliers des élites françaises : « Nous nous énervons par la dispersion de l'esprit, par le vain amusement de courir de livre en livre ou de les faire se battre entre eux. Nous avons de grandes colères sur de petits sujets, et nous trouvons de fortes injures… » Par-dessus tout, la pensée française est réputée pour son amour des notions générales : « Il n'y a pas de peuple chez lequel les idées abstraites aient joué un aussi grand rôle, dont l'histoire témoigne de tendances philosophiques aussi invincibles et où les individus soient aussi insouciants des faits et possédés à un aussi haut degré de la rage des abstractions », note ainsi l'essayiste Émile Montégut. Ou, pour reprendre la version plus positive de Julien Benda : « Une pensée vraiment enrichissante est celle qui traite d'un objet général et non individuel, et en certaines matières une telle pensée ne saurait être rigoureusement conforme à la réalité. » [2]

Telles sont les nombreuses manifestations de l'*esprit français*[*] qui seront examinées dans cet ouvrage ; nous verrons aussi beaucoup d'autres aspects, au premier rang desquels une prédilection pour rapporter toute discussion philosophique de la « vie bonne » à des concepts métaphysiques idéalisés tels que la monarchie, la raison, la volonté générale, le prolétariat ou la nation. De fait, les Français aiment tant la métaphysique qu'il leur arrive même d'utiliser le terme pour plaisanter sur la difficulté qu'il y a à trouver du pain frais pendant les vacances d'été. Tout aussi répandue est leur tendance à basculer dans le holisme et à traiter toute question dans sa globalité ou son essence, non à partir de manifestations contingentes. Comme le fait observer le sociologue Philippe Corcuff, cet essentialisme est consubstantiel à la pensée française, il informe le débat public quel que soit le sujet : la République, l'État, le multiculturalisme, la sécurité nationale ou les relations avec l'Amérique. Le philosophe Michel Lacroix nous fournit un bon exemple de cette manière de penser lorsqu'il décrit son patriotisme comme reposant sur une « conception ontologique » de la France. Cette forme de holisme se révèle également dans la tendance bien française à vouloir tout codifier de manière exhaustive – qu'il s'agisse de constitutions, de déclarations des droits ou de programmes électoraux (ce qui n'empêche en rien par la suite d'ignorer royalement les dispositions en question). La pensée française est remarquable également pour sa capacité à attribuer des propriétés théoriques et existentielles aux aspects les plus pratiques de la vie sociale : façons de parler, mode, cuisine, traditions et rituels – jusqu'à l'usage du langage lui-même. D'où le « Festival des mots », initiative française par excellence, dont la dixième édition s'est tenue à La Charité-sur-Loire, fin mai 2014, sous le patronage d'Erik Orsenna. D'après les organisateurs, il s'agissait de « faire vibrer les mots pour mieux réfléchir à leur magie et leurs pouvoirs, avec la conviction que les mots doivent se partager avec le plus grand nombre ». [3]

Convaincus que l'activité intellectuelle est inséparable d'une forme d'esthétique, les Français attachent une grande importance aux questions de forme et de présentation. D'où leur goût pour les néologismes et les classifications. Comme l'a fièrement proclamé une candidate au baccalauréat à la sortie de l'épreuve de philosophie en juin 2014, tout texte de valeur doit se structurer selon un plan dialectique : thèse, antithèse, synthèse [4]. Le sujet de dissertation proposé aux élèves du lycée Poincaré (à Bar-le-Duc) avait été de savoir si les choix humains se fondaient sur « la raison » ou sur « la passion », une formulation qui fait écho à cette caractéristique de la pensée française déjà brillamment illustrée dans le discours de Villepin : la prédilection pour les oppositions binaires. De là vient ce réflexe conditionné (comme le faisait remarquer un observateur avisé de la vie intellectuelle parisienne) de toujours structurer le débat public autour d'un petit nombre de thèmes récurrents : ouverture et isolement, immobilisme et réforme, liberté et déterminisme, unité et diversité, civilisation et barbarie, progrès et décadence[5].

Une certaine idée... d'eux-mêmes

Les Britanniques ont d'eux-mêmes l'image d'une communauté pragmatique, « solide et peu encline à chasser des chimères », selon les mots de Keir Hardie, l'un des fondateurs du Parti travailliste britannique[6]. Les Français ont celle d'un peuple qui réfléchit, dont l'attachement au monde des idées est à la fois intense et manifeste. Dès les années 1820, un imam égyptien en visite à Paris avait jugé que les Français se distinguaient « par la vivacité de l'intelligence, la finesse de leur entendement et la profondeur dont leur esprit creuse les questions ardues[7] ». Plus d'un siècle après, un manuel d'instruction militaire distribué aux soldats britanniques avant le débarquement en Normandie afin de les préparer aux singularités des autochtones notait : « D'une manière générale, les Français se plaisent à discuter bien plus que nous. Vous aurez souvent l'impression qu'ils se disputent violemment alors qu'ils ne font que débattre d'une idée abstraite. » Le culte que les Français vouent à la culture se reflète dans l'importance accordée à l'écriture – d'où une longue tradition de répression menée contre les écrivains, symbolisée au XIXe siècle par la prison parisienne de Sainte-Pélagie, où nombre des plus éminents penseurs, poètes et pamphlétaires se retrouvèrent incarcérés pour ce qu'ils avaient écrit. D'où également la cohorte impressionnante de grands créateurs qui reposent au Panthéon : Voltaire ou Rousseau, ces géants de la philosophie qui incarnent l'idéal du *grand homme** pédagogue et les vertus des Lumières ; Victor Hugo ou Émile Zola, symboles de l'attachement national à l'excellence littéraire ; et, plus proches de nous, le poète martiniquais Aimé Césaire ou l'ethnologue Germaine Tillion[8].

Il y a de nombreux autres signes de cet attachement français à la culture, à commencer par l'importance accordée au respect de la syntaxe et à la recherche du mot juste. Comme Bossuet le

Voltaire et Rousseau escortés au Panthéon : un des premiers exemples de la vénération que les Français portent à leurs grands hommes de lettres. En 1791, l'église Saint-Geneviève est transformée par l'Assemblée nationale en nécropole destinée à accueillir les héros de la Révolution. Au fronton on grave la devise « AUX GRANDS HOMMES LA PATRIE RECONNAISSANTE ».

faisait remarquer avec sévérité au Dauphin son élève : « Vous parlez maintenant contre les lois de la grammaire ; alors vous mépriserez les préceptes de la raison. » Il faut y ajouter l'association, dans la tradition républicaine française, de l'idée même de citoyenneté avec celle d'éducation, affirmée en ces termes par Condorcet : « L'instruction publique est un devoir de la société à l'égard des citoyens. » D'ailleurs, l'idée que la « culture » doit avoir son propre ministère est une invention française qui a maintenant essaimé dans le monde entier. Autre illustration du prestige accordé à la culture, chaque groupe politique semble vouloir instrumentaliser l'intelligence : dans la première partie du XXe siècle, l'Action française tout comme le Parti communiste, aux deux extrémités du spectre politique, revendiquaient d'être le parti de l'intelligence. Tout aussi notable est la fierté avec laquelle petits villages et grandes villes honorent la mémoire de leurs plus obscures célébrités littéraires, sans même parler de la renommée dont jouissent les hommes d'idées et de la capacité (parfois jalousée) qu'ils ont d'influer sur les décisions en politique intérieure ou extérieure (comme en témoigne le rôle joué par Bernard-Henri Lévy dans le déclenchement de l'intervention militaire française en Libye en 2011). Dernier exemple, et non des moindres : les grandes écoles dévolues à la formation des élites dont Dominique de Villepin est le parfait représentant : ancien élève de l'École nationale d'administration (ENA), il incarne ces technocrates qui ont conquis les sommets de la hiérarchie politique et administrative aux temps modernes. Par ses origines aristocratiques et son dédain pour le suffrage universel (il a occupé les plus hautes responsabilités sans s'être jamais présenté à la moindre élection), Villepin personnifie la « noblesse d'État », cette nouvelle classe dirigeante décrite par Pierre Bourdieu. [9]

Toute grande nation se considère comme une nation d'exception. La différence de la France tient au fait qu'elle associe depuis toujours sa singularité à ses prouesses morales et intellectuelles. Sa conception de l'excellence s'est souvent cristallisée dans des descriptions de Paris qu'un Louis-Sébastien Mercier, par exemple, présentait en 1799 comme le bastion de l'esprit créateur moderne, « cette ville qui fixe éternellement les regards du monde entier ». Auguste Comte était convaincu, quant à lui, que Paris était le centre de l'humanité parce que l'« esprit philosophique » y était plus développé qu'ailleurs. Célébré comme un symbole magnifique de liberté et d'ardeur révolutionnaire depuis le XIXᵉ siècle pour s'être révolté à de multiples reprises contre ses gouvernements successifs, Paris a aussi paradoxalement été révéré par les champions de l'État centralisateur que le philosophe Charles Dupont-White définissait en 1857 comme « le pouvoir de la raison exprimée par la loi ». [10] Mais, par-dessus tout, c'est l'effervescence de la vie culturelle parisienne qui fascine les nouveaux venus, ce dont témoigne une lettre du jeune Jean Jaurès, pas encore chef de file des socialistes français, tout juste arrivé de son Castres natal :

> Nous sommes à Sainte-Barbe une dizaine d'élèves préparant l'École normale avec des goûts et des ambitions divers ; tel préfère la littérature, tel l'histoire, tel la philosophie. On se communique ses lectures, ses idées, ses enthousiasmes, ses systèmes (aujourd'hui, à dix-neuf ans, on a un système) ; et cet échange perpétuel entre-

Ancien élève de l'École normale supérieure, Jean Jaurès devient l'un des plus grands orateurs de sa génération, comme le souligne le sous-titre de ce dessin : « Croquis destinés à servir d'illustrations à l'histoire de l'éloquence. » Admiré et craint par ses adversaires à la Chambre des députés, Jaurès attire des foules immenses lors de ses déplacements en province.

tient dans l'esprit une activité extraordinaire ; il est envahi par un flot incessant de pensées qui se mêlent, qui se combinent, qui fermentent ; ajoutez à cela que les événements de la vie politique, littéraire, théâtrale, ont toujours un écho dans les collèges parisiens, que les dimanches, les jours de sortie, on voit s'étaler dans les galeries des publications nouvelles, on s'arrête dans les musées, on court dans les théâtres, aux matinées ou aux soirées, et vous aurez une idée de cette vie de pensée intense et continue qui est un bonheur et un privilège de Paris [11] […].

Comment des conceptions si différentes de la grandeur de la France sont-elles apparues ? Comment se sont-elles imposées ? Cela fera l'objet de la première partie du livre : depuis le Grand Siècle et l'apogée de la monarchie absolue en France, le *génie** français a dominé la vie culturelle et artistique de l'Europe, imposant le triomphe du classicisme en littérature, en peinture et en architecture, la corrélation cartésienne entre existence et pensée, ou la prééminence de la langue française, symbole de rigueur, de civilité et de raffinement [12]. Les Français se sont aussi illustrés par leurs avancées scientifiques, la fécondité de leurs utopies et leur engouement pour les controverses idéologiques de nature souvent érudite, embrassant avec ardeur la maxime de Montaigne selon laquelle l'unanimité est fort ennuyeuse.

Ce qui rend ce sentiment de grandeur intellectuelle encore plus intense, c'est la conviction qu'ont les Français de devoir réfléchir non seulement pour eux-mêmes mais également pour le reste du monde. À cet égard, Ernest Lavisse écrivait en 1890 que, si la mission de Rome était de conquérir le monde ou celle de l'Allemagne de « développer dans le monde la puissance germanique », la France, elle, « a[vait] la charge de représenter la cause de l'humanité » [13]. Il s'agissait là d'une version laïque d'un idéal religieux beaucoup plus ancien qui, depuis le règne de Charlemagne, faisait de la France la « fille aînée de l'Église ». D'où la dimension inévitablement messianique de toutes les grandes doctrines politiques modernes, des aspirations révolutionnaires à régénérer l'homme en passant par la célébration napoléonienne de la *grande nation** jusqu'à cette « certaine idée de la France » que s'était faite Charles de Gaulle : une nation destinée à la *grandeur** – cette grandeur qui fondait également le discours de Villepin. Pour Jean d'Ormesson, de telles aspirations demeurent un trait fondamental du caractère national : « Il y a au cœur de la France quelque chose qui la dépasse. Elle n'est pas seulement une contradiction et une diversité. Elle regarde sans cesse par-dessus son épaule. Vers les autres. Vers le monde autour d'elle. Plus qu'aucune nation au monde, la France est hantée par une aspiration à l'universel [14]. »

La Révolution fut la source d'inspiration la plus puissante et la plus durable de ces idéaux messianiques. Liberté, égalité, fraternité, droits de l'homme, souveraineté populaire, patriotisme, intérêt général, division entre la droite et la gauche : tous les concepts clés de la culture politique moderne française furent popularisés à la suite de 1789. Les symboles les plus connus de la France à l'étranger, le drapeau tricolore et *La Marseillaise* [15], furent inventés pendant cette période, dont les premiers épisodes forgèrent les mythes fondateurs de la nation : le renversement du despotisme, symbolisé par la prise de la Bastille ; l'unité souveraine du peuple, manifestée le mois suivant par l'abolition des privilèges féodaux votée par l'Assemblée constituante au cours de la nuit du 4 août.

La centralisation du pouvoir fut le principe directeur des jacobins, force politique dominante du début des années 1790. La victoire de Valmy en septembre 1792 et les guerres révolutionnaires contre les monarchies européennes enracinèrent le patriotisme des défenseurs de la nation menacée d'envahissement. La régénération morale des citoyens et l'élimination hors du corps politique des éléments impurs se traduisirent par l'exécution du roi en janvier 1793 et l'épisode de la Terreur qui s'ensuivit. Le Code civil institua l'égalité de tous devant la loi. Des figures majeures telles que Robespierre ou Bonaparte devinrent respectivement le prototype du héros vertueux et celui du chef providentiel. Aux XIXe et XXe siècles, la plupart des débats fondamentaux qui ont agité la société française ont toujours tourné autour de l'héritage de la Révolution, qu'il s'agisse de la nature du régime politique, des obligations du citoyen, de la possibilité et de la valeur du progrès, des revendications de la justice sociale, de la décentralisation, de la place de la religion ou de la légitimité des intérêts particuliers [16].

C'est l'importance de l'ombre portée par cet événement qui permet d'expliquer l'aspect fratricide du débat public en France, ces batailles épiques entre monarchistes et révolutionnaires, réformistes et conservateurs, représentants de la bourgeoisie et membres de la classe ouvrière, soutiens de l'Église et anticléricaux, centralisateurs et tenants de l'autonomie locale, avocats du système présidentiel contre ceux du parlementarisme – on en revient toujours à cette fameuse dichotomie [17]. Ces conflits et les clivages qu'ils ont entraînés ont fixé le cadre du débat politique pour l'ensemble de la période contemporaine. Cependant, derrière les antagonismes se dissimulent des éléments de convergence et un sentiment partagé de ce qu'il en va d'être français : foi en des idéaux de devoir et de service public, refus d'accepter son sort, mépris pour le matérialisme, culte de l'héroïsme, attachement à la légitimité de la mission civilisatrice de l'État. La France est l'un des seuls pays au monde (avec la Corée du Nord) où l'on peut publier un essai intitulé *Il faut aimer l'État* [18]. Les Français affrontent également leurs divisions intellectuelles en cultivant l'art de la synthèse, un art dont la force est souvent mésestimée. D'Auguste Comte promouvant une combinaison hardie de positivisme scientifique et de mysticisme religieux au philosophe Émile Chartier (plus connu sous le pseudonyme d'Alain), qui mêlait absolutisme républicain et scepticisme provincial, en passant par la tension féconde entre *petite* et *grande* patrie, la pensée française est souvent parvenue à harmoniser des valeurs apparemment contradictoires.

Car, en dépit de son attachement rhétorique à l'idée de *rupture**, la culture française possède une unité fondamentale qui se manifeste dans la reproduction, génération après génération, de certains schémas ou habitudes de pensée fondamentaux. Dans les pages qui suivent, cette continuité sera tout particulièrement visible dans les motifs de la pensée rationaliste, de l'imagination utopique, ainsi que dans les approches intellectuelles qui sous-tendent les différentes écoles historiographiques. Autre exemple : au sein de la droite comme de la gauche, en dépit des perpétuels changements de dénomination des différents partis depuis la fin du XVIIIe siècle, on remarque une stabilité étonnante. La prépondérance du communisme des années 1930 à la fin des années 1970 n'a été que la manifestation moderne de l'ancienne tradition révolutionnaire jacobine qui émergea pour la première fois en 1789. De même, le bonapartisme, doctrine qui promeut un État fort, un leader charismatique et un nationalisme exacerbé, est demeuré une composante majeure de la droite pendant la plus grande partie du XIXe siècle, avant de réapparaître sous les traits du gaullisme et de dominer la scène politique française de la seconde partie du XXe siècle [19]. Bonapartisme et gaullisme, qui partagent la même foi en la concentration du pouvoir dans les mains d'un homme providentiel, alimentent également la fascination des Français pour la tradition monarchique de leur pays. C'est à juste titre que le président de la Ve République, élu au suffrage universel mais écrasant toutes les autres institutions politiques et plus protégé des contraintes extérieures que n'importe lequel de ses homologues dans les démocraties modernes, est comparé à un monarque. Pastichant avec brio les mémorialistes des XVIIe et XVIIIe siècles, Moisan, caricaturiste au *Canard enchaîné*, représentait dans les années 1960 le général de Gaulle comme un roi entouré de ses courtisans [20]. Cette tradition s'est poursuivie avec ses successeurs : Valéry Giscard d'Estaing a été décrit comme « l'homme qui voulait être roi » par *Le Nouvel Observateur*, tandis que la posture hiératique de François Mitterrand a suscité de fréquentes comparaisons avec celle d'un monarque absolu. Quant à Nicolas Sarkozy, son style abrupt (et sa petite taille) suggère le rapprochement avec Bonaparte. [21] Plus qu'un manuel de droit constitutionnel, ce sont les maximes de Louis XIV qu'il faut lire pour comprendre l'*ethos* d'un président de la République, et notamment cette double injonction : « Réunir en moi seul toute l'autorité du maître » et « N'ayez jamais d'attachement pour personne » [22].

Ces numéros d'équilibrisme conceptuel ont produit de délicieux oxymores qui illustrent une autre caractéristique familière de la pensée française : l'amour du paradoxe. C'est cet amour qui nous a donné la figure du rationaliste passionné, du révolutionnaire conservateur (et des traditions révolutionnaires), du modéré extrême, du missionnaire laïque, du matérialiste spirituel, du *spectateur engagé**, de l'internationaliste patriote, du frère ennemi ou de l'individualiste altruiste – auxquels il faut ajouter, fruit de la mauvaise fortune des armes françaises sur certains champs de bataille, d'Alésia à Waterloo, le plus subtil d'entre eux : la défaite glorieuse [23]. Ce penchant pour la concorde des contraires a parfois induit en erreur les observateurs étrangers le mieux intentionnés. En 1950, Julien Green donne à Oxford une conférence sur Maurice Barrès et conclut son propos en insistant sur trois aspects contradictoires de la pensée de l'auteur. Ayant achevé ainsi de présenter « les trois Barrès », il demande à ses auditeurs s'ils ont des questions. Une main se lève alors : « Quel était le prénom des deux autres frères Barrès [24] ? »

Tant pis pour les faits

Écrire un livre sur la substance et la forme des idées françaises à travers les époques présente de nombreux défis. La littérature sur la pensée moderne française est bien évidemment abondante. On y trouve des études passionnantes analysant des périodes spécifiques, comme celles de Norman Hampson sur les Lumières, de Patrice Higonnet sur le jacobinisme révolutionnaire, de Theodore Zeldin sur les années fondatrices de 1848 à 1945 ou encore celle de Tony Judt sur l'après-Seconde Guerre mondiale. D'autres traitent de thèmes particuliers tels que l'héritage révolutionnaire et républicain, les sources du nationalisme français, les idéologies de droite et de gauche ou la « passion » française pour le communisme. [25] Je tente ici d'assembler toutes les pièces de ce gigantesque puzzle pour retracer en un récit unique et synthétique, à la fois sérieux et divertissant, l'histoire des idées françaises, en parcourant de nombreux sujets à travers différentes époques, de Descartes à Derrida, des grands problèmes philosophiques et moraux à la question de la survie de la culture française face à la mondialisation.

Ce livre conjugue une étude précise de certains textes clés et l'explication du contexte théorique et culturel plus vaste dans lequel ils ont été rédigés. En effet, comme le rappelle l'historien Quentin Skinner, les concepts ont une double caractéristique : ils ne peuvent être compris que si on les replace dans le contexte de cadres intellectuels plus vastes et ils sont dans le même temps des outils déployés à des fins particulières, lesquelles peuvent varier de manière significative en fonction des époques [26]. Le terme de « pensée » inclura aussi bien des doctrines établies que des systèmes de croyances informels, des théories à visée générale que des concepts particuliers, des descriptions détaillées de la « vie bonne » que des représentations symboliques ou allusives. Pour pouvoir rendre justice à la richesse et à la créativité de la pensée française, je m'appuierai sur des sources aussi variées que possible : œuvres d'hommes politiques ou d'intellectuels de premier rang, sommes d'érudition historique et minces pamphlets, romans, représentations iconographiques et chansons, articles de la presse locale ou nationale, rapports de police, mémoires et correspondances privées, dictons, slogans publicitaires et manuels de développement personnel – et même un livre pour apprendre à communiquer avec les morts. Dans le même temps, les fondements institutionnels de la pensée française jouant un rôle capital, j'accorderai beaucoup d'attention aux structures éducatives (notamment aux grandes écoles et au rôle de plus en plus contesté qu'elles jouent dans la formation des élites de la nation), à l'Académie française, sévère gardienne de l'orthodoxie linguistique et culturelle, aux principaux vecteurs de la culture de masse que sont journaux, magazines et musées, ainsi qu'à tous ces lieux où se tisse le lien social et culturel, des partis politiques aux clubs de réflexion, des groupes de pression aux loges maçonniques… sans oublier cafés et brasseries, bastions de la vie intellectuelle depuis le milieu du XIXe siècle, comme le notait le journaliste Alfred Delvau : « La première fois que j'ai bu de la bière et que j'ai entendu parler de Hegel, de Kant, de Schelling [...], ç'a été dans une brasserie. » Cette tradition est toujours vivace : en avril 2014, *Libération* célébrait le bistrot, scène primordiale de la vie sociale selon les Français [27].

J'ai souligné plus haut la variété des manifestations de l'*esprit français** qui se présentent au regard de l'observateur étranger. Comment, dans ces conditions, parler d'une tournure d'esprit qui serait propre à l'ensemble des Français ? La réponse réside dans un fait sans doute unique dans la culture occidentale moderne : la concentration des principales instances intellectuelles de la nation – de l'État aux grandes institutions éducatives, des Académies aux maisons d'édition et aux organes de presse – en un seul lieu, à savoir Paris. Cette centralisation de la culture explique en partie pourquoi les modes de réflexion français font preuve d'une telle cohérence stylistique, au point que même les mouvements et les personnalités de la contre-culture adoptent des modes de pensée qui dupliquent très souvent de manière frappante ceux de leurs adversaires. Ainsi la notion de souveraineté populaire développée par les penseurs radicaux des Lumières était-elle l'exact pendant du principe absolutiste ; l'abstraction holistique de la pensée contre-révolutionnaire du XIXe siècle répondait à l'essentialisme de ses rivaux républicains. Ainsi s'explique également le nationalisme irréductible des communistes en dépit de leur opposition catégorique à cette doctrine « bourgeoise ». Cette similitude est également le produit d'expériences collectives partagées. Les systèmes d'idées et les courants intellectuels tels que le républicanisme ou le gaullisme ont souvent été le point d'aboutissement de pratiques culturelles et sociales existantes, ou la réaction d'une génération particulière à des épisodes traumatisants ou à des moments charnières tels que des révolutions, des guerres civiles ou des conflits extérieurs. C'est pour toutes ces raisons que je ne me suis pas cantonné au répertoire conventionnel des penseurs canoniques mais que je me suis intéressé à d'autres acteurs de la pensée française : pamphlétaires, éditorialistes, lecteurs de journaux et de revues, militants politiques, membres d'associations, enseignants et étudiants.

La vie intellectuelle en France se distingue également par son organisation en modes de sociabilité qui lui sont propres. L'exemple le plus classique de ce phénomène est le *salon**, forme de réunion privée apparue au XVIIe siècle dont le but était de se divertir, d'échanger des idées et de promouvoir des idéaux de civilité et de politesse. Les salons se sont multipliés dans la haute société française et ont contribué à la popularisation des idées philosophiques et artistiques, au démantèlement des barrières sociales et aux prémices de l'émancipation des femmes [28]. Ce furent souvent des lieux privilégiés où mûrirent idées et coutumes sociales novatrices, où notamment les femmes pouvaient prendre part aux débats philosophiques en évoquant, par exemple, l'œuvre de Descartes – d'où l'expression *une cartésienne** rapidement adoptée au XVIIe siècle pour désigner une femme cultivée [29]. Ces échanges, qui prirent plus tard des aspects ouvertement politiques, ont préparé l'avènement de l'âge de la démocratie moderne. Un diplomate russe en poste à Paris dans les années 1840 fut surpris du nombre aussi important de lieux où l'on pouvait débattre de politique : « On trouve à Paris des *salons* politiques, des *salons* littéraires, des *salons* légitimistes, des *salons* du *juste milieu**, des *salons* diplomatiques et enfin des *salons* neutres [30]. »

Mais la fonction culturelle certainement la plus importante d'un salon était le refus de rester cantonné à ce que nous appellerions aujourd'hui le cloisonnement d'une discipline. Le salon où cet éclectisme exubérant se manifesta avec le plus d'énergie est celui qui fut accueilli de 1824 à 1834 à la bibliothèque de l'Arsenal par son conservateur, Charles Nodier. Ses célèbres *causeries** du dimanche soir laissèrent une impression indélébile sur son auditoire, captivé non seulement par le charme et l'esprit dont il faisait preuve, mais aussi par la capacité éblouissante qu'il avait de parcourir les sujets et les époques historiques les plus divers, comme en témoigne le compte rendu admiratif de Sainte-Beuve :

> Il aime et caresse d'imagination les proscrits, les brigands héroïques, les grands destins avortés, les lutins invisibles, les livres anonymes qui ont besoin d'une clef, les auteurs illustres cachés sous l'anagramme, les patois persistants à l'encontre des langues souveraines, tous les recoins poudreux ou sanglants de raretés et de mystères, bien des rogatons de prix, bien des paradoxes ingénieux et qui sont des échancrures de vérité, la liberté de presse d'avant Louis XIV, la publicité littéraire d'avant l'imprimerie, l'orthographe surtout d'avant Voltaire [31].

Le salon de Nodier attirait non seulement des hommes et des femmes farouchement conservateurs, mais également des rêveurs et des utopistes, et, à cet égard aussi, il symbolise l'une des grandes curiosités de la vie intellectuelle française : le contraste entre la vénération pour les institutions culturelles prestigieuses et l'importance accordée, dans la pensée française, au thème de la transformation. Cela fait des siècles que le paysage intellectuel parisien est dominé par de grands foyers de l'humanisme tels que le Collège de France, fondé en 1530, l'Académie française, en 1635, ou l'École normale supérieure, en 1793. Pour autant, le cœur de la pensée moderne est un idéal d'innovation. Arrivé à Paris en 1831, le poète allemand Heinrich Heine en fut frappé au point de décrire le pays comme « la patrie de la vanité, de la parade, des modes et des nouveautés [32] ». À l'époque moderne, les idées de révolution et de *rupture** sont devenues des métaphores courantes en science politique, histoire, littérature, philosophie, sociologie, linguistique, psychologie ou anthropologie. Des années 1950 à la fin des années 1970, nous avons connu le *nouveau roman*, la *nouvelle vague* (au cinéma), la *nouvelle histoire*, la *nouvelle philosophie*, la *nouvelle gauche* et la *nouvelle droite*, sans oublier la *nouvelle cuisine** (même si l'on pourrait faire remonter ce dernier concept à la parution du *Nouveau Traité de la cuisine* de Menon, en 1742). Cette soif de nouveautés, l'ethnologue Claude Lévi-Strauss l'expliquait très simplement : selon lui, les grandes structures spéculatives étaient faites pour être brisées et ne pouvaient guère perdurer.

L'idée que la connaissance progresse de manière continue et cumulative, principe fondamental de l'épistémologie anglo-saxonne, est totalement étrangère à la mentalité française. Cela peut s'expliquer par le fait qu'en France l'accent est mis sur la qualité spéculative de la pensée, et c'est en cela que la remarque de Claude Lévi-Strauss nous éclaire. Les élaborations intellectuelles françaises sont spéculatives en ce qu'elles sont généralement le fruit d'une forme de raisonnement qui n'est pas nécessairement ancré dans la réalité empirique. C'est ce que disent l'expression commune *tant pis pour les faits** et le fameux attachement à la méthode de raisonnement par déduction immortalisée par Descartes, qui part d'une proposition générale et abstraite pour en déduire une conclusion particulière ou une conséquence. Les Anglo-Saxons, dont le raisonnement suit le chemin inverse, se plaignent souvent des résultats futiles de la méthode française. C'est dans cet esprit que le philosophe britannique Jerry Cohen écrivit un jour un article intitulé « Pourquoi certaines foutaises ont la vie dure en France [33] ».

La France pense-t-elle encore ?

Cet ouvrage paraît à un moment où la France est en crise, où la nation éprouve un sentiment de malaise grandissant face à sa situation actuelle et ses perspectives d'avenir. Alors même que j'achevais ce livre, l'anxiété a été portée à son comble par les attentats de janvier 2015 visant le journal satirique *Charlie Hebdo* ainsi qu'un supermarché casher de la porte de Vincennes, attentats au cours desquels dix-sept personnes ont été tuées, dessinateurs, otages et membres des forces de l'ordre. En dépit de l'admirable réaction de l'opinion publique – quatre millions d'hommes et de femmes ont participé aux marches républicaines organisées dans toute la France le 11 janvier 2015 –, ces attentats ont mis en lumière les peurs suscitées dans la population française par l'insécurité, l'intégration des minorités et les fractures économiques et sociales.

Les événements de janvier 2015 ont aussi accentué un malaise plus général, manifesté depuis ces dernières années par les inquiétudes que suscitent la place de la France dans un ordre mondial globalisé, la viabilité du système politique et social républicain et la préservation du mode de vie à la française. Signe supplémentaire de ce mal-être : la confiance dans les élites françaises, qui est tombée à un niveau historiquement bas. Alain Duhamel fait sobrement observer : « Les partis sont vilipendés, les dirigeants sont contestés, les élus inspirent de la défiance, les journalistes de l'aversion [34]. » Il aurait pu ajouter les intellectuels à sa liste, dans la mesure où le manque de confiance en leur créativité et leur spécificité culturelle est un autre symptôme du malaise ressenti par les Français. En 2012, *Le Magazine littéraire* avait même déjà osé poser la question : « La France pense-t-elle encore [35] ? »

L'un des objectifs de ce livre est de comprendre non seulement les causes de ce pessimisme, mais également ce qu'il nous apprend sur le mode de pensée des Français. Or la façon dont les idées françaises et le monde extérieur entrent en interaction a évolué, et il faut voir là une piste d'explication. Les Français se sont longtemps enorgueillis du fait que leur histoire et leur culture influençaient les valeurs et les idéaux des autres nations. Au temps du Roi-Soleil, Versailles était devenu le modèle esthétique et politique des autres cours européennes. Le diplomate italien Caraccioli, dans un opuscule paru en 1777 intitulé *L'Europe française*, pouvait donner libre cours à son enthousiasme et s'émerveiller des manières étincelantes et de la brillante vivacité des Français avant de conclure ainsi : « Jadis tout était romain, aujourd'hui tout est français [36]. » Mais les idées françaises ont voyagé beaucoup plus loin : tout au long du XIXe siècle, par exemple, le Code civil a inspiré les législateurs des États sud-américains devenus indépendants. Les premiers bolcheviques étaient obsédés par les parallèles qu'ils pouvaient établir entre leur révolution et le renversement de l'*Ancien Régime**. Les décisions politiques de Lénine et de Trotski à leurs débuts furent dictées moins par l'idéologie que par des circonstances qu'ils interprétaient à la lumière de 1789-1794. Grâce à son empire colonial (le deuxième en importance après l'Empire britannique), la France pouvait projeter sa *mission civilisatrice** dans l'ensemble de ses possessions, en Afrique et en Extrême-Orient. La statue de la Liberté, symbole suprême de l'Amérique, fut conçue par Auguste Bartholdi. Et aujourd'hui encore l'hymne national polonais célèbre Napoléon Bonaparte tandis que le drapeau brésilien arbore la devise du positivisme comtien : « Ordre et progrès ». [37]

On peut également mesurer l'influence de la France sur la pensée moderne à la façon dont certains épisodes de l'histoire française ont été reçus dans le monde. Les idées révolutionnaires ont inspiré les libérateurs du monde entier, l'Irlandais Wolfe Tone, le Haïtien Toussaint Louverture ou le Sud-Américain Simon Bolivar. José Rizal, héros emblématique des Philippines, était un grand admirateur de Victor Hugo. Les campagnes militaires de Napoléon et sa maîtrise de l'art de la guerre n'ont pas seulement été célébrées par les écrivains et les poètes européens, mais également par les samouraïs japonais et les guerriers tatars, dont un chant traditionnel célèbre Gengis Khan et « son neveu » Napoléon. Quant à Vo Nguyen Giap, héros de la révolution vietnamienne, qui enseignait l'histoire à l'école Than Long, à Hanoi, vers la fin des années 1930, il fit une série de conférences sur la Révolution et le premier Empire. L'un de ses élèves racontera plus tard la façon dont il « hypnotisait » son auditoire. [38]

Tout en traversant les époques et les continents, la pensée française n'a cessé d'interagir avec le monde, s'inspirant d'expériences et d'évolutions intellectuelles venues de l'étranger. La critique de l'absolutisme royal fut en partie élaborée sous le regard universaliste de *L'Histoire philosophique et politique* de l'abbé Raynal, une virulente dénonciation du colonialisme européen qui replaçait le combat des Français pour une société plus démocratique dans un contexte global [39]. Le libéralisme naissant fut nourri par les échanges cosmopolites qui animaient « le cercle de Coppet » rassemblé autour de Madame de Staël ainsi que par l'admiration que François Guizot portait à l'Angleterre, « boulevard de la dignité et de la liberté humaine », une nation qui devait sa grandeur et sa richesse « à son christianisme protestant et son gouvernement parlementaire » [40]. Les idéaux kantiens d'autonomie morale ont eux aussi joué un rôle essentiel dans la transformation du républicanisme français au cours de la seconde moitié du XIXe siècle, tandis que Nietzsche, Heidegger et Freud ont exercé une influence décisive sur l'existentialisme et le structuralisme de l'après-Seconde Guerre mondiale. On ne peut comprendre le communisme français du XXe siècle sans faire référence à ses dimensions internationales, notamment son attachement idéologique et sentimental à l'URSS. Cependant, même lorsqu'ils constituent des influences évidentes, ces expériences et ces modes de pensée venus de l'étranger passent par un prisme irréductiblement français. Comme le reconnut Tocqueville lui-même en toute franchise au sujet de son célèbre essai *De la Démocratie en Amérique*, « quoique j'aie très rarement parlé de la France dans ce livre, je n'en ai pas écrit une page sans penser à elle et sans l'avoir pour ainsi dire devant les yeux ». Le principe fut poussé à l'extrême par le polémiste Édouard Laboulaye, qui publia en 1854 une *Histoire des États-Unis* en trois volumes sans même prendre la peine de traverser l'Atlantique ! Quant à Michelet, rendant hommage à l'héroïque bonté et à l'excellence morale des Polonais, il les décrivit comme les « Français du nord ». Un siècle plus tard, ce splendide ethnocentrisme restait toujours aussi vivace : lors d'une visite à Pékin en 1965, André Malraux déclara à un Mao Tsé-toung perplexe que les Chinois étaient les « Français d'Asie ». [41]

En d'autres termes, l'universalisme français a autant à voir avec l'identité française qu'avec l'universalité, comme le démontre la façon dont les idées nées à l'étranger sont reçues en France. Les concepts et les systèmes de pensée étrangers acquièrent des intonations bien différentes lorsqu'ils arrivent à Paris, jusqu'à en devenir parfois méconnaissables à leurs propres créateurs. Effondré par la façon dont les socialistes français traduisaient ses idées (sans parler de la manie qu'avaient ses trois filles de tomber amoureuses de Français), Karl Marx en vint même à déclarer un jour : « Je ne suis pas marxiste [42]. » Ce rapport ambigu au monde imprègne les représentations que les Français se font de leurs principaux voisins et rivaux. Ils ont rapidement cessé de considérer l'Amérique révolutionnaire comme un paradis bucolique et rousseauiste pour y voir, selon la formule célèbre de Talleyrand, un pays qui avait « trente-deux religions et un seul plat ». De même, l'Allemagne est tombée du statut de patrie de l'idéalisme au XIXe siècle à celui de nation manquant de « tact » et de « charme », selon Renan (lequel, il faut le reconnaître, écrivait après la brutale annexion de l'Alsace-Lorraine par les Prussiens). À l'issue de la guerre, alors que l'Allemagne était divisée en deux États, François Mauriac aurait déclaré de manière plus subtile mais non moins dédaigneuse : « J'aime tellement l'Allemagne que je suis content qu'il y en ait deux [43]. »

Et que dire de l'Angleterre ? Elle était un temps apparue comme un pays attrayant, une terre de liberté où pouvait s'épanouir le génie créateur d'un Bacon ou d'un Locke (dont Voltaire louait la sagesse, la méthode et l'esprit logique). Aux yeux des penseurs politiques modérés, Montesquieu, Necker ou Benjamin Constant, l'Angleterre avait même acquis le statut de « modèle politique ». Et le sol anglais offrait un refuge à ceux qui fuyaient la tourmente politique : l'exil de Victor Hugo sous le second Empire devint le symbole de la lutte contre le despotisme. [44]

Cependant, le voyageur français qui franchissait la Manche se retrouvait dans un pays peuplé d'habitants étranges et impénétrables. Dans ses *Promenades dans Londres*, qui connurent un large succès, la féministe Flora Tristan les décrivait ainsi : « L'Anglais, sous l'influence de son climat, est brutal avec tous

Cette caricature de 1814 illustre la vision que les Français se font communément des Londoniens en particulier, et des Anglais en général : une nation de maniaco-dépressifs et d'alcooliques.

ceux qui l'approchent. » Elle trouva l'atmosphère londonienne si mélancolique qu'on y ressentait « un désespoir profond, une douleur immense, sans pouvoir en dire la cause, [...] enfin un dégoût pour tout et un désir irrésistible de se suicider ». De fait, la « perfide Albion » est une des figures récurrentes de la démonologie française, une image d'autant plus persistante qu'elle peut être utilisée pour dénoncer toute sorte de griefs, réels ou imaginaires : comportement meurtrier et déloyal (le massacre des chevaliers français à Azincourt ou le supplice de Jeanne d'Arc sur le bûcher), l'apostasie religieuse (Bossuet, catholique dévot, tonnait contre la « perfide Angleterre »), la soif de vengeance (manifestée par la mesquinerie avec laquelle le gouverneur Hudson Lowe traita Napoléon à Sainte-Hélène), les perfidies coloniales (un poème de la fin du XIXe siècle accusait les Anglais de « nous a[voir] ravi nos plus belles conquêtes ») et la duplicité (pendant la Seconde Guerre mondiale, de Gaulle était convaincu que le tandem anglo-saxon formé par Churchill et Roosevelt ne cessait de comploter dans son dos). Dans leur version la plus extravagante, ces abominables méfaits sont amalgamés, comme lorsque Marie-Louis-Georges Colomb (connu sous le pseudonyme de Christophe) fait dire à l'un des personnages de *La Famille Fenouillard* qu'il ne veut « rien avoir de commun avec la perfide Albion qui… dont… qui a brûlé Jeanne d'Arc sur le rocher de Sainte-Hélène [*sic*] ».[45]

La capacité à passer d'une représentation positive à une conception négative d'une même réalité est l'une des caractéristiques notables de la pensée française. Comme nous le verrons, ce syndrome forme le cœur du pessimisme qui s'est emparé de la France contemporaine. Analysant la rhétorique des hommes politiques modernes, Jean-François Revel, connu pour ses idées libérales, a fait remarquer qu'ils semblaient pris en étau entre « un fantasme d'omniprésence » et une forme de « claustrophobie »[46]. La formule exprime avec subtilité un trait plus général (mais souvent dissimulé sous l'emphase du style ampoulé et de grandioses déclarations de supériorité culturelle et intellectuelle) : une fragilité latente, presque imperceptible, qui se manifeste par une attitude défensive, un rejet désinvolte des idées venues de l'extérieur et par-dessus tout par une tendance à avoir recours aux stéréotypes, aux images négatives et à la théorie de la conspiration. D'où la prédilection des Français pour les récits mythologiques confirmant l'idéalisation du progrès et la vertu du sacrifice, mais également des images plus sombres de trahison, de dépossession, voire de mort. Le fil directeur de ce livre sera donc de décrire la marche de la pensée moderne française, son passage d'un optimisme confiant et hardi à un sentiment de plus en plus introspectif marqué par le malaise ressenti à l'égard du monde extérieur et l'attachement sentimental aux héros d'un passé glorieux.

Cinq traits caractérisent la pensée française telle qu'elle s'est déployée depuis le XVIIe siècle. Premièrement, la double façon dont elle se rattache à l'Histoire : par ses substantiels éléments de continuité, d'une part, et par sa référence constante au passé comme source de légitimation ou de démarcation, d'autre part. Deuxièmement, son attachement à la nation et à l'identité collective, objets de débats incessants et de soubassements philosophiques de multiples conceptions de la « vie bonne ». Troisièmement, son extraordinaire intensité : les idées comptent aux yeux des Français, au point que, dans certaines circonstances, on puisse mourir pour elles. Quatrièmement, la conviction que la communication de connaissances spécialisées à un large public fait partie intégrante de l'activité intellectuelle. Cinquièmement, je montrerai que la pensée française se définit par le jeu incessant entre le registre de l'ordre et celui de l'imagination – ou, pour incarner cette opposition, entre la froide linéarité de Descartes et l'exubérance débridée de Rousseau. Fondamentalement, nous partirons du principe qu'il est possible de formuler des généralisations riches de sens sur les habitudes intellectuelles communes à un peuple aussi divers et fragmenté que le sont les Français – une nation si viscéralement attachée à ses particularismes qu'elle avait inspiré à de Gaulle son fameux : « Comment voulez-vous gouverner un pays qui a deux cent quarante-six variétés de fromage [47] ? »

I

Le crâne de Descartes

À l'occasion du trois centième anniversaire de la mort de René Descartes, en 1950, le journaliste de radio Pierre Dumayet se rendit à La Haye, où le philosophe était né en 1596. Il désirait savoir ce que les habitants de ce village d'Indre-et-Loire, rebaptisé La Haye-Descartes au début du XIXe siècle, pensaient de leur compatriote le plus illustre, dont le travail précurseur avait posé les jalons du rationalisme. Son interlocutrice la plus mémorable fut une dame d'un certain âge qui, de manière fort appropriée, s'appelait Mme Raison. Elle lui affirma que les Descartois étaient fiers d'honorer leur *grand homme**, lequel ne s'était pas contenté d'être l'une des figures emblématiques de son époque, un savant dont les découvertes avaient suscité une admiration universelle, mais était aussi devenu l'« amant d'une reine » [1]. Excellence intellectuelle et conquêtes amoureuses : le culte de Descartes demeurait florissant dans ce petit coin du centre de la France.

L'abbé de Saint-Pierre considérait Descartes non seulement comme un éminent Français, mais comme « l'un des plus grands hommes qui ayent jamais été » en raison du « grand avantage qu'il a procuré à la raison humaine ». [2] Pour autant, lorsqu'on examine sa vie, il est à bien des égards paradoxal qu'il soit devenu l'incarnation moderne de la pensée française, car ce n'est pas à la philosophie qu'il commence à s'intéresser, mais à l'art de la guerre, qui le fascine : son premier livre traite en effet des règles de l'escrime. Puis, de 1620 à 1627, il voyage à travers toute l'Europe et mène une vie de gentilhomme à Paris. Et, même lorsqu'il se consacre à la philosophie, il ne devient jamais un grand lecteur. Fasciné par les mathématiques, il méprise les auteurs classiques. Pendant les vingt dernières années de sa vie, en grande partie pour échapper à la censure des autorités religieuses, il choisit de s'exiler en Hollande, où « sa passion pour la solitude » devient proverbiale [3] – ce qui n'est pas exactement un trait typiquement français, ni à l'époque ni d'ailleurs aujourd'hui. Sa renommée de philosophe repose en grande partie sur le *Discours de la méthode*, l'un des textes les plus célèbres jamais rédigés en français. Dans sa quatrième partie, il y résume succinctement sa conception du rationalisme philosophique : l'affirmation de la séparation de l'esprit et de la matière (dualisme), l'identification de l'essence de l'âme avec la pensée et la certitude de l'existence obtenue par déduction au moyen d'une méthode de raisonnement reposant sur le doute. Le passage dans lequel il propose cette dernière conclusion est un exemple typique du style qui lui est propre, à la fois charmeur et intime :

> Je pris garde que, pendant que je voulais ainsi penser que tout était faux, il fallait nécessairement que moi, qui le pensais, fusse quelque chose. Et remarquant que cette vérité : *je pense donc je suis [cogito ergo sum]*, était si ferme et si assurée, que toutes les plus extravagantes suppositions des sceptiques n'étaient pas capables de l'ébranler, je jugeai que je pouvais la recevoir, sans scrupule, pour le premier principe de la philosophie que je cherchais [4].

Cette idée que la pensée est l'attribut distinctif de l'homme constitue la pierre angulaire du rationalisme cartésien. Cette proposition d'ordre métaphysique était moins l'affirmation d'un principe de fond singulier qu'une invitation à ordonner tout raisonnement selon des règles logiques – ce qui impliquait potentiellement que le processus pouvait éventuellement produire des résultats différents, voire contradictoires. D'où l'un des paradoxes récurrents de la tradition cartésienne : même parmi ses admirateurs, l'héritage de Descartes a été interprété de manière extrêmement variée. D'Alembert considérait le philosophe comme l'incarnation de la résistance à la tyrannie. Le critique

Désiré Nisard en faisait l'inspirateur du génie littéraire français. Le républicain Edgar Quinet voyait en lui un symbole d'humilité chrétienne. Quant à Marcelle Joignet, elle fut de ceux qui le célébrèrent comme le père fondateur du féminisme [5]. Comme tous les penseurs canoniques – un statut qui ajoute à sa célébrité –, Descartes a également suscité les critiques et une hostilité tenace. Dès le début, de nombreux catholiques ont cru que le primat accordé à la raison individuelle constituait un encouragement tacite à l'agnosticisme, voire à l'athéisme – d'où le fait que son œuvre ait été mise à l'index par le Vatican. Voltaire jugeait que ses théories scientifiques étaient très largement erronées et que sa conception de l'homme était « fort éloigné[e] de l'homme véritable ». Certains de ses détracteurs déplorent son abstraction et son universalisme désincarné. D'autres, s'appuyant sur la condamnation laconique de Pascal d'une philosophie « inutile et incertaine », le jugent creux. Et, aujourd'hui encore, certains le clouent au pilori pour avoir tenté de prouver par l'expérience que les animaux sont dénués de conscience. L'accusant de cautionner la cruauté avec laquelle les Occidentaux traitent les animaux, un descartophobe ami des bêtes a ainsi prétendu qu'« il avait éventré le caniche de sa femme ». [6]

Ce qui amplifie encore la cacophonie, c'est l'habitude qui s'est développée d'utiliser le terme de cartésianisme pour résumer un large éventail de traits culturels français. Charles Péguy, saluant en Descartes un « cavalier français qui partit d'un si bon pas », considérait que la pensée cartésienne était irréductiblement chrétienne et française, par sa dimension spirituelle et notamment par sa capacité à transmettre un sentiment de l'expérience de Dieu [7]. Ce qui n'empêchait pas d'autres intellectuels d'associer le scepticisme cartésien à des attitudes collectives plus négatives et de le déplorer :

> Le penchant naturel de tout Français pour l'opposition… est en effet le point essentiel. Comme Descartes faisait reposer sa méthode sur le *cogito ergo sum*, quiconque veut chercher le système politique qui nous convient doit partir de cet axiome : nous sommes français, donc nous sommes nés opposants. Nous n'aimons par l'opposition

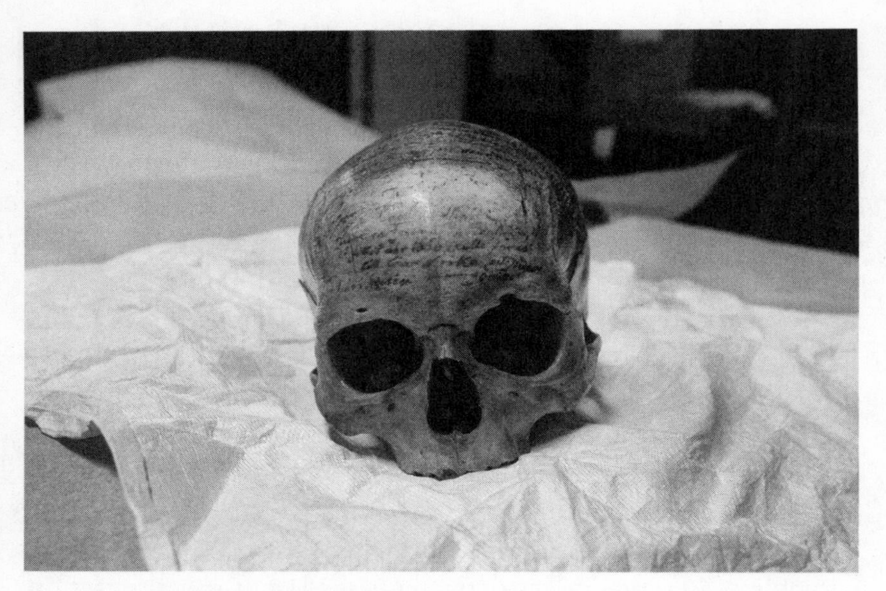

Le crâne de Descartes, à présent conservé dans les collections du musée de l'Homme à Paris.

> pour ses résultats mais malgré ses résultats. Nous l'aimons pour elle-même. Nous sommes d'humeur belliqueuse ; il nous faut toujours un ennemi à frapper, une redoute à faire sauter, une place à prendre. Nous aimons l'assaut, non pour le profit de la victoire, mais pour le plaisir de monter aux échelles [8].

Rien ne symbolise plus la passion obsessionnelle des Français pour leur philosophe national que le destin de sa dépouille. Son corps fut rapatrié de Suède, où il mourut en 1650, et enterré en 1667 dans l'église Sainte-Geneviève à Paris. Il devint célèbre, y compris chez les occultistes – un poème fait allusion à une jeune femme en conversation avec « le fantôme savant et illustre » de Descartes. Les révolutionnaires entrèrent dans la danse un siècle plus tard et tentèrent à plusieurs reprises au cours des années 1790 de faire transférer ses cendres au Panthéon. Après un bref passage au couvent des Petits-Augustins, la dépouille de Descartes fut inhumée en 1817 en l'église Saint-Germain-des-Prés, où elle repose toujours. Mais, en 1819, un nouveau rebondissement : l'Institut de France reçut un crâne donné pour être celui du philosophe et agrémenté des signatures de tous ses propriétaires suédois successifs (y compris celle d'un certain Arngren qui, en l'honneur du grand mathématicien, sans doute, l'avait exposé dans son tripot). Tout au long du XIXe siècle, ce crâne fit l'objet de controverses scientifiques multiples : anatomistes, phrénologistes et autres anthropologues disputèrent de son authenticité. Les résultats de ces débats ne permirent certes pas d'atteindre à une certitude cartésienne mais furent jugés suffisamment concluants pour autoriser la présentation de cette précieuse relique dans la collection du Jardin des plantes [9]. Afin peut-être d'en rehausser l'authenticité, ce crâne fut exposé à côté d'un autre spécimen dont le cartouche mentionnait : « Sujet ayant fait abus du plaisir, mort imbécile. » [10]

Sous le soleil du cogito

Si l'occultisme reflète le penchant français pour le mystère et le dévoilement de ce qui demeure caché (ce que nous verrons au chapitre 2), l'héritage cartésien à l'inverse représente une forme de raisonnement fondé sur la clarté logique et la recherche de la certitude. Un de ses aspects fondamentaux est le rejet de tout argument fondé sur la foi religieuse. Comme l'écrivit le révolutionnaire Marie-Joseph Chénier, la contribution majeure de Descartes avait été d'« accoutum[er] insensiblement les hommes à *examiner* et non pas à *croire* ». Par conséquent, à partir du XIXe siècle, l'adjectif « cartésien » a perdu son sens propre philosophique pour définir plus largement un style de raisonnement censé être typiquement français : exprimer la vérité sous forme d'idées claires et bien distinctes, argumenter avec précision et élégance, passer du simple au complexe, cultiver un sentiment d'autonomie morale et d'audace intellectuelle, et enfin dominer ses passions. [11]

Non que ces préceptes soient toujours désirables : la précision érigée en absolu peut facilement se transformer en un amour du formalisme sans autre justification que lui-même. Le raisonnement déductif peut éloigner d'une connaissance fondée sur l'expérience, trop d'autonomie saper les bénéfices de la solidarité morale et trop d'audace dégénérer en « ivresse de sa supériorité [12] ». Ces qualités à double tranchant étaient présentes à l'esprit d'Émile Durkheim lorsqu'il affirma que « cette manière [cartésienne] de voir est profondément ancrée dans notre esprit national », avant de conclure : « On peut dire qu'en général le Français est, à quelque degré, un cartésien conscient ou inconscient [13]. »

L'attrait qu'exerce cette sensibilité cartésienne repose largement sur sa flexibilité, voire sur le flou qui entoure sa signification précise [14]. La bannière du cartésianisme peut ainsi être brandie par des penseurs et des mouvements qui interprètent le rationalisme de façon fort diverse. Dans la première moitié du XIXe siècle, l'un de ses porte-drapeaux les plus originaux fut Auguste Comte, fondateur du positivisme (qui sera abordé au chapitre 4). Comte s'identifiait à Descartes au point de comparer l'un de ses premiers textes au *Discours de la méthode* et d'en célébrer l'auteur comme le maître de la philosophie moderne (ce qui, soit dit en passant, en dit long sur son orgueil). Il partageait également avec Descartes l'opinion que le bon sens est ce qui doit fonder la morale.

La philosophie de Comte était tout entière orientée vers un but suprême : porter à son point d'achèvement la révolution scientifique de l'entendement qui, selon lui, avait été initiée par Descartes (ainsi que par Bacon et Galilée). Il continua à confesser son admiration pour le cartésianisme dans ses ouvrages plus tardifs et plus emprunts de spiritualité, notamment lorsqu'il avança l'idée que les femmes étaient attirées par sa philosophie comme par celle de Descartes parce qu'elles faisaient preuve d'empathie et de bon sens pratique. [15] Comte admirait aussi Descartes parce que ce dernier avait inventé une méthode scientifique fondée sur la certitude géométrique – une approche qui avait constitué une avancée majeure dans la connaissance et ouvert la voie à la « physique sociale » comtienne. Plus généralement, le cartésianisme de Comte représente le côté dogmatique de cette tradition philosophique, en particulier dans sa tentative visant à formuler une théorie unifiée et homogène de l'entendement humain et dans son attachement à la notion de discipline interne et de maîtrise de soi, conditions nécessaires à la réconciliation de l'homme avec les lois objectives de la nature [16].

Une autre forme de cartésianisme, différent mais tout aussi autoritaire et métaphysique, fut invoquée par les doctrinaires, un groupe de penseurs qui façonnèrent la politique conservatrice libérale de la monarchie de Juillet entre 1830 et 1848. Pour François Guizot, leur chef de file, Descartes représentait un genre particulier de bon sens à la française, à la fois pratique et philosophique : « Ce bon sens, c'est la raison ; l'esprit français est à la fois rationnel et raisonnable. » À ceux qui considéraient le scepticisme comme une méthode philosophique potentiellement subversive, les doctrinaires se hâtaient de citer la première maxime du *Discours*, où le philosophe insiste sur la vertu d'obéissance aux lois et aux coutumes de son pays et sur la nécessité de se gouverner « en tout autre chose, suivant les opinions les plus modérées, et les plus éloignées de l'excès ». Plus généralement, ils affirmaient que le but du doute cartésien était d'aboutir à une certitude. Ainsi, Charles de Rémusat notait que « le doute de Descartes est le signal du génie plein de confiance et de jeunesse s'élançant à la conquête du nouveau monde de l'esprit humain ».[17]

Un élément majeur de cette modernité était la dissociation entre le raisonnement philosophique et la croyance religieuse. Comme le disait Victor de Broglie, autre de ces penseurs doctrinaires : « Quel est le but définitif que Descartes s'est proposé et qu'il a atteint ? C'est d'établir l'indépendance complète et réciproque de la philosophie et de la religion, indépendance sans laquelle il ne peut exister ni philosophie digne de ce nom ni religion solidement et régulièrement démontrée. » Dans la mesure où ils cherchaient à laïciser la vie publique et à bâtir un système politique sur des fondations philosophiques purement rationnelles, les doctrinaires avaient une conception progressiste de la raison. Pour autant, leur libéralisme étroit n'était ni égalitaire ni individualiste. Son but principal était de préserver l'hégémonie de la bourgeoisie et de discréditer toute idée de changement politique radical[18].

Cela ne laissait aucune place à la rêverie utopique. Au contraire, comme Victor Cousin l'avait dit, ce qui rendait sa pensée précieuse, c'était qu'« il n'y a point de chimères dans

Descartes. Il se trompe souvent, mais il ne rêve jamais ». De fait, Cousin, philosophe quasi officiel de la monarchie de Juillet, allait devenir le champion le plus enthousiaste et le plus influent de Descartes au XIXe siècle, établissant une nouvelle édition de ses œuvres et réorganisant l'enseignement de la philosophie afin de le fonder sur la version édulcorée et neutre du cartésianisme qu'il prônait : une doctrine dont le but était de « révéler les points essentiels sur lesquels tous les systèmes s'accordent » quant à la psychologie humaine, la spiritualité ou l'existence de Dieu – et justifier ainsi le *statu quo.* [19]

Vers le milieu du XIXe siècle, en marge de ces sensibilités comtiennes et doctrinaires toutes deux élitistes, se développe une version plus distinctement démocratique du rationalisme cartésien. Décrivant la façon dont il a été dans sa jeunesse initié à la pensée de Rousseau, Michelet compare celle-ci à « ces dispositions d'incertitude et de doute que Descartes exige pour la recherche de la vérité ». Au moment de la révolution de 1848, un pamphlet rédigé par un professeur de philosophie caennais, Claude Husson, célèbre le *cogito* comme l'aube d'un nouvel âge de la liberté, parce qu'il a ouvert la voie à l'émancipation de l'homme : « La pensée, l'esprit, le moi, enfin, étant le principe universel, immuable, toujours identique de l'être, [...] Descartes proclamait donc implicitement le véritable principe républicain. » On peut noter que ce cartésianisme était lui aussi fondé sur une conception métaphysique de l'homme, lequel n'était plus un moi égotiste, retranché dans la propre contemplation de lui-même, mais un individu en harmonie avec l'Univers et pénétré de l'esprit véritable de Dieu. En libérant l'humanité de ses fausses idoles, le *cogito* de Descartes avait « proclam[é] donc implicitement le véritable principe républicain ». [20]

C'est également l'interprétation qu'en donnait le philosophe Étienne Vacherot, qui saluait en Descartes (avec quelque exagération) l'initiateur de l'« affranchissement complet et absolu de la raison humaine. » Dans les premières pages de son ouvrage *Politique radicale*, le républicain Jules Simon se montrait tout aussi emphatique : « Je ne crois qu'à ma raison ; je ne me soumets qu'à la preuve. Prophète, tradition, majorité doivent comparaître devant ma raison comme devant leur juge suprême. » Jules Ferry en appelait également à cette conception du rationalisme centrée sur la notion d'autonomie morale lorsqu'il plaça les réformes de l'enseignement sous le patronage de Bacon et de Descartes, « les plus grands esprits du monde » qui, deux siècles auparavant, « [avaient] sécularisé le savoir humain et la philosophie ». [21]

Cette pédagogie cartésienne pouvait cependant aussi être interprétée de manière conservatrice. Un recueil de textes philosophiques édité à la fin du XIXe siècle à destination des professeurs accorde une place très importante à la « morale par provision » qui met l'accent sur la nécessité de respecter les lois et les coutumes, et de changer ses propres désirs plutôt que « l'ordre du monde » – ce qui s'inscrivait dans le droit-fil des interprétations d'un partisan de l'autorité tel que Victor Cousin. Dans le même temps coexistent des interprétations plus progressistes. Les francs-maçons du Grand Orient de France (l'obédience maçonnique la plus importante dans l'Hexagone), désireux de laïciser leur mouvement, invoquaient eux aussi l'esprit du cartésianisme – il existait alors à Tours une loge Descartes. [22]

Pour les anticléricaux convaincus, Descartes devint même le symbole de la persécution religieuse. D'après le libre-penseur Maurice Barthélemy, Descartes était l'un des « martyrs » de la cause rationaliste car toute sa vie il avait été « tourmenté et calomnié » par les bigots. Par-dessus tout, la raison cartésienne pouvait inspirer l'idéal d'une justice fondée sur un examen rigoureux de la preuve, un idéal bafoué pendant l'Affaire Dreyfus. Dans ses mémoires, Léon Blum expliquait que le soutien apporté par Anatole France à la cause des dreyfusards constituait l'expression de « sa foi rationaliste », qu'il résumait ainsi : « France fut dreyfusard parce que le travail méthodique et scientifique de l'intelligence était à ses yeux la seule réalité certaine ». [23]

La diversité même des formes prises par le rationalisme cartésien – célébration de la science pour les positivistes, exercice de la raison pour les doctrinaires, autonomie de la morale pour les républicains – ne pouvait mener qu'à la controverse. Dans ses écrits sur l'Affaire Dreyfus, Maurice Barrès accusa les républicains et leur cartésianisme obsessionnel de saper la tradition : il pensait, à l'instar des conservateurs, que la raison vraie était une faculté collective et non individuelle. Au sein du système éducatif, certains critiquaient aussi l'enseignement du scepticisme cartésien qui façonnait, d'après eux, une forme de superficialité bien française et produisait « des esprits rebelles sans véritable volonté d'action, des querelleurs plutôt que des travailleurs, des critiques et des rêveurs plutôt que des hommes d'action [24] ».

L'attaque la plus virulente contre ce type de rationalisme fut formulée dans le premier tome des *Origines de la France contemporaine*, où le positiviste Hippolyte Taine identifie Descartes comme le précurseur d'un mode de raisonnement ayant abouti à la perversion de l'ensemble de la réflexion moderne. Cet « esprit classique » prétendait « suivre en toute recherche, avec toute confiance, sans réserve ni précaution, la méthode des mathématiciens : extraire, circonscrire, isoler quelques notions très simples et très générales ; puis, abandonnant l'expérience, les comparer, les combiner et, du composé artificiel ainsi obtenu, déduire par le pur raisonnement toutes les conséquences qu'il enferme ». Selon Taine, critique de la tradition révolutionnaire française, ce cartésianisme avait exercé une influence nocive bien au-delà des limites strictes du rationalisme : Rousseau et ses disciples en avaient été victimes lorsqu'ils avaient déduit un système entier d'institutions politiques à partir d'une théorie abstraite de la nature humaine [25].

Génie de la méthode et prince de l'entendement

Dans son analyse de l'histoire de l'idée républicaine en France, Claude Nicolet a fait observer : « Descartes n'est pas républicain mais on ne saurait être républicain sans Descartes. » La première moitié du XXe siècle marque l'apogée de ce rationalisme républicain, avec la commémoration du trois centième anniversaire du *Discours de la méthode* en 1937. Le gouvernement français émet un timbre à l'effigie du grand homme, le Prix Nobel

Timbre émis à l'occasion de la commémoration du tricentenaire du *Discours de la méthode*.

Henri Bergson formule sa maxime « la plus simple de toutes, et [...] la plus cartésienne » : « Je dirais qu'il faut agir en homme de pensée et penser en homme d'action. » Commentant l'influence de l'œuvre de Descartes sur sa génération, Gérard Milhaud note qu'il existe en France « une sorte de mystique cartésienne qui fait de notre homme le "héros de la nation" ».[26] De son côté, Charles Adam, biographe du philosophe, exagère à peine lorsqu'il proclame que, « encore aujourd'hui, il ne se passe pas de semaine, et presque pas de jour, où, dans les feuilles publiques, on ne se réclame aussi de la méthode cartésienne, de l'esprit cartésien ». Or le Descartes décrit par Adam est une reconstruction moderne, un philosophe aimable qui a fondé la « grande Charte de la société moderne » et préfigure le principe républicain de solidarité et de fraternité. Simultanément, Adam présente le postulat cartésien de l'universalité du bon sens comme une anticipation des réformes éducatives de la IIIe République, à la fin du XIXe siècle. Quant au progressiste Maxime Leroy, il cherche à démontrer dans son *Descartes social* que l'intérêt du philosophe pour l'hygiène sociale préfigure les traditions saint-simoniennes et socialistes. Toutes les branches de la famille républicaine font donc une place à Descartes dans leur Panthéon.[27]

La figure qui contribue le plus à populariser cette version républicaine de l'esprit cartésien est le philosophe Alain, proche du Parti radical, qui domine la vie politique de la fin de la IIIe République. Alain considère Descartes comme le père de la pensée moderne française, « le Prince de l'Entendement », le créateur d'une méthode sceptique qui recentre l'exercice de la pensée sur l'individu pensant : « Nul homme n'est plus entier que Descartes ; nul ne se laisse moins diviser ; nul n'a pensé plus près de soi [28]. » Alain trouve d'ailleurs un plaisir particulier à reprendre, sans même indiquer la perspective particulière qui leur donne sens, les formules les plus provocantes de Descartes, comme celles qui refusent la conscience aux animaux. Dans ses *Propos*, de petites pièces courtes et incisives publiées dans la presse et destinées à un large public, Alain développe une morale pratique largement inspirée des maximes cartésiennes. Il répète souvent qu'il y a quelque chose de cartésien dans chaque homme. Parmi les valeurs mises à l'honneur dans son éthique figurent la nature spirituelle de la liberté, l'importance de se connaître soi-même et savoir contenir ses passions négatives, la nécessité d'éviter l'irrésolution et de cultiver la confiance en soi, la quête du bonheur par l'optimisme, la fécondité intellectuelle de la solitude et, par-dessus tout, la formation du jugement par une réflexion patiente et soigneuse [29].

Ce rationalisme est également épistémologique, métaphysique et politique. Alain pense ainsi l'idée républicaine à la lumière de ce que nous enseigne la physique moderne, celle qu'inaugurèrent Galilée, Torricelli… et Descartes, et dont Descartes, avant Kant, avait théorisé le renversement originaire (la « révolution copernicienne »), mettant en évidence le primat de l'idée sur l'expérience : « La vraie République est un parti pris et une règle posée, à laquelle on pliera l'expérience. » Pour autant, cette confiance dans la raison, cette assurance que penser rationnellement, c'est penser universellement, est tempérée par une forte dose d'individualisme, elle aussi inspirée par le scepticisme cartésien. D'où le concept de « méfiance politique » forgé par Alain, pierre angulaire de sa philosophie politique, qui n'est qu'une extrapolation de la méthode du doute cartésien. Il est convaincu que les citoyens doivent contrôler le pouvoir des dirigeants non pas en essayant de gouverner à leur place, mais en soumettant leurs déclarations et leurs actes à un examen systématique – de la même manière qu'un logicien traite une proposition philosophique. Cette « puissance de refus » – autre concept éminemment cartésien – doit se constituer à l'écart de la foule, où le jugement individuel risque d'être trop facilement influencé par le groupe. Dans l'idéal, c'est le « citoyen "solitaire" » qui doit l'exercer, sans se préoccuper « d'accorder sa pensée à celle du voisin ». La conception qu'Alain a de la citoyenneté opère une synthèse originale du cartésianisme et du républicanisme : « Si nous voulons une vie publique digne de l'Humanité présente, il faut que l'individu reste individu partout, soit au premier rang, soit au dernier. Il n'y a que l'individu qui pense ; toute assemblée est sotte. » [30]

Alain représente à la fois, à ce titre, un exemple de la « glorification » de Descartes par la philosophie française du tournant des XIXe et XXe siècles, et une exception à l'intérieur de ce mouvement, dans la mesure où il se refuse à toute réflexion sur le caractère « proprement français » de sa pensée, comme à toute banalité sur la « clarté » française ordinairement opposée à la « lourdeur » allemande. Mais tous ne feront pas la différence. Bien au-delà d'Alain, et en totale contradiction avec tout ce que le « Prince de l'Entendement » représentait à ses yeux, la célébration de Descartes, incarnation du rationalisme républicain, culminera par son couronnement comme symbole de la nation dans l'entre-deux-guerres. L'un des atouts les plus considérables de celui-ci à la fin du XIXe siècle, dans le contexte d'une montée en puissance de l'Allemagne et après la guerre franco-prussienne de 1870, a été précisément son caractère typiquement français : il est irréductiblement français, par sa catholicité et son génie littéraire, lequel coïncidait avec l'« axe de la langue française. Il procède du même ordre et il suit le même mouvement [31] ». La Grande Guerre marque évidemment un tournant dans cette métamorphose nationaliste, à laquelle Alain, revenu de la guerre plus certain que jamais de la nécessité de lutter contre tous ses ferments, demeurera évidemment étranger [32].

D'autres sont encore plus directs. Dans une étude publiée en 1921, Jacques Chevalier, disciple de Bergson, attribue à Descartes le mérite d'avoir inspiré la victoire française sur l'Allemagne. Il décrit le maréchal Foch comme « la plus haute et la plus féconde incarnation de l'esprit cartésien ». L'héroïsme des paysans qui se sont battus pour défendre leur terre contre la barbarie germanique est également qualifié de « cartésien », car il exprime les vertus favorites du philosophe : dévouement à son travail, bon sens et défense du bien commun. Certes, les fondements textuels de cette dernière vertu sont bien minces, mais l'heure n'est pas à la nuance : le *Discours de la méthode* incarne le « génie français », une judicieuse combinaison des contraires qui a su concilier ces tendances diverses et, en apparence, contradictoires : « esprit d'analyse et esprit de synthèse, réalisme et idéalisme, aptitude à l'action et goût de la contemplation, hardiesse froide de la pensée et flamme du sentiment, culte du positif, qui n'accepte rien sans critique, mais soumet toujours la recherche à l'épreuve des faits, et croyance passionnée dans les réalités spirituelles, qui sollicitent sans cesse l'homme à dépasser la nature et à se dépasser lui-même dans la poursuite du vrai et du bien [...] ». Au cas où on jugerait ce catalogue insuffisant, Chevalier recrute également la philosophie de Descartes au service du plus patriotique des objectifs : « libérer la pensée française du joug de la pensée allemande, qui l'a trop longtemps asservie ».[33]

À l'approche de la Seconde Guerre mondiale, le nationalisme cartésien refait surface lorsque Georges Duhamel compare la culture française à une « ligne Descartes », en référence à la ligne Maginot. Quant à Henri Berr, le fondateur de la *Revue de synthèse historique*, il invoque l'esprit de Descartes contre l'esprit machiavélien de Hitler : « Raison, Vérité, Humanité : voilà l'essence de la civilisation. C'est la vraie philosophie, fondée sur la raison, qui seule, déclarait Descartes, "nous distingue des plus sauvages et des barbares". »[34]

D'autres échos cartésiens se font entendre entre 1940 et 1944, tandis que la France subit l'épreuve de la défaite et que des groupes de résistants (sur le sol français comme à l'étranger) défient l'occupant allemand et le régime collaborationniste de Vichy. Beaucoup d'intellectuels conservateurs antirépublicains, convaincus que le rationalisme a sapé l'héritage spirituel de la nation et éloigné le peuple d'un catholicisme sincère, sont prompts à le rendre responsable de la capitulation de la France. Approuvant l'interdiction des sociétés secrètes décrétée par Vichy en 1940, l'éditorialiste d'un journal conservateur fait observer que les francs-maçons avaient adopté pour devise « celle que Descartes avait rendu célèbre : "J'avance masqué" ». Un autre ajoute : « Nous devrons tourner le dos à Descartes si nous voulons survivre en tant que nation. » Plus sinistre encore, Abel Bonnard, ministre de l'Éducation du gouvernement de Vichy, exige que Descartes soit « jeté par la fenêtre ».[35]

En 1941, un article de la désormais vichyste *Nouvelle Revue française* attaque ce qu'il appelle l'« idéal cartésien de rigueur », auquel il attribue la perversion de la pensée française depuis le XVIIIe siècle : introduction de la démocratie, travail de sape des croyances religieuses, rejet des valeurs traditionalistes et élimination du patriotisme – ce qui n'est pas sans rappeler l'opinion négative de Taine à l'égard de la tradition révolutionnaire. Les conséquences de ce mode de pensée intellectualiste avaient été catastrophiques aux yeux des conservateurs : les Français étaient devenus obsédés par l'individualisme, qui avait contaminé la sphère publique comme la sphère privée. Et la défaite de 1940 n'avait été que la conséquence directe de l'aveuglement des élites, incapables de se détourner du culte du raisonnement *a priori*.[36]

Les résistants, quant à eux, ne s'engagèrent pas dans de telles polémiques : comme l'éminent spécialiste de la Seconde Guerre mondiale Henri Michel l'a bien noté, l'époque était à l'action et, de fait, pendant les années de guerre, il y eut une certaine réticence à s'engager dans la réflexion théorique et philosophique. Mais il n'était pas difficile de trouver des traces de l'influence de Descartes, symboliques mais réelles, chez les patriotes français qui refusèrent de capituler en 1940. On peut citer entre autres le marxiste Georges Politzer, qui, avant la guerre, avait célébré en Descartes l'incarnation du « rationalisme en mouvement ». Ou un autre héros emblématique de la résistance, Jean Cavaillès, professeur de philosophie à la Sorbonne : son collègue Georges Canguilhem expliquera plus tard que l'engagement de Cavaillès dans la lutte armée contre les nazis avait été une conséquence logique de son rationalisme philosophique. Lorsque ses codétenus du camp d'internement de Saint-Paul-d'Eyjeaux lui demandèrent de leur faire une conférence en novembre 1942, il l'intitula « Descartes et sa méthode ». L'éditorial du premier numéro de *L'Université libre*, revue communiste clandestine, affirmait : « Au pays de Descartes, la raison restera victorieuse. »[37]

C'est pour une raison plus fondamentale que l'esprit de Descartes hante l'imaginaire collectif de la Résistance. Dans les premières années du conflit, la situation morale et spirituelle de la France fut souvent comparée à une *tabula rasa* – le sentiment que toutes les certitudes politiques et morales avaient été détruites, ce qu'un observateur résuma ainsi : « Un ébranlement de toutes les normes. » Tout devait donc être reconstruit en repartant de zéro, d'où les accents cartésiens de l'Appel du 18 juin, dans lequel le général de Gaulle exhorte les Français à continuer le combat contre l'Allemagne. Cet appel ne reposait pas sur un impératif moral universel, il s'adressait à la conscience de chaque citoyen – un point souligné par de nombreux résistants. Le Général lui-même semblait avoir adopté un état d'esprit cartésien dans son désir de s'élever et de se retrancher du monde, comme lui-même le décrira plus tard : « Il me fallait gagner les sommets et n'en descendre jamais plus. » Il faut y ajouter son refus d'accepter quoi que ce soit sans l'avoir minutieusement examiné (même, voire surtout, s'il s'agissait du soutien de ses alliés immédiats) ou son intention maintes fois répétée de suivre le « droit chemin » pour obtenir la libération de la nation : « Du désastre à la victoire, la ligne droite est le plus court mais aussi le plus sûr chemin. » Ce qui constitue une citation directe de la deuxième maxime morale du *Discours* que Descartes formule comme un conseil donné à des voyageurs « qui, se trouvant égarés en quelque forêt, ne doivent pas errer en tournoyant tantôt d'un côté, tantôt d'un autre, ni encore moins s'arrêter en une place, mais marcher toujours le plus droit qu'ils peuvent vers un même côté et ne le changer point pour de faibles raisons ».[38]

Existentialiste avant l'heure

Dans le journal intime qu'il rédige pendant les premiers mois de la Seconde Guerre mondiale, Jean-Paul Sartre se souvient de s'être réfugié dans la lecture de Descartes pour échapper à l'ennui de la philosophie telle qu'on l'enseignait alors à l'École normale supérieure. Avec ses camarades Paul Nizan et Raymond Aron, il se place « sous le signe de Descartes parce que Descartes est un penseur à explosions », un révolutionnaire qui « tranche et taille en laissant aux autres le soin de recoudre ». Cette analyse constitue un commentaire doublement pertinent sur la « drôle de guerre » : elle témoigne de la désintégration des valeurs collectives de la France tout en marquant le début de la quête menée par Sartre pour redéfinir le concept de liberté. L'entreprise va donner naissance à l'existentialisme, une nouvelle forme de rationalisme philosophique qui domine la vie intellectuelle française de l'après-guerre, sous l'influence de Sartre, de Simone de Beauvoir et d'Albert Camus. Véhiculées sous de multiples formes (textes philosophiques complexes, pamphlets, articles de journaux, pièces de théâtre et romans), les idées existentialistes tentent de redonner du sens à une époque d'incertitude morale et politique en cherchant à résoudre l'apparente absurdité de l'existence. Selon Camus, « ce monde en lui-même n'est pas raisonnable [...] ce qui est absurde, c'est la confrontation de cet irrationnel et de ce désir éperdu de clarté dont l'appel résonne au plus profond de l'homme ». La quête existentielle vise donc à définir un moi authentique dont il n'existe pas de modèle mais qui doit néanmoins passer par l'épreuve de l'universalité. Comme l'avait exprimé Sartre dans *L'Être et le Néant* : « L'homme, condamné à être libre, porte le poids du monde tout entier sur ses épaules. »[39]

L'existentialisme de Sartre provenait en grande partie de son interprétation de la phénoménologie d'Edmund Husserl, mais on retrouve dans sa pensée un postulat typiquement cartésien. Cependant, tout en s'inscrivant dans la continuité de ses prédécesseurs républicains et rationalistes d'avant-guerre, Sartre fait preuve d'un cartésianisme radicalement différent. En 1944, il publie une sélection de textes philosophiques de Descartes précédée d'une introduction dans laquelle il salue l'inventeur du *cogito* comme étant le fondateur de la notion de libre arbitre et l'architecte de la démocratie moderne : « Nul n'a mieux montré que Descartes la liaison entre l'esprit de la science et l'esprit de la démocratie, car on ne saurait fonder le suffrage universel sur autre chose que cette faculté universellement répandue de dire non ou de dire oui. » Le Descartes sartrien est un précurseur de l'existentialisme, car il a compris que le concept de liberté était au cœur de la réalisation de l'homme et que ce concept « renfermait l'exigence d'une autonomie absolue ». Sartre revient à cette métaphysique une année plus tard lors d'une conférence publique sur l'existentialisme : « Il ne peut pas y avoir de vérité autre, au point de départ, que celle-ci : je pense donc je suis, c'est la vérité absolue de la conscience s'atteignant elle-même. »[40] Ses détracteurs ont fait remarquer que ce n'était pas un hasard si Sartre avait choisi Descartes pour symboliser l'aspiration humaine à la liberté : pure faculté de l'esprit, cette notion ne semble pas requérir l'action politique, ce qui pouvait justifier l'absence de toute participation active de Sartre à la Résistance.

L'existentialisme fut également attaqué, dans les années qui suivirent la guerre, pour son manque d'optimisme : de fait, les personnages des romans existentialistes (tels Roquentin dans *La Nausée* ou Meursault dans *L'Étranger*) semblent plus enclins à tomber dans la *mauvaise foi** qu'à embrasser leur moi « authentique » ou véritable. L'accent mis par Sartre sur l'individualité irréductible de la conscience conduisait aussi certains progressistes à considérer l'existentialisme comme une simple version remise au goût du jour du cartésianisme démocratique et républicain de l'entre-deux-guerres[41]. Il y avait certes des similitudes superficielles entre les deux, et on retrouve un écho d'Alain dans la remarque paradoxale de Sartre en 1944 : « Jamais nous n'avons été plus libres que sous l'occupation allemande[42]. » Par cela il voulait dire que les circonstances extrêmes de l'Occupation et la possibilité que certains choix puissent entraîner la mort permettaient à l'homme d'apprécier la liberté à sa juste valeur. À cet égard, l'existentialisme sartrien tentait de se débarrasser de ce qu'il percevait comme les éléments les plus encombrants de l'héritage rationaliste classique. Il promouvait une forme de liberté radicale et créatrice, mais dans un univers où il n'y avait plus ni Dieu ni téléologie, plus d'idéaux normatifs largement partagés sur lesquels avaient reposé les récits comtiens ou doctrinaires, un univers où même la foi rassurante en une nature humaine perfectible qui sous-tendait le rationalisme républicain avait disparu. De cette position privilégiée mais complètement dégagée de toute contingence Sartre pouvait conclure : « Nous sommes seuls [43]. »

Cependant, malgré tous leurs efforts pour proposer un horizon collectif (et optimiste) à leur doctrine, les penseurs existentialistes se heurtèrent à la difficulté de définir leur conception d'une vie libre ou de déterminer l'ensemble des valeurs et des vertus qui leur paraissaient désirables. L'humanisme que Sartre appelait de ses vœux en 1945 n'était, pour l'essentiel, qu'une reprise de l'idéalisme allemand et il abandonna au cours des années suivantes son projet de bâtir une morale systématique. Il en vint à proposer une éthique progressiste de libération – extension évidente, dans le domaine philosophique, de l'expérience de la Résistance. Cet idéal était formulé de diverses manières. La notion sartrienne d'*engagement* était centrée sur un impératif universel de responsabilité intellectuelle. L'écriture devenait ainsi une forme d'action, une manière d'intervenir dans la quête collective pour la liberté, le romancier assumant désormais la tâche de « prendre parti contre toutes les injustices, d'où qu'elles viennent [44] ». Camus adopta un principe similaire dans son concept de « révolte », qui ouvrait la possibilité de surmonter l'absurde par la pratique d'une forme de solidarité collective. Comme il l'exprima dans une formule néocartésienne frappante : « Dans l'épreuve quotidienne qui est la nôtre, la révolte joue le même rôle que le "cogito" dans l'ordre de la pensée : elle est la première évidence. Mais cette évidence tire l'individu de sa solitude. Elle est un lieu commun qui fonde sur tous les hommes la première valeur. Je me révolte, donc nous sommes. » Camus prit bien garde, cependant, de distinguer cette révolte humaniste, centrée sur des objectifs concrets et limités, du concept de « révolution » visant à établir l'impossible harmonisation de toute l'humanité – une entreprise qui, selon lui, ne pouvait que sombrer dans le meurtre collectif et l'oppression [45].

Les écrits de Simone de Beauvoir sont fondés sur ce même dilemme : trouver une éthique existentielle positive qui puisse « hardiment refuser les consolations du mensonge et celle de la résignation ». Comparant la philosophie existentialiste à la révolte de Descartes contre le *malin génie* (figure imaginée par Descartes dont le but serait de donner une image totalement fausse du monde, tout en essayant de faire douter le philosophe de sa propre existence), elle a tenté de définir une « morale de l'ambiguïté » dans laquelle la liberté peut se conquérir par la réalisation de chaque existence individuelle « comme un absolu ». [46] Cette position s'inspirait largement de l'expérience de la Résistance (et, comme chez Sartre, constituait sans doute une forme de surcompensation à son absence d'engagement politique pendant ces années). Le prix à payer pour être libre fut ainsi illustré dans *Le Sang des autres*, un roman publié en 1945, par le personnage de Blomart, chef d'un réseau de résistants qui doit choisir ou refuser d'envoyer ses subordonnés à la mort. Il assume finalement le fardeau de la décision, même si cela entraîne Hélène, la femme qu'il aime, à sa perte : « Naguère, il rêvait lui aussi de garantir ses actes par de belles raisons sonnantes ; mais ç'aurait été trop facile. Il devait agir sans garantie. » Simone de Beauvoir eut également recours à un autre exemple fictif, à nouveau fondé sur l'expérience de la Résistance, pour illustrer la notion de responsabilité :

> À nous de choisir s'il faut tuer un homme pour en sauver dix ou en laisser mourir dix pour ne pas en trahir un : ni dans le ciel ni sur la terre, la décision n'est inscrite. Quoi que je choisisse, je suis infidèle à ma volonté profonde de respecter la vie humaine ; et

pourtant je suis obligé de choisir et aucune réalité extérieure à moi-même ne m'indique mon choix.

Elle reconnaîtra plus tard les limites intellectuelles de telles réflexions pour fonder une théorie de l'action morale.[47]

C'est dans *Le Deuxième Sexe*, texte fondateur où elle applique les principes de l'existentialisme à l'analyse de la condition féminine, que Simone de Beauvoir donne à ce courant philosophique son expression la plus convaincante – et celle qui eut les conséquences les plus importantes. Rejetant la vision classique du genre comme étant fondé par la nature, Beauvoir y affirme que le caractère sexuel est « ambigu » et non déterminé par la biologie : « On ne naît pas femme, on le devient[48]. » Ce conditionnement est une construction culturelle résultant de mythes et d'expériences qui se sont combinés pour créer « un impérialisme de la conscience » perpétuant la domination des hommes sur les femmes. Le livre se conclut en ouvrant l'horizon de la révolution sexuelle, censée s'accomplir lorsque les femmes reprendront le contrôle de leur propre corps et forgeront de nouvelles relations avec les hommes, fondées sur l'égalité et la fraternité.

Descartes au Parti communiste

« On voudrait faire croire que les esthètes décadents et autres existentialistes représentent l'esprit français, quand ils ne sont l'expression que de la décomposition idéologique de la bourgeoisie. En philosophie, en littérature, les forces de la réaction essayent de se dresser contre le vieil optimisme conquérant et français qui va de Descartes à Paul Langevin et qui exalte la dignité humaine, la raison et la liberté[49]. » Publiée dans une revue de philosophie communiste en 1947, cette diatribe résume le mépris manifeste du Parti pour l'existentialisme. Ce qu'il percevait comme pessimisme et étroitesse d'esprit y était opposé à la conception lumineuse que les communistes avaient de la raison, incarnée ici par Descartes et par Paul Langevin, qui avait rejoint les rangs du Parti en 1946 après avoir été assigné à résidence pendant toute la guerre par le régime de Vichy. (On pouvait y lire également une pointe subtilement dissimulée contre l'attitude moins reluisante de Sartre pendant la guerre.)

Descartes devint le principal porte-drapeau du rationalisme communiste en France dès le milieu des années 1930 et la diversité des qualités qu'il symbolise témoigne de son omniprésence. Son nom était systématiquement invoqué pour prouver que la tradition radicale en France était enracinée depuis fort longtemps et qu'elle s'incarnait désormais dans le Parti communiste. Selon les termes de *L'Humanité*, « Descartes secouait définitivement le joug de l'autorité et proclamait l'indépendance de la raison en face de tous les dogmes », demeurant ainsi « un des représentants les plus éminents du progrès humain »[50]. Cette grandeur était célébrée avec faste non seulement dans les publications du Parti, mais également au cours des rituels qu'il organisait, tels les défilés commémoratifs en l'honneur des héros révolutionnaires. Les militants y brandissaient les portraits des écrivains qui avaient été la « gloire de la France » : Descartes figurait en bonne place dans ce panthéon aux côtés de Rousseau, Voltaire, Diderot, Zola et Hugo. Au lendemain de la libération de Paris, en août 1944, au moment où le Parti s'apprêtait à entrer au gouvernement provisoire du général de Gaulle, le philosophe du XVIIe siècle servit de caution à une idéologie présentée comme l'héritière d'une tradition d'excellence nationale qui remonte à « Montaigne, Rabelais et Descartes ».[51]

Dans cette lignée progressiste dont les communistes se réclament, Descartes symbolise l'attachement à la défense et à la propagation de la culture en France. Dès le milieu des années 1930, le Parti a fondé le « cercle Descartes », un cycle de conférences publiques où l'on débat de questions scientifiques et philosophiques ainsi que de problèmes majeurs de politique internationale. Le nom du philosophe est fréquemment invoqué pour promouvoir l'idéal de l'éducation de masse – par opposition à la conception élitiste de la culture défendue par les conservateurs et les fascistes[52]. Pour le trois centième anniversaire de la mort du philosophe, en 1950, les communistes organisent une exposition qui s'ouvre à Paris avant d'être présentée à Marseille,

Grenoble, Lyon et Montpellier. Et, lorsque leur maison d'édition (les Éditions sociales) lance sa série des classiques populaires, le *Discours de la méthode* figure naturellement parmi les premiers titres publiés [53]. Le cartésianisme communiste est associé à la rigueur du raisonnement et à la clarté de l'analyse, mais aussi à un esprit nationaliste vigoureux : ainsi, en 1955, les communistes s'opposent-ils farouchement à l'intention du gouvernement d'introduire l'enseignement de l'anglais au lycée. Affirmant que de tels projets ne sont « que la tentative d'asservir la nation française à l'impérialisme américain », un intellectuel communiste ajoute même que l'étude des grands écrivains français – dont Descartes – « n'est pas propre à former des esclaves ni des mercenaires dociles », mais au contraire des citoyens capables de défendre « des idées de liberté et d'amour de la paix » [54].

C'est Maurice Thorez, secrétaire général du Parti, qui fait la description la plus spectaculaire de ce Descartes humaniste, symbole du génie national français, lors d'un discours à la Sorbonne en mai 1946 : « Le monde aime Descartes parce que, dans la France, il reconnaît Descartes et ceux qui l'ont continué. À travers les tempêtes et les nuits qui se sont abattues sur les hommes, c'est Descartes qui, de son pas allègre, nous conduit vers des lendemains qui chantent [55]. » Mais apparaît également une représentation plus doctrinale du philosophe lorsque Henri Mougin affirme que la contribution du cartésianisme à la science provient moins des découvertes majeures faites par Descartes que de sa méthode fondée sur une épistémologie particulière : « L'unité de l'intelligence est à la fois le symbole et l'instrument d'une unité plus large : l'unité méthodique de la pensée. » Cette unité constitue le fondement de la conception que les communistes français se font de la raison, une conception de nature fondamentalement moniste et qui ne fait pas de distinction entre sciences humaines et sciences naturelles. De plus, contrairement aux interprétations idéalistes, la lecture communiste de Descartes traite la pensée du philosophe comme étant essentiellement matérialiste, affirmant que le but principal de sa science est la connaissance du monde objectif. Même si Mougin reconnaît un élément d'ambivalence dans la philosophie de Descartes à l'égard de la relation entre l'esprit et la matière, il maintient une interprétation résolument matérialiste du cartésianisme. Loin de célébrer le caractère solitaire de la réflexion humaine, la visée fondamentale du *cogito* est l'« installation de la pensée dans le monde ». [56] Henri Lefebvre va compléter cette analyse : bien qu'elle ne soit pas parvenue à s'extirper totalement des griffes de l'idéalisme, la raison géométrique de Descartes a constitué une révolution dans la pensée moderne – elle a préparé la voie à la raison pratique de Marx, raison pratique ordonnée à la compréhension et à la résolution des problèmes de l'âge moderne. Cette interprétation scientifique et matérialiste, étayée par des citations tirées de *La Sainte Famille* de Marx, faisait de Descartes l'un des précurseurs intellectuels de la tradition révolutionnaire française. [57]

Il régnait une certaine tension entre ces différentes conceptions communistes de la raison. La version humaniste reflétait la foi authentique du Parti dans la valeur de l'éducation et son investissement dans la diffusion de la culture française par l'intermédiaire d'un réseau très dense d'associations. À cet égard, les communistes étaient les véritables héritiers de la tradition républicaine. Le Descartes « scientifique », quant à lui, se révélait potentiellement plus problématique, dans la mesure où il exploitait les instincts dogmatiques du Parti en matière de questions philosophiques et morales fondamentales. La diversité de ces cartésianismes ouvrait la voie à certaines adaptations risquées. Un article décrivant les réalisations du communisme soviétique (publié dans *L'Humanité* au moment même où Staline mettait en œuvre les grandes purges de 1937) affirmait ainsi : « À la formule de Descartes "je pense donc je suis" [la Russie] substitue une nouvelle ambition : "j'existe donc j'ai droit" [58]. »

Plus prosaïquement, Descartes fut recruté pour mobiliser l'électorat en 1946 lors du référendum constitutionnel – l'auteur de l'article philosophique en question en résume plus tard le propos avec humour par le slogan suivant : « Descartes vote oui [59]. » Ainsi, tandis que le culte rendu par les communistes français à l'Union soviétique au sortir de la Seconde Guerre mondiale atteignait son apogée, le rationalisme dégénéra en mysticisme puis en véritable religiosité, laquelle, grâce à Descartes, gardait toute l'apparence d'un rationalisme *à la française**. Comme l'écrivit Jean-Richard Bloch dans un anachronisme frappant : « Lorsque j'ai entrepris l'étude systématique de la vie, de l'action et des ouvrages de Staline, j'ai été frappé de leur transparence, de leur limpidité, de leur clarté. C'est au point que, si Staline était français, tous nos petits chroniqueurs ne manqueraient jamais d'employer à son sujet l'expression "logique cartésienne". Il n'y a personne de plus "cartésien" que Staline[60]. »

Les raisons d'un succès

Nationalisme et universalisme, individualisme et esprit collectif, spiritualisme et science, élitisme parisien et bon sens provincial : l'éventail des sensibilités culturelles qui, pendant toute l'ère moderne, se sont approprié la méthode et les maximes de Descartes pour acquérir une légitimité est extrêmement large, ce qui prouve que la pensée du philosophe possède cette ambiguïté créatrice qui est la condition essentielle de la *longue durée** d'une philosophie. Mais cela souligne également son irréductible identité française. Le contraste avec la Grande-Bretagne est tout particulièrement frappant ici : aucun des grands philosophes de la tradition empirique n'est célébré comme un héros de la culture britannique. La seule figure comparable à celle de Descartes pourrait être Shakespeare, à ceci près que le dramaturge ne fut pas ce qu'un Français appellerait un intellectuel. Par-dessus tout, l'héritage de Descartes témoigne de la fascination jamais démentie en France pour le mode de raisonnement dont il a été l'exemple : hardi et ambitieux dans ses aspirations ; fluide mais contrôlé dans son style ; déductif et essentialiste (pour ne pas dire dogmatique) dans sa forme ; combatif et oppositionnel par instinct, mais paradoxalement attaché aux idéaux de rigueur et de certitude.

Car, malgré la diversité de ses variantes, le concept d'un « esprit cartésien » a bel et bien existé. Associé à l'idée métaphysique d'un moi autonome, sceptique et critique, il exprime la conviction que la raison est non seulement la caractéristique qui définit la condition humaine, mais aussi la seule source de notre capacité à former des jugements moraux et à imposer un ordre conceptuel au monde. Des doctrinaires aux communistes, les rationalistes français ont également partagé l'opinion selon laquelle la raison est un puissant facteur d'émancipation qui opère, d'une part, de manière négative pour se débarrasser des dogmes établis spirituels ou temporels (même s'il ne s'agit que de les remplacer par d'autres dogmes) et, d'autre part, de manière positive pour permettre de dominer la nature et de faire progresser la condition humaine. Le cartésianisme a joué un rôle particulièrement crucial dans la définition d'un sentiment d'identité collective qui repose sur une conception essentialiste et indivisible du moi. Ce n'est donc pas par accident que Descartes a fourni au nationalisme républicain moderne son soubassement philosophique. Comme nous le verrons plus tard, sa métaphysique holistique constitue le cœur de l'implacable hostilité française au multiculturalisme. En ce sens, le cartésianisme met en lumière un aspect important de la culture française moderne : malgré l'instabilité politique et les fréquents changements de régime qui se sont succédé pendant un siècle et demi après la Révolution, les élites intellectuelles ont épousé un certain nombre de positions philosophiques communes.

À partir des années 1960, cependant, ce rationalisme a été mis à l'épreuve et sa conception du sujet pensant individuel contestée, notamment par les philosophes structuralistes, qui remettront en question ses présupposés fondamentaux, telle la possibilité même que le sens soit une notion fixe et inchangée. Mais ces défis n'ont fait que prouver, une fois de plus, la capacité d'adaptation du cartésianisme. En 1987, André Glucksmann, l'une des figures de proue de la nouvelle philosophie antimarxiste, publie son *Descartes, c'est la France*, où il affirme que le véritable esprit du cartésianisme ne se trouve pas dans le rationalisme pompeux de la tradition progressiste française mais dans une conception plus sobre de la raison – un rationalisme sans illusions (Glucksmann s'appuie aussi sur le fait que la philosophie de Descartes avait été connue sous l'appellation de « nouvelle philosophie ») [61].

Ce Descartes « allégé », moins ambitieux, n'a pas tardé à attirer un certain nombre d'adeptes. Parmi les philosophes, Pierre Guénancia affirme ainsi que Descartes est l'antidote le plus puissant contre les excès du pouvoir étatique et la montée du communautarisme, deux facteurs qui menacent de saper la souveraineté de la raison individuelle. Son collègue Denis Moreau, quant à lui, fait l'éloge d'un Descartes qui l'a aidé à résoudre certains dilemmes pratiques : surmonter son sentiment de désorientation, rester fidèle à son conjoint, réconcilier son rationalisme et sa foi chrétienne, et même comprendre les limites conceptuelles de la télévision. Et, lorsqu'un critique radical de l'individualisme philosophique cartésien tel que Bruno Latour, convaincu que la pensée est irréductiblement collective, déclare : « *Nous pensons*, et c'est *grâce* au fait que nous sommes nombreux, soutenus, institués, instrumentés que nous accédons au vrai », il ne peut s'empêcher d'organiser son analyse sur le modèle du *cogito* cartésien. [62]

Étiquette pour un fromage fabriqué non loin du village natal de Descartes, en Indre-et-Loire, dans les années 1920.

S'il nous fallait d'autres preuves encore que Descartes demeure un symbole national, nous pourrions mentionner la reprise de la saga (assez inconvenante, il faut le reconnaître) concernant sa dépouille. En 2009, François Fillon cherche à faire transférer le crâne du philosophe du musée de l'Homme (où il a été un temps exposé à côté d'un moulage de celui du footballeur Lilian Thuram) vers son fief électoral de la Sarthe. Deux ans plus tard, des parlementaires divers gauche proposent que sa dépouille entre au Panthéon [63]. Descartes est également encore célébré pour la qualité littéraire de ses textes et en ce sens le plus grand hommage que l'on puisse rendre au créateur du *cogito* est de noter combien il continue à inspirer les dramaturges, les romanciers, les poètes et les scénaristes français, qui trouvent tous quelque chose (et quelque chose de différent) à célébrer dans sa vie et sa philosophie : sa capacité à se sentir « partout un peu chez [lui] dans l'Europe et vraiment chez [lui] nulle part ». Sa ferveur religieuse. Son amour pour sa fille, Francine, dont la mort tragique et prématurée l'avait laissé « dans le plus profond chagrin qu'il ait jamais éprouvé dans sa vie ». Son mépris du verbiage et de l'agitation inutile, et l'« humilité vertueuse » qu'il incarnait. Sa capacité à susciter un sentiment de « doute pathologique ». Son sens de l'aventure qui anticipait le romantisme et faisait de lui un « chevalier de l'impossible, frère de d'Artagnan ».[64] Dans une série télévisée filmée en Bretagne et inspirée des légendes celtiques, l'œuvre de Descartes fournit au héros, un informaticien nommé Chris, le moyen de vaincre une force maléfique qui s'échappe d'une roche. Il n'y a apparemment pas de limites aux manières de s'approprier Descartes ; citons par exemple le satiriste Frédéric Pagès, pince-sans-rire, qui suggère que la vraie raison de son exil en Hollande était son penchant pour les drogues hallucinogènes. En 2012, l'horticulteur Guy André crée une nouvelle variété de rose d'une délicate nuance rose abricot en l'honneur du philosophe national. Au cours de son baptême dans les jardins de Descartes, il la décrit comme « une rose internationale, à la fois sérieuse dans son comportement et latine dans son coloris ». Ne voulant pas être en reste, le manager du Lorient Football Club Christian Gourcuff déclare à la fin de sa dernière saison que sa technique du 4-4-2 est « cartésienne ». C'est dans les mêmes termes que l'artiste-peintre Brigitte Clermont analyse ses œuvres qui représentent des figures géométriques – même si elle doit concéder qu'elle « laisse aller spontanément [ses] tracés. C'est un peu paradoxal ». Quant aux auteurs de romans policiers, ils ne pouvaient manquer de s'inspirer des qualités cartésiennes de l'esprit déductif et c'est ainsi que, dans *L'Échelle de Monsieur Descartes*, le meurtre mystérieux du chevalier de Blancmesnil à Paris, en 1648, est résolu par notre intrépide inspecteur René, armé d'un simple crayon, de quelques feuilles de papier et de sa seule « raison triomphante ».[65]

2

Les ténèbres et la lumière

Vers la fin de la présidence de François Mitterrand et juste après sa mort, en janvier 1996, les Français firent un certain nombre de découvertes sur ce personnage énigmatique, premier président socialiste de la Vᵉ République. Il apparut notamment qu'il avait eu quelques sympathies pour l'extrême droite nationaliste pendant les années 1930 et qu'il avait discrètement entretenu (aux frais de l'État) une seconde famille au cours de ses deux septennats [1].

Tout aussi troublante fut la révélation que Mitterrand, homme d'État et intellectuel, figure de gauche et par conséquent digne héritier de toute une tradition française de rationalisme philosophique, avait régulièrement consulté l'astrologue Élizabeth Teissier au palais de l'Élysée. Mme Teissier, auteur d'horoscopes très populaires (quoique pas toujours très fiables), fut la fidèle confidente du président entre 1989 et 1995. Dans un livre de Mémoires qui connut un grand succès, elle décrit le « magnétisme très fort » qui se dégageait de François Mitterrand, dont la carrière, selon elle, était placée sous l'influence de la Lune noire. Elle prétendait même avoir découvert « de mystérieuses mais puissantes connexions » entre la destinée de l'homme et celle de la Vᵉ République. Le président lui demandait conseil non seulement dans le domaine de sa vie privée et de sa santé, mais aussi en matière d'affaires d'État, petites ou grandes. Pendant la guerre du Golfe, il lui arrivait de l'appeler deux fois par jour. Il la chargeait aussi d'établir le profil astrologique de ses Premiers ministres et d'autres membres importants du gouvernement, et il sollicitait des conseils pour choisir des dates propices à ses initiatives politiques. C'est ainsi que – grande première dans l'histoire constitutionnelle de la France moderne – ce fut Mme Teissier elle-même qui préconisa expressément de fixer le référendum sur le traité de Maastricht au mois d'octobre 1992 [2].

Or Élizabeth Teissier a été reçue docteur en sociologie à la Sorbonne en 2001, ce qu'on pourrait considérer comme une aberration sans conséquence du système universitaire français [3]. De même, il pourrait être tentant d'expliquer le penchant de Mitterrand pour l'astrologie comme une réaction peu conventionnelle à l'effondrement de l'équilibre des pouvoirs issu de la guerre froide en Europe – ou tout simplement comme le comportement excentrique d'un monarque républicain âgé et de plus en plus malade, qui, lors de ses derniers vœux télévisés, le 31 décembre 1994, déclara à ses compatriotes perplexes : « Je crois aux forces de l'esprit et je ne vous quitterai pas [4]. » Mais Mitterrand n'était que le dernier d'une longue série de dirigeants français qui, depuis 1789, avaient cru que des forces surnaturelles pouvaient façonner leur destin et celui de la nation. Maximilien Robespierre, implacable instigateur de la Terreur, célébrait un culte mystique déiste et fut salué comme un messie par de fervents partisans, les théotistes. Certains d'entre eux étaient même persuadés avoir découvert une « constellation Robespierre » dans le ciel. Quant à Napoléon Bonaparte, certes moins superstitieux que sa première épouse, Joséphine, qui consultait régulièrement Mme Lenormand, une des plus grandes voyantes de l'époque, il faisait néanmoins de fréquentes références à sa « bonne étoile », qu'il affirmait pouvoir localiser précisément au firmament et qu'il désignait à son entourage déconcerté. Avant la bataille de Waterloo, sentant le vent tourner, il se rendit au château de la Malmaison dans une tentative aussi désespérée que vaine pour apercevoir à nouveau son céleste talisman. Quelques décennies plus tard, en 1857, Napoléon III invita le célèbre médium Daniel Dunglas Home au palais des Tuileries. Home fit apparaître une petite main blanche que l'impératrice Eugénie reconnut comme étant celle de son défunt père. Malheureusement, lorsque la main réapparut au cours d'une séance ultérieure, elle traça avec soin le nom de Napoléon Bonaparte. [5]

L'avènement de la république démocratique depuis la fin du XIXe siècle n'a pas réussi à contenir cette passion pour les conseils des astrologues et la communion métaphysique avec l'au-delà – bien au contraire. Certains des personnages les plus importants de la IIIe République, dont Jean Jaurès, Aristide Briand, Raymond Poincaré ou Georges Clemenceau, auraient également fait appel à des extralucides. Après la Seconde Guerre mondiale, le phénomène se poursuivit, faisant fi de tous les clivages politiques : les adeptes d'une telle pratique incluent aussi bien le président socialiste Vincent Auriol que le conservateur Antoine Pinay. [6] Avec Mitterrand, l'exemple le plus frappant de cette astrologie politique est Charles de Gaulle. On ne le sait guère, mais pendant sa présidence le Général consulta en toute discrétion un astrologue nommé Maurice Vasset, un major de l'armée française qu'il avait rencontré à Toulon en 1944 et qu'il félicita en ces termes : « Vous êtes un bon soldat et un bon astrologue. » Cette sensibilité métaphysique se retrouve dans l'une des phrases de la conclusion de ses *Mémoires de guerre* : « Regardant les étoiles je me pénètre de l'insignifiance des choses. » [7]

L'intérêt que les Français trouvent à combiner l'observation des étoiles, la magie et l'Histoire pour tenter de décrypter le sens caché du monde existe depuis la fin du Moyen Âge et ne faiblit pas. Tout semble avoir commencé avec les prédictions apocalyptiques de Nostradamus, dont les *Prophéties* furent publiées en plusieurs livraisons au milieu du XVIe siècle. En 1934, une thèse de doctorat étudiant le phénomène de l'occultisme sous l'angle économique conclut que cette pratique, plus florissante que jamais, attire des clients issus de tous milieux sociaux. En 1954, on estime à cinquante mille le nombre de voyants exerçant en France. La croyance en un ordre du monde mystique et transcendantal demeure très largement partagée puisque environ dix millions de Français auraient recours chaque année au service d'un extralucide. [8] Les enseignes culturelles telles que la Fnac sont dotées d'un rayon de littérature ésotérique bien fourni : d'après les chiffres de la profession, ce genre a représenté en 2011 un tirage global de six millions d'exemplaires, soit plus que la littérature religieuse ou historique[9]. Peut-on expliquer l'ampleur du phénomène en le traitant uniquement comme une réaction contre la solitude engendrée par l'individualisme moderne ou contre la destruction des mythes religieux traditionnels par la science, comme le font les sociologues[10] ? L'explication semble insuffisante, car elle surestime le contraste entre le passé et le présent, le savoir positif et la croyance ésotérique, la pensée laïque et la pensée occulte. Entre les deux pôles de la théologie et du matérialisme s'étend un riche territoire où coexistent l'attachement au rationalisme et la foi dans le surnaturel. Cette sensibilité, trait constant de la vie collective française tout au long de l'ère moderne, continue de façonner la culture intellectuelle des Français encore aujourd'hui.

Reconstruire la cité céleste

Nombre des principes de l'occultisme à la française – croyance en la bonté foncière de l'homme et en sa capacité de se rendre maître de lui-même, ouverture sur des cultures et des valeurs différentes, sens du mystère, recherche de l'harmonie cachée de l'Univers et quête d'une nouvelle forme de spiritualité – sont enracinés dans les idées des Lumières. Cela peut sembler paradoxal dans la mesure où les idées qui dominent le XVIIIe siècle sont d'habitude associées au scepticisme religieux et au rejet des croyances métaphysiques ou surnaturelles. Dans son *Histoire philosophique et politique*, l'abbé Raynal conclut sans ambages : « Le monde est trop éclairé pour se repaître plus longtemps d'incompréhensibilités qui répugnent à la raison, ou pour donner dans des mensonges merveilleux qui, communs à toutes les religions, ne prouvent aucune[11]. » C'est ce même rationalisme triomphal qu'exprime la somme monumentale de l'*Encyclopédie*, symbole de la pensée des Lumières. Publiée en vingt-huit volumes entre 1751 et 1772 sous la direction de D'Alembert et de Diderot, elle compte parmi ses contributeurs les philosophes les plus célèbres de l'époque : Voltaire, Rousseau, Montesquieu et Holbach. L'*Encyclopédie* cherche à illustrer les avancées techniques de l'âge moderne et à démontrer l'unité du savoir, ainsi que son caractère radicalement profane. La religion y est traitée comme une source inférieure de connaissance, guère différente de la superstition : dans l'arbre généalogique du savoir, elle se situe sur une branche isolée, à côté de la magie noire. C'est le philosophe qu'on célèbre désormais comme la source d'un savoir spécifique (et non plus spéculatif). Comme l'affirme l'*Encyclopédie* à l'article « Philosophe » :

> Les autres hommes sont emportés par leurs passions, sans que les actions qu'ils font soient précédées de la réflexion : ce sont des hommes qui marchent dans les ténèbres ; au lieu que le *philosophe* dans ses passions mêmes n'agit qu'après la réflexion ; il marche la nuit, mais il est précédé d'un flambeau. Le *philosophe* forme ses principes sur une infinité d'observations particulières. La vérité n'est pas pour le *philosophe* une maîtresse qui corrompe son imagination, & qu'il croie trouver partout ; il se contente de la pouvoir démêler où il peut l'apercevoir. Il ne la confond point avec la vraisemblance ; il prend pour vrai ce qui est vrai, pour faux ce qui est faux, pour douteux ce qui est douteux, et pour vraisemblable ce qui n'est que vraisemblable [...] L'esprit philosophique est donc un esprit d'observation et de justesse.

Cependant, les encyclopédistes avaient beau affirmer leur volonté de se reposer sur l'expérience et d'éliminer tout prétendu savoir fondé sur la foi, les conjectures ou l'imagination, ils ne s'en débarrassèrent pas entièrement. Par exemple, l'entrée « agaty », une plante tropicale, affirmait que « sa racine broyée dans l'urine des vaches dissipe les tumeurs ». [12]

En réalité, les principaux penseurs du XVIIIe siècle conservaient une position beaucoup plus ambivalente sur les questions de métaphysique que ce que semblaient impliquer leurs flamboyantes déclarations de principe. Le cas de Voltaire est à cet égard exemplaire. Jamais il ne faiblit dans sa dénonciation cinglante des religions monothéistes, faisant par exemple observer que, de toutes les religions, le christianisme « est sans contredit la plus ridicule, la plus absurde, et la plus sanguinaire qui ait jamais infecté le monde[13] ». Il n'avait également que mépris pour la sorcellerie, l'astrologie et l'alchimie, déplorant vers la fin de sa vie que ces domaines continuent à fasciner ses compatriotes. Cependant, comme la plupart des philosophes, Voltaire était également déiste – en partie par opportunisme : il assura fort éloquemment le souverain pontife Benoît XIV de ses sentiments filiaux afin de faciliter son élection à l'Académie française en 1746. Il semble également avoir été sincèrement convaincu que la structure de l'Univers reposait sur une harmonie qui ne devait rien au hasard mais prouvait à l'inverse « la sagesse et la bienveillance » de Dieu. Car, affirmait le philosophe : « On s'est moqué fort longtemps des qualités occultes ; on doit se moquer de ceux qui n'y croient pas... végétaux, minéraux, animaux, où est votre premier principe ? Il est dans la main de celui qui fait tourner le Soleil sur son axe, et qui l'a revêtu de lumière. » Ce faisant, Voltaire formulait l'un des principes les plus importants de la révolution intellectuelle des Lumières : la substitution de l'harmonie naturelle en lieu et place de la révélation divine. Ce bouleversement fut achevé par les travaux de Diderot et de Rousseau, dont la religion naturelle recyclait effectivement l'héritage chrétien du jardin d'Éden, du mythe de l'âge d'or et de la purification de l'âme. Derrière la rhétorique de rupture, l'idéalisation du genre humain opérée par les Lumières était ainsi encore enracinée dans la théologie chrétienne. Comme l'a noté à juste titre l'historien Carl Becker : « Les philosophes n'ont fait que détruire la cité céleste de saint Augustin pour la reconstruire avec des matériaux plus modernes. »[14]

Tel est l'arrière-plan spirituel qu'il faut brosser afin de comprendre les concepts fondamentaux qui apparaissent à la fin du siècle des Lumières et les liens qu'ils entretiennent avec la pensée occultiste : la croyance en la *scala naturae*, la grande chaîne des êtres, en l'idée de progrès et en la capacité de l'homme à transformer son environnement matériel et social. Par-dessus tout, cette idéalisation de la nature a fait évoluer de manière subtile la conception cartésienne de la raison humaine. Il y a eu un sentiment grandissant qu'un des attributs essentiels de la rationalité était moins sa qualité mathématique et analytique que sa capacité à exprimer l'« énergie interne » de l'homme, notamment à travers des facultés telles que le sentiment, l'imagination ou l'enthousiasme. L'abbé de Saint-Pierre définissait le *grand homme** comme celui qui, par ses « qualités intérieures de l'esprit et du cœur », procure « de grands bienfaits [...] à la société ». Pour certains, tel Diderot, l'essence de l'humanité résidait dans le cœur : « Les passions nous inspirent toujours bien puisqu'elles ne nous inspirent que le désir du bonheur. C'est l'esprit qui nous conduit mal, [...] et non la nature qui nous trompe. » Un autre, comme Rousseau dans *Émile*, expliquait que, pour trouver le juste critère de la connaissance et de la conduite morale, il fallait « rentrer en soi-même » et consulter « sa lumière intérieure ». Quant à Condorcet, dans son *Esquisse d'un tableau historique des progrès de l'esprit humain* (1793-1794), il affirmait que la nature avait doté tous les hommes d'« une sensibilité délicate et généreuse » ainsi que d'une « bienveillance active et éclairée », et il comparait explicitement le monde meilleur qui émergerait dans l'avenir à « un paradis terrestre, un Élysée que [la] raison a su se créer ». [15]

Cette clef qui embrasse tous les mondes

L'illuminisme illustre de manière plus spécifique la façon dont les idées des Lumières pouvaient se combiner harmonieusement à des croyances ésotériques et mystiques. Il se répand en Europe au cours des dernières décennies du XVIIIe siècle, principalement par l'intermédiaire de sociétés secrètes telles que la franc-maçonnerie. Dans sa dénonciation devenue classique de la Révolution française, l'abbé Barruel vilipende les illuministes et les francs-maçons, principaux responsables, selon lui, de la « conspiration antisociale » qui a détruit l'Ancien Régime au nom de l'athéisme [16].

Cependant, les francs-maçons français révéraient leur propre divinité, le Grand Architecte de l'Univers, généralement représenté comme une source lumineuse. La doctrine illuministe, quant à elle, était une foi spirituelle affirmant l'unité de tous les éléments naturels ; elle prêchait une doctrine de renouveau moral qui devait mener l'homme à réintégrer l'Être primordial. Ses disciples recherchaient des manifestations du surnaturel et pratiquaient la sorcellerie et la divination. Louis-Claude de Saint-Martin, principal propagateur de cette doctrine en France, salua la Révolution comme un acte de la providence, un premier pas vers « une sorte d'opération magique » au cours de laquelle le principe de souveraineté populaire atteindrait sa plénitude en restaurant la « théocratie spirituelle » qui devait unir Dieu et l'homme. Foisonnant de références à de brillantes étoiles et aux rayons éblouissants de la lumière, les écrits de Saint-Martin présentent un mélange éclectique d'allusions philosophiques classiques (notamment à Pascal et à Rousseau, ses deux héros), de revivalisme religieux associé à de l'anticléricalisme et de références obscures à un ordre cosmologique primordial qu'il compare à « cette clef [qui] embrasse tous les mondes par son universelle et pénétrante activité » et qui « est double sans cesser d'être une ». Ce système philosophique culminait avec l'apothéose de l'au-delà : « Car les morts ne l'ont pas, cette idée insensée que tout s'éteint dans l'homme. En eux, tout est vivant. » [17] Parmi les nombreux admirateurs de la philosophie de Saint-Martin figurent aussi bien le penseur réactionnaire Joseph de Maistre, qui le décrivait comme « le plus instruit, le plus sage et le plus élégant des théosophes », que Madame de Staël, qui célébrait ses « sublimes illuminations ». Sans oublier Honoré de Balzac dont les romans (notamment *Histoire des treize* et *Louis Lambert*, ce dernier largement autobiographique) sont parsemés de références à l'occultisme et d'allusions à Saint-Martin. À l'initiative du médecin et occultiste parisien Gérard Encausse (plus connu sous le nom de Papus) fut même créé en 1884 un ordre martiniste qui joua un rôle actif dans la propagation des idées de Saint-Martin au début du XXe siècle, notamment par la publication de pamphlets et la création de loges. [18]

Les conceptions morales du martinisme furent renforcées par les théories physiques du magnétisme popularisées par le médecin viennois Franz Mesmer. Le mesmérisme affirmait l'existence d'une force magnétique invisible transportée par un fluide qui influençait tous les corps animés et les corps célestes, et qui permettait de soigner toutes sortes de maladies physiques (par des massages exercés de manière adéquate sur les différents « pôles » du corps). Ce courant développa un penchant tout particulier pour les choses occultes et connut « sa plus grande vogue » en France durant les années 1780, où il influença des personnages de tous bords, modérés comme radicaux. Parmi eux figuraient notamment La Fayette, qui, dans une lettre à George Washington en 1784, se décrivait comme l'un des disciples les « plus enthousiastes » de Mesmer. Le futur girondin Jacques Pierre Brissot, autre mesmériste convaincu, voyait dans cette doctrine qui défiait l'orthodoxie scientifique de l'époque « un moyen de rapprocher les États, de rendre les riches plus humains, d'en faire de vrais pères aux pauvres ». [19] Malgré la scientificité douteuse de ces formes de « mysticisme révolutionnaire » et la manie qu'avaient leurs adeptes de parler avec les fantômes ou de communiquer avec de lointaines planètes, Louis Blanc fit l'éloge de Mesmer, défenseur de la liberté :

> Par les conspirations mystiques il sapait les tyrannies anciennes ; par la philosophie occulte il intéressait à la victoire de l'égalité ces deux puissants mobiles de la nature humaine : l'imagination et l'amour de l'inconnu ; par les guérisons miraculeuses attribuées à la force attractive d'un fluide universel il faisait de la solidarité physique des hommes la preuve et l'image de leur solidarité morale [20].

La dimension mystique de l'idéologie politique radicale est une caractéristique majeure de la pensée et de l'action des révolutionnaires français dans les années 1790. Les républicains qui détruisirent l'ordre ancien cherchaient à concevoir de nouvelles formes de spiritualité pour remplacer la culture de l'Ancien Régime. Fabre d'Églantine déclarait ainsi : « Il faut se saisir de l'imagination des hommes et la gouverner. » Les révolutionnaires s'emparèrent donc du langage et des symboles de la religion et conçurent des rituels civiques très proches de ceux du catholicisme. Les fêtes révolutionnaires générèrent leurs propres objets symboliques et s'accompagnèrent de processions sacrées et d'hymnes patriotiques. Ces cérémonies, présidées par des prêtres laïcs, incluaient baptêmes et enterrements républicains. La Convention décréta même une période de « jeûne républicain » appelé aussi « carême civique ». La Déclaration des droits de l'homme et du citoyen de 1789 fut considérée comme un texte sacré et souvent assimilée à un nouveau « catéchisme » (une coutume que Napoléon reprendra plus tard à son profit en rédigeant lui-même un catéchisme dans lequel il était célébré comme un dieu dans les écoles françaises). Dans l'iconographie populaire, la Déclaration était représentée comme « les tables descendant de la Montagne sacrée ». À nouveau on retrouvait le motif récurrent de l'opposition entre la lumière et les ténèbres. La figure de Dieu était célébrée sous les traits de l'Être suprême, souvent représenté en termes panthéistes. Le curé jacobin Bias Parent, ayant posé la question de l'existence de Dieu, répondait : « Oui, assurément ; et s'il était quelqu'un qui osât nier son existence, qu'il jette les yeux sur le ciel, la terre, la mer, sur tout ce qui l'environne. »[21]

Parallèlement à cette religion civile, les républicains développèrent le culte des héros et des martyrs, inaugurant ainsi la fascination ininterrompue (et parfois pittoresque) que les Français éprouvent pour la dépouille des *grands hommes** de la nation. Un décret de l'Assemblée nationale daté du 4 avril 1791 fait du Panthéon le lieu de repos éternel des grands hommes. Parmi les premières dépouilles transférées figure celle de Jean-Jacques Rousseau. Le philosophe genevois, qui a déjà fait l'objet d'un culte littéraire fervent au cours de la décennie précédant la Révolution, devient le symbole du nouveau régime. Ses œuvres sont citées à l'Assemblée nationale, dans les théâtres et dans la presse révolutionnaire, sa statue est portée en procession dans tout le pays. Au fur et à mesure que grandit la ferveur révolutionnaire, le culte de Rousseau prend un caractère de plus en plus sacré. Robespierre vénère ainsi l'« image sacrée de Jean-Jacques ». Après la chute de la monarchie, on retrouve une effigie du philosophe parmi des objets religieux dissimulés dans une cache du palais des Tuileries. L'imagerie populaire déifie la figure du philosophe, souvent représenté comme un saint. Comme le dit l'un de ses fidèles, l'entrée de Rousseau au Panthéon en octobre 1794 marque le début du culte des grands hommes, « le seul culte raisonnable qui puisse exister » et fait de Rousseau « le premier dieu qu'on pourrait prendre parmi les hommes ». [22]

Cette déification de l'humain (peut-être faut-il parler d'une humanisation du divin) devint encore plus visible avec le culte des martyrs de la Révolution qui se développa sous la Terreur. Après l'assassinat de Marat, on commanda à Jacques-Louis David un tableau qui devait représenter cet épisode dramatique. C'est en s'inspirant largement de l'iconographie classique des descentes de croix que le peintre choisit de mettre en évidence la signification de l'événement. Par ailleurs, le cœur du révolutionnaire fut préservé comme une relique sacrée dans un vase suspendu au plafond du club des Cordeliers, où se réunissaient les sans-culottes. Les brochures populaires le comparèrent au Christ et ses partisans développèrent un véritable culte : un certain nombre de sections parisiennes organisèrent des processions à sa mémoire, où ne manquaient ni les bannières, ni les chœurs chantant des hymnes, ni des représentations symboliques du martyr (ni même la baignoire dans laquelle il avait été assassiné par Charlotte Corday). Encore plus étonnant fut le culte des saints patriotes, telle Perrine Dugué, surnommée, entre autres, « Sainte républicaine », assassinée par des royalistes en 1796. Après son enterrement, certains prétendirent l'avoir vue « monter au ciel avec des ailes tricolores » et sa tombe devint un lieu de pèlerinage où l'on observa des guérisons miraculeuses. De même, dans la forêt de Teillay, à la frontière de la Loire-Inférieure et de l'Ille-et-Vilaine, un sanctuaire fut élevé à la mémoire de Marie Martin, autre femme pendue par les forces antirévolutionnaires pour avoir refusé de dévoiler la cachette de républicains. L'endroit où elle fut suppliciée devint également un lieu de pèlerinage, une croix fut érigée sur sa tombe. Sa renommée se propagea rapidement et, sous le nom de sainte Pataude, on lui attribua le pouvoir surnaturel de guérir les enfants infirmes. Les familles lui amenaient leurs enfants et marchaient en procession autour de sa tombe. Selon un article paru dans *Ouest-France* en 2007, bien qu'elle n'ait jamais été reconnue par l'Église et que le lieu de pèlerinage ne figure dans aucun guide touristique, le tombeau de sainte Pataude continue à attirer des milliers de visiteurs chaque année qui viennent prier et déposer des offrandes pour obtenir la guérison de leurs proches.[23]

« Nous t'avons pour Dieu »
(Hugo, À la colonne de la place Vendôme*)*

L'un des plus grands succès de la littérature paranormale du début du XXe siècle, réédité cinq fois à partir de 1910, fut le livre d'Ernest Marré intitulé *Comment on parle avec les morts*, un ouvrage qui contenait non seulement des conseils utiles afin de mieux communiquer avec les défunts (« un peu d'humour ne messied pas »), mais aussi un certain nombre d'illustrations photographiques, dont la plus étonnante avait été prise chez un certain Albert de Rochas le 28 septembre 1895. Figure bien connue des cercles occultistes, Rochas avait rassemblé chez lui, en Isère, une commission chargée d'analyser le travail d'Eusapia Palladino, médium italienne de renommée internationale. Alors que le groupe posait pour la photo dans le jardin, Rochas observa qu'un des membres, qui se tenait les mains dans les poches, avait adopté une posture toute napoléonienne. À peine en avait-il fait la remarque à haute voix qu'un « profil fluidique ressemblant à Napoléon Ier » apparut au-dessus de la tête de Mme Palladino. L'apparition, que tous purent observer, fut captée par la caméra[24].

Dans un sens, l'apparition de l'empereur dans un village bucolique niché au pied des Alpes, plus de soixante ans après sa mort, n'avait rien d'extraordinaire. Comme l'a bien montré Philippe Muray, « à vrai dire tout le XIXe siècle délire plus ou moins autour du fantôme de cet empereur surnaturalisé d'une façon ou d'une autre, occultifié dans les mémoires[25] ». Toutes les croyances que nous avons décrites – union de l'homme et du cosmos, pouvoir des forces magnétiques, nouvelles religions, culte des morts et croyance en leurs pouvoirs magiques et secrets – convergeaient dans l'image que la mémoire collective française gardait de

Napoléon sortant de son tombeau, d'après Horace Vernet. Après la mort de Napoléon, en 1821, les tableaux et les gravures où il apparaît représenté comme un saint ou un martyr se multiplient et nombre de ses admirateurs restent convaincus que leur empereur était doté de pouvoirs surnaturels.

Napoléon. Le phénomène commença immédiatement après son exil à Sainte-Hélène, en 1815, quand des apparitions de l'Empereur furent rapportées aux quatre coins de la France. Nourries par des rumeurs de retour imminent, ces visions prenaient souvent une coloration surnaturelle. Dans la France rurale, ces récits prophétiques étaient véhiculés par les voyants et les diseuses de bonne aventure, souvent à l'occasion d'une naissance. Ainsi, dans la Creuse, « une vision de Bonaparte escorté par des anges » était apparue à une femme sur le point d'accoucher et l'on racontait qu'à Auxerre un enfant était sorti du ventre de sa mère en criant « Vive l'Empereur » à trois reprises. Napoléon était partout, dans le ciel et sur la terre : des paysans de l'Ardèche affirmaient avoir vu son portrait sur la Lune. D'autres se couchaient sur le sol pour guetter « la marche de l'armée souterraine » de Bonaparte qui allait surgir et revendiquer son trône. Toutes ces rumeurs célébraient les qualités prométhéennes de l'Empereur : comme tous les grands conquérants, on le croyait capable de réunir de colossales armées – deux cent mille Turcs, cinq cent mille Américains et même, dans un élan d'orientalisme, « deux millions d'Indiens marchant à travers le Gange »[26].

Le culte littéraire florissant dont Napoléon fit l'objet pendant la période romantique de la première moitié du XIXe siècle contribua largement à disséminer la croyance en ses facultés surnaturelles. Dans *Le Médecin de campagne*, Balzac décrit un vétéran de la Grande Armée évoquant l'« Homme rouge », un prophète qui serait apparu à Napoléon sur le Sinaï puis serait venu habiter avec lui aux Tuileries. L'emprise de la figure de l'Empereur sur les imaginations est également illustrée dans la première uchronie de la littérature moderne, *Napoléon et la Conquête du monde*. Dans ce livre publié en 1836, prenant peut-être ses désirs pour la réalité, Louis Geoffroy propose une histoire alternative des dernières années de la vie de l'Empereur : revenu victorieux de Moscou en 1812, Napoléon parachève sa domination du monde en envahissant l'Angleterre et en écrasant les armées anglaises à la bataille de Cambridge, en juin 1814. L'ombre de l'empereur, qui plane sur les générations successives tout au long du XIXe siècle, se reflète aussi dans une série de figures littéraires. Dans *Le Rouge et le Noir*, la destinée de Julien Sorel est constamment reliée à celle de Napoléon, au point que Stendhal semble parfois estomper la limite qui sépare fiction et réalité. Dans les *Mémoires d'Outre-tombe*, c'est Chateaubriand lui-même qui ne cesse de comparer son propre destin à celui de l'Empereur. Quant à Gérard de Nerval, convaincu d'être un descendant de Joseph (ou Giuseppe), frère de l'Empereur, il signait parfois « G Nap ». Certains allèrent encore plus loin, tel le mystique lituanien Andrzej Towiański, qui comptait parmi ses disciples le poète polonais Adam Mickiewicz : il affirma que l'Univers était déchiré par la lutte éternelle entre les forces de la lumière et celles des ténèbres et que Napoléon avait été envoyé sur Terre pour rallumer l'« illumination du Christ ». Malheureusement, sa mission avait échoué et Towiański pensait que c'était à lui désormais de ranimer la flamme napoléono-christique. Se prenant pour une réincarnation purifiée de Bonaparte, il entra un jour dans Notre-Dame après la messe et annonça qu'il était le sauveur de l'humanité. [27]

L'obsession des Français pour Napoléon prenait également une dimension physique et corporelle. Les récits mystérieux dont l'Empereur faisait l'objet étaient alimentés par le fait qu'il avait dû quitter la France en 1815 et qu'à sa mort, en 1821, il avait été enterré à Sainte-Hélène. Déclenchées par la spectaculaire déclaration de l'empereur dans son testament – « Je meurs prématurément, assassiné par l'oligarchie anglaise et son sicaire » –, les controverses sur les causes de sa mort s'enflammèrent sur-le-champ. Jean-Claude Bésuchet de Saunois, ancien chirurgien de la Grande Armée, publia un ouvrage à ce sujet dès 1821 et les théories conspirationnistes furent ravivées à intervalles réguliers par des allégations nouvelles et toujours plus exotiques – telle l'affirmation que le corps de Napoléon avait été secrètement transféré par les Britanniques en 1828 pour être enterré dans l'abbaye de Westminster [28]. Le fantôme de Napoléon devint également la figure sur laquelle se fixèrent nombre de personnes souffrant de troubles mentaux. Ainsi s'identifier à l'Empereur devint la manifestation la plus fréquente d'une pathologie du comportement appelée « monomanie orgueilleuse ». Tout au long du XIXe siècle, les registres des asiles d'aliénés révèlent un flux ininterrompu de patients souffrant d'illusions napoléoniennes : le cas le plus fréquent consistait à se croire descendant de l'Empereur, mais certains prétendaient communiquer régulièrement avec son fantôme, voire se prenaient véritablement pour

Napoléon en personne. Après le retour des cendres en 1840, événement marqué par une cérémonie grandiose à l'Arc de triomphe et une vague d'enthousiasme qui balaya tout le pays, quelque quatorze « empereurs » furent admis à l'hôpital de Bicêtre à Paris. Ces hommes, qui présentaient tous les mêmes symptômes (comportement autoritariste, irascible et violent), étaient convaincus d'être les maîtres de l'Univers [29]. Un fantasme de puissance absolue combiné à l'idée que l'exercice du pouvoir politique comporte une dimension secrète et occulte, tel était le cœur de la mystique napoléonienne.

« Nous t'avons pour Dieu », écrivait Victor Hugo en 1830, s'adressant à Napoléon dans son ode *À la colonne de la place Vendôme*, érigée à la gloire de la Grande Armée. Si l'Empereur pouvait défier les lois de la nature, inspirer des prophéties et communiquer avec les défunts, il n'y avait, dans la pensée ésotérique, qu'un petit pas à franchir pour croire qu'il n'était plus un simple mortel mais l'incarnation d'une divinité. C'est en cela qu'on peut parler d'un culte mystique de Napoléon, célébré par certains francs-maçons comme par beaucoup de ses anciens soldats. D'ailleurs, la croyance populaire en son immortalité était si répandue qu'il hérita du surnom de « Malmort ». En 1848, de nombreux paysans votèrent pour Louis Napoléon car ils étaient convaincus que ce dernier était une réincarnation de l'Empereur. Un poème arabe (traduit vers la fin de la Restauration) le célébrant comme le plus grand conquérant des temps modernes le saluait ainsi : « Sa figure est toute céleste et porte déjà l'empreinte de la divinité [30]. »

La palme du culte napoléonien le plus excentrique revint à un certain Simon Vanneau, adepte de l'illuminisme et fondateur de l'évadisme, nouveau culte égalitaire à une divinité hermaphrodite, le Mapah. Vanneau avait écrit au pape Grégoire XVI pour lui annoncer l'avènement de ce nouveau dieu et l'inviter sereinement à renoncer au pontificat. Face à l'indifférence du souverain pontife, il révisa le calendrier liturgique pour y inclure le 18 juin, date anniversaire de Waterloo, en remplacement du Vendredi saint. Vanneau célébra le retour des cendres de l'Empereur en produisant un pamphlet d'une somptueuse obscurité et qui s'achevait par la prophétie d'une régénération imminente de l'homme : « La Mort n'est pas le Tombeau, elle est le Berceau d'une Vie plus grande, d'un amour plus infini. » Enfin, il concluait : « L'Égoïsme c'est la Nuit, la Mort. L'Unité c'est la Vie, la Lumière. » Quelques années plus tard, Vanneau deviendra un ardent partisan de la révolution de 1848, convaincu qu'il était qu'elle marquerait la réalisation de sa vision. Le culte qu'il avait fondé suscita l'admiration de figures républicaines radicales telles que George Sand, Alphonse Esquiros et Félix Pyat. Le prophète avait même offert de consacrer Alexandre Dumas, autre de ses adeptes, comme le nouveau Mapah, mais l'auteur du *Comte de Monte-Cristo* avait prudemment décliné la proposition : « La position ne me parut pas assez nettement dessinée. » [31]

Les esprits de Jersey

Le soir du 11 septembre 1853, au n° 3 de Marine Terrace, une petite maison proche de la mer, sur l'île de Jersey, Victor Hugo rassemble autour de lui famille et amis pour mener une séance de spiritisme et faire bouger les tables. Sous la houlette de Delphine de Girardin, qui pratiquait les arts ésotériques, le groupe a déjà passé plusieurs soirées à essayer de communiquer avec les esprits – en vain. Ce soir-là, cependant, la petite table d'acajou semble réagir et un certain nombre de coups secs se font entendre. Hugo, jusque-là sceptique, demande qui est là et sa curiosité est décuplée lorsque la réponse est déchiffrée : « Fille morte. » Toutes les personnes présentes étouffent un cri de surprise, car elles pensent immédiatement à Léopoldine, la fille bien-aimée du poète qui s'était noyée de façon tragique dans la Seine presque exactement dix ans auparavant. Sentant sa présence dans la pièce, Hugo lui demande où elle est : « Lumière », répond-elle [32]. S'ensuivent des échanges intenses jusqu'au petit matin pendant lesquels Léopoldine est assaillie de questions par tous les membres de la famille [33].

Au cours des deux années suivantes, Hugo devint un spiritualiste convaincu et tint régulièrement des séances nocturnes durant lesquelles lui et ses proches communiquèrent avec plus d'une centaine d'âmes. Ces dernières incluaient des géants de la littérature (Platon, Molière et Shakespeare, qui dicta le premier acte d'une pièce), des figures politiques et religieuses (Jésus, le Prophète Mahomet, Martin Luther, Robespierre), des entités abstraites (l'Océan, la Mort), sans oublier des animaux légendaires : l'un des interlocuteurs les plus assidus fut le lion d'Androclès, qu'Ésope avait rendu célèbre. Certains de ces échanges furent brefs : Walter Scott répondit avec une sécheresse toute calédonienne qu'il n'avait rien à dire puisqu'il était mort [34]. Un émissaire de la planète Jupiter, encore plus morose, précisa que les autochtones y étaient « moins heureux » que les Terriens. Au cours d'une des premières séances, l'Ombre du Sépulcre informa Hugo qu'il avait été choisi pour être l'intermédiaire entre l'Univers physique et le monde des esprits en ces termes : « Tu as la clé d'une porte du fermé [35] [sic]. »

Le spiritisme attirait Hugo pour différentes raisons. Le chagrin causé par la mort de Léopoldine était encore immense et fut ravivé par la spectaculaire évocation de la jeune femme à Jersey. Son sentiment de fragilité était renforcé par son isolement politique : à la fin de 1851, Hugo, opposant implacable à Louis-Napoléon, qui avait renversé la IIe République et restauré l'empire, avait dû fuir la France. Il était d'autant plus réceptif aux sirènes du spiritisme que certains membres de son entourage, à Jersey, croyaient en la réincarnation. Son ami et compagnon d'exil Philippe Faure prétendait avoir assisté à la crucifixion du Christ dans une vie antérieure. Ce fut aussi une période où Hugo se plongea avec avidité dans la littérature occultiste qui connut un regain d'intérêt en France au milieu du XIXe siècle sous l'influence du spiritualisme américain. Hugo possédait dans sa bibliothèque de Jersey des ouvrages tels que *La Magie dévoilée ou la Science occulte*, de Jean du Potet de Sennevoy (1852), ou *Comment l'esprit vient aux tables*, d'Alcide Morin (1853), mais le spiritisme du poète exilé était le mode d'expression de quelque chose de plus fondamental : transcendant les souffrances qu'il avait personnellement vécues, son exploration du monde des esprits fut un exercice d'affirmation littéraire et de créativité

Victor Hugo écoutant Dieu. Photographie de l'homme de lettres prise en 1853 à Marine Terrace par son ami et admirateur Auguste Vacquerie.

philosophique[36]. Car les esprits de Jersey s'expriment, comme Victor Hugo lui-même, dans un style et une langue qui reflètent l'apogée de la sensibilité romantique française. Le spiritisme de Hugo visait également l'athéisme des républicains, qu'il désapprouvait, car, disait-il, « Dieu a permis aux tables de parler et de révéler l'existence de l'âme au parti républicain, afin qu'il devienne croyant[37] ». Le poète pouvait ainsi forger un nouveau prophétisme qui reprenait à son compte la promesse d'une émancipation universelle en effectuant la synthèse originale du mysticisme révolutionnaire français et de l'occultisme – le tout assaisonné d'une bonne dose de narcissisme – Hugo demandait régulièrement aux esprits, de Jésus à Chateaubriand, s'ils connaissaient son *œuvre**, mais seul le Christ eut l'impertinence de répondre négativement.

Peut-être est-il surprenant, dans un contexte aussi égotiste, que Napoléon ne figure pas dans la liste des esprits de Jersey. Certes, l'Empereur est brièvement évoqué lors d'un long échange avec Hannibal, lequel se contente de faire observer que Napoléon était aussi grand dans la victoire qu'il était petit dans la défaite, avant de conclure que le *grand capitaine** aurait dû mourir glorieusement sur le champ de bataille plutôt que d'avoir à subir les humiliations de l'abdication et de l'exil – une remarque que l'Empereur lui-même avait faite à de nombreuses reprises au cours des dernières années de sa vie. L'adulation sans borne d'Hugo pour la divinité napoléonienne était désormais une chose du passé. De fait, la sensibilité politique dont témoignent les échanges avec les esprits est résolument progressiste : *La Marseillaise*, interdite par Napoléon comme par son neveu, est ainsi décrite comme l'« hymne de la lumière chanté en strophes d'ouragan par les quatre vents de l'avenir ». Cependant, l'horizon républicain est encore assombri par les nuages : au cours d'une session, les participants entendent les interventions de toute une série de grandes figures de la Révolution. Marat assassiné annonce le retour imminent de la « République universelle » avant de sembler se contredire en suggérant que « l'humanité n'avance qu'à petits pas ». Lorsqu'on demande au jacobin martyr ce qu'il pense des républicains malchanceux qui se sont brièvement emparés du pouvoir en 1848 avant de le perdre au profit de Louis-Napoléon, il les traite de « républicains au biberon ». On entend également s'exprimer de nombreux regrets : l'esprit de Charlotte Corday et celui de Robespierre reviennent déplorer la violence excessive qui a accompagné les premières années de la Révolution. L'Incorruptible accepte même de réhabiliter la mémoire de son rival Danton. Ce révisionnisme historique prépare la voie à André Chénier, qui annonce (après avoir dicté des poèmes inachevés, et méticuleusement décrit sa propre décapitation pendant la Terreur) la régénération imminente de la République par l'entremise du « panthéon radieux » de Victor Hugo. Les éléments de la nouvelle révolution spirituelle d'Hugo sont exposés dans la deuxième partie du corpus de Marine Terrace, au cours d'une série d'échanges avec la Mort, Jésus-Christ et le Prophète Mahomet. Ce dernier déclare que toutes les religions établies sont vouées à disparaître : « Les bastilles de l'ombre tomberont et la terre tremblera sous ceux qui sont debout, et le ciel s'ouvrira sur ceux qui sont à genoux. »[38]

Le nouveau credo hugolien devait beaucoup à sa lecture du *Bhagavad Gita*, du moins d'extraits traduits en français. Hugo fut particulièrement séduit par la doctrine hindouiste classique de la réincarnation qui influença son propre christianisme, une version primitive et revigorée de cette religion élargie par l'adoption de la métempsycose – la croyance en la migration des âmes entre différents êtres, qu'ils soient humains ou animaux. Ses échanges avec les esprits cristallisèrent sa croyance en une infinie variété d'âmes conscientes qui habitaient l'Univers. La Chaîne des êtres telle qu'il la concevait commençait à son extrémité inférieure par les pierres et la végétation, puis s'élevait aux mollusques, aux huîtres et aux poissons avant d'inclure les oiseaux, les chats, les chiens et les singes pour finir par s'élever jusqu'à l'homme. Il mettait en pratique ce qu'il prêchait et appliquait sa philosophie syncrétique à ses nouveaux amis du règne animal : son jardin devint ainsi le refuge de toutes sortes de créatures, Hugo se vantant même d'avoir sauvé d'une mort certaine une salamandre. Il ordonna également un jour à sa fille Adèle de relâcher un homard dans la mer[39]. Dans cette nouvelle religion égalitaire, il n'y avait pas d'enfer et la rédemption était possible grâce à la réincarnation, même en cas de péché mortel : toutes les âmes avaient vocation à aimer. Dans cette perspective, le corps n'était qu'une étape du voyage de l'âme vers Dieu. La mort n'était pas la fin de la vie, ce que Moïse avait affirmé lors d'une session : « La vérité absolue n'apparaît à l'homme qu'après la mort. » Par le truchement de la Mort, les esprits avaient invité Hugo à faire un saut créateur dans les ténèbres, qui n'étaient plus définies comme le contraire de la lumière mais comme l'apothéose de l'être : « Tu as été le jour, viens être la nuit ; viens être l'ombre ; viens être les ténèbres ; viens être l'inconnu ; viens être l'impossible ; viens être le mystère ; viens être l'infini. »[40]

Le spiritisme connut son apogée en France entre le milieu du XIXe siècle et la période la Grande Guerre. Sa figure la plus importante fut Hippolyte Léon Rivail, plus connu sous son *nom d'esprit*[*] Allan Kardec, un pédagogue positiviste qui découvrit le spiritisme en 1854 et en fit une doctrine majeure où il alliait croyance en l'immortalité de l'âme et principes égalitaires et scientifiques[41]. En 1857, il fonda la Société parisienne d'études spirites et *La Revue spirite*, qui est encore publiée de nos jours. Ses deux traités principaux, *Le Livre des esprits* (1857) et *Le Livre des médiums* (1851), devinrent des classiques et connurent de multiples rééditions durant toute cette période[42]. Victor Hugo l'admirait, même si Kardec rejetait l'idée que les âmes des humains puissent se réincarner dans des animaux. Parmi les écrivains et les artistes qui adoptèrent ses idées avec enthousiasme, on compte George Sand, Victorien Sardou, Théophile Gautier et Gérard de Nerval. Sardou écrivit une comédie sur le spiritisme ; dans *Souvenirs littéraires*, de Maxime du Camp, on trouve d'ailleurs une description humoristique de Gérard de Nerval se cognant la tête contre une bibliothèque au cours d'une « chorégraphie mystique ». Ces croyances furent aussi largement partagées par la franc-maçonnerie dans la seconde moitié du XIXe siècle, ainsi que par une large partie de la population, hommes et femmes confondus. Pendant son tour des provinces de France, en 1911, Maurice Barrès rencontra des instituteurs républicains qui s'adonnaient au spiritisme.[43]

Quant à Hugo, sous une photographie de lui-même dans une pause contemplative prise par Auguste Vacquerie en 1853, il écrivit la légende suivante : « Victor Hugo écoutant Dieu. » Il n'y avait là pas la moindre trace d'ironie : dès les premiers échanges avec des esprits à Marine Terrace et jusqu'à la fin de sa vie, Hugo resta convaincu qu'il avait été choisi pour être l'interlocuteur du Divin et révéler à l'humanité l'existence des esprits – ou, pour reprendre la formule plus haute en couleur d'André Breton : « Hugo est surréaliste quand il n'est pas bête [44]. » Comme il se devait, la IIIe République honora ce messianisme en faisant entrer son auteur au Panthéon en 1885 et en enlevant dans la foulée la croix qui ornait le fronton de l'édifice, symbolique laïque qui confirmait la prophétie qu'avait énoncée l'esprit de Jésus au cours des dernières séances à Jersey lorsqu'il avait déclaré que l'âge moderne verrait la consécration du « fantôme de la mort [45] ».

L'éternité par les astres

« Je planais sous un ciel mystérieux, soulevé par mes émotions les plus vives comme par de puissantes ailes. » Ainsi le jeune Édouard Charton décrivait-il son initiation au culte du saint-simonisme, au début des années 1830, pendant lesquelles il sillonna la France pour prêcher avec enthousiasme la nouvelle religion dans des salles de bal, des théâtres et des tripots [46]. La rencontre de Charton avec le saint-simonisme est exemplaire à plus d'un titre, à commencer par sa brièveté. Il ne resta dans cette mouvance qu'un an avant de faire une belle carrière d'éditeur et d'homme politique républicain (en 1833, il lança *Le Magasin pittoresque*, le premier périodique illustré français). Mais, comme pour beaucoup de jeunes gens et de jeunes femmes de sa génération, cet épisode eut une influence décisive sur ses valeurs morales et ses principes philosophiques, notamment sa conception de la perfectibilité de l'homme [47].

L'engagement de Charton témoignait également de la continuité de certaines traditions mystiques entre le siècle des Lumières et le XIXe siècle. Charton avait été un disciple de Saint-Martin avant de se convertir au saint-simonisme, dans lequel il percevait de forts échos des thèmes centraux du martinisme : la dénonciation de la perversion morale de l'Ancien Régime, l'émancipation de l'humanité par la création d'un ordre spirituel harmonieux et l'union de l'homme et de l'Univers [48]. Pour autant, le mysticisme des saint-simoniens s'éloignait du martinisme sur trois points fondamentaux. En premier lieu, célébrant le culte de l'humanité, ils voulaient améliorer le sort des pauvres et créer une nouvelle élite politique qui administrerait la société dans l'intérêt de tous. En ce sens, ils figurèrent parmi les pionniers du mouvement socialiste en France et, simultanément, contribuèrent à donner à ce socialisme originel son aspect ésotérique. En second lieu, les saint-simoniens, idéalisant l'image de la femme, s'engagèrent avec beaucoup d'énergie dans la lutte pour son émancipation à un moment où le mouvement républicain n'accordait que peu d'intérêt à cette cause (*La Femme libre*, premier journal féministe, fut publié en 1832 par un groupe de saint-simoniennes [49]). Enfin, le regard fixé vers l'avenir et non tourné vers le passé, indifférents au romantisme nostalgique du culte napoléonien (sans même parler du mysticisme visionnaire de Victor Hugo), les saint-simoniens faisaient preuve d'un pragmatisme opiniâtre : c'est de leurs rangs que seront issus ceux qui, plus tard, concevront le réseau de voies ferrées qui sillonnera la France, ceux qui transformeront l'urbanisme de Paris ou creuseront le canal de Suez. La doctrine de Saint-Simon cherchait donc à allier une croyance occulte à des perspectives résolument scientifiques ou, pour être plus précis, à atteindre les objectifs de la science par les moyens de l'occultisme.

On retrouve toutes ces caractéristiques dans la vie et les œuvres du fondateur de ce mouvement, Henri de Saint-Simon, aristocrate parisien qui fut à la fois aventurier, entrepreneur, réformateur social, visionnaire et excentrique. Il avait été emprisonné pendant la Terreur et racontait avoir reçu la visite du fantôme de Charlemagne, dont il prétendait descendre et qui lui aurait déclaré : « Depuis que le monde existe, aucune famille n'a joui de l'honneur de produire un héros et un philosophe de première ligne ; cet honneur était réservé à ma maison. Mon fils, tes succès comme philosophe égaleront ceux que j'ai obtenus comme militaire et comme politique [50]. » Fort de ce soutien, Saint-Simon entreprend une large synthèse qui combine les principes des Lumières, une théorie générale de l'Histoire et des projets de réorganisation radicale des domaines spirituel et temporel. Comme nombre d'économistes politiques de son époque, il fait de l'« industrialisme » un thème majeur de sa pensée. Pour autant, sa contribution particulière réside dans son aspiration à fonder une nouvelle religion progressiste. Sa dernière œuvre,

L'expérience de vie communautaire menée par les saint-simoniens dans leur propriété de Ménilmontant est ici raillée avec humour, tout particulièrement la maxime de leur fondateur : « À chacun selon ses capacités, à chaque capacité selon ses œuvres », illustrée ici ironiquement par leur adoption enthousiaste des tâches ménagères les plus humbles.

inachevée, s'intitule d'ailleurs *Le Nouveau Christianisme* : il cherchait à définir une foi nouvelle entièrement vouée à l'« amélioration du sort moral, physique et intellectuel de la classe la plus nombreuse et la plus pauvre ». Ses disciples, cherchant à codifier sa pensée, aboutirent à une forme de panthéisme dans lequel l'être était défini en termes universels et cosmiques. [51]

Parmi les disciples de Saint-Simon figurait un certain Barthélemy Prosper Enfantin, qui transforma le mouvement en Église. Il se fit appeler « Père suprême », titre brodé sur sa tunique. Il portait également un collier orné de pendentifs ésotériques en cuivre et en fer, dont l'une des faces seulement était polie afin de signifier l'imperfection. (Cette tenue particulière avait été dessinée par Raymond Bonheur, un artiste au nom prédestiné : le gilet ne pouvait se boutonner que dans le dos, ce qui était censé illustrer la nécessité de l'entraide fraternelle[52].) Au printemps 1832, Enfantin s'installa avec une quarantaine de fidèles dans une propriété dont il venait d'hériter à Ménilmontant et où cette nouvelle religion connut un succès aussi spectaculaire que bref. Mariages, baptêmes et conversions furent célébrés au cours de rituels exotiques agrémentés d'hymnes composés pour la circonstance. Quant à la doctrine de l'Église saint-simonienne, elle fut redéfinie comme un instrument de réconciliation définitive entre les mondes orientaux et occidentaux. Peu impressionnées par ces aspirations mystiques, les élites cartésiennes de la monarchie de Juillet décrétèrent la fermeture de l'Église dès la fin de l'été 1832 et jetèrent le Père suprême en prison. Sur quoi un petit groupe d'adeptes se faisant appeler « Compagnons de la femme » se rendirent d'abord à Constantinople, puis en Égypte, afin d'y trouver une épouse pour Enfantin. Malheureusement, ils échouèrent à trouver cette « femme messie » dont Enfantin avait prophétisé la venue lors de son procès.

Cet universalisme mystique débouchait naturellement sur la perspective d'une vie éternelle, un thème traditionnel de la réflexion philosophique des penseurs progressistes, tel Michelet, qui déclarait : « La mort n'est pas une mort, mais une nouvelle vie commencée. » Dans un pamphlet de 1830, Enfantin lui-même avait écrit : « Ma vie est indéfinie, une et multiple, elle se manifeste en moi, hors de moi, et par l'union du moi et du non-moi. » En 1861, il réaffirmera la même conviction en intitulant son dernier ouvrage *La Vie éternelle, passée, présente, future*. De même, Pierre Leroux, introducteur en France du terme « socialisme » et ancien saint-simonien, défendait l'idée de l'immortalité de l'âme, tout comme le socialiste Alphonse Esquiros, qui, dans un pamphlet intitulé *De la vie future du point de vue socialiste*, affirmait que l'âme est éternelle et parvient, au cours de ses successives réincarnations, à une perfectibilité de plus en plus grande. Quant à Jean Reynaud, autre ex-saint-simonien, il croyait également que les âmes se purifiaient lors de leurs réincarnations successives sur de lointaines planètes.[53]

La contribution la plus spectaculaire à ce thème galactique provint de l'astronome Camille Flammarion, l'un des meilleurs vulgarisateurs scientifiques de son époque, tout à la fois républicain convaincu et fervent adepte du spiritisme – c'est lui qui prononça l'éloge funèbre d'Allan Kardec en 1869. Son livre majeur, *La Pluralité des mondes habités* (1862), connut un immense succès. Flammarion, qui combinait les découvertes les plus récentes de l'astronomie avec une description exhaustive de l'Univers, déclarait que l'âme humaine pouvait aspirer à l'éternité en se réincarnant dans l'espace. Les étoiles, concluait-il, sont « les régions futures de notre immortalité [54] ». Dans la réponse qu'il lui fit, Louis Auguste Blanqui tempéra quelque peu cet enthousiasme. Dans *L'Éternité par les astres*, rédigé pendant son emprisonnement à Paris après la Commune, Blanqui affirma que, puisque l'Univers était infini mais constitué d'un nombre fini de particules, les Terriens étaient éternellement recréés dans d'autres Univers : « Le nombre de nos sosies est infini dans le temps et dans l'espace. » Cette infinité permettait au destin de varier, chacun de nos sosies pouvant en théorie vivre une version différente de la vie que nous avions vécue sur Terre et accomplir ce que nous avions échoué à faire. Cependant, ébranlé par les défaites répétées de sa tradition politique insurrectionnelle, Blanqui concluait avec mélancolie que le progrès est une illusion et que « l'éternité joue imperturbablement dans l'infini les mêmes représentations ». [55]

La mystique des positivistes

Alignements de planètes influençant la destinée des individus, rayons de lumière cosmique restaurant la concorde au sein de l'humanité, fluide invisible aux propriétés miraculeuses, divinités humaines aux pouvoirs surnaturels s'élevant dans les cieux (et symbolisées par un fantôme corse doué d'ubiquité), sacralisation du corps des défunts dont l'esprit revenait parler avec les vivants, migration des âmes à travers la grande chaîne des êtres et visions d'immortalité dans l'infini de l'espace où des entités mystérieuses flottaient à côté des dépouilles éthérées des humains, codes cachés dont les secrets révélaient les mystères du cosmos… tels étaient les fruits enchantés de l'imagination surnaturelle en France. Ils témoignaient de la force d'invention du romantisme à son apogée ainsi que de la singulière combinaison d'un sentimentalisme introspectif et d'un désir de changer le monde ou de trouver l'inspiration dans le lyrisme du surnaturel, comme le fait André Breton dans sa *Lettre aux clairvoyants*, qui évoque « un champ merveilleux qui n'est rien [de] moins que celui de la possibilité absolue ». Comme l'a noté l'historien des religions Mircea Eliade, l'attirance que les avant-gardes littéraires (de Baudelaire et Mallarmé aux surréalistes) éprouvaient pour l'occultisme était fondée sur le rejet des valeurs culturelles et religieuses de l'Occident.[56]

L'occultisme n'était pas, tant s'en faut, un phénomène exclusivement français. Mesmer était autrichien, le spiritisme (auquel Kardec avait donné une impulsion particulière) était né en Amérique et le mouvement théosophique fondé par Mme Blavatsky, philosophe et occultiste d'origine russe, combinait des formes de mysticisme occidental et oriental afin de donner naissance à une nouvelle religion humaniste et universelle. Mais il existait en France un certain nombre de facteurs spécifiques expliquant l'attrait particulier des Français pour le surnaturel. Au niveau le plus immédiat, les visions des occultistes reprenaient des caractéristiques déjà présentes dans la pensée française : la croyance, répandue par les Lumières, dans l'harmonie de l'Univers, un désir d'universalité (littéralement élargi ici aux dimensions de l'Univers céleste), une fascination existentielle pour la nature, une obsession de la mort et de l'au-delà, et une créativité alliée à un goût pour les allusions cryptiques et les formulations obscures. L'occultisme persista également parce qu'il faisait partie intégrante – même si le fait n'était pas toujours reconnu – de la tradition progressiste française. À cet égard, il était mû depuis le XVIIIe siècle par une pulsion élémentaire : la recherche d'un principe sous-jacent d'unité. La quête de ce que le géographe et anarchiste Élisée Reclus appelait l'« harmonie secrète[57] », leitmotiv de toutes les formes de pensée mystique, inspira également le rêve postrévolutionnaire d'une religion plus attirante qui serait une alternative au catholicisme et qui permettrait tout particulièrement d'échapper au risque d'une damnation éternelle. Grâce à la solidité de leur eschatologie et à leur hostilité aux dimensions iréniques de l'occultisme, les catholiques français résistèrent généralement aux sirènes de la pensée ésotérique. Pour autant, il faut remarquer que les premières apparitions de Lourdes en 1858 coïncident précisément avec l'émergence du spiritisme en France : il existait donc de nombreux points communs entre ces systèmes de croyances apparemment dissonants [58].

Cependant, contrairement à la vision apocalyptique que beaucoup de catholiques se faisaient d'une humanité déchue et corrompue, cette forme d'occultisme était essentiellement humaniste et tournée vers l'avenir. Enracinée dans la conviction que l'homme est perfectible, elle véhiculait un optimisme parfois euphorique, comme l'illustre le titre d'un des périodiques les plus populaires du début du XXe siècle, *Le Progrès spirite*. Il n'était pas rare que des groupes d'adeptes se réunissent dans le simple but de cultiver leur esprit et d'échanger leurs idées avec des écrivains, des poètes ou des artistes. D'autres avaient des ambitions plus grandes encore : d'après une occultiste particulièrement enthousiaste, « la communication intelligente entre les âmes incarnées et le monde des esprits » permettrait de remplacer le conflit par la coopération et de débarrasser l'humanité de l'ignorance, de l'injustice, de la pauvreté, de la brutalité, de la prostitution, de la guerre et de la maladie. C'est dans le même esprit qu'Émile Coué développa la méthode de psychothérapie qui porte son nom et qui connut un large succès en Europe et aux États-Unis pendant la première moitié du XXe siècle. Son principe était d'inciter le patient à répéter la phrase suivante : « Tous les jours, à tous points de vue, je vais de mieux en mieux. » [59]

En fin de compte, l'occultisme agit comme révélateur d'une des caractéristiques de la culture française à l'âge moderne : la relation étroite entre le domaine du rationalisme et celui de la spiritualité. Plus fondamentalement, cette symbiose souligne que la distinction classique entre « raison » et « foi religieuse » n'a qu'une valeur relative. Cela explique pourquoi de si nombreux adeptes en France aient été des positivistes et des savants. D'où ce paradoxe étonnant : les occultistes demeuraient très attachés à une forme de rationalisme, lequel conservait cependant des amarres mystiques très solides. Eugène Pelletan, intellectuel républicain du second Empire, le disait avec pertinence : « Nous croyons que l'homme est un être religieux uniquement parce qu'il est un être raisonnable. » Charles Fauvety, philosophe maçonnique, lui faisait écho, affirmant qu'il fallait « suivre le courant scientifique pour accommoder catholiquement les conquêtes de l'esprit humain ». À partir du début du XXe siècle, les sphères du rationalisme et de l'occultisme se rapprochèrent encore davantage lorsqu'un certain nombre de scientifiques français (dont Pierre Curie) soumirent les visions de la médium Eusepia Palladino à toute une série de tests rigoureux et se déclarèrent convaincus de la véracité de ses visions. Quant à Charles Richet, Prix Nobel de médecine, il publia en 1922 un *Traité de métapsychique* dans lequel il déclarait : « Oui ! Nous croyons qu'il peut y avoir une science du surnaturel et de l'occulte. » [60]

Ce qui rendait ces convictions encore plus remarquables (et à cet égard le cas français est unique), c'est qu'elles n'étaient pas confinées aux franges marginales de la société : on les retrouvait dans tous les milieux sociaux ainsi qu'au sein des élites intellectuelles, chez ceux qu'influençait la pensée de la fin des Lumières, dans des associations telles que la franc-maçonnerie ainsi qu'à l'intérieur des courants politiques traditionnels, qu'il s'agisse des républicains, des libéraux ou des héritiers du bonapartisme. Certaines de ces aspirations ésotériques – notamment l'égalitarisme et la fraternité – furent également adoptées par les fondateurs du socialisme français. Elles imprégnèrent aussi la pensée politique radicale et les romans d'influence progressiste (telle la suite romanesque que Jules Lermina avait donnée au *Comte de Monte-Cristo,* où la lutte contre l'oppression sociale se déroule toujours sur fond de mort et de résurrection). S'exprimant au cours d'un congrès spirite organisé au Grand Orient de France en septembre 1889, Lermina fit l'éloge de l'occultisme et de sa capacité à créer un « sentiment d'exaltation » parmi les ouvriers – ce qui pouvait en retour libérer en eux de « sublimes intuitions ». Dans la conclusion de son traité intitulé *Science occulte*, il ajouta que le temps était venu d'ouvrir la porte sur les mystères secrets de l'Univers, mais « avec précaution, car la lumière en face de laquelle on se trouve au-delà du seuil est si puissante, si éclatante, si troublante qu'il est à craindre que l'éblouissement produise la cécité ». Lors d'une communication avec ses disciples par l'intermédiaire d'un médium, à Rochefort, en novembre 1920 (soit cinquante et un ans après sa « désincarnation » terrestre), l'esprit d'Allan Kardec lui-même confirma ces perspectives optimistes : la libération de l'humanité était en marche. [61]

3

Paysages utopiques

L'An deux mille quatre cent quarante, l'histoire d'un voyage dans le temps qui projette le lecteur dans le Paris du XXVe siècle, fut l'un des plus grands succès littéraires de la fin des Lumières. Publié anonymement en 1770, ce roman de Louis-Sébastien Mercier connut de nombreuses rééditions au cours des décennies suivantes et fut traduit en néerlandais, en allemand, en italien et en anglais. Le triomphe de cet ouvrage reposait sur l'aisance avec laquelle il distillait la quintessence de l'air du temps, un progressisme où le lecteur repérait des allusions facilement compréhensibles au rationalisme des encyclopédistes, à la nécessaire séparation des pouvoirs définie par Montesquieu, au projet d'humanisation du système pénal préconisé par Cesare Beccaria et à l'idéal rousseauiste d'une communauté fondée sur la religion naturelle et les vertus civiques. Ce roman s'illustrait également de façon notable par sa critique virulente de l'Ancien Régime : l'« infamie » que représentaient la monarchie absolue et la papauté (« ce superbe et incroyable monument de la crédulité humaine [1] ») était dénoncée de manière si violente que le livre fut rapidement interdit en France et en Espagne – acquérant ainsi une réputation sulfureuse qui fit certainement beaucoup pour son succès [2].

Les autorités avaient tout lieu d'être inquiètes, car Mercier semble faire preuve d'une prescience presque inquiétante, anticipant non seulement la Révolution, mais aussi des détails précis de son histoire : la chute de la Bastille, la fuite du roi, l'abolition de l'esclavage, la conception de la loi comme incarnation de la volonté du peuple et même la prédiction que la France deviendra une « république [3] ». Dans la réédition de 1799, l'auteur, guère connu pour sa modestie, se proclame le « véritable prophète de la Révolution ». Le succès de son livre tient fondamentalement au fait qu'il a réinventé les canons de l'utopie littéraire. Au lieu de camper son système politique et social dans un lieu imaginaire, comme le voulaient les conventions du genre – l'île lointaine de Thomas More (1478-1535), la cité du Soleil de Tommaso Campanella (1568-1639) ou la Lune de Francis Godwin (1562-1633) –, Mercier a situé son intrigue dans l'avenir. Il ravive ainsi la pensée idéaliste européenne tout en scellant sa réputation de « père de l'utopie moderne [4] ». Quoique imprégné d'une sensibilité pacifique, Mercier annonçait, par le fait même de situer sa communauté idéale à Paris, la suite des événements. En effet, la capitale française allait cristalliser les rêves de tous ceux qui imaginaient qu'on pouvait détenir et exercer le pouvoir d'une façon radicalement différente – des révolutionnaires jacobins et babouvistes des années 1790 aux auteurs des grandes révoltes républicaines et socialistes du XIXe siècle jusqu'aux étudiants des barricades de Mai 68 où brûlèrent les derniers feux du « communisme utopique » à la française [5].

Ce chapitre se propose d'étudier cette disposition à l'utopie qui caractérise la pensée française, en en retraçant les origines au siècle des Lumières, avant d'étudier ses développements dans le courant du XIXe siècle – notamment chez les penseurs républicains progressistes et dans les écrits idéalistes de Charles Fourier et d'Étienne Cabet – et d'aboutir aux conceptions utopistes développées par les communistes français au XXe siècle. Comme nous le verrons, ces diverses sensibilités entretiennent des liens étroits, tout particulièrement parce que leurs racines intellectuelles plongent toutes dans les écrits de Jean-Jacques Rousseau. Cela peut paraître paradoxal, car ce dernier semblait douter de la possibilité d'établir un monde meilleur et avait plus tendance à rechercher des exemples de civisme dans les rigueurs passées de la vie à Sparte que dans une société à venir. Pour autant, la pensée de Rousseau est par essence utopique parce qu'il considère que la faculté première de l'homme est l'imagination – toute son œuvre est d'ailleurs illuminée par des éléments visionnaires. Comme l'a fait remarquer Mercier, un de ses fervents admirateurs, le style saisissant de Rousseau fait partie intégrante de l'attrait qu'il exerce sur le lecteur : « Il ne pouvait toucher une question sans enflammer les esprits, parce qu'il les jetait hors des routes battues [6]. »

Les œuvres majeures de Rousseau sont mues par deux élans complémentaires : la dénonciation des effets corrupteurs de la société et la quête de la vertu par le biais d'une régénération de l'homme [7]. Comparant la civilisation moderne à une forme d'esclavage « heureux » où les hommes « étendent des guirlandes de fleurs sur les chaînes de fer dont ils sont chargés », son *Discours sur les sciences et les arts* (1751) encourage ses contemporains à s'émanciper de la « vile et trompeuse uniformité » qui découle du développement des arts et des sciences modernes [8]. Dans le *Discours sur l'origine de l'inégalité* (1755), Rousseau se montre encore plus radical : il décrit le contraste entre la paix et la sérénité dans lesquelles vivait l'homme primitif et les maux causés par la « loi du plus fort » qui s'est imposée à l'âge moderne, grâce à aux inégalités qu'a fait naître entre les hommes l'instauration de la propriété privée. Même s'il ne préconise pas explicitement le renversement de l'ordre existant, Rousseau conclut qu'il est « manifestement contre la loi de nature [...] qu'une poignée de gens regorge de superfluités, tandis que la multitude affamée manque du nécessaire [9] ».

De fait, c'est bien dans la pluralité des motifs utopiques développés par Rousseau que réside sa force. Il s'adresse à des interlocuteurs de sensibilités différentes : libertaires prônant une liberté absolue, progressistes en quête d'un monde meilleur, collectivistes rêvant d'égalité [10]. L'idéal qu'il propose d'un homme dans l'état de nature, non encore corrompu, joue sur le mythe du « bon sauvage » et concorde avec l'opinion de ceux qui remettent en question la suffisance et le raffinement du siècle des Lumières et dénoncent la corruption de la société française de l'époque. Le tableau de la transformation morale de l'individu, présentée dans son *Émile ou De l'éducation* (1762), met l'accent sur la capacité de l'homme à se rendre maître de lui-même, à atteindre la sincérité et la vertu par une transformation intérieure vers une perfectibilité toujours plus grande. Son projet d'un corps politique idéal, esquissé dans *Du contrat social* (1762), dans lequel des citoyens démocratiques se gouvernent en se soumettant aux lois qu'ils ont eux-mêmes édictées, inspire ceux qui cherchent à concevoir une société meilleure… et à créer de nouvelles institutions. D'où l'importance que Rousseau accorde à l'égalité civile et à la nécessité de sacrifier les intérêts individuels au bien commun (« Quiconque refusera d'obéir à la volonté générale y sera contraint par tout le corps [11]. ») ainsi qu'à la promotion d'une conception plus vertueuse de la sociabilité – le *moi commun** – dépendant de la définition de buts collectifs et partagés. On ne peut qu'être frappé par la radicalité de l'objectif ainsi décrit par le philosophe :

> Celui qui ose entreprendre d'instituer un peuple doit se sentir en état de changer, pour ainsi dire, la nature humaine ; de transformer tout individu, qui par lui-même est un tout parfait et solitaire, en partie d'un plus grand tout dont cet individu reçoive en quelque sorte sa vie et son être ; d'altérer la constitution de l'homme pour la renforcer ; de substituer une existence partielle et morale à l'existence physique et indépendante que nous avons tous reçue de la nature [12].

Beaucoup de ces thèmes sont évoqués dans le roman de Mercier, et plus généralement dans la pensée politique de la fin du XVIIIe siècle – à sa mort, en 1778, Rousseau y a conquis une place prééminente. Au cours des années qui précèdent la Révolution, on ne compte plus les références à ses écrits et à ses idées : notamment le concept de souveraineté populaire, celui de volonté générale comme fondement inaliénable de l'ordre politique, le rêve d'une communauté fraternelle unie par des idéaux moraux partagés, sa foi en la capacité de l'homme à surmonter son égoïsme et son matérialisme, et la vision d'un corps de citoyens fondé sur l'égalité civique et l'autonomie morale [13]. L'admiration que le révolutionnaire Saint-Just porte à Rousseau et, au-delà de lui, aux idées des Lumières est si vive qu'il écrit :

« Le XVIIIe siècle doit être mis au Panthéon [14]. » Cependant, il serait erroné de considérer les idées de Rousseau comme un programme monolithique que les révolutionnaires français auraient cherché à mettre en œuvre. L'admiration que suscitait son œuvre était partagée dans tous les camps politiques, y compris chez les monarchistes : c'est d'ailleurs bien le seul point commun entre Marie-Antoinette et Robespierre. Mais, même si la Révolution voua un véritable culte à Rousseau, comme nous l'avons vu au chapitre précédent, elle embrassa ses idées de façon particulièrement sélective. Aucun des chefs révolutionnaires successifs n'adopta par exemple son scepticisme à l'égard de l'éducation formelle traditionnelle, son mépris pour le commerce, l'indignation que lui inspirèrent les inégalités de richesses et son rejet de l'idée que des représentants élus pussent être dépositaires de la souveraineté populaire – une position diamétralement opposée aux principes du début de la Révolution [15].

L'utopisme rousseauiste était donc aussi riche de la diversité de ses inspirations que de celle de ses interprétations. Son œuvre démontrait combien la frontière entre réalisme et idéalisme pouvait être perméable, y compris chez un seul et même penseur. C'est en cela sans doute que se trouve l'influence majeure de Rousseau sur le roman de Mercier. Réfléchissant aux tensions contradictoires qui agitaient la société française de la fin des Lumières, *L'An deux mille quatre cent quarante* tentait de répondre à certains dilemmes cruciaux de la modernité : l'opposition entre le mode de vie des citadins et la ruralité, l'épanouissement individuel et les contraintes collectives, l'anticléricalisme et la religiosité, le sentiment d'appartenance nationale et l'universalisme. Comme Jean Starobinski l'a fait remarquer à juste titre, le roman de Mercier est l'œuvre d'un perfectionniste et non d'un utopiste [16]. Au début de la Révolution, l'auteur soutint les girondins modérés. Sur certaines questions telles que le rôle des femmes, il prit des positions assez conservatrices. Ou, comme l'exprime l'un des personnages que le narrateur rencontre dans l'avenir en des termes que Rousseau lui-même n'aurait pas reniés : « Nous avons encore beaucoup de choses à améliorer...

je crains que le bien absolu ne soit pas de notre monde. Cependant c'est en le recherchant que nous pouvons nous efforcer de rendre les choses au moins passables [17]. »

Paris en l'an 2240

Lorsqu'il sort de son sommeil et se retrouve dans le Paris du XXVe siècle, le narrateur ne reconnaît pas la ville tant elle a changé : il est frappé par l'ordre qui y règne, par les larges places publiques et les parcs, les rues tirées au cordeau et aménagées avec élégance, l'absence de cacophonie (on n'y entend ni cris ni bagarres dans les rues) : Paris est désormais une ville « animée mais sans chaos ni confusion ». Les toitures des bâtiments, qui s'élèvent tous à la même hauteur, sont recouvertes de plantes et d'arbustes : vue d'en haut, la ville apparaît ainsi « couronnée de fleurs, de fruits et de végétation ». Les progrès de la science ont permis d'étonnantes inventions, de la lampe alimentée par une source d'énergie illimitée au traitement de maladies encore fatales au XVIIIe siècle.

Mais les changements les plus profonds sont d'ordre moral : contrairement aux coutumes de l'Ancien Régime, il règne à présent « un sentiment d'égalité naturelle ». Le roi parcourt la ville à pied et rend visite aux citoyens ordinaires. « L'horrible disproportion des fortunes » et « le luxe puéril et ruineux » qui avaient tant scandalisé Rousseau ont disparu. Les plus aisés n'étalent plus leur richesse avec vulgarité mais se comportent avec sobriété et générosité. La noblesse n'est plus fondée sur l'héritage mais sur le service public. De même, le clergé a abandonné sa vie d'opulence pour mener une existence altruiste et exemplaire : « Ils agissent en tout pour le bien de l'humanité, et jamais à leur profit. » Les citoyens, qui ne se gorgent plus de nourriture « extravagante », ont adopté un régime frugal et sain à base de produits de saison. Les Parisiens idéalisés par Mercier ne mangent plus de pâtisseries, bénéficient de journées de travail plus courtes, paient leurs impôts de bonne grâce et – merveille des merveilles – se comportent avec politesse et considération. [18]

Cet Élysée ne se limite pas à Paris, ni même à la France. L'harmonie et la paix régnant dans le nouveau monde décrit par Mercier sont cosmopolites, voire cosmiques. Les citoyens, qui pratiquent une religion naturelle d'inspiration rousseauiste, vénèrent un Être suprême et croient que les planètes sont habitées par d'autres esprits qui accueilleront les âmes humaines au cours de leur pérégrination sereine vers la « perfectibilité ». Cela est rendu possible par un judicieux système de métempsycose permettant aux âmes vertueuses de progresser plus rapidement que les « âmes dépravées » – et de concilier habilement l'occultisme de Mercier avec ses principes progressistes. Non que la méchanceté de l'homme pose une grave menace : les exécutions capitales sont devenues rares, le « fléau de la guerre » ayant été éradiqué à tout jamais. On n'entretient plus d'armée en temps de paix (encore l'influence de Rousseau) et les frontières des États sont dessinées par la géographie.

Les colonies ont été émancipées et les États de l'Europe forment une communauté intégrée qui transcende l'étroitesse du patriotisme. La fraternité est étendue à l'ensemble du monde : les immigrants chinois et indiens sont accueillis à bras ouverts en France, les anciennes rivalités nationales ont disparu, Écossais et Irlandais chérissent leur union avec l'Angleterre, laquelle est devenue l'alliée « intime » de la France. Pour autant, cet internationalisme conserve une identité française rassurante : c'est la langue française, instrument de la « raison universelle », qui s'est imposée partout. Les normes de la morale et de la culture françaises se sont également répandues sur l'ensemble de la planète, modifiant le caractère des autres peuples : par leur charme, les Françaises ont notamment réussi « à adoucir le caractère mélancolique des Anglais » et, grâce à la diffusion de *L'Esprit des lois*, de Montesquieu, en Extrême-Orient, le nombre de suicides au Japon a chuté de façon spectaculaire. [19]

Au cœur de cette France imaginaire, le nouvel esprit civique s'observe dans les caractéristiques rousseauistes du gouvernement, dont les lois expriment la volonté générale et dont l'inspiration est soumise à la sagesse, à la sincérité et à l'absence d'artifice. Le pouvoir se partage entre une assemblée, un sénat et un monarque constitutionnel bienveillant dont les fonctions se limitent à superviser la bonne marche des institutions. Ainsi est abolie la « souveraineté absolue » de l'Ancien Régime. C'est l'instruction publique qui est le moteur de la régénération de l'esprit civique – Mercier reprenait ici un thème majeur de la pensée des Lumières. Chaque enfant reçoit un exemplaire de *L'Encyclopédie* et les programmes d'enseignement privilégient le français et les sciences. De même, les universités se concentrent sur les disciplines « utiles à l'humanité ». Dans un chapitre saisissant quoique un peu macabre, l'auteur décrit une Sorbonne d'où les « misérables rhétoriciens » ont été chassés et où l'on se consacre désormais exclusivement à la dissection du corps humain.

Ces développements, directement inspirés d'*Émile*, rendent palpable la méfiance que les rousseauistes éprouvent à l'égard de l'éducation formelle. Quant à l'héritier du trône, il devra grandir loin de Paris jusqu'à l'âge de vingt ans et son éducation consistera à expérimenter les activités des gens du peuple et à vivre parmi eux. De même, l'espace public sera désormais réservé à la culture civique : tableaux, sculptures et pièces de théâtre, toutes les œuvres doivent concourir à la « perfection de la nature humaine ». Les statues des grands hommes ornant les villes prôneront les vertus républicaines : clémence, générosité, dévotion à la chose publique, courage et mépris de la faiblesse. Le monument le plus extraordinaire qu'observe le narrateur est une statue du « vengeur du Nouveau Monde », un esclave noir qui, au nom de l'humanité, a chassé les colons de la surface de la Terre – *L'An deux mille quatre cent quarante* anticipe ainsi la révolte des esclaves emmenés par Toussaint Louverture en Haïti en 1791.[20]

Cette vision de l'avenir reflétait donc des convictions et des idéaux largement répandus dans la société française de la fin des Lumières, notamment sur la question des injustices et des inégalités de l'ordre existant. Cependant, le roman révèle également que le sentiment dominant parmi les élites intellectuelles à la veille de 1789 était réformiste et non révolutionnaire[21]. La transformation rousseauiste imaginée par Mercier devait s'effectuer de manière graduelle : elle consistait à conquérir la liberté par le progrès de l'individu et par la participation de tous à l'élaboration des lois. C'est pourquoi dans cette utopie rationaliste on ne trouve aucune prémonition de l'État répressif qui émergera en France au cours des années 1790 – preuve supplémentaire, s'il en était besoin, que la Révolution a été entraînée dans le despotisme et la Terreur par des accidents historiques bien plus que par quelque théorie politique ou utopie philosophique. Le XXVe siècle selon Mercier paraît en réalité extrêmement débonnaire : la liberté de la presse y est absolue, le maintien de l'ordre assuré par des forces de police peu nombreuses, elles-mêmes assistées par des « censeurs » municipaux chargés de surveiller, entre autres, que les « oisifs » ne profitent pas indûment de l'hospitalité offerte à la table commune [22]. Cette dernière idée s'inspirait de Rousseau, qui avait préconisé de créer une « censure » pour défendre les normes de conduite communément admises et empêcher la corruption de l'opinion publique [23]. La transparence devenait un principe majeur : dans le projet de Mercier, les prisonniers devaient être exposés en public, à titre d'avertissement pour le reste de la population. Ceux qui ne payaient pas leurs impôts verraient leur nom publié, les auteurs de textes « immoraux » seraient obligés de porter un masque en public et de débattre chaque matin avec deux contradicteurs jusqu'à changer d'opinion. Toute œuvre d'art qui ne remplirait pas un objet socialement utile serait interdite – tout comme il serait « expressément interdit » de sculpter des sujets « qui ne parlent pas à l'âme ». L'histoire, « honte de l'humanité », serait presque totalement bannie de l'enseignement scolaire. Lors d'une visite de la bibliothèque du roi, le narrateur apprendrait que des millions de livres jugés « honteux pour la raison » avaient été expurgés. Un immense brasier avait consumé une pyramide de « cinq ou six cent mille commentateurs, de huit cent mille volumes de jurisprudence, de cinquante mille dictionnaires, de cent mille poèmes, de seize cent mille voyages et d'un milliard de romans » – sans compter des collections entières de revues et de journaux. La majeure partie de l'œuvre de Voltaire, « qui précipitait ses idées et ne leur donnait pas le temps de mûrir », avait ainsi péri. Le seul auteur dont les œuvres complètes avaient été préservées était Rousseau. [24]

Régénérer l'humanité

Entre l'automne 1831 et le printemps 1832, plus de deux mille lecteurs écrivirent au journal saint-simonien *Le Globe*. Leurs lettres, conservées aux archives de la bibliothèque de l'Arsenal à Paris, reflètent à quel point les idées de réforme politique et sociale avaient pris racine dans la société française. Leur caractéristique la plus frappante est la richesse des références historiques et la diversité des influences intellectuelles dont font preuve leurs auteurs pour débattre d'idées, souvent controversées, avancées par les saint-simoniens – abolition de l'héritage, émancipation des femmes ou fondation d'une nouvelle religion progressiste destinée à soulager la pauvreté. Les épistoliers se montrent aussi familiers des philosophes des Lumières (en particulier de Voltaire et Rousseau) que des pamphlets républicains et libéraux de leur époque ou des écrits d'autres penseurs utopiques français. Ils appartiennent à tous les milieux sociaux et à toutes les professions : étudiants et ouvriers, artistes et membres du clergé, maires et députés, médecins et avocats, industriels et agriculteurs – et même un inspecteur des douanes. Ces hommes (et ces quelques femmes) ne considèrent pas ces idées comme des notions abstraites, mais comme des instruments destinés à donner un sens à leur vie et à leur époque, et à venir en aide aux membres les plus vulnérables de la société. Car, s'ils ne partagent pas une vision commune de l'avenir, tous s'accordent à conclure que les révolutions politiques successives qu'a connues la France de 1789 à 1830 n'ont pas permis d'établir un sentiment d'appartenance à une même communauté. Comme le dit l'un d'eux, « les hommes sont devenus étrangers les uns aux autres [25] ».

S'ils rejetaient l'héritage politique de la Révolution, les utopistes français du XIXe siècle en retenaient pourtant une idée capitale : la régénération de l'humanité ne surgira pas spontanément, elle requerra une mobilisation et une action collective. Le temps de l'utopie sereine des Lumières représentée par Mercier était révolu, les réformistes postrévolutionnaires étaient désormais des volontaristes zélés [26]. Saint-Simon et ses disciples cherchaient à guider l'humanité vers l'amélioration rapide de la condition des plus pauvres. À cet effet, ils proposaient une nouvelle hiérarchie spirituelle et temporelle dans laquelle le pouvoir serait exercé par des industriels et des scientifiques. La croyance ancienne en une réforme de l'ordre politique par le simple progrès des vertus civiques (cet héritage rousseauiste qui brille de mille feux dans le récit fictif de Mercier) était désormais remplacée par des visions beaucoup plus ambitieuses de coopération entre les hommes forgées par des visionnaires plus en plus affirmés. Lorsqu'il rencontra Mme de Staël pour la première fois, Saint-Simon n'hésita pas à lui déclarer : « Madame, vous êtes la femme la plus extraordinaire du monde et, comme je suis l'homme du monde le plus extraordinaire, nous pourrions avoir à nous deux un enfant encore plus extraordinaire [27]. »

Charles Fourier, le plus inspiré de tous, fut le premier à combiner toutes ces influences dans une synthèse d'une envergure et d'une créativité sans précédent. « Ce n'est pas avec de la modération que l'on fait de grandes choses », déclare-t-il dans son œuvre fondatrice, *Théorie des quatre mouvements* – une maxime qu'il suit à la lettre [28]. Forgeant sa « science sociale » sur les deux principes indissociables de scepticisme radical et d'« écart absolu », Fourier commence par prononcer un réquisitoire sans appel contre la faillite de la civilisation moderne. Le leadership politique et spirituel s'est effondré (la Révolution ayant été « une catastrophe ») et la « misère sociale » de l'homme se reflète dans l'avidité et l'inefficacité de l'« esprit commercial » incarné par la société anglaise [29]. Cette déchéance est encore accentuée par la misère sexuelle à laquelle l'institution du mariage condamne les femmes et les couples adultères. Fourier, obsédé par les taxonomies, distinguait quarante-neuf types de cocus différents, dont le « fataliste », qui se résignait à accepter son sort, le « fédéral ou coalisé », qui choisissait lui-même l'amant de sa femme, ou le « mystique », qui, « pour éviter le danger », l'entourait de prêtres et de saints hommes dont l'un finirait par la séduire « pour la plus grande gloire de Dieu » [30].

L'idée maîtresse de Fourier était que l'émancipation humaine n'exigeait pas une grande réforme constitutionnelle de plus, mais qu'il fallait se concentrer sur les sens de l'homme. S'inspirant de la tradition libertine du XVIIIe siècle finissant (notamment les écrits de Diderot et du marquis de Sade), il avait donc identifié douze passions, qui s'étageaient de la simple expérience sensorielle à des mécanismes psychologiques beaucoup plus complexes gouvernant le calcul et l'organisation du travail, et en avait conclu que « le vrai bonheur ne consiste qu'à satisfaire toutes les passions ». Cette nouvelle harmonie serait atteinte en répartissant la population dans des « phalanstères », des « associations agricoles » autarciques de quelque 1 600 membres, où la mise en commun des ressources permettrait de surmonter les obstacles rencontrés par les petites exploitations, en particulier le manque de capitaux. Grâce à une plus grande productivité et à la régulation de la concurrence entre phalanstères, chaque membre serait assuré de recevoir des bénéfices plus importants. Le phalanstère, dont le modèle architectural avait été inspiré par les galeries du Palais-Royal à Paris, fournirait tout ce qui était nécessaire à l'épanouissement des capacités humaines : des activités économiques agréables et variées, adaptées aux préférences manifestées par les hommes et les femmes ; un système complet d'instruction pour tous les enfants jusqu'à l'âge de seize ans ; toutes sortes de lieux dévolus aux loisirs, qu'il s'agisse d'espaces propices à la réflexion et à la contemplation ou de salles de bal, d'opéras ou d'espaces publics. Comme il se doit dans une utopie sensualiste, le phalanstère offrirait une nourriture abondante – cinq repas principaux ainsi que deux copieuses collations par jour [31] – et une vie sexuelle intense puisque le mariage traditionnel y serait remplacé par le « ménage progressif », un système d'amour libre où les femmes jouiraient d'une complète liberté.

Les progrès d'une humanité fouriériste régénérée seraient prodigieux : stimulé par la libération des passions, l'espérance de vie atteindrait 144 ans et les hommes finiraient par mesurer sept pieds (soit plus de deux mètres) – cela constituait une extension de la conviction exprimée par Condorcet selon laquelle « la perfectibilité de l'homme est réellement indéfinie [32] ». Le génie ne serait plus réservé à quelques individus exceptionnels : on compterait trente-sept millions d'Homère et à peu près autant de

Newton et de Molière, qui seraient récompensés pour leurs œuvres littéraires et scientifiques du titre de « citoyens du globe ». Le Sahara serait transformé en une région fertile par une armée d'ouvriers agricoles et les isthmes de Suez et de Panama percés de canaux. Les phalanstères de la planète seraient liés les uns aux autres par un système de gouvernance territoriale dont les chefs seraient tous démocratiquement élus, y compris l'« omniarque », l'empereur universel siégeant à Constantinople. Cette harmonie serait à la fois reflétée et rendue possible par des changements cosmiques, eux-mêmes entraînés par les lois panthéistes d'« attraction universelle » : alors que la Terre entrerait dans une phase supérieure de son développement, elle récupérerait ses lunes originelles et l'inclinaison de son axe de rotation serait corrigée. Grâce à la présence providentielle d'une « couronne boréale » (créée par des aurores boréales de plus en plus fréquentes), les températures de l'arctique augmenteraient, ce qui ferait fondre les calottes glaciaires et modifierait l'environnement, ouvrant ainsi le Grand Nord canadien et la Sibérie à l'agriculture, et transformant l'eau de mer, « par l'expansion d'un *acide citrique boréal* [...] en une sorte de limonade que nous nommons *aigresel* ».[33] Même si ce paradis n'était pas infini, les hommes pourraient se consoler en songeant que leur âme se réincarnerait et passerait en moyenne 27 000 années sur Terre puis 54 000 années sur d'autres planètes – ici aussi, Fourier faisait preuve de précision[34].

Il y eut en France et aux États-Unis des expériences collectives inspirées par le phalanstère, mais les résultats furent décevants. La communauté de Brook Farm, non loin de Boston, inspira à Nathaniel Hawthorne un roman intitulé *Valjoie* (1852). Après la mort de Fourier, en 1837, et jusqu'à la fin du XIXe siècle, ses disciples cherchèrent à perpétuer son héritage intellectuel en publiant des pamphlets et des journaux ou en commémorant l'anniversaire de sa naissance. Les fouriéristes furent particulièrement actifs dans la création d'associations locales de producteurs ; ils participèrent aux mouvements pacifistes, aux ligues anticléricales et éducatives[35]. Mais, de l'opinion générale, les projets de Fourier et sa philosophie dénotaient une naïveté sans borne et une absence totale de sens pratique. C'est en ce sens que Marx et Engels, tout en reconnaissant qu'il avait contribué à fonder la doctrine socialiste, rejetèrent ses idées, qu'ils taxèrent d'utopisme.

Pour autant, si on oublie son jargon et ses formulations peu conventionnelles, voire excentriques, nombre de ses idées exercèrent une influence durable sur la pensée des républicains radicaux, des socialistes et des anarchistes. Elles portaient en germe une sensibilité libertaire et anti-autoritaire qui demeure un trait constant de la pensée progressiste moderne, notamment la valorisation de l'activité associative et de la diversité des intérêts humains, le désir de réconcilier défense de la propriété privée et réformisme social, et l'intuition que les progrès d'une société se mesurent au statut qu'elle accorde aux femmes. Avec les saint-simoniens, les fouriéristes apportèrent également une contribution majeure à la tradition française du *grand projet** – en particulier l'un d'entre eux, l'ingénieur Charles Bergeron, qui fut l'un des premiers architectes du projet franco-britannique le plus chimérique de tous les temps : le tunnel sous la Manche. [36]

Visions d'égalité

Même s'ils présentaient un certain nombre de divergences importantes, les projets utopiques de Fourier et de Saint-Simon avaient néanmoins deux caractéristiques communes : ils ne se préoccupaient guère de la question de l'égalité et n'accordaient qu'une attention très limitée à la question de la représentation politique, pourtant l'un des thèmes majeurs de la pensée républicaine et libérale de la première moitié du XIXe siècle. L'idée que la pauvreté devait être combattue en forçant tous les hommes à se conformer à la même définition de la « vie bonne » heurtait la sensibilité libertaire de Fourier. De même, le principe d'un partage égal de tous les biens entre les citoyens s'accordait mal avec l'engagement des saint-simoniens en faveur de l'expansion industrielle et avec leur défense des hiérarchies sociales légitimes. Pour autant, une puissante tradition républicaine d'utopisme égalitaire apparut dans la France du XIXe siècle. Elle s'inspirait bien évidemment de la Révolution, qui avait posé le principe de l'égalité des citoyens dans le premier article de la Déclaration des droits de l'homme[37]. Mais, si les régimes qui se succédèrent à partir de 1789 respectèrent tous plus ou moins le principe d'égalité civique, un tout petit nombre de citoyens seulement pouvaient exercer pleinement leurs droits politiques tels que le droit de vote. L'accès à la propriété privée demeurait limité et les gouvernements successifs ne firent pas grand-chose pour améliorer les conditions de vie des plus pauvres. C'est dans ce contexte historique, et pour s'opposer aux arguments de ceux qui cherchaient à justifier les hiérarchies sociales existantes, que la défense de l'égalité dans une société républicaine idéale fut reprise à partir des années 1820.

L'opinion la plus répandue chez les républicains d'alors est que l'égalité politique constitue le principe fondamental d'un ordre social juste. Dans sa critique cinglante de la restriction des droits politiques sous le système de la monarchie constitutionnelle, le républicain Godefroy Cavaignac (1800-1845) affirme ainsi que l'« égalité absolue entre les hommes » doit être le but premier de tout programme politique progressiste – un principe défini dans le « Petit Catéchisme républicain », comme la « participation égale de tous les citoyens aux droits civils et politiques, quels que soient le rang et la fortune ». Les républicains sont convaincus que l'égalité politique mènera à la formation d'un gouvernement véritablement démocratique : « Il n'y a de bon gouvernement que celui qui est fondé sur les intérêts de tous et qui a pour but l'amélioration physique et morale du sort de la classe la plus nombreuse. » C'est Jules Ferry, étoile montante du mouvement républicain, qui donnera à cette vision idéalisée du suffrage universel sa définition la plus aboutie dans les années 1860 : « Le suffrage universel est l'honneur des multitudes, le gage des déshérités, la réconciliation des classes, la vie légale pour tous. » Ainsi définie, il s'agit d'une égalité des chances et des droits, et certainement pas, comme le précise Adolphe Rion, « la possession égale de toutes choses entre les hommes, mais un

DROIT ÉGAL à acquérir toutes choses ». Les « inégalités monstrueuses » entre riches et pauvres ne disparaîtront pas en un jour, ni par la violence, mais par la mise en œuvre d'un système d'assistance publique, « premier objet de la Révolution future ». Cette aide apportée aux pauvres devra être financée par un impôt progressif, ce qui permettra à l'État de faire progresser le niveau de vie général. Tout en défendant cet idéal contre l'opposition des conservateurs, les républicains prennent cependant bien garde de noter ses limites : « Les hommes sages ne poussent donc pas l'amour de l'égalité jusqu'à l'absurde. »[38]

Des voix plus radicales remettaient en question cette vision d'une société républicaine fondée sur l'égalité politique. Pour commencer, son « universalité » était limitée aux hommes, ce qui provoqua naturellement l'opposition des féministes françaises. Olympe de Gouges fut la première à rejeter cette conception exclusivement masculine de la citoyenneté lorsqu'elle rédigea, en 1791, la *Déclaration des droits de la femme et de la citoyenne*, un texte qui devance d'une année le livre de Mary Wollstonecraft intitulé *Défense des droits de la femme*. Le premier article de la déclaration d'Olympe de Gouges affirme ainsi que « la femme naît libre et demeure égale en droits à l'homme ». Mais une telle conviction ne reçut qu'un écho limité parmi les révolutionnaires français. Le seul philosophe majeur à la défendre fut Condorcet, qui posa ouvertement la question dans un discours en 1790 : tous ceux qui « s'occupaient avec le plus de zèle d'établir les droits communs des individus de l'espèce humaine [...] n'ont-ils pas violé le principe de l'égalité des droits en privant tranquillement la moitié du genre humain de celui de concourir à la formation des lois, en excluant les femmes du droit de cité ? ». Plus tard, des écrivains, telle Jeanne Deroin (1805-1894), feront aussi observer que « scinder l'humanité en deux parties inégales, refuser à la femme ses droits à la liberté et à l'égalité, c'est porter atteinte au principe [révolutionnaire] et consacrer le droit du plus fort et le privilège ».[39]

La défense de la cause féminine non seulement se heurtait à l'opposition vigoureuse du pouvoir masculin en place (qu'il soit progressiste ou conservateur), mais aussi comportait une part d'utopie étant donné qu'en 1850 la moitié des Françaises étaient encore illettrées. Cela n'empêcha cependant pas que des voix puissantes s'élèvent pour défendre et incarner les revendications des femmes au cœur du XIXe siècle : des figures très variées telles que Flora Tristan (1803-1844), qui avait bien compris que l'émancipation des femmes, « le prolétariat du prolétariat », selon ses propres mots, n'entrait pas dans le champ de vision des progressistes, ou George Sand (1804-1876), dont les romans offrent une vision subtile mais puissante de femmes réalisant pleinement leur destin. Écrivaine et essayiste universellement reconnue de son vivant, de convictions socialistes et républicaines, George Sand était douée d'une formidable empathie, y compris envers ceux qui avaient des opinions très différentes des siennes, comme le démontre sa correspondance avec Flaubert. Radicalement opposée à la violence, d'une grande humanité, elle savait faire appel aux instincts les plus nobles du lecteur, alors même que sa vie et sa pensée politique reflétaient les conséquences tragiques de l'exclusion des femmes hors de la sphère politique. Mais la féministe la plus remarquable fut peut-être Juliette Adam (1836-1936), qui publia un premier pamphlet intitulé *Idées antiproudhoniennes sur l'amour, la femme et le mariage* en 1858, avant de devenir l'une des grandes figures littéraires de la seconde moitié du XIXe siècle, tant par son œuvre prolifique (romans, Mémoires, commentaires politiques) qu'au travers de la *Nouvelle Revue* qu'elle fonda en 1879. Son salon parisien, où elle recevait des hommes politiques tels que Léon Gambetta ou George Clemenceau, fut le cercle républicain le plus influent. [40]

La doctrine républicaine n'est pas seulement critiquée par les féministes, elle l'est aussi par ceux qui trouvent qu'elle néglige les causes économiques des inégalités, comme Louis Blanc, qui affirme que le seul moyen de lutter contre les injustices créées par la concurrence est de fonder, sous l'égide de l'État, des « ateliers sociaux », des associations coopératives qui garantiront à tous les citoyens le droit d'avoir un travail. De manière plus controversée, Proudhon, connu pour ses idées libertaires, considère quant à lui que le système moderne de propriété privée constitue une violation des droits naturels de l'homme. Sa conclusion, « la propriété, c'est le vol », deviendra l'un des slogans de la pensée anarchiste moderne.

Même si Proudhon ne propose pas en réalité d'abolir la propriété, ses idées attirent les républicains révolutionnaires, persuadés qu'il a bien identifié la cause fondamentale de l'inégalité sociale. Avant lui, le révolutionnaire Philippe Buonarroti avait déjà affirmé que la Révolution française avait échoué car elle avait fondé les droits politiques sur la propriété privée. La solution était de remplacer cet « ordre d'égoïsme » qui perdurait par un « ordre d'égalité ». Influencé par la lecture de Rousseau et le souvenir de la « révolution des Égaux » fomentée par Gracchus Babeuf, Buonarroti prônait « un ordre social soumet[tant] à la volonté du peuple les actions et les propriétés particulières ». Défendant l'établissement d'une « égalité absolue » fondée sur l'abolition de la propriété privée et le principe de « communauté », cette approche « babouviste » proclamait son utopisme révolutionnaire : son but était de totalement changer la surface de la terre et d'inaugurer pour tous ses habitants une vie nouvelle, sans précédent dans l'Histoire. [41]

La vision la plus élaborée que nous offre le XIXe siècle de cette communauté utopique est esquissée par Étienne Cabet (1788-1856). Communiste autoproclamé, cet ancien membre de la société secrète des Carbonari ne pense cependant pas que le changement puisse advenir par la violence. Il explique que sa vision politique a radicalement changé après qu'il a été convaincu (lui aussi grâce à la lecture de Rousseau) que « l'inégalité est la cause véritable et originelle de tous les vices et de tous les malheurs des sociétés [42] ». Comme nombre de penseurs socialistes français de la première génération, Cabet est aussi influencé par la doctrine chrétienne et cite souvent la vision de l'Évangile selon saint Luc pour justifier son égalitarisme : « Toute vallée sera *comblée*, toute montagne et toute colline seront *abaissée*, les chemins tortus seront *droits* et les raboteux deviendront *unis* [43]. »

C'est dans un roman publié en 1839 de façon anonyme, *Voyage en Icarie*, que Cabet décrit en détail sa conception de la communauté idéale. Cette œuvre, qui connaît un très grand succès populaire (elle fut rééditée à quatre reprises et traduite en anglais, en allemand et en espagnol), raconte les aventures d'un aristocrate anglais, lord William Carisdell, dans l'île d'Icarie. Dans ce pays aussi peuplé que la France et l'Angleterre de l'époque, la communauté a été établie grâce à un principe très simple : « en substituant l'*Égalité* à l'*Inégalité* ». La philosophie politique de Cabet est sans conteste collectiviste. Grâce à la vision d'un dictateur révolutionnaire, un dénommé Icar, fondateur de l'ordre nouveau et présenté comme un mélange de Jésus-Christ et de Thomas More, la propriété privée, les classes sociales et la monnaie ont été abolies. On ne se livre plus au commerce non plus puisque la république offre désormais aux citoyens tout ce dont ils ont besoin : vêtements, logement, transport, éducation, et même provisions de bouche, livrées à domicile au cours d'une distribution « toujours faite à la même heure et d'ailleurs annoncée par un son particulier » – anticipation utopique de la camionnette du supermarché. Comme dans le Paris de Mercier, les questions d'hygiène publique et de communication ont été scientifiquement résolues. Édifices et avenues sont dessinés d'après des lois de « proportion parfaite ». Les hôpitaux, aussi somptueux que des palais, emploient des bataillons de médecins hautement qualifiés. Les transports publics sont assurés par un réseau de voitures, de trains et de ballons, et, pour ceux qui souhaiteraient explorer la vie aquatique, par des « bateaux sous-marins ».

Le pouvoir est exercé par un collège exécutif, secondé par tout un réseau d'institutions locales, provinciales et nationales élues au suffrage universel (exclusivement masculin) ; des « assemblées populaires » jouent aussi un rôle actif dans la vie civique. La vie de famille est sereine et heureuse, tous les citoyens jouissent en outre d'une totale liberté religieuse – la majorité d'entre eux souscrivent d'ailleurs à une religion naturelle débarrassée des idoles et des rituels. C'est l'État qui organise désormais la vie économique et fixe le nombre de travailleurs dont les différents secteurs de l'industrie et de l'agriculture ont besoin chaque année. Le travail n'a plus rien de pénible, car certains emplois subalternes (tel le service domestique) ont été abolis. Le temps de travail est rigoureusement limité et la plupart des tâches rebutantes sont effectuées par des machines.[44]

La société communiste imaginée par Cabet est extrêmement réglementée. Il n'y a ni cafés ni tripots, et le couvre-feu est imposé de dix heures du soir à cinq heures du matin. L'activité artistique reste contrôlée par l'État : les œuvres doivent être prudes et, comme dans l'utopie de Mercier, avoir une utilité sociale. La façon de s'habiller est également régie par des « plans-modèles » : les citoyens portent des uniformes différents en fonction de leur âge et de leur profession. La nourriture servie au cours des cinq repas quotidiens est abondante, mais c'est à un « comité de savants, institué par la représentation nationale », de décider quels légumes seront cultivés et de déterminer la composition des menus ainsi que les ingrédients à utiliser. La monogamie est la règle et l'adultère considéré comme un crime – on est bien loin du phalanstère fouriériste et de sa totale liberté de mœurs – puisqu'il n'y a en Icarie « que des filles chastes, des garçons respectueux et des époux fidèles et respectés ». Sous l'autorité d'une « commission de perfectionnement » (Cabet a un faible pour les comités), on y pratique l'eugénisme afin d'améliorer l'espèce humaine. Même s'il n'existe pas de système judiciaire public – ni prisons, ni juges, ni officiers de police –, la surveillance civique est omniprésente et toute forme de déviance par rapport aux coutumes collectives est dénoncée à des institutions locales qui font office de tribunaux. Comme dans le Paris de Mercier, les livres portant atteinte aux bonnes mœurs ont été détruits (ou pour certains, détail intéressant, récrits). Le nombre de journaux est strictement limité : il n'y a qu'un seul quotidien national, par exemple, et rien ne peut être publié « sans le consentement de la République ».[45]

Idéaux de fraternité

Dieu bon, Dieu fort, Dieu juste, Dieu tout-puissant, assiste, fortifie, protège et soutiens tous ceux en général qui luttent et qui combattent pour ces deux nobles et grandes causes : l'abolition des armées permanentes et la pacification générale, c'est-à-dire la fin, la suppression de toutes les guerres, de tous les massacres, au moyen de l'abolition de tous les trônes, de toutes les royautés, de toutes les dynasties par conséquent, au moyen de l'établissement de la République universelle et de la constitution des États-Unis d'Europe, s'efforçant ainsi d'ouvrir partout et pour tous, pour tous les hommes et pour tous les peuples qui sont frères, une ère nouvelle de prospérité, de progrès telle qu'on n'en a pas vue de pareille depuis que le monde existe et qu'il est gouverné par des rois plus ou moins tyrans, plus ou moins despotes, plus ou moins débonnaires. Dieu juste et bon, fais que ces grands citoyens, que ces bienfaiteurs de l'humanité, voient de leurs yeux, avant de mourir, dans un avenir très prochain, flotter sur toutes les capitales, des bords du Tage aux bords de la Neva, des rives de la Tamise à celles du Tibre et du Bosphore, le drapeau aux trois couleurs et aux dix étoiles des États-Unis d'Europe [46].

Publié dans un journal républicain de province au plus fort de la guerre franco-prussienne de 1870, ce vibrant appel illustre l'un des thèmes récurrents de la pensée idéaliste française du XIXe siècle finissant, l'établissement d'une république universelle et pacifique, un projet qui vient compléter les utopies futuristes et collectivistes précédemment décrites. Les rêves égalitaires des réformateurs sociaux, qui avaient résonné avec autant de puissance dans l'imaginaire romantique des premières décennies du siècle, avaient subi de sérieux revers lors de l'échec de la révolution de 1848. La IIe République avait pourtant été inaugurée sous des auspices favorables par un décret abolissant l'esclavage, mais l'aspiration populaire à un ordre « démocratique et social » avait été rapidement et violemment réprimée, et le gouvernement avait refusé de se ranger aux côtés des autres mouvements insurrectionnels lancés par les républicains européens. Pis encore, Louis-Napoléon Bonaparte, le président démocratiquement élu, avait renversé le régime par un coup d'État en décembre 1851 et restauré l'empire un an plus tard. Au lieu de se voir gouvernés par le dictateur bienveillant décrit par Cabet, les progressistes français s'étaient retrouvés sous la botte d'un césar despotique. Leur exil aux quatre coins de l'Europe dans les années 1850 et 1860 (à Jersey pour Victor Hugo, à Londres, Bruxelles ou Genève pour beaucoup d'autres) reflétait leur défaite politique et constituait un aveu tacite des limites de l'égalitarisme qu'ils avaient défendu au cours des années précédentes.

Le rêve d'universalisme marque également l'apogée du plus puissant (mais du plus insaisissable) des idéaux progressistes français : la fraternité. L'idée de bâtir l'harmonie universelle en créant une confédération d'États pacifiques partageant les mêmes intérêts était un autre héritage de la pensée des Lumières représenté notamment par les projets de l'abbé de Saint-Pierre ou d'Emmanuel Kant (dont le texte intitulé *Vers la paix perpétuelle* avait été traduit en français en 1796). La Révolution française avait ajouté une dimension combative à cet idéal de fraternité, un terme utilisé par Robespierre pour la première fois en 1791 dans son *Discours sur l'organisation des gardes nationales*. La fraternité était dorénavant considérée comme un critère de citoyenneté active, conditionnant ainsi l'appartenance à la communauté politique à la possession de certaines qualités morales dont l'absence pouvait justifier la privation des droits civiques.[47]

Aux yeux des républicains les plus convaincus, la fraternité implique également une solidarité avec les peuples du monde qui combattent la tyrannie. Dans ce schéma de pensée, patriotisme et internationalisme se renforcent mutuellement. Commentant au début des années 1830 l'article de la Constitution jacobine de 1793 qui déclare que tous les hommes sont frères, le polémiste républicain Albert Laponneraye écrit ainsi : « Qu'un homme soit né aux extrémités de la Terre ou parmi nous, que sa peau soit blanche ou noire, il n'en est pas moins homme comme nous ; c'est notre semblable, notre frère ; s'il a besoin de secours, nous devons l'assister ; s'il est en danger, nous devons voler à sa défense. » La lutte des républicains français contre la monarchie de Juillet était donc inextricablement liée au soutien qu'ils apportaient à l'insurrection polonaise contre l'occupation russe – une révolte devenue grande cause de tous les progressistes européens.[48] Pour reprendre les termes d'Armand Marrast, lui aussi républicain, en 1833 : « Les principes de morale ne s'enferment pas dans les frontières : ils sont communs non pas à un pays, mais à tous les continents, non pas à une nation, mais à l'humanité entière. [...] les peuples sont frères comme les hommes. Le droit des gens n'a pas d'autre but que l'association universelle des nations entre elles. Association que devinent et appellent déjà les intelligences supérieures, qui de notre continent travaillent de concert à la *république européenne*[49]. »

Une décennie plus tard, cette idée est presque devenue un cliché. Dans l'optimisme des premiers mois de la révolution de 1848, certains titres de la presse parisienne reflètent cet appel enivrant à la fraternité universelle : *Alliance des peuples, Europe républicaine, Fraternité des peuples* ou *Harmonie universelle* (on note également le très martial *Fraternité cri de guerre* et le très direct *Guillotine*)[50]. Bien qu'apparemment unis par une perspective internationaliste commune, ces projets sont formulés de façon éclectique. On y retrouve inévitablement une forme d'ethnocentrisme, visible notamment dans *La République universelle démocratique et sociale*, une gravure allégorique de Frédéric Sorrieu datant de 1848. On y voit bien la figure de Marianne trônant sur un char, accompagnée de quatre enfants originaires des quatre continents. Pour autant, les personnages qui mènent la procession sont indiscutablement français, tout comme la ville représentée à l'arrière-plan, qui ne peut être que Paris. De même, le projet proposé par Victor Hugo de fonder des États-Unis d'Europe prévoyait bien une monnaie unique et la libre circulation des personnes et des biens, mais l'assemblée européenne élue par le peuple devait siéger à Paris, « centre du monde ». Quant à la « république occidentale », version positiviste imaginée par Émile Littré, disciple d'Auguste Comte, il s'agissait d'une « fédération européenne » dominée par un groupe de nations « supérieures » – les peuples latins, anglo-saxons et scandinaves – qui devaient ouvrir la voie à la création d'une patrie commune en éradiquant le militarisme. En réalité, l'unité européenne dont rêvaient les républicains prenait les formes les plus diverses :

La République universelle démocratique et sociale – Le Triomphe, par Frédéric Sorrieu. Réalisée au lendemain de la révolution de 1848, cette représentation classique de l'utopisme progressiste français dépeint une allégorie de Marianne portée en triomphe par une foule composée des différentes classes sociales.

plans conçus dans les moindres détails et non dénués d'une touche de mysticisme religieux, tel le *Plan de la confédération européenne et universelle du livre précurseur* de Jean-Joseph Brémond ; projets radicalement cosmopolites de fraternité universelle (« L'idée d'une humanité supérieure à toutes les nations est désormais acceptée par tous les républicains ») ou appels à former une alliance de la jeunesse progressiste en Europe – sans oublier la vision d'un commandement central des partis progressistes, notamment dans l'appel *Aux républicains* lancé en 1855 par les principaux démocrates européens, le Hongrois Lajos Kossuth, l'Italien Giuseppe Mazzini et le Français Alexandre Ledru-Rollin. [51]

Cette diversité conceptuelle laisse apparaître une idée phare : la république universelle, pacifique et fraternelle, ne pourrait surgir que d'un défi collectif lancé à la face du despotisme et du militarisme monarchique. Cela fut l'un des facteurs clefs sous-jacents de la création de l'Association internationale des travailleurs en 1864, au sein de laquelle les Français furent particulièrement actifs à promouvoir l'idée d'une « solidarité universelle » parmi les travailleurs européens. En 1867, un certain nombre de groupes issus de différents courants de pensée (pacifistes, libéraux, saint-simoniens, républicains et révolutionnaires radicaux), mais déterminés à dépasser les clivages traditionnels, se rassemblèrent pour former la Ligue de la paix et de la liberté, dont le premier congrès fut organisé à Genève. Il rassembla 6 000 délégués, parmi lesquels beaucoup des figures de proue du parti républicain français. La résolution finale appelait à la création d'une confédération européenne des États démocratiques. Le journal de la ligue, dirigé par Charles Lemonnier, un ancien saint-simonien, fut d'ailleurs baptisé *Les États-Unis d'Europe*. [52]

La contribution la plus originale à cette vision d'un internationalisme fraternel se trouve formulée dans l'ouvrage de Jules Barni *La Morale dans la démocratie* (1868). Cofondateur de la ligue, Barni y élabore une théorie de la paix démocratique qui renforce la vision libérale de Kant par des arguments empruntés à Rousseau et à la justification de la guerre dans la tradition républicaine du XIXe siècle. Plus particulièrement, il fait du « césarisme » le principal obstacle à une société plus juste et plus humaine, et revient en ces termes à l'antique impératif républicain imposant de combattre la tyrannie : « C'est en effet un droit inhérent à la personne humaine que de résister à la force qui la veut opprimer ; mais c'est de plus un devoir de citoyen que de repousser l'oppression par tous les moyens légaux dont on peut disposer et, en l'absence de tout autre moyen, par la force [53]. »

Des communards aux communistes

Cette vision conquérante de la république universelle va se révéler éphémère. Elle se brise à la fin d'un bref épisode révolutionnaire, entre mars et mai 1871, juste après la défaite de la

France contre les Prussiens, qui demeurera longtemps vivace dans la mémoire collective des progressistes européens et français : la Commune de Paris. Cette Commune, dont les institutions démocratiques illustrent la richesse de la tradition progressiste française, est dirigée par un conseil élu, réparti en plusieurs commissions (les principes de Cabet semblent avoir été parfaitement intégrés). Des personnalités remarquables vont émerger : des modérés, tel le journaliste Charles Delescluze, des intellectuels, tel Félix Pyat, des militants autodidactes, tels Eugène Varlin et Benoît Malon, d'incorruptibles zélotes, comme le chef de la police, le jacobin Raoul Rigault, ainsi que d'extraordinaires figures féministes, dont la plus célèbre est Louise Michel[54]. Mais, n'en déplaise à Marx, qui décrira la Commune comme l'exemple de la « dictature du prolétariat », la plupart de ses chefs élus, issus de la petite bourgeoisie ou artisans, sont très largement ignorants de son œuvre – il n'y a qu'un seul marxiste authentique parmi eux, Léo Fränkel, syndicaliste français d'origine hongroise et membre de l'Internationale.

La Commune s'inspire d'influences intellectuelles variées qui vont de la tradition révolutionnaire conspirationniste d'un Louis-Auguste Blanqui, poussé par « son rêve de bonheur pour l'humanité future », à l'héritage républicain fédéraliste opposé à la centralisation du pouvoir au nom de l'autonomie du gouvernement local et de la volonté populaire. La plupart des communards partagent une même adhésion à l'idée de réforme sociale héritée des penseurs classiques (tels que Rousseau) et des socialistes républicains du XIXe siècle (notamment Louis Blanc et Pierre-Joseph Proudhon). Même si, en la matière, la seule mesure pratique adoptée par la Commune sera l'interdiction du travail de nuit dans les boulangeries parisiennes, son esprit est utopique et beaucoup de ses membres expriment l'ambition d'« écrire une nouvelle page de l'Histoire ». Plus poétiquement, les communards croyaient en la capacité du peuple à se régénérer : le personnage principal de *L'Insurgé*, le roman de Jules Vallès inspiré des événements, s'exclame ainsi : « Il me semble qu'il n'est plus à moi, ce cœur qu'ont écorché tant de laides blessures, et que c'est l'âme même de la foule qui maintenant emplit et gonfle ma poitrine. »

Cependant, l'expérience sera de très courte durée : après être entrée en conflit avec le gouvernement français qui siège alors à Versailles, la Commune sera écrasée par l'armée lors de la Semaine sanglante qui fera des milliers de victimes. [55]

Traumatisé par les circonstances de sa naissance – massacres de la Commune et perte de l'Alsace-Lorraine, annexée par l'Allemagne –, le régime républicain qui voit le jour en France après 1871 s'éloigne de plus en plus de ses racines utopiques, se convertit au nationalisme et affiche, dès ses débuts, une franche hostilité à toute forme d'idéalisme politique. Taxant de « métaphysique » son engagement de jeunesse envers la cause de l'harmonie universelle et du cosmopolitisme, Émile Littré fait désormais du pragmatisme, du compromis entre les intérêts contradictoires et du maintien de l'ordre les valeurs premières de la nouvelle république, « le régime qui permet le plus au temps de garder sa juste prépondérance [56] ». Et même si, faisant remonter ses origines idéologiques à 1789, la IIIe République institue une démocratie représentative, elle ôte à la Révolution tout sens politique prégnant.

C'est l'expansion massive de l'empire colonial français qui constitue le facteur crucial de la dérive conservatrice de la IIIe République à partir de 1880. À son apogée (entre 1918 et 1939), l'empire couvre plus de 12 millions de kilomètres carrés et compte près de 70 millions d'habitants. À l'origine, pourtant, l'impérialisme français avait été marqué par des aspects utopiques. À partir des années 1830, la croissance des établissements coloniaux avait été défendue par de nombreux socialistes français et saint-simoniens, au nom de leurs idéaux progressistes. Cabet saluait ainsi la colonisation française comme la « conquête de l'univers inculte pour l'Humanité ». Mais vers la fin du siècle, sous l'influence du darwinisme social et de l'anthropologie naissante, l'universalisme républicain cède la place à un imaginaire colonial racialisé dans lequel les notions d'hérédité et de suprématie européenne jouent un rôle majeur. En 1884, Jules Ferry, s'étant détourné de l'idéalisme de sa jeunesse, justifie même le colonialisme en ces termes : « Il faut se placer au point de vue d'une race supérieure qui ne conquiert pas pour son plaisir dans le but d'exploiter le faible, mais bien de le civiliser et de l'élever jusqu'à elle. » Tandis que, de son côté, le républicain Paul Bert, ministre de l'Instruction publique, écrit : « Les Blancs [sont] plus intelligents, plus travailleurs, plus courageux que les autres. » Quant aux autochtones africains, arabes ou chinois, ils sont représentés dans la littérature colonialiste en termes dépréciatifs, tout particulièrement les Noirs, très largement considérés comme fatalistes, infantiles, vaniteux et paresseux. En consacrant une hiérarchie qui distingue les sujets des citoyens et légitime l'usage systématique de la violence à l'encontre des populations locales, les élites de la IIIe République vont tourner le dos à l'universalité proclamée dans la Déclaration des droits de l'homme de 1789 et à l'héritage républicain classique d'égalité et de fraternité. [57]

Pendant toute cette période, ce sont donc les anarchistes et les éléments les plus radicaux du mouvement socialiste français qui maintiennent en vie la flamme de l'idéalisme internationaliste ainsi que le mythe du *grand soir** où le système capitaliste sera brutalement renversé. En cette fin de XIXe siècle, la perspective d'une transformation en profondeur de la société européenne semble désormais si lointaine que le romancier Paul Adam, tout en s'inspirant de Fourier, Saint-Simon, Proudhon et Cabet, situe son utopie communiste sur une île très lointaine de la Malaisie. Quant à Jean Jaurès, il fait lui aussi allusion à la distance qui sépare ses contemporains de cet horizon utopique dans le premier numéro de *L'Humanité*, qu'il fonde en 1904 : « Le nom même de ce journal, en son ampleur, marque exactement ce que notre parti se propose. C'est, en effet, à la réalisation de l'humanité que travaillent tous les socialistes. L'humanité n'existe point encore ou elle existe à peine. » Jaurès défie la montée du militarisme en Europe en proposant la vision alternative d'une communauté liée par des idéaux de solidarité internationale et de paix. Il se montre également de plus en plus critique vis-à-vis du colonialisme français, non pour une question de principe, mais à cause du recours à la violence qui semble nécessaire pour imposer et maintenir la domination de la métropole. Dénonçant les exactions commises par l'armée en Afrique du Nord en mars 1912, Jaurès déplore le fait que l'avidité des intérêts coloniaux et la myopie des gouvernements républicains successifs ont transformé la France, aux yeux du monde arabe, en un pouvoir purement destructeur. Au cours d'un débat parlementaire la même année, il prend la défense de la civilisation musulmane qui « a tant apporté dans les domaines de la philosophie et de la science, de l'art et qui renferme en elle tant de possibilités ». [58] Son assassinat, à la veille de la Première Guerre mondiale, symbolise le crépuscule de cette vision d'une possible harmonie et va laisser une vacance que viendra combler, après 1920, une version encore plus globalisante et puissante de la pensée utopique moderne : le communisme.

> La voie de l'Internationale communiste, la voie de l'Internationale de Lénine et de Staline, c'est la voie dans laquelle nous ont précédés les travailleurs de l'Union soviétique sous la conduite du glorieux parti bolchevik. La voie de l'Internationale communiste, notre voie, c'est celle de la lutte pour le pouvoir de la classe ouvrière er de l'édification socialiste. Le socialisme, le communisme, ce n'est plus une chimère, une utopie, un rêve. C'est la vie heureuse de 180 millions de citoyens soviétiques, c'est la vie joyeuse d'une jeunesse ardente. Ce sera notre vie, celle de nos enfants. Ce sera la vie de notre peuple, ce sera la vie de tous les peuples libérés de l'esclavage capitaliste [59].

C'est en ces phrases empreintes de lyrisme que le secrétaire général du Parti communiste Maurice Thorez résumait en mai 1939 les traits caractéristiques du rêve communiste français. Comme toutes les utopies, il promettait le bonheur à l'humanité qui, libérée du joug du capitalisme, pourrait construire une société fraternelle et égalitaire. Cette vision marxiste était puissamment évoquée dans l'autobiographie de Maurice Thorez, publiée en 1937 sous le titre *Fils du peuple*, puis rééditée après la guerre. Ce grand succès de librairie décrivait les promesses du communisme en racontant l'ascension d'un modeste ouvrier au sein du Parti (Thorez naquit en effet en 1900 dans une famille de mineurs du Pas-de-Calais). Ce récit de sa vie de militant célébrait le rôle d'inspiration qu'avaient joué les écrits de Marx et d'Engels, à la fois instruments d'analyse de l'oppression capitaliste et célébration des vertus collectives du prolétariat : fierté, héroïsme, virilité, patriotisme et sens de la solidarité. Le communisme, l'idéal « le plus noble, le plus pur » de l'humanité, était ainsi décrit comme un objectif concret, préparant la libération de l'homme par la maîtrise des capacités prométhéennes de la raison.

Il fallait cependant tenir compte d'un autre aspect de la réalité. L'avènement de l'âge d'or communiste à l'échelle mondiale était inextricablement lié au destin de l'État soviétique fondé par Lénine et les bolcheviques après la révolution d'octobre 1917. D'où cette qualité particulière du communisme au XXe siècle, à la fois sincère dans son universalisme et indéfectiblement attaché à l'URSS. C'était l'un des paradoxes du pouvoir d'attraction de la doctrine communiste en France : elle gardait son caractère utopique et idyllique bien qu'elle se fût institutionnalisée et incarnée dans un ordre politique singulier. Le récit que Thorez fit de son premier voyage en URSS, en 1925, est à cet égard exemplaire : il y avait trouvé « ce monde nouveau voulu par les travailleurs et façonné par eux », peuplé de travailleurs heureux et d'intellectuels émancipés, parsemé de vastes écoles et d'admirables laboratoires, et gouverné par une « démocratie vraie » – une nouvelle Icarie à la Cabet.[60] Ces représentations idéalisées étaient monnaie courante dans les reportages sur la vie en URSS publiés par le PC. À la fin des années 1940, la presse régionale communiste décrivait l'Union soviétique comme le pays « où l'on fertilise les déserts », « où le pain sera bientôt gratuit », « où se réalise le rêve de tous les travailleurs », « où du blé [pousse] haut comme un homme qu'on croit en rêver » – sans oublier, dans un écho frappant de la régénération fouriériste des terres sibériennes, un pays où « cerises et fraises grimpent vers le nord »[61]. Les contributions les plus frappantes à cette idéalisation du régime soviétique provenaient de sympathisants non communistes qui s'étaient rendus en URSS et y avaient trouvé la Terre promise, tel Édouard Herriot, chef de file des radicaux, qui avait visité l'Ukraine en 1933 (au plus fort de la famine) et l'avait décrite à son retour « tel un jardin en plein rendement ». Ou le poète Charles Vildrac, à qui l'URSS stalinienne apparais-

Affiche électorale (1936). La version communiste de l'avenir radieux constitue le summum de la tradition utopique française. Elle fait la synthèse d'une aspiration personnelle telle que la vie de famille et des idéaux collectifs tels que la paix, la modernisation, le développement culturel et intellectuel, et l'égalité sociale.

sait comme « une grande voie libre au sol ferme, aux perspectives lointaines par où tout un peuple audacieusement s'avance ».

La raison pour laquelle le communisme exerça une fascination extraordinaire en France s'explique en partie (comme dans le cas des autres schémas de pensée utopique) par le contexte historique. Ce n'est pas un hasard si, bien qu'il ait été conçu plus tôt, le communisme fut le fruit de la Première Guerre mondiale et si son apogée en France entre les années 1930 et 1960 coïncida avec l'une des périodes les plus troublées de l'histoire moderne. Pendant cette période d'intenses conflits mondiaux et coloniaux, d'instabilité politique endémique et de lutte des classes acharnée, une idéologie qui promettait *des lendemains qui chantent** possédait une indéniable capacité de séduction.[62] Cette croyance dans le bonheur à venir de l'humanité joua un rôle d'autant plus important qu'elle s'appuyait sur des courants de pensée idéalistes plus anciens : l'ambition des Lumières à former des citoyens instruits partageant une morale laïque commune ; l'aspiration rousseauiste de la Révolution à régénérer l'homme ; le désir fouriériste d'éradiquer la pauvreté et de promouvoir une plus grande harmonie sociale ; le culte de la perfectibilité des saint-simoniens et leur promotion de la productivité industrielle ; la dictature bienveillante de Cabet et sa conception utilitariste de la vie artistique et culturelle ; l'antimilitarisme militant pour la paix et l'harmonie entre les peuples de la république universelle – tous les idéaux progressistes des deux siècles précédents trouvaient leur place dans la doctrine communiste française.

La séduction exercée par le parti tenait aussi à l'efficacité des images créées par la propagande. C'est ainsi que la colombe de la paix dessinée par Pablo Picasso en 1949 devint le symbole de l'aspiration progressiste à la fraternité universelle. Les familles communistes, partout en France, étaient fières de pouvoir en exposer chez elles une reproduction ou une petite statue, comme le prouve une lettre reçue par l'artiste en janvier 1953. François-José Bernard, Choletais âgé de neuf ans, demandait à Picasso s'il pouvait lui renvoyer une petite colombe en porcelaine pour remplacer celle de sa maman qui avait été cassée[63]. Le parti raviva également, sous une forme à peine modifiée, la religiosité de l'utopisme français du XIXe siècle : culte de l'humanité, distinction manichéenne entre le bien et le mal, exaltation du sacrifice et du martyre (notamment pendant l'Occupation, où des milliers de résistants communistes périrent en luttant contre les nazis). Le culte du chef providentiel, personnifié sous les traits de Joseph Staline, connut même pendant un temps un regain spectaculaire. La déification du dirigeant soviétique atteignit son paroxysme à l'occasion de la célébration de son 70e anniversaire, en 1949, lorsque *L'Humanité* publia des messages envoyés par des militants. Thorez raconta, peu avant sa mort, en 1964, qu'il avait eu en rêve une conversation avec Lénine – pour les communistes aussi, semble-t-il, le paradis existait [64].

Autant la doctrine communiste du XXe siècle a été rigide, autant les visions utopiques qu'elle a inspirées ont varié. Au fil du temps, l'URSS a été perçue en France de façon très différente : durant les premières années du régime bolchevique, ce sont les progrès sociaux et culturels de la société soviétique qui subjuguent les observateurs. Le député républicain-socialiste Anatole de Monzie décrit ainsi le système soviétique comme « un éden social », tandis que les surréalistes trouvent des points communs entre leur conception radicalement subversive de l'imagination artistique et l'idéal trotskiste d'une révolution permanente. Dans les années 1930, à l'inverse, c'est la mise en œuvre du centralisme « politique », symbolisé par les plans quinquennaux de Staline, qu'on porte aux nues. Même la collectivisation brutale menée dans les campagnes est accueillie par certains cercles occidentaux comme l'« accomplissement d'une utopie positive ». Au plus fort de la guerre froide, au moment où les progressistes français remettent en question l'hégémonie économique et militaire des États-Unis, l'État soviétique apparaît comme un havre de liberté et de tolérance. En 1954, Jean-Paul Sartre revient de son voyage là-bas en proclamant que « la liberté de critique est totale en URSS ». Et, lorsque l'étoile des Soviétiques commence à pâlir pendant les années 1960, des expériences idéologiques plus exotiques prennent le relais : la révolution cubaine, ses figures héroïques (Fidel Castro et Che Guevara) et sa sensualité tropicale fascinent les intellectuels parisiens – « c'est le peuple du rythme, et la haine ne résiste pas au rythme », écrit notamment Jean Daniel en 1963. Ces mêmes intellectuels s'intéressent également aux États nés de la décolonisation – tout particulièrement l'Algérie, où des milliers d'activistes (médecins, professeurs, journalistes, techniciens et artistes) se rendent après 1962 pour aider à construire une nouvelle société – ou à la Révolution culturelle chinoise, dont l'aura mystérieuse, l'égalitarisme austère et le puritanisme les captivent. Même si elle fut de courte durée, cette sinophilie française produisit quelques aberrations qui surpassèrent les plus absurdes panégyriques prononcés à la gloire de l'URSS : Julia Kristeva soutint ainsi que la coutume féodale chinoise de bander les pieds des femmes était la preuve de « leur pouvoir secret ». [65]

L'illustration la plus révélatrice de cette plasticité de la doctrine communiste française fut sa capacité à absorber le passé culturel et politique de la nation et à le réutiliser à ses propres fins. De Descartes aux *philosophes** des Lumières, des grandes figures républicaines du XIXe siècle aux communards de 1871, sans oublier Jean Jaurès, tous trouvèrent leur place dans le panthéon communiste et étaient exhibés dès qu'il fallait défendre un objectif politique. Dans les années 1950, Louis Aragon affirma par exemple que l'engagement de Victor Hugo au service de la paix et de l'internationalisme européen avait été précurseur des campagnes désormais menées par les communistes contre l'impérialisme occidental. Mais c'est l'annexion idéologique de la Révolution qui se révèle la plus féconde. Comme nous l'avons évoqué en introduction, les révolutionnaires russes voyaient des analogies entre les événements de 1789 et ceux de 1917. À partir des années 1930, l'assimilation du bolchevisme à la phase jacobine de la Révolution devint un lieu commun de la pensée communiste française (notamment chez les historiens progressistes tels qu'Albert Mathiez et Albert Soboul). De retour d'une visite en URSS en 1935, Romain Rolland affirme que ce sont les Soviétiques qui ont ramassé le flambeau de la Révolution et mettent en œuvre son programme de regénération de l'humanité. À l'occasion du cent cinquantième anniversaire de la Révolution en 1939, les communistes français supplantent les commémorations officielles en organisant un grand rassemblement où ils célèbrent la mémoire de Robespierre, de Saint-Just et de Marat, et proclament que les jacobins ont pour successeurs les communistes qui se battent sous la bannière de Marx, de Lénine et de Staline. Lors d'un discours prononcé quelques mois auparavant à Arras,

Maurice Thorez avait déjà dit, fort à propos d'ailleurs, que Robespierre aurait approuvé la constitution promulguée par Staline en 1936. L'idolâtrie est portée à son comble lorsqu'en 1949, parmi les cadeaux que les communistes français envoient à Staline pour son 70e anniversaire, figurent un certain nombre de reliques révolutionnaires, dont un fragment provenant de la maison natale de Saint-Just. Les Soviétiques rendront la politesse quelques années plus tard en envoyant en orbite autour de la Terre un ruban qui avait orné un drapeau de la Commune. [66]

[Croire que] des livres font des révolutions

Les deux premiers chapitres de ce livre ont analysé la fascination que la pensée française éprouve pour le rationalisme philosophique, d'une part, pour le mysticisme, d'autre part. Ce que la puissance, la diversité et la longévité des idéaux utopiques mettent en lumière, c'est une autre dimension fondamentale de la pensée moderne française : le prodigieux pouvoir de l'imagination. À cet égard, l'utopisme français est bien issu de l'œuvre de Rousseau, de sa révolte brûlante contre l'injustice et de son ambition de faire disparaître tous les obstacles à l'épanouissement de la véritable nature humaine. Ses écrits reflètent la richesse de cet utopisme français et sa capacité à nourrir les espoirs de générations successives d'hommes et de femmes, tout particulièrement aux heures les plus sombres de l'histoire de la nation. Le 13 août 1944, Jean Guéhenno, résistant et futur académicien, note ainsi dans ses carnets de guerre : « Voltaire annotant le *Contrat social* dit de Rousseau : “Il avait la folie de croire que ses livres feraient des révolutions.” Oui, et c'est tout justement ce qui nous attire en lui [67]. » L'œuvre de Rousseau exprime aussi les aspirations conflictuelles de la pensée utopiste, tiraillée entre le cœur et la raison, entre la nécessité de libérer l'homme de la misère matérielle et celle d'émanciper son esprit, entre l'épanouissement personnel et le respect de la pratique collective de la démocratie. Au fil du temps, cet utopisme renforça les schémas de pensée identifiés dans notre introduction : une tendance à définir la « vie bonne » en termes d'idéaux métaphysiques, une soif de nouveauté et un désir de sortir des sentiers battus, une capacité à susciter de larges visions et à embrasser avec générosité des horizons universels, un amour du paradoxe et la volonté de pousser les raisonnements jusqu'aux conclusions les plus lointaines, sans compter la prédilection pour des projets programmatiques extrêmement détaillés.

Abstrait dans sa conception, systématique dans sa forme et radical dans ses objectifs, le raisonnement utopique a été l'une des contributions majeures de la France à la pensée politique moderne – et sans conteste la plus controversée. Du citoyen qui conquiert sa liberté par l'exercice collectif du pouvoir chez Rousseau à la vision communiste de l'« homme nouveau », ces projets destinés à transformer la nature humaine finirent par être considérés parmi les produits les plus dangereux du rationalisme français. Reprenant au milieu du XIXe siècle la dénonciation lancée par Edmund Burke, député et philosophe irlandais, contre la Révolution française – « ce nouvel empire irrésistible des lumières et de la raison » –, Tocqueville notait l'influence « extraordinaire et terrible » exercée par les hommes de lettres au XVIIIe siècle et déplorait leur attrait pour les théories générales, leur mépris des « faits existants » et leur volonté de « rebâtir la société de leur temps d'après un plan entièrement nouveau, que chacun d'eux traçait à la seule lumière de sa raison ». Fondée sur des prémisses plus philosophiques, la remise en question des Lumières par Michel Foucault aboutissait à une conclusion non moins mélancolique : le grand coup de balai donné par la « raison » avait en fait ouvert la voie à des formes d'oppression sociale et politique nouvelles et encore plus perverses. Pour noircir davantage sa sinistre réputation, on peut ajouter que la pensée utopique française a fréquemment été décrite comme la préfiguration du despotisme totalitaire, que Claude Lefort définit comme la tentation de remplir le vide de la vie démocratique moderne par une identité nationale fictive. [68]

Il est indéniable que la croyance utopique en la perfectibilité de l'esprit humain a parfois mené à des conclusions perverses, ce qui était d'autant plus inévitable que l'imagination utopique fonctionnait par accumulation, étant mue par une dialectique de l'espoir qui la stimulait et la faisait aller toujours plus loin. En ce sens, le communisme du XXe siècle représente l'apogée de cette tradition utopique – une tradition si forte qu'elle explique pourquoi le communisme français est resté aussi profondément enraciné dans la culture politique historique de la nation, en dépit de l'aveuglement dont il fit preuve en idéalisant le système soviétique. Cependant, les projets utopiques représentent également une tentative pour dépasser l'horizon individualiste de la raison cartésienne et pour atteindre un idéal plus largement partagé. S'il y a bien un thème qui domine dans tous les écrits des anciens communistes français, c'est le fait que cette idéologie offrait aux intellectuels qui y adhéraient un moyen d'expérimenter les valeurs de l'amitié, de la solidarité et de la fraternité [69]. Ici encore Rousseau se révèle d'une influence majeure : l'utopisme se nourrissait d'une longue tradition de critique sociale que son œuvre avait été la première à exprimer avec puissance en décrivant les moyens d'échapper à l'étroitesse des perspectives offertes par la société établie et aux carcans des conventions sociales. Évoquant l'urgence de la révolution, le personnage principal de *La Conspiration*, de Pierre Nizan, se dit qu'« il fallait en finir, sans bien savoir s'il s'agissait de couvrir Paris de barricades, de prendre le lendemain un train qui l'éloignerait pour quelques semaines de son père et de sa mère [...] ou simplement de descendre à la cuisine [70] ». Cela explique également pourquoi les doctrines utopiques s'accommodaient parfaitement des schémas de pensée républicains (et les complétaient) : désir de rompre avec le passé, d'organiser la société de manière rationnelle, de restaurer le sentiment d'appartenance à une communauté fondée sur de nouvelles valeurs spirituelles, de garantir la liberté individuelle par la participation aux affaires publiques, et de remodeler non seulement la société, mais la nature humaine elle-même, en refondant les institutions publiques. Cet héritage progressiste est encore largement présent dans l'imaginaire de la gauche française – cet « horizon républicain » propre à la culture démocratique française contemporaine qui, selon Mona Ozouf, « porte l'espérance que nous ne sommes pas condamnés à la prose de l'ordre social tel qu'il va » [71].

Le point le plus surprenant, c'est que les idéaux vertueux furent générés par la République alors même qu'elle s'était imposée comme le régime politique de référence. L'utopie, en ce sens, n'était plus seulement une lointaine perspective qui se réaliserait plus tard, ou ailleurs, elle devenait un idéal pratique susceptible de s'épanouir dans toutes sortes de circonstances, des plus banales aux plus originales : dans les écoles, les bibliothèques municipales ou les colonies de vacances, dans des films, des romans ou sur scène. En décembre 1970, le théâtre du Soleil, dirigé par Ariane Mnouchkine, inaugura une série de représentations d'un spectacle intitulé *1789, la Révolution doit s'arrêter à la perfection du bonheur.* Du point de vue historique, l'utopie était donc à la fois une célébration de la Révolution et l'aveu de ses limites. Ou, pour exprimer la même idée sur le plan politique, le radicalisme politique français constituait le dernier avatar de la tradition révolutionnaire de 1789. C'est pourquoi le bolchevisme fascina des sensibilités intellectuelles si différentes en France durant le XIXe siècle, et fut même mobilisé pour défendre et illustrer la suprématie culturelle française. En 1995, une fois la page du communisme tournée, François Furet conclut que la révolution « primitive » des bolcheviques n'avait captivé l'imagination utopique moderne que dans la mesure où elle avait été apparentée au jacobinisme français. [72] L'honneur était sauf : la Révolution appartenait au passé, mais la raison française conservait son universalité.

4

ÉPRIS DE FINESSE ET DE GÉOMÉTRIE

Dans sa *Bibliothèque d'un homme de goût* parue en deux volumes en 1772, l'abbé Louis-Mayeul Chaudon offrait à ses lecteurs la compilation des titres qu'il fallait posséder dans une bibliothèque bien fournie. Les suggestions de ce catholique dévot opposé aux *philosophes** incluaient toute une série de publications sur la religion ainsi que des récits de voyages, des livres d'histoire, de politique, de littérature et de rhétorique. Mais l'abbé Chaudon accordait une importance particulière à ses recommandations sur des sujets tels que l'astronomie, la géologie, la biologie, la chimie et la médecine, expliquant que « les livres qui sont les plus agréables et les plus utiles sont, sans contredit, ceux qui roulent [sic] sur la physique [1] ».

Les dernières décennies des Lumières marquent l'apogée de l'influence politique et culturelle de la France en Europe, tout particulièrement dans le domaine scientifique : c'est à cette époque que Paris s'illustre comme étant l'un des principaux centres de la « République des sciences » européenne. Le génie scientifique français est admiré pour son inventivité, sa rigueur et sa précision, ce que symbolise l'aboutissement d'une vaste entreprise qui a occupé les membres d'une même famille, les Cassini, durant plusieurs générations : l'établissement de cent quatre-vingt-deux cartes (obtenues par de méticuleux calculs trigonométriques) couvrant tout le territoire de la France – ce sont les Cassini qui rendront les cartes indispensables à l'exercice du pouvoir dans un État moderne. De fait, tous domaines confondus, les sciences connaissent une expansion prodigieuse à partir des années 1750, comme en témoigne le développement d'institutions soutenues par l'État telles que l'Académie des sciences ou le Collège royal. La collaboration entre savants de différents pays progresse, les sociétés savantes se multiplient en province et de nombreuses revues scientifiques spécialisées apparaissent, comme le *Journal de physique* fondé par l'abbé Rozier en 1771. *L'Encyclopédie* de Diderot et d'Alembert célèbre l'« empire des sciences et des arts », et les chefs de file de chacune des disciplines – Joseph-Louis Lagrange et Gaspard Monge en mathématiques, Antoine Lavoisier en chimie ou le comte de Buffon en botanique – deviennent aussi célèbres, voire plus, que les philosophes. Après avoir analysé le catalogue de plus de cinq cents bibliothèques privées constituées à Paris entre 1750 et 1780, l'historien de la littérature Daniel Mornet a découvert que le livre le plus largement répandu était le *Dictionnaire* rédigé par Pierre Bayle, disciple de Descartes, qui figure dans près de trois bibliothèques sur cinq – soit nettement davantage que les œuvres philosophiques ou littéraires de Voltaire et de Rousseau. Était également très prisée *L'Histoire naturelle* de Buffon, qui aurait été vendue à quelque cinquante mille exemplaires et qui figure abondamment dans les mémoires de la période. [2]

Certes, le XVIIIe siècle était à l'utopie et disposé à embrasser des projets de grande envergure et des synthèses hardies, mais il faisait également preuve de sens pratique et d'utilitarisme. L'attractivité des sciences provenait donc en partie des bénéfices qu'elles pouvaient apporter à la société et de la soif de connaissance qui saisissait les classes éclairées. La botanique, par exemple, est officiellement sujet de recherche : au Jardin du roi, on donne des conférences publiques au petit matin pour que les gens puissent y assister avant de commencer leur journée de travail. La science attire également par ses qualités esthétiques : le titre d'un autre ouvrage très populaire, *Le Spectacle de la nature* (1732), est à cet égard révélateur. Même si le but sous-jacent de son auteur, un abbé fort pieux dénommé Pluche, consiste à démontrer que la main de la Providence est à l'œuvre dans les opérations de la nature, il s'agit ostensiblement de divertir le lecteur et Pluche y parvient avec panache : le livre connaîtra quelque dix-huit rééditions, sans compter les traductions en anglais, en italien, en espagnol et en allemand. Quant à l'un des plus grands vulgarisateurs scientifiques de l'époque, l'abbé Nollet, spécialiste de l'électricité, il mène ses expériences en public : une large foule se rassemble ainsi en 1746 pour le voir utiliser une bouteille de Leyde et transmettre une décharge électrique à cent quatre-vingts gardes royaux qui sursautent à l'unisson, sous les yeux des badauds ébahis. De son côté, René de Réaumur, célèbre pour son travail sur les insectes, se constitue l'un des plus riches *cabinets de curiosités*[*] du continent : on vient de toute l'Europe pour le visiter. Cet engouement des collectionneurs pour toutes sortes d'objets naturels ne fait qu'augmenter vers la fin du XVIIIe siècle, alimentant encore davantage la fascination pour les sciences naturelles. Dans sa boutique du pont de Notre-Dame, le marchand d'art Edme-François Gersaint mène un commerce florissant de plantes exotiques, d'insectes et de reptiles venus des Indes. C'est lui qui inaugurera le négoce des coquillages, lançant une mode qui se développera au cours des décennies suivantes. [3]

L'importance des sciences dans la vie publique française a également des implications intellectuelles importantes. Tous les grands esprits de l'époque débattent, parfois avec passion, des questions fondamentales qui touchent aux principes de la science. À la différence de l'Angleterre, où la révolution newtonienne s'est si largement imposée qu'elle a tourné à l'orthodoxie, les penseurs du XVIIIe siècle français restent divisés sur beaucoup de questions scientifiques majeures, notamment celle de savoir si la place de l'homme dans l'Univers doit se comprendre en termes de science physique et mécaniste ou en termes de science organique. Et, lorsque la seconde de ces deux conceptions semble prendre l'avantage, à la fin du siècle, un débat acharné se poursuit entre des conceptions chrétiennes, déistes et athéistes du monde naturel. Rousseau, qui s'est découvert une passion tardive pour la botanique, écrit à l'un de ses correspondants que « l'histoire naturelle peut passer aujourd'hui, par la manière dont elle est traitée, pour la plus intéressante de toutes les sciences[4] ». Cette fascination est d'autant plus significative que les penseurs de la fin des Lumières ne considèrent pas les sciences physiques et naturelles de manière isolée. Au contraire, leurs théories sur le cosmos et la nature sont indissociables des sujets philosophiques et moraux que nous avons analysés dans les chapitres précédents : le rôle de la raison, le sens et les limites du progrès, la recherche du meilleur moyen de réorganiser les institutions politiques de la nation.

La science est ainsi au cœur des débats intellectuels majeurs de la fin du XVIIIe siècle qui culmineront avec la Révolution. L'incorporation d'éléments scientifiques dans des visions de la « vie bonne », trait constant de la pensée moderne française, sous-tend un certain nombre des caractéristiques classiques de la vie intellectuelle hexagonale telles que la célébration des hommes de savoir, la propension à voir les choses en grand, le goût pour les synthèses théoriques unificatrices et les formulations ambitieuses et excentriques. Mais d'autres aspects que nous n'avons pas encore scrutés vont également être mis en lumière : un caractère polémique et raisonneur par nature, la fascination pour les notions d'ordre, de prédictibilité et de linéarité (et, paradoxalement, le rejet du conformisme), l'obsession pour les métaphores et les concepts religieux, la conviction que l'excellence culturelle confère automatiquement le droit de diriger, la capacité à transformer un échec personnel en interprétation philosophique du monde et la propension à passer d'un optimisme énergique à un pessimisme mélancolique.

Le monde physique et le monde naturel

La science est généralement présentée comme l'un des attributs qui définissent l'ère des Lumières[5]. Bien qu'exacte, cette description a souvent amené à décrire la pensée scientifique du XVIIIe siècle comme une anticipation de la « modernité » plutôt que comme une réflexion sur les préoccupations particulières de l'époque. Or, tout en pointant plus ou moins dans la même direction, la trajectoire des Lumières et celle des recherches scientifiques ont parfois été (radicalement) divergentes. Parallèlement, il n'y a pas nécessairement de conflit entre la science et la religion : le cas des ecclésiastiques férus de sciences que nous avons cités précédemment illustre à quel point les idéaux scientifiques étaient embrassés par des hommes et des femmes de foi. De plus, loin de célébrer la valeur des explications universelles – ce que nous appellerions aujourd'hui des « lois générales » –, la science du XVIIIe siècle se montre souvent sceptique sur ce qu'elle appelle l'« *esprit de système** ». Ceux qui mettent en garde leurs lecteurs contre les limites d'une science purement humaniste ne se comptent pas seulement parmi les écrivains catholiques : Voltaire insiste sur l'importance de construire une vision complexe du monde à partir d'éléments observables simples, et doute que la médecine puisse progresser. Diderot, rédigeant l'entrée « Certitude » de *L'Encyclopédie*, critique la définition qu'en offrent les mathématiciens ; Rousseau insiste sur les limites de ce que les sciences mécaniques ou physiques peuvent accomplir – une hostilité qui n'est peut-être pas sans lien avec l'explosion accidentelle qui s'était produite en 1737, lorsqu'il essayait de fabriquer une encre invisible, et qui avait failli lui faire perdre la vue [6].

La complexité de ce panorama scientifique s'illustre dans un texte devenu classique mais qui fit scandale à l'époque, intitulé *L'Homme Machine* (1747). Attaque polémique contre la vision théologique de la nature humaine (en particulier contre la distinction établie par Descartes entre le corps et l'esprit), ce pamphlet de Julien Offray de La Mettrie constitue une magistrale démonstration d'athéisme et de matérialisme scientifique. Le cœur de l'argument consiste à dire que l'homme n'est qu'une entité purement mécanique dont toutes les fonctions (y compris celles de l'esprit) ont des causes organiques : « Je ne me trompe point, affirme La Mettrie par provocation, le corps humain est une horloge. » Rejetant les descriptions purement rationalistes de l'homme (et décochant au passage une flèche à « cette multitude de fainéants que la vanité a décorés du nom de philosophes »), La Mettrie affirme que le corps est une entité autosuffisante, « une machine qui monte elle-même ses ressorts ».

Pour autant, derrière ces formules impudentes se cache une vision plus consensuelle. En appliquant à l'homme la conception mécaniste de l'animal exposée par Descartes, La Mettrie ne fait que pousser à son terme la logique du cartésianisme. Et, en affirmant que la connaissance se fonde sur la sensation, il se situe dans le droit fil de l'empirisme anglais. Loin d'embrasser une vision absolutisante de la science, La Mettrie prend bien garde de souligner les limites du savoir : « Dans tous les corps, comme dans le nôtre, les premiers ressorts nous sont cachés et le seront vraisemblablement toujours. » En dépit de la froideur de ses métaphores mécanistes, sa vision de l'homme reste tout imprégnée d'un hédonisme joyeux et libérateur : l'instinct, l'imagination et le plaisir érotique sont les facultés qu'il chérit le plus chez ses semblables. Ce fut donc fort à propos que cet épicurien, qui avait vanté avec lyrisme la « puissance d'un repas » capable de faire « renaître » la joie « dans un cœur triste », mourut en 1751 d'une indigestion de pâté de faisan aux truffes. [7]

Au XVIIIe siècle, il n'y a donc pas de ligne de démarcation bien nette entre science rationaliste et croyances surnaturelles. La profonde influence exercée par le mesmérisme dans les années précédant la Révolution n'est absolument pas un cas isolé. Dans son étude des bibliothèques parisiennes, Mornet a ainsi découvert qu'elles renfermaient bon nombre de livres de magie et de sorcellerie, classés à l'époque avec les livres de physique : parmi ces titres, il cite *L'Histoire des personnes qui ont vécu plusieurs siècles, et qui ont rajeuni, avec le secret du rajeunissement*, de Longeville Harcourt, *La Physique occulte, ou Traité de la baguette divinatoire*, de Vallemont, *Traité sur la magie, le sortilège, les possessions, obsessions et maléfices, où l'on en démontre la vérité et la réalité*, de Daugy, et *Le Comte de Gabalis ou Entretiens sur les sciences secrètes*, d'un certain abbé Montfaucon de Villars [8]. Quand à Claude-Nicolas Le Cat, naturaliste de renom et membre de plusieurs académies, il publie en 1755 un *Mémoire sur des animaux trouvés vivants au centre de corps solides*. En 1773, le *Journal encyclopédique* relate le cas d'une femme qui aurait donné naissance à une fille, laquelle, huit jours plus tard, aurait à son tour accouché d'un bébé. On trouve aussi dans la littérature scientifique de ce siècle toutes sortes d'exemples de « palingénésie », ou retour à la vie de plantes ou d'animaux desséchés et broyés, ou encore le récit d'un noyé retiré vivant de l'eau au bout de sept semaines, sans oublier la curiosité la plus populaire : la femme à qui des cornes poussent sur la tête [9].

Il existait d'autres clivages majeurs dans la pensée scientifique française du XVIIIe siècle, notamment entre les tenants d'une conception mécaniste de l'Univers et ceux qui prônaient une explication organique. Les premiers, des scientifiques, tels Lagrange, Laplace et d'Alembert, ou des philosophes, tels Voltaire et Helvétius, pensent que le cosmos s'ordonne selon un schéma prédéterminé dont on peut appréhender les lois par un raisonnement mathématique – à maints égards, ce courant de pensée ne fait que poursuivre ou radicaliser la tradition de Descartes et de Newton [10]. À l'opposé émerge une conception naturaliste de l'Univers qui prendra une importance croissante au cours des dernières décennies des Lumières. Implicite encore dans les descriptions de Buffon, plus explicite dans les écrits de Diderot, de Montesquieu ou de Rousseau, elle met l'accent sur les notions de flux et de changement, sur la transformation de l'être par le cycle de la mort et la renaissance, et sur une conception de la bonté naturelle de l'homme pouvant s'exercer par le libre arbitre et une disposition adéquate de sa sensibilité – certains spécialistes vont jusqu'à suggérer que ce sentimentalisme est une des caractéristiques intrinsèques de la méthode scientifique des Lumières [11]. Ce qui augmente encore la tension entre les deux conceptions – mécaniste et organique –, c'est le fait qu'elles partagent un objectif métaphysique commun. Car l'enjeu de la controverse n'est rien de moins que le sens à donner à cet ordre transcendantal permettant de rendre compte de l'action et de la destinée de l'homme. C'est pourquoi, en dépit des grandes protestations d'adhésion aux principes newtoniens d'expérimentation et d'observation, le but premier de la science au XVIIIe siècle consiste à démontrer la convergence de l'Univers avec les desseins d'un pouvoir supérieur.

Toutes disciplines confondues, les penseurs de la fin du XVIIIe siècle rivalisent donc d'ingéniosité pour prouver cette symbiose. Voltaire se fait l'avocat de la théorie de la « préformation », qui explique ainsi les origines de l'homme : c'est Dieu qui a créé les embryons de tous les êtres – une théorie « fixiste » qui élimine toute possibilité d'évolution. Il est également convaincu que la science de Newton permet de prouver l'existence de Dieu, à la fois par l'argument de la cause première (s'il y a création, alors il y a nécessairement un créateur) et par l'argument du dessein : la gravitation universelle a été formulée délibérément pour permettre à Dieu de continuer à superviser l'Univers. Le « dessein naturel » constitue également le concept favori des théologiens expérimentaux tels que l'abbé Pluche. Pour autant, de telles opinions sont loin d'être le domaine réservé des ecclésiastiques : Bernard Nieuwentijt, mathématicien néerlandais, rédige un très influent traité intitulé *L'Existence de Dieu démontrée par les merveilles de la nature* (traduit en français en 1725). Bernardin de Saint-Pierre, dans ses *Harmonies de la nature*, défend les mêmes idées ; et, même s'il n'y a pas de références explicites aux Écritures saintes dans son *Histoire naturelle*, Buffon prend bien soin de souligner que sa conception de l'homme s'accorde avec l'orthodoxie chrétienne [12].

Les avocats de la théorie du « ferment », parmi lesquels figurent notamment Montesquieu et Rousseau, brandissent eux aussi une variante de l'argument de la cause première, mais, rejetant la vision « fixiste » des « préformationnistes », ils considèrent la vie comme le produit d'un ferment, une substance invisible créée par Dieu et sujette à des changements et à des évolutions permanents. Les théories de Montesquieu sur le climat comme facteur déterminant de l'ordre social ou sur la nécessité d'adapter les lois aux sociétés sont directement issues de sa vision de la nature. De même, chez Rousseau, le culte démocratique de la nature et sa théorie révolutionnaire postulant la bonté naturelle de l'homme sont sous-tendus par sa conception déiste de la nature : la force vitale existe dans la matière parce que c'est Dieu qui l'y a placée [13]. Quant à Diderot, en dépit de ses professions d'athéisme, sa conception de l'homme, laquelle émerge de la reconnaissance de sa solidarité avec la nature, est entièrement métaphysique. Il n'y avait donc pas que la pensée politique des philosophes qui s'enracinait dans l'imaginaire de la Cité de Dieu : leur religion naturelle le faisait tout autant [14].

Les deux lignées de la pensée scientifique française, la branche physique et la branche naturaliste, jouèrent chacune un rôle pour saper la cosmologie chrétienne de l'Ancien Régime et préparer l'avènement de la Révolution. Mais c'est l'ascendant pris par les sciences naturelles qui se révèle déterminant dans la seconde partie du XVIIIe siècle. Les idéaux de transformation et de régénération, de bonté inhérente de l'homme, la conception d'une science socialement utile et intuitivement accessible se marient harmonieusement avec la pensée politique du début de la Révolution, en particulier avec le rousseauisme primitif des jacobins [15]. D'où l'hostilité virulente contre les académies scientifiques établies dont font preuve des personnalités telles que Marat, qui fustige leurs travaux inutiles portant « tant sur de nouvelles recettes de fard [...] que sur la forme la plus avantageuse des faux toupets [...] et sur mille autres objets de pareille importance [16] ». Bien que le Comité de salut public ait créé une commission de scientifiques spécialisés en chimie et en mécanique pour aider à l'effort de défense nationale, les deux décisions majeures prises par la Convention seront d'élever le Jardin du roi au rang de Muséum national d'histoire naturelle (géré démocratiquement) par un décret de juin 1793 et d'abolir quelques mois plus tard les académies, « des institutions inutiles et peut-être même funestes aux progrès de l'esprit humain, fondées pour flagorner l'orgueil des despotes ». Dans son projet de réforme de l'instruction publique, le conventionnel Gabriel Bouquier, peintre et poète, affirme que « les nations libres n'ont pas besoin d'une caste de savants spéculatifs dont l'esprit voyage constamment, par des sentiers perdus, dans la région des songes et des chimères. Les sciences de pure spéculation détachent de la société les individus qui les cultivent et deviennent, à la longue, un poison qui mine, énerve et détruit les républiques ». On mesure l'étendue du contresens commis par les adversaires de la Révolution, qui se méprirent totalement sur le sens des événements qui suivirent 1789 : le naturalisme sentimental qui animait un Bouquier était en fait diamétralement opposé à l'universalisme philosophique utopique que ses adversaires (Edmund Burke notamment) prenaient pour le moteur de la Révolution. Ironiquement, pendant une grande partie de la fin du XVIIIe siècle, ce sont les Anglais qui furent considérés comme les principaux pourvoyeurs de la pensée spéculative. Comme l'avait souligné Montesquieu, « l'imagination fait bien inventer des systèmes et, en cela, les Anglois ont fourni leur contingent plus que toute autre nation ». [17]

Résoudre le problème de la vie

Le 23 juillet 1823, à midi, la maison de vente aux enchères Sotheby's de Londres disperse la bibliothèque ayant appartenu à Napoléon pendant son exil à Sainte-Hélène. À vendre, ce jour-là, chez le commissaire-priseur de Wellington Street, un grand choix d'ouvrages d'histoire et de géographie, ainsi qu'une sélection de classiques de la littérature, de Plutarque à Voltaire. Beaucoup de ces livres contiennent des annotations de la main même de l'Empereur. Mais la partie la plus impressionnante de la collection se compose de livres scientifiques qui couvrent tous les domaines : on trouve une édition complète de *L'Histoire naturelle* de Buffon, l'une des œuvres favorites de Napoléon, ainsi que *Cours de mathématiques*, de Bézout, *Manuel d'un cours de chimie*, de Bouillon La Grange, *Traité de minéralogie*, de Haüy, *Géographie mathématique*, de Mentelle, *Astronomie*, de Delambre, *Système de connaissances chimiques*, de Fourcroy, et *Cours complet d'agriculture*, de l'abbé Rozier. Après avoir fait la liste des neuf tomes du *Traité du calcul* de Lacroix, l'auteur du catalogue indique qu'« à la fin du volume d'algèbre il a trois pages de calculs de la main de Napoléon ». [18]

Ces trois pages confirment l'observation faite par Las Cases, le secrétaire de Napoléon : à Sainte-Hélène, l'empereur déchu se plongeait dans ses ouvrages scientifiques, passant parfois des journées entières à les lire. Selon le naturaliste Geoffroy Saint-Hilaire, ce n'était pas un hasard, Bonaparte ayant éprouvé, dès l'adolescence, une vraie passion pour les sciences. À l'académie militaire de Brienne, puis à Paris, on avait déjà remarqué son don pour les mathématiques et l'intérêt qu'il portait aux sciences physiques. Pendant la brève interruption de sa carrière, début 1795, après la chute de Robespierre, il tue le temps en assistant à des conférences de chimie et de botanique à Paris. En décembre 1797, de retour de sa triomphale campagne italienne, il décide de rehausser sa gloire en se faisant élire à l'Institut de France, la nouvelle institution nationale destinée à remplacer les académies. L'affaire n'est pas dénuée de calculs intéressés de part et d'autre : Bonaparte sait que le fait d'être adoubé par l'élite scientifique française augmentera encore son prestige ; les scientifiques, de leur côté, escomptent de fructueuses retombées s'ils s'associent à un héros militaire dont l'étoile politique ne fait que croître – ce sera, pour les deux parties, un pari gagnant. Au cours des années suivantes, Napoléon participe activement au débat scientifique de sa section : en 1798, il apporte sa contribution à la rédaction d'un rapport sur la voiture à vapeur inventée par Nicolas-Joseph Cugnot. En 1799, deux jours après le coup d'État du 18 Brumaire, il assiste même à une séance où est présentée, entre autres, une communication de Jean-Baptiste Biot sur les équations différentielles. Napoléon affirmera que, depuis sa jeunesse, il avait rêvé de compléter la révolution newtonienne en découvrant les secrets de l'atome (« le monde des détails ») : il regrettait de n'avoir pas pu se consacrer à cette tâche qui lui aurait permis de résoudre « le problème de la vie de l'Univers ». [19]

Il s'agissait là d'une manifestation de son ambition intellectuelle, aussi flamboyante qu'orgueilleuse. Mais ce n'est pas un hasard si ces mots ont été prononcés en Égypte, au cours d'une expédition spécifiquement conçue par Bonaparte comme une conquête coloniale doublée d'un *grand projet** scientifique. Plus d'une centaine de savants (dont des figures éminentes, tels le mathématicien Gaspard Monge et le chimiste Claude-Louis Berthollet) accompagnent cette expédition, équipés de télescopes astronomiques, de boussoles, de niveaux à bulle, de machines pneumatiques, de baromètres, d'instruments de chirurgie, sans oublier une presse à imprimerie et des laboratoires complets de physique, de chimie, d'histoire naturelle et d'aéronautique. Le travail scientifique mené par l'Institut d'Égypte sera caractéristique de la conception napoléonienne de la science : il s'agira de célébrer la gloire de l'Empereur (un objectif d'autant plus important qu'il aidera à dissimuler l'échec du projet colonial) tout en permettant des avancées majeures de la connaissance – notamment la découverte de la pierre de Rosette, qui permettra par la suite à Jean-François Champollion de déchiffrer les hiéroglyphes. Ce travail culminera avec la publication d'une monumentale *Description de l'Égypte*, dont le dernier volume ne sera achevé qu'en 1826. Simultanément, les savants vont mener des projets pratiques tels qu'inventer un système efficace pour cuire le pain des troupes françaises sur place ou produire de la poudre à canon à partir des ressources locales. Car la guerre et la science, dans l'esprit de Napoléon, doivent marcher main dans la main et de multiples exemples de cette fertilisation croisée feront l'objet de publications dans la *Décade égyptienne*, la revue de l'Institut d'Égypte : l'article de Monge sur les mirages, par exemple, se fonde ainsi sur des observations rassemblées pendant la marche de l'Armée française d'Alexandrie au Caire. [20]

En un sens, l'Égypte résume la conception que Napoléon se fit de la science pendant tout son règne : il militarisa l'École polytechnique, révélant ainsi que son instinct était de mettre la science au service de la guerre, et, dans le même temps, couvrit d'honneurs ses savants préférés, tels Berthollet et Laplace, qui jouèrent un rôle clé dans les domaines de recherche les plus en pointe durant tout l'Empire. Plus généralement, il apporta son soutien aux travaux des meilleures institutions scientifiques en leur accordant subventions et récompenses. L'Empire fut ainsi la période pendant laquelle la science française se réorganisa sur des bases modernes [21].

Pour autant, l'héritage le plus significatif de Napoléon ne fut pas ce qu'il accomplit mais ce qu'il symbolisa : une synthèse entre les différentes conceptions scientifiques des Lumières. Après les soubresauts des premières années de la Révolution, Napoléon marqua un retour aux conceptions newtoniennes de la première moitié du XVIIIe siècle : une science construite sur l'observation et principalement fondée sur la physique et les mathématiques. Homme d'ordre, il avait une affinité particulière pour les notions de symétrie et de linéarité. Sa conception du progrès était technique et utilitariste – d'où l'estime qu'il portait à des hommes tels que les frères Montgolfier ou Alessandro Volta, l'inventeur de la pile électrique, à qui l'Institut décerna des prix prestigieux. Dans le même temps, il avait un penchant très fort pour l'histoire naturelle. Dans le droit-fil des idées développées par Rousseau dans *Émile*, Napoléon ne pensait pas qu'on dût rendre l'éducation scientifique universelle, ni ne croyait que la science pût faire le bonheur de l'homme : « Je ne crois pas la science indispensable à l'homme, et certes je ne pense pas que, sans Euclide, l'on ne puisse être heureux. » Son admiration de toujours pour Buffon a déjà été notée, mais il faut y ajouter le respect qu'il éprouvait pour les travaux de Georges Cuvier et de Bernard-Germain de Lacépède, ainsi que pour les écrivains naturalistes comme Bernardin de Saint-Pierre ; il apporta également un soutien exceptionnel au Muséum d'histoire naturelle.

Tout cela explique que, devant la perspective de passer la fin de sa vie en exil, Napoléon voulut devenir un « géophysicien voyageur » dans la lignée de Humboldt. C'est dans cette optique qu'il invita l'astronome républicain François Arago à l'accompagner dans une grande exploration du Nouveau Monde afin d'étudier avec lui « tous les grands phénomènes de la physique du globe ». Le destin en décida autrement, mais il ne fait aucun doute que l'Empereur aurait mené cette quête avec une vigoureuse détermination. L'un des ouvrages de sa bibliothèque de Sainte-Hélène qui comportent le plus d'annotations de sa main est *Voyage en Syrie et en Égypte pendant les années 1783, 1784 et 1785*, de Volney, qu'il parcourut méthodiquement « pour y relever la plus petite erreur ». Un grand nombre de pages sont ainsi « entièrement recouvertes » de son écriture. [22]

Comte et l'obsession de la règle

Lors de son mariage, le philosophe Auguste Comte fit scandale en signant sur le registre « Brutus Bonaparte Comte ».

Comme la plupart des penseurs progressistes de sa génération, Comte méprisait le militarisme de Napoléon mais restait fasciné par sa détermination sans faille à mettre fin à l'anarchie déclenchée par la Révolution et par son ambition de remodeler le monde à son image. Comte, qui partageait les mêmes aspirations, quoique de tempérament moins belliqueux, voua toute son existence à forger une synthèse scientifique originale qui annoncerait le « véritable état définitif de l'intelligence humaine ». À l'influence de Descartes il faut ajouter celle de Saint-Simon, dont Comte fut l'assistant jusqu'à leur rupture, en 1824. Comte rédigea de nombreux articles d'astronomie, de physique, de chimie, de biologie et de mathématiques, mais c'est à la philosophie morale et politique qu'il se consacra principalement. N'étant pas particulièrement modeste, il était convaincu de représenter l'aboutissement ultime de la tradition encyclopédique des Lumières. [23] Ses activités scientifiques n'étaient pas une fin en soi, mais le moyen de créer une société prospère, éduquée et généreuse : c'est lui qui inventa le terme d'« altruisme » et fit de l'expression « vivre pour autrui » l'une de ses maximes.

Comte est l'un des plus brillants rejetons de cette période dite du « romantisme mécanique » qui, au cours de la première moitié du XIXe siècle, cherche à réconcilier les impératifs rivaux du progrès technique et de la réforme sociale. L'œuvre majeure qui établit sa réputation parmi ses contemporains est son *Cours de philosophie positive*, un exposé systématique de toutes les grandes branches de l'enquête scientifique. Publiés entre 1830 et 1842, les six volumes du *Cours* couvrent les sciences naturelles – mathématiques, astronomie, physique, chimie et biologie – ainsi qu'une nouvelle « science de la société ». L'une de ses affirmations principales est que la société humaine et toutes les formes de connaissances qu'elle abrite sont passées par trois phases historiques successives : tout d'abord, l'ère de la théologie, où tous les idéaux s'expliquent par des fictions déistes (dont l'ère du fétichisme, où des objets inanimés sont censés posséder un esprit vivant, ou encore la croyance parmi les peuples primitifs que les forces de la nature sont contrôlées par différentes divinités). Lui a succédé l'ère métaphysique, une phase de transition dominée par la formation d'idées abstraites, telle la croyance en la souveraineté populaire au cours de la période révolutionnaire (une construction de l'esprit, mais fondée sur une réalité sociale). Cette deuxième ère avait préparé la voie à l'âge du positivisme, où la connaissance serait fondée sur l'observation scientifique et la coordination théorique. Comte affirmait que ce tableau des trois états lui était apparu comme une révélation après une nuit de méditation. [24]

En tant que méthode, le positivisme cherche à formuler les principes communs à toutes les sciences : Comte définit le philosophe positiviste comme « un spécialiste des généralisations », forgeant ainsi une expression qui résume l'un des traits essentiels de la pensée française. « Le besoin le plus urgent de notre époque », d'après lui, auquel sont consacrés les trois derniers volumes du *Cours*, est d'établir une « physique sociale » qu'il appellera plus tard « sociologie » (encore un néologisme comtien). Pour y parvenir, il propose une nouvelle conception « rationnelle » de la connaissance, hiérarchisée en fonction de l'humanité et de ses besoins : les mathématiques sont considérées comme la première des sciences en raison de leurs qualités formelles et universalisantes, les sciences biologiques et physiques sont classées en fonction de l'importance de leur contribution à la compréhension de la société. Rejetant les solutions politiques avancées par ses contemporains, Comte propose une « réorganisation spirituelle » qui réconcilierait l'ordre, principe conservateur, et le progrès, idéal révolutionnaire. L'harmonie sociale censée en découler se développerait grâce à l'émergence d'une « nouvelle classe de scientifiques » représentés, dans l'ordre spirituel, par les philosophes positivistes et, dans l'ordre temporel, par une caste d'administrateurs industriels. [25]

Dans ses ouvrages suivants, au cours des années 1840 et 1850, Comte s'éloigne de ce positivisme scientifique pour mettre davantage l'accent sur la morale, une discipline qui finit par détrôner la sociologie, et pour se consacrer à l'institution d'une « religion de l'humanité » très élaborée, à son organisation, à son culte et à ses fêtes, ainsi qu'à ses dogmes. Comment expliquer cette apparente contradiction ? Pour le grand helléniste Benjamin Jowett (qui est alors le *Master* du Balliol College d'Oxford), la réponse était toute trouvée : Comte « était un grand homme, mais il était fou ». Aux yeux de beaucoup de ceux qui l'avaient admiré jusque-là, notamment John Stuart Mill, la philosophie tardive de Comte semblait une aberration autoritariste, gâchée par l'abandon de ses instincts progressistes au profit d'une « obsession de la règle ». Des commentateurs plus indulgents notèrent que la rupture était moins profonde qu'il y paraissait et que dès le début Comte avait souligné l'importance de définir des valeurs spirituelles communes à l'ensemble de la société positiviste. En effet, son évolution se comprend davantage si l'on tient compte du fait que sa conception des sciences n'était absolument pas prométhéenne. Malgré l'importance qu'il accordait aux mathématiques, Comte ne croyait pas que cette science puisse jouer un rôle utile pour comprendre la complexité de la société humaine et il pensait qu'il y avait des limites claires à ce que la science physique pouvait expliquer. Plus généralement, se méfiant des recherches spécialisées poursuivies par les scientifiques, il chercha à concevoir un système de supervision populaire destiné à empêcher que leurs travaux deviennent trop ésotériques – ce qui faisait écho à la défiance éprouvée par les jacobins à l'encontre des sciences spéculatives dans les années 1790.[26]

De fait, le facteur déterminant de l'évolution philosophique de Comte fut la crise personnelle qui l'ébranla après la maladie et le décès de Clotilde de Vaux, la femme qu'il adulait, en 1845 – un drame qui, de son propre aveu, eut un impact très profond sur sa pensée. Comme il l'exprima avec la lourdeur stylistique qui lui était propre : « Mon principal but philosophique [est] la systématisation finale de toute l'existence humaine autour de son vrai centre universel : l'affection. » Les prescriptions générales imposées par sa religion de l'humanité correspondaient à ses propres habitudes, tel le dévoilement de tous les aspects de sa vie privée selon le précepte du *vivre au grand jour*[*] (c'est grâce à ce principe de transparence absolue que nous connaissons les détails intimes de son existence, de ses troubles psychologiques à ses frustrations sexuelles, de sa consommation quotidienne de pain – 60 g très précisément – à ses accès de constipation occasionnelle). Également calqués sur ses propres règles de vie figuraient l'abstinence sexuelle et le rejet (au nom d'une « hygiène cérébrale ») de la consommation de stimulants tels que le café ou le vin. Comte considérait également le tabac comme l'un des signes les plus frappants de l'anarchie occidentale. Les rites de sa nouvelle religion reflétaient étroitement le culte qu'il avait imaginé pour rendre hommage à Clotilde et qu'il célébra sans faiblir jusqu'à sa mort : récitation de prières trois fois par jour, moments de remémoration passant par la manipulation d'objets personnels chers à la personne défunte et rédaction, une fois par an, d'une lettre de confession à l'attention de celle-ci. À ceux qui douteraient encore que sa science ait pris un tour plus fataliste et paradoxal, Comte déclare désormais que « les vivants sont toujours, et de plus en plus, gouvernés nécessairement par les morts ; telle est la loi fondamentale de l'ordre humain ».[27]

Cette « nécrocratie » est complétée par un autre élément unificateur de la pensée comtienne : son obsession pour les sciences médicales et biologiques. Sa sociologie est en grande partie construite sur une comparaison entre les organismes humains et animaux. Il a facilement recours à des métaphores physiologiques pour décrire la condition de la société moderne et parle du positivisme comme d'une philosophie qui correspond aux « lois de la nature ». Sa croyance maintes fois répétée en la capacité de la société à « se soigner » ou à « se guérir » par elle-même fait écho à l'une des principales doctrines biologiques de son temps, qui affirme que les corps animés sont mus par une « force vitale ».

Comte admire également la phrénologie du médecin allemand Franz Joseph Gall, qui cherche à décrire les différentes fonctions du système nerveux central selon des principes purement matérialistes. Cette théorie déclenche chez lui un tel enthousiasme qu'il produira même plus tard sa propre carte des dix-huit fonctions internes du cerveau et donnera au treizième mois du calendrier positiviste le nom de Xavier Bichat. C'est en fonction de cet arrière-plan qu'il faut comprendre ses utopies scientifiques les plus excentriques (pour le dire poliment) : la survie d'un même cerveau dans plusieurs corps, la mutation des vaches et autres herbivores en carnivores, l'incorporation des animaux altruistes (tel le chien) au sein de l'humanité, la parthénogénèse permettant de réaliser l'« idéal » de la mère vierge, l'amélioration eugénique de l'espèce humaine par le contrôle collectif de la procréation et de l'éducation, et la création d'une « biocratie » où seules les espèces remplissant des fonctions « utiles » seraient autorisées à survivre. Parmi les entités vouées à la disparition naturelle se trouvent les organes sexuels masculins. Le *Système* de Comte célèbre la chasteté, brandissant la promesse d'un « veuvage éternel » dans la société positiviste à venir – ce qui explique peut-être pourquoi l'ouvrage ne se vendit guère à plus de cinq cents exemplaires.[28]

L'avenir de la science, selon Renan

C'est sans doute à Comte que Gustave Flaubert fait allusion lorsqu'il rédige la définition du mot « science » pour son *Dictionnaire des idées reçues* et qu'il affirme qu'« un peu de science éloigne de Dieu, beaucoup de science y ramène[29] ». En ce sens, la conception comtienne de la science se trouve à la croisée de deux traditions que nous avons déjà rencontrées : l'occultisme et l'utopisme. Dans le même temps, sa tentative héroïque pour intégrer toutes les formes d'enquête scientifique en un seul système philosophique a été comparée à la révolution cartésienne[30]. Le parallèle est d'autant plus pertinent que Comte est le dernier penseur majeur en France (peut-être même en Europe) dont l'œuvre aspire à embrasser tout l'éventail des sciences humaines et naturelles. Car, dès la fin du XIXe siècle, la spécialisation croissante des disciplines scientifiques (et des différents domaines à l'intérieur de ces disciplines) rend l'encyclopédisme quasi hors de portée. La comparaison avec Descartes témoigne aussi de la richesse de la postérité intellectuelle du comtisme en France, où de nombreux intellectuels, groupes ou institutions ont reconnu son influence sur leur pensée. Dans l'ensemble, ce sont ses premiers écrits « scientifiques » qui sont célébrés et non les développements plus tardifs et plus ésotériques. Quant à la famille positiviste, elle se divisera entre les dissidents (tel Émile Littré, qui abandonne le comtisme à la suite de son tournant « métaphysique ») et les disciples orthodoxes, qui conserveront l'intégralité de l'enseignement du fondateur. Sous l'impulsion de Pierre Laffitte, successeur officiel mais fort peu charismatique de Comte, les conférences, mariages, pèlerinages et célébrations positivistes vont se multiplier. Laffitte instituera une fête en l'honneur du prophète Mahomet puis deviendra le premier titulaire de la chaire d'histoire des sciences au Collège de France [31].

Un autre signe de l'œcuménisme de l'héritage comtien sera son influence sur l'évolution de la pensée sociale française, manifestée par le développement d'écoles historiques et économiques néopositivistes et par l'apparition de la sociologie comme champs de recherche à part entière – Durkheim ne manque pas de souligner la dette qu'il a contractée envers le comtisme. Encore plus remarquable sera l'écho que le message comtien aura dans des sphères politiques et littéraires radicalement différentes. À début des années 1870, les idées humanistes de Comte attirent les républicains révolutionnaires de la Commune qui, suivant à la lettre une recommandation explicite formulée dans son *Système*, détruisent la colonne Vendôme (sous la supervision de Gustave Courbet). Dans le même temps, Comte est aussi admiré par Charles Maurras, penseur royaliste et ultraconservateur, qui voit dans sa méthode de raisonnement positiviste un instrument scientifique permettant de justifier l'autorité monarchiste, ou par Maurice Barrès, convaincu que le culte des morts peut constituer le fondement du renouvellement du lien social. Plus récemment, c'est dans les romans de Michel Houellebecq que résonne encore la critique comtienne des effets destructeurs de l'individualisme moderne sur les liens sociaux et spirituels. [32]

Ce sont cependant les républicains qui ont le plus largement plébiscité et mis en œuvre les idéaux comtiens. Pendant le second Empire, ralliés sous la bannière positiviste, les francs-maçons vont gagner la bataille menée par le camp des anticléricaux désireux de supprimer toute référence à Dieu dans leur constitution et de promouvoir une société laïque et progressiste. La génération des républicains qui arrivent à l'âge des responsabilités sous le second Empire et au début de la IIIe République est également imprégnée des idéaux et des valeurs positivistes : Gambetta salue ainsi en Comte le « penseur le plus puissant de ce siècle » (même si, comme beaucoup, il n'a assimilé ses idées que dans la version qu'Émile Littré en a donné). Quant à Jules Ferry, il cite *Discours sur l'ensemble du positivisme* comme l'une des influences majeures de sa pensée politique, un texte qui a nourri sa foi dans le progrès, l'instruction et la science, et a donné à sa génération un sentiment d'espoir et un but d'action. C'est dans cet esprit d'optimisme généralisé que les républicains de la fin du XIXe siècle mèneront les réformes éducatives : Paul Bert, ministre de l'Instruction publique (et médecin), déclare en 1881 qu'une éducation scientifique plus poussée contribuerait à détacher les Français de la croyance que seule une révolution offre l'opportunité de changements radicaux : « Car, à l'idée des coups de force, des changements soudains, des destructions et des créations à vue, la science a substitué l'idée des progrès constants, de l'évolution lente réglée par les lois, et cela dans le domaine social et politique, comme dans le domaine cosmologique et géologique. » Il est donc parfaitement logique qu'en 1902 une statue d'Auguste Comte soit érigée à la Sorbonne et qu'on honore d'autres grands scientifiques républicains, tel le chimiste Raspail ou l'astronome Arago. La IIIe République démontre son engagement dans le développement des sciences au cours de l'Exposition universelle de 1889, pour laquelle on construit non seulement la tour Eiffel, mais également une imposante galerie des machines. Les élites républicaines incluent des scientifiques (dont certains de renommée mondiale), comme Marcellin Berthelot, pionnier de la chimie de synthèse, ou Paul Painlevé, mathématicien. L'expansion coloniale se fait également sous l'égide d'une rhétorique exaltant le potentiel libérateur de la science. [33]

Pour autant, tous ces développements ne représentent qu'une victoire symbolique – peut-être même une victoire à la Pyrrhus. Car, en réalité, la place de la science dans la vie publique française a décliné notablement à partir de la seconde moitié du XIXe siècle. Ce reflux s'explique en partie par le désengagement de l'État : comme le fait remarquer avec morosité l'Académie des sciences à l'issue de la guerre de 1870, l'Allemagne investit désormais davantage dans la recherche que la France. En 1871, Louis Pasteur affirme que « la France s'est désintéressée, depuis un demi-siècle, des grands travaux de la pensée, particulièrement dans les sciences exactes », une accusation reprise presque mot pour mot par Maurice Barrès au lendemain de la Première Guerre mondiale. Ce recul s'explique en partie par la sclérose du système. Commentant l'état de l'enseignement à l'École polytechnique, Jean-Baptiste Biot fustige sa médiocrité absolue. La situation est d'autant plus paradoxale qu'à la fin du XIXe siècle la science est extrêmement populaire, comme en atteste le succès de publications telles que *La Science française*, qui célèbre les triomphes de la recherche appliquée hexagonale. Dans le même temps, le succès même du positivisme parmi l'élite culturelle et administrative a contribué à favoriser une conception plus prosaïque et moins héroïque de la science. D'où la tendance des savants français à se cantonner à leurs champs de recherche plutôt qu'à élaborer de grandes visions « métaphysiques » du monde. Ni Claude Bernard ni Louis Pasteur, pourtant les deux plus grands savants de la fin du siècle, ne développèrent de conclusions philosophiques d'envergure à partir de leurs travaux. [34]

Les ambiguïtés de l'héritage comtien (et de la réflexion sur la science en général) sont reflétées dans *L'Avenir de la science*, d'Ernest Renan, un livre écrit en 1848 pendant une phase d'ébullition républicaine et socialiste, à un moment où la confiance dans le statut de grande puissance de la France n'a pas encore été entamée. Bien que critique des analyses de Comte, qui avait selon lui sous-estimé « l'infinie variété de ce fond fuyant, capricieux, multiple, insaisissable, qui est la nature humaine », Renan reste en majeure partie fidèle à la conception comtienne de la science : il affirme que le XIXe siècle a été une ère de progrès, d'où sa croyance aussi en la raison et en la perfectibilité de la nature humaine. Il considère que « la science est le premier besoin de l'humanité » et que son but principal doit être d'expliquer l'homme à lui-même. Enfin, il prédit qu'à long terme, par sa capacité de fournir une expérience de beauté et de vérité, la science deviendra une nouvelle religion. Renan copie Comte au point d'élaborer sa propre loi des trois phases qui culmine dans une formulation d'une platitude quasi comtienne : « Car la vie n'est pas l'unité absolue ni la multiplicité, c'est la multiplicité dans l'unité, ou plutôt la multiplicité se résolvant en unité. » *L'Avenir de la science* ne sera publié qu'en 1890, date à laquelle la vision du monde de Renan est devenue beaucoup moins optimiste. Bien qu'il continue à affirmer que la véritable valeur d'une civilisation réside dans la richesse de l'éducation de sa population, il ne croit désormais plus que cet idéal universaliste puisse être atteint ni même qu'il soit désirable. Abandonnant son engagement en faveur de l'égalitarisme culturel, il concède également que les formes les plus hautes de la connaissance resteront pour toujours le pré carré d'une élite. Plus fondamentalement, il a désormais pris douloureusement conscience que la science ne pourrait offrir à l'homme ni le bonheur ni la vérité absolue, mais uniquement le préserver de l'erreur. [35]

Derrière leur apparente exubérance, les romans d'Émile Zola (notamment la série des Rougon-Macquart) expriment une vision tout aussi ambivalente du progrès, où les notions empruntées à la biologie évolutionniste révèlent les limites du libre arbitre et le rôle implacablement destructeur de l'hérédité. Un sentiment d'ambiguïté tout aussi puissant à l'égard de la science apparaît dans les ouvrages de Jules Verne. Le succès prodigieux de son œuvre (l'une des plus largement traduites du XXe siècle) jouera un rôle majeur dans la vulgarisation des connaissances scientifiques. Les sujets explorés dans ces romans d'imagination scientifique couvrent les voyages sur terre et sur mer, la géologie, l'aéronautique et les expéditions spatiales, la chimie et les techniques industrielles ainsi que l'urbanisation. Bien que n'ayant pas fait d'études scientifiques lui-même, Jules Verne a développé une insatiable curiosité dans ce domaine, ce que démontre le fait qu'il ait appartenu à quelque quarante sociétés savantes. Il a entretenu une correspondance avec les

« Jules Verne. Le plus grand prophète du monde » : cette illustration datant du début du XXe siècle rend hommage à l'imagination scientifique du romancier en le représentant entouré de certaines des inventions décrites dans ses romans, notamment l'aéroplane, le sous-marin et la fusée lunaire.

plus grands penseurs de son époque. En politique, c'est un conservateur qui se méfie de l'agitation révolutionnaire : dans une lettre adressée à son père en 1870, il exprime l'espoir que le nouveau gouvernement républicain « fusiller[a] les socialistes comme des chiens ».[36]

Dès le début, Verne est conscient des limites de la science et de la technologie. Il observe l'évolution de la société moderne vers le positivisme mais sans être convaincu que cette doctrine l'emportera sur la religion. En fait, la science de Verne est fondamentalement une célébration des dimensions mystiques de la nature, ce qui apparaît notamment dans son *Voyage au centre de la terre*. D'après le philosophe Michel Serres, l'œuvre de Verne constitue une tentative visant à raconter la « totalité des légendes du monde ». Parmi les sujets d'inquiétude qui la parcourent, on peut noter l'épuisement des ressources naturelles, la pollution générée par les usines, l'inhumanité de l'organisation industrielle capitaliste, les conséquences dévastatrices des catastrophes (qu'elles soient naturelles ou provoquées par l'homme) et la dictature des experts. Beaucoup de ses personnages les plus mémorables sont des misanthropes, tel le capitaine Nemo, ou des déséquilibrés mégalomaniaques, tel le docteur Ox – voire les deux à la fois, comme Robur le Conquérant. Et, bien que présentée sous un jour favorable, son utopie hygiéniste incarnée dans la cité idéale de France-Ville a quelque chose de glaçant.[37]

L'un de ses premiers textes – un récit refusé par l'éditeur Hetzel au milieu des années 1860 et resté inédit jusqu'en 1994 – s'intitule *Paris au XX*e siècle. Située dans la capitale française en 1960, toujours soumise à la domination d'un empereur, nous avons là l'antithèse de la douce utopie de Mercier. Verne décrit un monde sinistre dominé par la finance et la machine, dans lequel les arts et la musique ont disparu et où l'on ne trouve plus dans les librairies que des ouvrages de technologie. Anticipant comme par prescience le réalisme socialiste, Verne invente des recueils de poésie intitulés « Harmonies électriques » ou « Méditations sur l'oxygène ». Les femmes sont devenues des carriéristes impitoyables et cyniques. Lorsque les réserves de nourriture sont détruites par un hiver impitoyable la famine ravage la population et le personnage principal, Michel, errant dans Paris, se croit pourchassé par le « démon de l'électricité ».[38]

Pas de pétrole, mais des idées

En mars 1963, Gaston Palewski, alors ministre chargé de la Recherche scientifique et des Questions atomiques et spatiales, prononce une conférence intitulée « La science, clé de l'avenir français ». L'allusion à Renan constitue un hommage appuyé à la tradition positiviste, mais l'argument central de Palewski est que la science est entrée dans une nouvelle ère où, d'une part, elle occupe un rôle toujours plus grand dans la vie quotidienne et où, d'autre part, elle requiert un niveau toujours soutenu d'engagement de la part de l'État : « La science est désormais entrée dans le domaine de la politique. » Passant en revue les changements révolutionnaires dont sa génération a été témoin, que ce soit dans le domaine des communications, de la médecine, de l'automatisation ou de l'énergie atomique, le ministre célèbre avec lyrisme les bienfaits matériels et moraux de la science. Il affirme que la recherche a contribué à faire grandir les plus grandes vertus humaines : « L'intelligence, l'humilité devant les faits, la compréhension d'autrui, l'esprit de coopération, la patience, l'égalité d'humeur devant l'échec. » Son plus grand bienfait consiste à libérer l'homme de la dépendance matérielle et à lui permettre de s'élever dans le domaine spirituel. [39]

Les opinions de Palewski reflétaient le volontarisme des élites françaises au cours des années d'après-guerre, partageant une même foi quant aux capacités technologiques de la nation et une même confiance dans les capacités de l'humanité à conquérir la nature. D'après un spécialiste, ce fut l'« apogée de l'État scientifique » en France. Dans les années 1970, cet esprit prométhéen permit la renaissance de la confiance des Français dans le *savoir-faire** de la nation, comme le manifesta le slogan gouvernemental : « En France, on n'a pas de pétrole, mais on a des idées. » Cependant, cette assurance fut de courte durée, en grande partie parce que le présupposé classique des rationalistes, à savoir que la science pouvait créer les fondations d'un épanouissement global de l'homme, s'était fragilisé. L'augmentation de la prospérité matérielle avait également suscité la crainte que la moralité sociale ne soit remplacée par un *ethos* destructeur et aliénant au sein duquel toutes les relations humaines seraient transformées. Dans un essai publié en 1970, Jean Baudrillard mettait en garde ses lecteurs contre le fait que le consumérisme était en train de devenir la « morale de la modernité ». Les dangers liés à la surexploitation des ressources naturelles devinrent également une source croissante de préoccupation. Inspirés par le mouvement de Mai 68 et le développement des politiques environnementales aux États-Unis, les économistes du développement commencèrent à affirmer que la prospérité de l'Occident était fondée sur un mode d'industrialisation qui détruisait le monde naturel. L'un des contributeurs les plus actifs de cette prise de conscience fut René Dumont, père de l'écologie politique moderne en France. [40]

C'est une tragédie personnelle qui force le malheureux Gaston Palewski à ouvrir les yeux sur les conséquences potentiellement dévastatrices de l'énergie nucléaire : il meurt d'une leucémie en 1984, convaincu que sa maladie a été causée par son exposition aux radiations lors d'essais nucléaires menés en Algérie en 1962 [41]. Alors que les objectifs visés par la recherche prêtent de plus en plus à controverse, l'attention se reporte sur une caractéristique encore plus ancienne des programmes de l'idéologie positiviste : l'idée de confier l'administration de l'État à une élite spécialement formée. Baroud d'honneur de la tradition scientiste à la française, ce projet allie la foi classique dans le pouvoir de la raison au rêve utopique de régénérer l'humanité. Il plonge ses racines dans le concept de « sciences de l'administration » qui avait hanté tout le XIXe siècle, pas seulement Comte. Sous l'influence de la pensée saint-simonienne, les républicains de 1848 avaient créé une éphémère École d'administration et Napoléon III lui-même avait rêvé de fonder une école qui enseignerait la « science de l'État ». Dans *L'Avenir de la science*, Renan avait envisagé la possibilité d'un gouvernement scientifique dans lequel des élites formées au sein d'une académie spéciale des sciences politiques et morales trouveraient des solutions efficaces aux problèmes du pays.

Réactualisés par la crise politique des années 1930 et le déclenchement de la Seconde Guerre mondiale, ces idéaux technocratiques s'épanouissent de plus belle après la Libération. C'est dans ce contexte que le gouvernement provisoire fonde l'École nationale d'administration (ENA) en 1945, sous l'égide de Michel Debré, alors jeune haut fonctionnaire gaulliste, futur rédacteur de la Constitution de la Ve République (dont il deviendra le premier Premier ministre). La mission qu'il assigne à cette école est de fournir une formation de qualité aux futurs hauts fonctionnaires, notamment dans le domaine de l'histoire et des sciences politiques. Il s'agit également d'harmoniser et de démocratiser le recrutement. Debré cherche aussi à forger une nouvelle éthique et à inculquer des qualités telles que la force de caractère, l'unité de vues, le désir d'agir rapidement et l'envie de réussir. Cependant, dans les décennies suivantes, l'ENA va outrepasser de beaucoup ce mandat. Sous la Ve République, elle devient, avec l'École polytechnique, l'une des principales institutions où se forment des élites, supplantant en cela l'École normale supérieure et prenant le contrôle de tous les échelons supérieurs de l'administration, des *cabinets*[*] ministériels et de la classe politique en général.[42]

Dès les premières années de l'ère gaulliste, cet idéal technocratique sera contesté et tourné en dérision, comme dans *Alphaville*, le film de Jean-Luc Godard qui dépeint un monde gouverné par un ordinateur dans lequel les règles de la logique ont triomphé et où l'individualisme, l'émotion et la poésie sont interdits. Les sociologues, quant à eux, rendent la pensée technocratique responsable des dysfonctionnements de l'appareil décisionnaire en France, notamment de son conservatisme, de son incapacité à innover et de sa propension à laisser les intérêts spéciaux l'emporter sur l'intérêt général. À la fin du XXe siècle, l'organisation et le financement de la recherche publique ont été violemment critiqués, en particulier sa bureaucratie pléthorique, ses freins culturels à l'innovation, son manque de transparence et le recrutement quasi exclusif des chercheurs parmi les étudiants des grandes écoles. Au fil du temps, ces représentations négatives se sont focalisées sur l'ENA, devenue le bouc émissaire de tous les maux qui frappent la France moderne. Certaines de ces critiques sont à mettre au compte de la rhétorique – telles l'affirmation que les *énarques** « manquent de maturité sexuelle » ou la saillie d'Alain Madelin, candidat libéral à l'élection présidentielle de 1995 : « L'Irlande a l'IRA, l'Espagne a l'ETA, l'Italie a la Mafia, la France a l'ENA. » D'autres, plus fondées, portent sur le fait que l'ENA (et les grandes écoles en général) recrute ses élèves parmi une très petite élite socioculturelle, subvertissant ainsi l'idéal méritocratique républicain. Le reproche majeur, cependant, c'est que les *énarques* sont paradoxalement très mal préparés à penser de manière créative – une situation qui résulte d'un système d'apprentissage obsédé par le fameux *classement** final (que les gouvernements successifs ne sont toujours pas parvenus à abolir) et qui récompense le conformisme, la superficialité et le formalisme. Un élève récemment diplômé résume ses vingt-sept mois de formation en parlant d'« indécence pédagogique », tandis qu'un autre évoque « un apprentissage prodigieux du conformisme ». Parmi les journalistes français, le consensus est que « les *énarques* vivent dans un monde parallèle ».[43]

Aucun stéréotype négatif français ne serait complet sans une évocation du mythe du pouvoir occulte : il en est donc ainsi des *énarques*, accusés de former une caste fermée, cynique et obsédée par le pouvoir. Ce thème a resurgi après l'élection de François Hollande à la présidence de la République, en 2012, lorsque l'Élysée a été pris d'assaut par un bataillon d'*énarques* socialistes, le nouveau président ayant choisi ses plus proches conseillers parmi ses camarades de la promotion Voltaire. Ce même thème avait déjà fourni à Bernard Domeyne la matière idéale d'un roman à clef intitulé *Petits Meurtres entre énarques*, dans lequel sept anciens élèves de la prestigieuse école travaillant au ministère des Finances sont mystérieusement assassinés. On finit par découvrir que le meurtrier n'est autre qu'un de leurs collègues, qui a décidé de les éliminer au prétexte que « les gens les moins compétents sont systématiquement affectés aux postes de managers ».[44]

5

Droite-gauche, mode d'emploi

En avril 1870, un groupe de parlementaires républicains publie un *Manifeste de la gauche* pour tenter, courageusement mais sans succès, de dissuader les électeurs d'apporter leur soutien à une nouvelle Constitution impériale. Le document rappelle les dix-huit années écoulées pendant lesquelles Napoléon III a régné en despote, tenant la France d'une main de fer depuis qu'il s'est emparé du pouvoir en décembre 1851. Sous le prétexte d'introduire un régime plus libéral, le monarque impérial – affirment ces républicains – compte garder ses prérogatives arbitraires : le pouvoir de nommer les ministres et les fonctionnaires, de contrôler le budget et les dépenses publiques, de commander l'armée, de déclarer la guerre et de contrôler le processus politique en gardant la main sur le choix des questions qui pourront être posées par référendum – un « droit césarien » qui n'est rien d'autre que la « menace permanente d'un coup d'État ». Ce manifeste appelle donc les Français à arracher leurs droits des mains « d'un homme et d'une famille » et à rejeter cette Constitution au nom des principes fondamentaux de la gauche : « La souveraineté du peuple », « la dignité nationale, au nom de l'ordre et de la paix sociale ». [1]

En insistant sur le contraste entre leurs propres valeurs et celles de leurs adversaires bonapartistes, les auteurs du manifeste symbolisaient la passion des Français pour les divisions schématiques et l'apparente clarté de la partition de l'espace politique en

France entre une gauche progressiste, républicaine et doctrinale, et une droite conservatrice, monarchiste et pragmatique – séparation entérinée par la fameuse déclaration de Louis-Napoléon lui-même affirmant qu'il n'était pas de la « famille des idéologues ». La distinction entre la droite et la gauche a souvent été considérée comme l'exemple même du caractère « cartésien » de la pensée française, en particulier de sa propension à formuler le débat politique à l'aide d'oppositions binaires et à pousser les raisonnements jusqu'à leur conclusion extrême. À maints égards, d'ailleurs, une telle dichotomie correspond effectivement à la bipolarisation de la vie politique en 1870. Les républicains rejetaient catégoriquement le principe sur lequel reposait le régime impérial, à savoir la règle dynastique, tandis que les bonapartistes refusaient la conception républicaine faisant des citoyens les acteurs de la vie publique, y voyant une menace directe d'anarchie et de fragmentation sociale. Cependant, les choses n'étaient pas aussi simples que semble le suggérer cette opposition frontale. Parce qu'ils traitaient des réalités complexes et fluctuantes de la vie politique, les concepts de gauche et de droite étaient, dans une certaine mesure, malléables et le désaccord entre les deux groupes, de part et d'autre de la frontière qui les séparait, était loin d'être absolu. En dépit de leur antagonisme, en effet, républicains et bonapartistes partageaient un même attachement à l'héritage de la Révolution et au premier Empire, au suffrage universel et à la prééminence de l'État sur l'Église. C'est la raison pour laquelle les bonapartistes ont souvent été considérés comme des hommes de gauche pendant la première partie du XIXe siècle. Et, malgré l'apparente hostilité que le second Empire inspirera à la IIIe République, cette dernière lui empruntera de nombreux éléments après 1870, notamment son organisation des festivités civiques et sa politique de conciliation envers le monde paysan. [2] Si on adopte un point de vue historique plus large, les principes fondamentaux de l'État moderne français – centralisation administrative, promotion de l'intérêt général, prééminence de la sphère politique, méfiance à l'égard des corps intermédiaires et priorité donnée à l'unité sur la diversité – sont le produit d'un double héritage républicain et napoléonien.

Affiche de campagne pour les élections législatives de 1879. La distinction entre la droite et la gauche est mise en valeur par le contraste entre le candidat progressiste, le docteur Le Maguet, « un ami de la République », qui brandit le drapeau tricolore, et son opposant conservateur, le comte de Mun, « un ami du roi », qui s'agrippe à la bannière blanche des royalistes.

Non seulement la division entre la droite et la gauche était donc moins marquée qu'il y paraissait à première vue, mais les conflits au sein de chacun des deux groupes se révélaient aussi intenses que la rivalité qui les opposait. L'affrontement entre les légitimistes (contre-révolutionnaires partisans des Bourbons), les orléanistes (partisans de la monarchie libérale de Louis-Philippe) et les bonapartistes, ces trois familles de la droite, définira la vie politique du camp conservateur pendant la majeure partie de l'ère moderne. Dans le sud de la France, sous le second Empire, les royalistes préféreront voter pour un républicain plutôt que soutenir le candidat d'une dynastie impériale qu'ils détestent. Plus proche de nous, il n'y aura guère de haine plus tenace que celle qui opposera les patriotes conservateurs qui rejoindront la Résistance et ceux qui décideront de soutenir le régime de Vichy – sans même parler du gouffre séparant les gaullistes des partisans de l'Algérie française. Il en allait de même à gauche : après la révolution russe de 1917, le fossé creusé entre les socialistes et les communistes a souvent éclipsé leur combat contre un ennemi commun, le capitalisme. C'est d'ailleurs Guy Mollet qui a prononcé la formule restée célèbre : « Le PC n'est ni à gauche ni à droite, il est à l'est ! » Les communistes ne furent pas en reste et leur réponse fuse dans un essai d'Étienne Fajon publié en 1975, dont le titre résume leur conception musclée de l'alliance politique à gauche : *L'union est un combat.* [3]

Ces exemples révèlent un paradoxe bien français : les concepts de droite et de gauche ont autant servi à créer un sentiment assez vague de proximité entre des forces politiques disparates (et souvent antagonistes) qu'à forger une doctrine commune ou à élaborer une même vision d'avenir. Simultanément, l'emploi et l'attrait persistant de ce vocabulaire mettent en lumière les caractéristiques les plus génériques de la pensée française : la qualité parfois véhémente et hyperbolique de la rhétorique, la tendance à légitimer les arguments en faisant référence à une mémoire reconstruite ; la facilité avec laquelle les coutumes sociales les plus prosaïques sont investies d'un sens symbolique complexe ; la capacité à générer des rapprochements conceptuels excentriques ; le recours à des arguments essentialistes, notamment la notion de ce qui constitue la « vraie » France ; et la construction de visions de la « vie bonne » fondées sur l'idéalisation (ou la diabolisation) de certains groupes sociaux.

Révolution et Contre-Révolution

Les concepts de droite et de gauche, tout comme une grande partie de la terminologie politique française, apparurent à la fin de l'été 1789. Alors que les membres de l'Assemblée constituante débattaient pour savoir si le roi devait avoir un droit de veto législatif, ils se séparèrent spontanément en deux groupes : la majorité, favorable à cette prérogative royale, se rassembla à la droite du président de l'Assemblée tandis que les opposants se regroupèrent à sa gauche. C'est ainsi que la distinction naquit dans les assemblées des débuts de la Révolution [4]. À partir de 1815, les expressions « côté droit » et « côté gauche » pour distinguer les différentes affiliations des parlementaires deviennent courantes, même si d'autres expressions continuent à être employées : en particulier, les groupes siégeant à gauche utilisent toute une série de termes (démocrate, montagnard, socialiste, radical) pour se distinguer les uns des autres, ainsi que de leurs adversaires. Et, dans l'arène politique, le groupe le plus nombreux reste constitué de ceux qui ne se définissent en termes ni de gauche ni de droite, mais se situent au « centre ». [5]

Ces usages anciens sont significatifs parce qu'ils ont très profondément influencé la façon dont les Français ont distingué les deux concepts. En tout premier lieu, de leur point de vue, ces termes ne leur fournissaient qu'une approximation partiale de la complexité de la pensée politique. Des raccourcis donc, mais des raccourcis importants car, pendant plus d'un siècle après la Révolution, le débat entre la gauche et la droite se déroule largement entre défenseurs et adversaires de la Révolution elle-même. Au pupitre de l'Assemblée nationale en 1891, le républicain Georges Clemenceau salue la Révolution comme « un bloc dont on ne peut rien distraire », avant d'ajouter : « Cette admirable Révolution par qui nous sommes n'est pas finie, c'est qu'elle dure encore, c'est que nous en sommes encore les acteurs, c'est que ce sont toujours les mêmes hommes qui se trouvent aux prises avec les mêmes ennemis [6]. » Déjà en 1821, un dictionnaire politique ne s'était pas donné la peine de définir le mot « droite », se contentant de renvoyer aux termes « aristocratie » et « intérêts de l'Ancien Régime ». La Révolution occupait donc un rôle si central qu'elle pesait même sur la façon dont se définissait le « centre » : « Immense majorité des Français, également ennemie des abus de l'Ancien Régime et des excès de la Révolution [7]. » En second lieu, comme en 1789, les deux camps se différenciaient sur la façon de définir la source de légitimité du pouvoir. En dépit de la diversité des nomenclatures (roi, monarque, prince-président, empereur, général, chef), les hommes de droite ne cessèrent d'affirmer que le pouvoir devait appartenir à un individu digne de l'exercer en vertu d'attributs ou de qualités personnels (droit divin, naissance, expérience, sagesse, gloire militaire ou charisme) [8]. La gauche, à l'inverse, soutenait qu'une telle conception était une violation du principe de souveraineté populaire définie par Rousseau : « Il [n'est aucun individu] qui puisse prétendre à l'exercice du pouvoir souverain. » Dans la vision progressiste du monde, c'est la volonté générale du peuple qui doit être représentée par les institutions de l'État, ce qui ne peut se faire que par délégation du pouvoir à des représentants élus de la nation (même si, nous l'avons déjà mentionné, Rousseau lui-même rejetait catégoriquement l'idée d'une telle délégation [9]).

La Révolution ne fit pas que fournir une origine historique à ces deux concepts : elle légua une doctrine à la gauche et une contre-doctrine à la droite. Au cœur de la pensée de gauche se trouvait la conviction qu'il était possible de redéfinir les institutions politiques pour créer une société meilleure et plus humaine dont les membres seraient libérés de la misère matérielle et morale. Cette vision comportait non seulement une dimension idéalisée rousseauiste, mais il s'agissait également d'une philosophie pratique tirée des expériences du début de la Révolution, fondée sur le concept des droits de l'homme (tels qu'édictés dans la Déclaration de 1789), le principe de patriotisme et de neutralité religieuse, l'éducation universelle et, par-dessus tout, l'établissement d'un gouvernement républicain dans lequel des représentants élus exerçaient le pouvoir au nom du peuple. Cette identification de la gauche à l'héritage de 1789 fut le leitmotiv des groupes républicains durant tout le XIXe siècle. Au lendemain de la révolution de Juillet, l'une des principales associations républicaines prit pour nom Société des droits de l'homme et du citoyen. Ses pamphlets les plus populaires incluaient une réimpression de la Déclaration de 1789 dans une version enrichie de commentaires mettant en relief la pertinence toujours actuelle du document – en particulier la lutte contre toute forme de « tyrannie » (une manière allusive de désigner la monarchie). L'éducation universelle était considérée comme le fondement de la société : elle devait développer un sentiment de « raison publique » parmi les citoyens, ce qui en retour renforcerait leur patriotisme et leur désir de mener une vie vertueuse. Cette vision reposait sur deux présupposés qui devinrent centraux dans la pensée de gauche : l'intégrité du peuple (« nous aimons le peuple car le peuple est bon ») et l'idée de progrès : « Une République n'est pas seulement une agrégation de citoyens qui ont résolu de vivre en commun, c'est une société qui doit persister des pères aux enfants et se perfectionner sans cesse. »[10] Le personnage de Jean Valjean, dans *Les Misérables*, de Victor Hugo, incarne cette capacité du peuple à trouver la rédemption et la vertu en transcendant la « fatalité sociale ».

Dans un premier temps, la droite commença par rejeter l'intégralité de cette philosophie. La doctrine contre-révolutionnaire française naquit sous l'influence des *Réflexions sur la Révolution française*, d'Edmund Burke, qui fut immédiatement traduit en français et devint l'exposé le plus emblématique des sentiments contre-révolutionnaires, à tel point que des exemplaires furent jetés dans les bûchers allumés par les paysans révolutionnaires. Cette critique, somme toute mesurée, de la destruction de l'héritage historique des nations – en d'autres termes, des préjugés qui font « de la vertu une habitude » – fut amplifiée et radicalisée par des penseurs ultraroyalistes tels que Joseph de Maistre, lequel voyait dans les événements des années 1790 la manifestation de la colère divine punissant des décennies d'athéisme et de scepticisme philosophique. De ce point de vue, la Révolution était un acte de la Divinité (si « elle emploie les instruments les plus vils, c'est qu'elle punit pour régénérer ») et la doctrine des droits de l'homme une abstraction absurde. Comme le faisait observer Maistre : « J'ai vu, dans ma vie, des Français, des Italiens, des Russes, etc. ; je sais même, grâce à Montesquieu, *qu'on peut être* Persan : quant à l'homme, je déclare ne l'avoir rencontré de ma vie. » Aux yeux des conservateurs, le monde idéal ne se situait pas dans l'avenir, mais dans le passé monarchiste de la nation. Chateaubriand, par exemple, honnissait la Révolution qui avait détruit le monde civilisé et raffiné de l'ancienne monarchie, laquelle, au contraire, avait sorti l'homme de la barbarie et permis l'épanouissement de la culture et de la religiosité. Certains allaient même plus loin, associant l'Ancien Régime au mythe de l'âge d'or. Louis de Bonald, le plus influent des penseurs ultraroyalistes de la Restauration, affirme ainsi que la société française sous l'Ancien Régime avait accédé à l'état le plus fort, le plus spirituel, le plus moral, le plus parfait qu'elle ait jamais atteint. (Notons au passage, et c'est l'un des paradoxes de la pensée contre-révolutionnaire, qu'elle formait des visions aussi abstraites que celles qu'elle attribuait à ses adversaires.) Cet état idéal, en partie entouré de « mystère », reposait sur la sagesse accumulée au cours des siècles par des générations successives et transmise par la monarchie et l'Église : « Ôtez Dieu de ce monde : l'homme ne doit rien à l'homme, et la société n'est plus possible. »[11]

Dans cette perspective, c'était une erreur de croire, comme le pensaient les révolutionnaires, que l'instruction pouvait être confiée aux autorités de l'État : seuls les ordres religieux pouvaient fournir la sagesse nécessaire à libérer l'humanité des « infirmités » de l'enfance. La pensée contre-révolutionnaire était une image inversée du progressisme de la gauche. En rejetant les aspirations réformistes de 1789, l'ultraroyalisme légua au conservatisme français une composante antimoderne très puissante, plus prononcée et plus durable que dans d'autres pays – Edmund Burke, par exemple, avait beau être hostile à la Révolution française, il n'en acceptait pas moins l'héritage des Lumières. Conformément à la logique de la « rhétorique réactionnaire », les projets de changements politiques et sociaux radicaux étaient indésirables, soit parce qu'ils ne pouvaient être mis en œuvre (argument de l'inanité), soit parce qu'ils menaçaient des progrès déjà accomplis (argument de la mise en danger), soit parce qu'ils risquaient d'avoir des conséquences inverses à celles qui étaient recherchées (argument de l'effet pervers). Par exemple, l'argumentation traditionnelle contre le suffrage universel consistait à dire qu'il s'agissait d'une dangereuse innovation qui détruirait l'ordre social naturel : « Cela est si évident que les républicains eux-mêmes n'ont pas osé appliquer le suffrage universel dans sa logique brutalité : grâce à Dieu, nous n'avons encore vu voter ni les femmes, ni les enfants, ni les prisonniers, ni les forçats ! Mais nous nous sommes rencontrés autour du scrutin avec l'armée, avec les imberbes, avec les vagabonds. » L'auteur de ces lignes ne précisait pas laquelle de ces trois catégories lui paraissait la pire. [12]

Les promoteurs les plus fervents de cette rhétorique réactionnaire furent les catholiques traditionalistes et les éléments les plus durs du parti légitimiste qui soutenait la restauration de la monarchie des Bourbons. Les légitimistes commémoraient le 21 janvier, jour anniversaire de l'exécution de Louis XVI. Un membre du clergé, quant à lui, décrivit la lutte contre la Révolution comme « un devoir religieux de la plus haute importance ». Dans un pamphlet de 1867, l'intellectuel royaliste Gabriel de Belcastel attaque la Révolution, qui menace, selon lui, les institutions les plus sacrées de la nation : la monarchie, la propriété privée, la famille et la religion. En réaction à l'individualisme prôné par la doctrine révolutionnaire, il fallait réaffirmer la primauté du collectif : « Une société n'est pas une juxtaposition de parties hétérogènes ; tout s'y lie et s'enchaîne pour former un tout. » [13]

Dans cette vision des choses, la politique consistait par-dessus tout à défendre et à promouvoir les valeurs morales traditionnelles : le courage, l'ardeur au travail, la persévérance, l'économie, la tempérance, l'honnêteté et la sincérité, le respect de l'autorité. L'idéal révolutionnaire – construire une nouvelle entité politique fondée sur des principes rationalistes – était considéré comme une violation de l'ordre naturel : « La constitution d'une nation telle que la France ne consiste donc pas dans un livre fait de main d'homme ; elle est toute dans les traditions. » De même, la notion rousseauiste d'une bonté naturelle et inhérente à l'homme était une illusion dangereuse destinée à détourner la société de l'Église : « L'homme naît dans le mal, la Société le recueille, et c'est l'Église qui le répare. » De fait, pour les conservateurs les plus pessimistes, il était déjà trop tard. Loin d'embrasser la perfectibilité promise par les républicains, l'humanité plongeait inexorablement vers la décadence – ou, pour citer Louis Veuillot, « affaiblie par le péché, l'humanité penche naturellement à l'erreur, et la pente de l'erreur est à la mort, ou plutôt l'erreur est elle-même la mort ». [14]

Ordre et mouvement

Les notions de droite et de gauche dérivaient donc à l'origine de conceptions philosophiques antagonistes concernant la nature humaine, la société et l'État, des conceptions qui se développèrent à l'occasion des événements de la Révolution. Ce qui leur donnait un poids supplémentaire, c'est qu'il ne s'agissait pas seulement d'abstractions intellectuelles, mais qu'elles s'inscrivaient dans des pratiques culturelles et sociales : dans des cérémonies religieuses, des fêtes politiques et des commémorations ; dans des gestes symboliques tels que la plantation d'« arbres de la liberté » ou le choix du nom à donner aux rues ; dans l'inauguration de bâtiments publics et autres rituels civiques – défilés, processions et funérailles [15].

Les rituels de sociabilité ne sont pas les mêmes selon que l'on est d'un bord politique ou de l'autre : à la différence des membres de la bonne société qui fréquentent les salons raffinés, c'est au café que les hommes des milieux progressistes se retrouvent. Gambetta, par exemple, du temps où il était étudiant au Quartier latin, passait le plus clair de ses journées à effectuer le circuit qui le menait du café de Madrid au Procope, avant de finir au Voltaire. C'est également là qu'ont lieu les réunions des associations socialistes ou révolutionnaires, sous l'œil vigilant de la police : en 1900, à Saint-Gilles, dans le Gard, des syndicalistes locaux se donnèrent rendez-vous au café Perruchon et, d'après le rapport de la police, pendirent à la fenêtre un « drapeau rouge orné d'un grand ruban tricolore ». Car même les couleurs sont chargées d'un symbolisme politique très riche : tout au long du XIXe siècle, le drapeau blanc demeura l'emblème des royalistes tandis que le drapeau tricolore était associé à la cause progressiste. En 1815, après la défaite définitive de Napoléon, le républicain Agricol Perdiguier fut tout d'abord maltraité par les royalistes parce qu'il refusait d'arborer une rosette blanche avant d'être passé à tabac par l'autre camp lorsqu'il se mit à la porter. À partir des années 1830, le drapeau rouge devint le symbole des révolutionnaires, inspirant la peur parmi les conservateurs et suscitant une dévotion quasi mystique parmi les républicains radicaux. Au cours des banquets populaires socialistes, tout était rouge : la nappe, les serviettes, la vaisselle, le vin et jusqu'au menu – radis, tomates, écrevisses et filet *saignant**… [16]

Cette séparation culturelle signifiait également qu'on pouvait facilement identifier les discours politiques des deux bords à travers le vocabulaire et les thèmes qui leur étaient propres. Le discours de la droite se caractérisait par le souci d'éviter le conflit, de défendre la hiérarchie et de faire appel à la tradition et à la foi religieuse ; il témoignait, plus particulièrement dans sa composante littéraire, de certaines dispositions esthétiques centrées sur la célébration du talent, le culte de l'amitié et un attrait pour l'aventure et l'exotisme. « Mon agitation », confessait Maurice Barrès dans son journal, « ne fut jamais une course vers quelque chose, mais une fuite vers un ailleurs » [17]. En temps de crise – il semblait à beaucoup de conservateurs que la crise fût constitutive de la modernité –, la droite était par-dessus tout préoccupée par la préservation ou la restauration de la stabilité sociale, cri de ralliement de tous les conservateurs, de Napoléon Bonaparte, en passant par le « Parti de l'ordre » de la IIe République, jusqu'au régime de Vichy. Par opposition, la rhétorique de la gauche était universaliste, elle en appelait à des principes généraux et s'appuyait sur un sentiment de supériorité affirmé (c'est à Guy Mollet qu'on devrait la formule que la France avait « la droite la plus bête du monde »). Elle invoquait des idéaux tels que la justice et l'égalité, justifiait ses fins et ses moyens par la recherche du bien commun et cherchait à construire une société nouvelle dont les membres seraient libres de toute dépendance matérielle ou spirituelle. Par-dessus tout, être de gauche signifiait qu'on croyait que la participation du peuple à la vie politique était une condition essentielle du progrès. Comme le dit une polémiste républicaine peu après la révolution de 1848 : « En accomplissant la grande loi du travail, à laquelle la noblesse moderne s'est soustraite, la démocratie est restée en conformité avec les desseins providentiels, et marche seule aujourd'hui dans les voies de la liberté [18]. »

Transformation, renouveau, regénération : l'idéal de changement semble parfois suffisant pour résumer les aspirations de la gauche – d'où le recours à l'image de la « lutte », l'une de ses métaphores favorites les plus anciennes. Qu'il s'agisse de défier des rois ou des tyrans, de combattre pour la dignité et l'émancipation de la classe ouvrière, de se rebeller contre l'*establishment* culturel ou d'affronter les agents du capitalisme mondial, les hommes de gauche définissent leur engagement politique comme un impératif de « mouvement ». En monarchie, pour citer un article paru dans un journal républicain en 1849, le peuple est un « cadavre inerte », alors qu'en république il se transforme en un « athlète vigoureux » (si vigoureux qu'il distance parfois ses chefs, comme l'a fait un jour remarquer Ledru-Rollin en se voyant doublé par des manifestants : « Laissez-moi passer, je suis leur chef. »). Ce sentiment de mouvement culmine naturellement dans l'idée de *rupture** : de la Commune de Paris en 1871 à la grève générale dont rêvent les syndicalistes jusqu'aux utopies débridées de Mai 68, la pensée de gauche en France repose sur la conviction que le changement politique n'a de sens que s'il est radical et purificateur. C'est ce qu'exprime de manière succincte le premier couplet de *L'Internationale*, l'hymne révolutionnaire composé par Eugène Pottier en 1871 – « Du passé faisons table rase, [...],/ Le monde va changer de base » – ou, de manière plus succincte encore, une affiche de Mai 68 : « Brisons les vieux engrenages. » Ce radicalisme fascine tant l'imaginaire progressiste qu'il entraîne même les courants les plus modérés de la gauche. C'est ainsi qu'en 1971, au congrès d'Épinay, François Mitterrand déclare : « Celui qui n'accepte pas la rupture [...] celui qui ne consent pas à la rupture avec l'ordre établi [...], avec la société capitaliste, celui-là, je le dis, il ne peut pas être adhérent du Parti socialiste. » [19]

En dépit de cette apparente convergence de vues sur le but ultime de l'action politique, l'histoire intellectuelle de la gauche française est faite de divisions incessantes, ce qui s'explique en partie par la prédilection des progressistes pour le débat théorique – débat lui-même stimulé par une particularité que Tocqueville avait déjà remarquée : la surreprésentation des intel-

Une affiche de Mai 68. Au centre des engrenages figure la silhouette de Charles de Gaulle.

lectuels parmi les leaders de la gauche. Plus fondamentalement, ces divisions reflètent l'industrialisation relativement tardive de la France et l'absence d'un grand parti représentant les aspirations de la classe ouvrière tel qu'on en voit à la même époque en Grande-Bretagne ou en Allemagne. D'où l'existence de plusieurs petites tribus au sein de la gauche, chacune ayant sa propre sensibilité philosophique. Les libéraux, élitistes et cérébraux, qui défendent l'idée d'une société individualiste fondée sur la propriété privée. Les jacobins, qui embrassent une vision holistique de la société et se font l'avocat du centralisme étatique et de l'anticléricalisme. Les collectivistes, qui prônent une société plus égalitaire, une forte régulation étatique et la socialisation des moyens de production. Et enfin les libertaires, qui, mettant la liberté au-dessus de toutes les autres valeurs, défendent l'antimilitarisme, la politique participative et la décentralisation. Ces divisions intellectuelles expliquent en grande partie la tendance de la gauche à toujours se fragmenter. Le schisme de 1920 entre socialistes et communistes, entraîné par leur désaccord fondamental sur l'allégeance à la IIIe Internationale révolutionnaire de Lénine, a pesé sur la politique de la gauche pendant la plus grande partie de la période moderne. Pour autant, cette division n'était que la poursuite d'une tradition de désunion qui régnait depuis beaucoup plus longtemps : à la veille d'un congrès du Parti socialiste, le pacifiste Aristide Briand raillait la tendance de ses camarades socialistes à « se réunir en scissions annuelles ».[20]

Pourquoi et en quoi ces groupes, si prompts à se diviser, considèrent-ils quand même qu'ils appartiennent à une même communauté ? La réponse tient largement au fait qu'ils ont le sentiment de partager une histoire commune. Dans les grandes villes, telles Paris, Lyon ou Marseille, fières de leurs antécédents révolutionnaires, ou dans certaines régions du nord, du midi et du sud-ouest, être de gauche est une tradition locale vivace qui se transmet de génération en génération. C'est dans la façon dont on se souvient de la Révolution que cet héritage est le plus visible. La mémoire de 1789 (et de la lutte qui s'ensuivit pour promouvoir les valeurs révolutionnaires) fournit un cadre de référence à toutes les générations du XIXe siècle. La Révolution joue un rôle d'autant plus central qu'elle provoque des désaccords marqués sur la façon d'interpréter les événements selon qu'on est libéral, jacobin, libertaire, socialiste ou marxiste. De plus, le souvenir de la Révolution ne pèse pas seulement sur les élites politiques ou les intellectuels : il a laissé une profonde empreinte sur la culture populaire, notamment dans la littérature et le théâtre, la musique et les chansons[21].

La façon dont le passé imprègne la pensée de gauche et pèse sur elle se manifeste dans un discours prononcé par Léon Blum en 1948, à la Sorbonne, à l'occasion du centenaire de la révolution de 1848. Blum révèle à son auditoire qu'un des premiers livres qu'il avait lus à l'adolescence était *Histoire de la révolution de 1848*, l'étude classique de Garnier-Pagès, dont il avait découvert un exemplaire dans le grenier de la maison paternelle. Ce récit épique avait provoqué l'engagement de toute une vie à défendre la cause républicaine et convaincu le jeune lecteur qu'en dépit des erreurs qu'elle avait commises la révolution de 1848 avait été un événement majeur de l'histoire moderne. Mais Blum y avait également identifié certaines failles psychologiques de la gauche : une certaine naïveté et le sentiment d'un déficit de légitimité qui se manifeste par une certaine fragilité d'esprit qu'il désigne comme « la peur de faire peur », allusion au traumatisme qu'avait constitué la Terreur [22].

L'analyse de Blum souligne une des caractéristiques cruciales (mais paradoxales) de l'unité des progressistes français, mise en relief au début de ce chapitre : son caractère principalement défensif. « Rien n'unit tant les hommes qu'une haine commune », avait écrit Jules Simon en 1874. La tradition du front républicain contre la droite était née du rejet du coup d'État de 1851. Elle avait connu son âge d'or à la fin du XIXe siècle, à l'occasion des combats menés contre la résurgence du sentiment monarchiste ou de la bataille livrée par l'alliance républicaine contre le nationalisme conservateur lors de l'Affaire Dreyfus. À l'époque contemporaine, un esprit défensif similaire se manifeste dans l'alliance antifasciste rassemblant tout le mouvement progressiste sous la bannière du Front populaire, puis dans la Résistance, et plus tard encore dans l'hostilité virulente des partis de gauche à Charles de Gaulle, présenté comme un nouveau Bonaparte. Cependant, cette posture systématique d'opposition s'accorde mal avec l'aspiration de la gauche à incarner des idéaux de progrès, de changement, de transformation ou de « mouvement ». Comble de l'ironie, elle a parfois donné à sa rhétorique une tonalité étrangement conservatrice. Au tournant du XXe siècle, une fois la IIIe République consolidée, la gauche modérée adopte un programme principalement centré sur la défense du statu quo. Le manifeste du Parti radical ne parle que de défendre la paix, la propriété privée et les intérêts locaux contre les forces de la « réaction ». Même le Parti communiste, en dépit de sa posture révolutionnaire, est souvent perçu comme un allié objectif de l'État, préférant préserver son pouvoir social et institutionnel plutôt qu'attaquer les intérêts de la bourgeoisie dirigeante. En juin 1936, alors qu'une vague de mouvements sociaux balaie le pays, Maurice Thorez va prononcer une formule qui restera célèbre : « Il faut savoir terminer une grève. » Quant à un autre intellectuel communiste, Jean Rony, ébranlé par les événements tumultueux de Mai 68, il confesserait : « Je n'avais qu'un souhait : que l'ordre soit rétabli au plus vite. » [23]

Visions de la nation

Il n'y a guère de concept plus révélateur de la complexité du clivage droite-gauche que celui de nation. À l'origine, cette notion est très clairement enracinée dans la pensée de gauche. Elle se nourrit du souvenir des combats révolutionnaires du début des années 1790 ; elle est célébrée dans les couplets de *La Marseillaise* ; elle s'articule avec des éléments clefs de la doctrine républicaine (notamment la souveraineté populaire et la fraternité). La gauche fonde donc sa conception classique de la nation sur une forme universaliste de patriotisme et décrit la France comme une collectivité des citoyens transformés en nation par des valeurs communes grâce au génie français de l'assimilation. Ainsi que le dit Michelet : « La France française a su attirer, absorber, identifier les Frances anglaise, allemande, espagnole, dont elle était environnée. » Cette conception volontariste de la nation inclut également un engagement à défendre la *patrie** contre les envahisseurs étrangers : on en retrouve des échos puissants dans le réquisitoire prononcé par les républicains contre la décision d'entrer en guerre contre la Prusse en 1870, ainsi que chez les communards. [24]

Cet universalisme se manifeste également dans la conviction très largement répandue parmi les progressistes que la France, à cause de sa tradition révolutionnaire et de sa volonté de combattre la tyrannie sous toutes ses formes, est un phare pour le reste du monde – d'où les déclarations délicieusement gallocentriques de l'historien Henri Martin : « Si le patriote français est fier de sa patrie, c'est qu'il la sent destinée à répandre la *bonne nouvelle*, la nouvelle de justice et de vérité dans le monde. S'il veut que sa patrie soit grande et glorieuse, c'est pour le bien de l'humanité tout entière. [...] Il aime la France dans et pour l'humanité. » Le socialiste Paul Lafargue y va aussi de son couplet : « Tous les socialistes internationaux ont deux patries : celle où le hasard les a fait naître et la France, leur patrie d'adoption. » Cette foi en la qualité intrinsèquement émancipatrice de la culture française explique en grande partie pourquoi la plupart des grandes figures progressistes du XXe siècle ont toujours défendu la politique d'assimilation menée aux colonies et, à l'exception notoire des communistes, ils ont fermé les yeux sur les inégalités sociales et l'aliénation culturelle créées par l'Empire. Cette adhésion inconditionnelle à la *mission civilisatrice** de la France est illustrée par Guy Mollet, qui taxait toute manifestation de nationalisme colonial de « réactionnaire » et « obscurantiste ». Président du Conseil à la fin des années 1950, marquées par la montée de la violence en Algérie encore sous domination française, Mollet symbolise la « faillite » de la pensée de la gauche française républicaine en matière de politique coloniale. [25]

L'alternative à cette conception progressiste de la nation apparaît à la fin du XIXe siècle. Il s'agit moins d'une doctrine ou d'une idéologie que d'une sensibilité dont les éléments disparates s'amalgament à la suite du traumatisme de la perte de l'Alsace-Lorraine en 1871, sous l'effet d'une virulente contestation populiste antirépublicaine incarnée dans les années 1880 par le boulangisme et l'antidreyfusisme. Cette sensibilité nationaliste recouvre, dans une large mesure, la doctrine contre-révolutionnaire classique, notamment la sacralisation des traditions et le rejet de l'universalisme. Cependant, il s'agit d'une synthèse nouvelle qui touche d'autres tranches de la population, y compris de nombreux républicains conservateurs, et dont le pouvoir d'attraction tient à différents facteurs : l'abandon des doctrines métaphysiques des contre-révolutionnaires (notamment la monarchie de droit divin) en faveur de conceptions plus nietzschéennes de la spiritualité et de l'héroïsme ; sa propagation par certains des écrivains les plus talentueux de leur époque ; ou encore sa contribution à la genèse des doctrines fascistes. [26]

L'un des leitmotives les plus prégnants du récit nationaliste était le contraste entre la vie artificielle de la capitale et l'authenticité de la « vraie » France. Cette opposition métaphysique fut souvent exprimée sur le mode de la critique de la modernité, comme dans *L'Ensorcelée*, de Barbey d'Aurevilly, situé en Normandie à l'époque de la rébellion des Chouans contre la Ire République. Le récit s'ouvre sur une description du paysage que l'auteur compare à des « haillons sacrés qui disparaîtront au premier jour sous le souffle de l'industrialisme moderne ». Mais c'est l'idéologue du nationalisme conservateur, Charles Maurras, qui formalisera cette dichotomie en distinguant entre « pays légal » et « pays réel », et décrira les institutions officielles de l'État républicain comme des masques grotesques dont le culte de l'uniformité détruit systématiquement les fondations du sentiment collectif. L'Action française, le mouvement dont il devient la figure de proue au tout début du XXe siècle, défend donc l'idée d'un nouveau système politique qui devra restaurer les libertés locales très étendues telles qu'elles avaient existé en France avant 1789. Par leur aversion instinctive à l'égard de toute forme de pensée universaliste et leur attachement à la diversité historique et culturelle de la France, les nationalistes autoritaristes répugnent à formuler une définition essentialiste de la nation française. Ainsi, même Maurras, le plus intellectuel d'entre eux, évitait d'utiliser le concept de race, sauf dans le sens le plus vague du terme (le fait qu'il honnissait tout ce qui avait trait à l'Allemagne joua sans doute ici puisque les conceptions biologiques de la nation étaient en faveur outre-Rhin). [27]

C'est pendant la IIIe République que la figure de Jeanne d'Arc devient l'incarnation de cet idéal nationaliste défensif et conservateur. Édouard Drumont salue en Jeanne une héroïne celte, tandis que Maurras, prenant quelques libertés avec les faits, cherche à en faire l'inébranlable championne de la monarchie française. Pour les ligues catholiques conservatrices, telle la Conférence Jeanne d'Arc de Poitiers, l'héroïne nationale est la patronne de tous ceux qui « cherchent à suivre sans question le chemin de notre Seigneur Jésus-Christ ». La République, elle aussi, adopte le mythe : à l'instigation de Maurice Barrès, l'anniversaire de la mort de Jeanne devient une commémoration nationale, en 1920, à la mémoire des morts de la Première Guerre mondiale. À l'inverse, les ligues paramilitaires de l'entre-deux-guerres vont célébrer Jeanne la guerrière et le régime de Vichy la transformer en héroïne de la paysannerie et du catholicisme, martyre de la « cruauté du gouvernement anglais ». Quant au Front national, qui, depuis la fin des années 1980, a fait du 1er Mai sa propre Fête de Jeanne d'Arc, il utilise la légende pour promouvoir son idéologie souverainiste et sa doctrine de la « préférence nationale ». [28]

À rebours de l'universalisme des progressistes, la rhétorique de la « vraie » France se concentre donc sur la célébration de toute une série d'institutions sociales, de valeurs et de coutumes, au premier rang desquelles figure la famille – pilier de l'ordre social, menacée par l'individualisme moderne et la permissivité des mœurs, selon les traditionalistes. Ce n'est pas par hasard que le régime de Vichy en fait l'un des symboles majeurs de sa fameuse (mais bien incomplète) « révolution nationale ». Autres caractéristiques communes aux nationalistes : leur propension à considérer la vie provinciale comme le sanctuaire du patrimoine culturel et moral de la nation – en particulier les dialectes régionaux, merveilleux exemples du « génie » français, mais violemment réprimés par la Révolution au nom de l'unité nationale. Le chauvinisme culturel de l'Action française s'étend même à l'art culinaire : dans le journal du mouvement, Marthe Daudet, l'épouse du rédacteur en chef, publie régulièrement une chronique gastronomique pour défendre l'excellence de la cuisine régionale française. Contre la convivialité militante des menus « rouges » des banquets progressistes, elle rédige un livre de

Les Deux Maisons France, de R. Vachet. Cette affiche de propagande commandée par le gouvernement de Vichy cherche à promouvoir la Révolution nationale prônée par ce régime. L'opposition entre les deux France y est à nouveau représentée de manière explicite.

recettes intitulé *Les Bons Plats de France*, que Marcel Proust lui-même salue comme un « ouvrage délicieux » : elle y donne la recette de l'*aigo boulido* provençal, de la *garbure* béarnaise, des crêpes lorraines, du *kouglof* alsacien et de la *matelote*, un ragoût de poisson servi brûlant dans des bols en porcelaine blanche, avec des croûtons et des œufs durs. [29]

Dans les années 1950, tous ces éléments vont converger dans l'imaginaire populiste du mouvement poujadiste. Fier de ses racines qui plongent « dans le vieux pays de France », Pierre Poujade se fait le champion des petites gens, *des braves gens*[*], comme il les appelle, artisans, commerçants et petits producteurs, « épine dorsale de la nation ». Il se pose en défenseur de leur gagne-pain contre les excès du fisc et contre le pouvoir disproportionné de l'Assemblée nationale, « le plus grand bordel de la capitale ». Le langage de Poujade est d'une verdeur extrême : pendant la campagne électorale législative de 1956, son journal *Fraternité française* compare la France à « une fosse d'aisance où le niveau de déjections s'élèvera chaque jour un peu plus ». [30]

Les mythes de la droite

La distinction entre la droite et la gauche repose donc sur des fondations doctrinales, des expériences historiques et des coutumes sociales aisément identifiables. Mais les facteurs concrets qui ont exacerbé le clivage entre les deux camps – Révolution de 1789, adoption du système républicain, place de la religion dans la vie publique et définition de l'« identité française » – ont perdu de leur substance avec le temps. À cet égard, le régime de Vichy a constitué un tournant majeur. Discrédité par son racisme et son autoritarisme politique ainsi que par sa politique de collaboration avec l'occupant nazi, il a porté un coup mortel à la tradition contre-révolutionnaire et généré une transformation idéologique radicale de la droite. Le processus s'est accéléré avec l'avènement de la Ve République, en 1958. Sous l'impulsion du gaullisme, la quasi-totalité de la droite a accepté le régime républicain et le système politique démocratique, et a adopté une vision de la société bien moins influencée par les valeurs religieuses et le concept de hiérarchie sociale. En 1995, Jacques Chirac remporte l'élection présidentielle sur la promesse de guérir la « fracture sociale » – un thème classique du répertoire progressiste. La gauche, pour sa part, a reconnu (très discrètement tout d'abord, puis ouvertement après l'élection de François Mitterrand, en 1981) que la propriété privée et l'économie mixte étaient deux éléments immuables de la société française. À la fin des années 1990, Lionel Jospin, alors à Matignon, cherche ainsi à faire la distinction entre une « économie de marché », nécessaire et bénéfique, et une « société de marché », qui, elle, produirait des inégalités socialement et moralement inacceptables. Ces emprunts sémantiques et ces transgressions sèment une certaine confusion de part et d'autre du clivage traditionnel et fournissent de la matière aux satiristes, tel Frédéric Beigbeder, dont le personnage semi-autobiographique Oscar Dufresne perd tous ses repères idéologiques après avoir aperçu Lionel Jospin dînant au Café du commerce sur la très chic île de Ré, un pull-over négligemment jeté sur les épaules. [31]

Cependant, en dépit de l'érosion de ses fondements, la vision d'une *France coupée en deux** a persisté et, dans un certain sens, elle s'est même renforcée, ce qui est en partie la conséquence mécanique des institutions politiques – régime présidentiel et scrutin uninominal à deux tours – qui favorisent la reproduction à l'identique d'un schéma de bipolarisation. Il y a cependant une raison plus fondamentale : les notions de droite et de gauche ont également survécu parce qu'elles présentent toujours un attrait sentimental et symbolique. Elles continuent à susciter des images positives de jeunesse, d'héroïsme, d'accomplissement d'une destinée collective et de l'unité métaphysique du peuple français, mais également des images plus sombres de trahison, de corruption et de dissolution apocalyptique de la nation.

En effet, l'existence de forces sinistres cherchant à détruire le tissu social français est un thème central de l'imaginaire mythologique de la droite. Ces forces destructrices sont d'autant plus dangereuses qu'elles sont souvent perçues comme représentant des intérêts et des valeurs étrangers. Dans sa très influente étude de la Révolution publiée dès 1797, l'abbé Barruel dénonçait déjà les francs-maçons, présentés comme un groupe cosmopolite foncièrement subversif entretenant des liens avec d'autres sociétés secrètes disséminées partout en Europe et poursuivant le même objectif honni : « faire la guerre au Christ et à la religion chrétienne, aux rois et aux trônes ». Dans la démonologie de la droite nationaliste et catholique, les francs-maçons et leurs successeurs, tels les Carbonari, étaient rendus responsables de la corruption morale de la société française, car ils cherchaient à remplacer les fondements traditionnels de l'autorité par des thèses pernicieuses : les droits de l'homme, le progrès matériel, l'égalité sociale et la fraternité universelle. En 1941, une publication vichyste accusa les francs-maçons d'être responsables de toutes les « convulsions » intérieures et extérieures qui avaient déchiré la société française, de la révolution de 1789 à l'invasion allemande de 1940. Juste après la Seconde Guerre mondiale, Georges Bernanos lance un cri d'alarme contre la destruction de la civilisation française par l'industrialisme commercial anglo-saxon, qu'il qualifie de « conspiration universelle contre toute espèce de vie intérieure ».[32]

Tout aussi maléfiques, dans cette perspective, sont les activités des groupes qui luttent pour une plus grande égalité sociale. Les révolutions du XIXe siècle – notamment la séquence 1830-1848-1871 se terminant par la Commune – et le défi politique que représentent les socialistes et les républicains radicaux vont donner naissance à la rhétorique du « péril rouge », l'une des inventions les plus rebutantes de la pensée conservatrice française. L'image, qui se déploie avec une grande cohérence, associe la figure du « rouge » à la violence, la bestialité, la débauche et la dissolution de l'ordre social. Un pamphlet de 1851 annonce ainsi que la France est sur le point d'être balayée par des « millions de prolétaires enrégimentés par la haine ».[33]

Au lendemain de la révolution russe et de la création du Parti communiste français, lequel cultive des liens très étroits tant matériels qu'idéologiques avec Moscou, l'image du « rouge » s'enrichit d'un nouveau motif : la menace de la domination soviétique. Les complots, imaginaires la plupart du temps, hantent l'imagination des conservateurs *bien-pensants*[*]. Au cours des années 1920, le ministre de l'Intérieur Albert Sarrault qualifie le Parti communiste d'« entreprise universelle de désintégration nationale et sociale ». La propagande anticommuniste et la paranoïa qu'elle manifeste atteignent leur apogée à la fin des années 1940 et dans les années 1950. En mai 1952, Jacques Duclos, alors numéro un du parti, est arrêté à la suite d'une manifestation antiaméricaine et l'on retrouve dans le coffre de sa voiture deux pigeons tués lors d'une partie de chasse et destinés à figurer au menu familial du soir. Cependant, les deux volatiles sont immédiatement exhibés comme preuves de l'existence d'un infâme complot communiste. L'absurdité des soupçons ne sera dénoncée que lorsqu'une commission de trois experts nommés par le gouvernement (dont le président de la Fédération nationale des sociétés colombophiles, un certain M. Poulain) conclura que les deux oiseaux suspects, « étant incapables de voler et encore moins de remplir une mission de communication », ne sont pas des pigeons voyageurs. Le sentiment de panique est toujours aussi vivace à droite lors de l'élection de François Mitterrand, en 1981, et de la nomination de quatre ministres communistes au gouvernement. Certains craignent que la propriété privée ne soit abolie ; d'autres, tel Louis Pauwels, alors au *Figaro Magazine*, conseillent à leurs amis d'enterrer leurs objets de valeur dans leur jardin et la rumeur se répand que des troupes soviétiques pourraient stationner à Paris. [34]

Cependant, ce ne sont pas les « rouges » mais les juifs que la frange conservatrice et nationaliste va considérer comme la menace la plus grave pesant sur la France. Édouard Drumont, auteur de *La France juive*, un pamphlet qui connaîtra deux cents rééditions entre 1886 et 1914, dénonce ainsi l'infiltration de la République par les juifs, qui seraient devenus « un État dans l'État ». Le succès du texte tient à sa synthèse de différentes formes d'antisémitisme – catholique, anticapitaliste et raciste. Ces idées toxiques se sont amalgamées au moment de l'Affaire Dreyfus, lorsque les nationalistes ont affirmé que la culpabilité de l'officier était prouvée par le fait qu'il était juif. D'origine juive lui-même, Proust témoigne de cet antisémitisme ordinaire dans la description qu'il fait des juifs en villégiature à Balbec : leurs tenues voyantes, le refus de se mêler aux autres, leur mépris des valeurs catholiques et leur comportement ouvertement oriental en font l'incarnation même de l'étranger. Un autre préjugé commun de l'antisémitisme français porte sur la nature prétendument conquérante des juifs – selon les termes des frères Tharaud, deux intellectuels influents de la IIIe République finissante, « comme tout ce qui vit dans la nature, le juif cherche à persévérer dans son être et à s'épanouir, et il ne peut le faire qu'aux dépens de ce qui l'entoure ». Un certain sentiment de dépossession vient systématiquement compléter tous ces fantasmes. L'affirmation que la « vraie France » a été dénaturée est systématisée par Maurras, qui décrit la République comme le gouvernement perverti des quatre « États confédérés » : le juif, le protestant, le franc-maçon et le *métèque*[*]. C'est dans cet esprit que le serment d'allégeance à l'Action française commençait par l'engagement de « combattre en France tout régime républicain. La République en France est le règne de l'étranger ». [35]

Le mythe de *La France juive* resta constamment présent à l'arrière-plan de l'imaginaire nationaliste pendant tout le XXe siècle, ajoutant un élément culturel de plus à l'hostilité de la droite envers la gauche, dont beaucoup de chefs de file, à commencer par Léon Blum ou Pierre Mendès France, furent cloués au pilori en raison de leurs origines. Tout cela s'amplifia avec les décrets pris par Vichy en 1940 et 1941 privant les juifs français et étrangers de leurs droits civiques et politiques, et culmina avec la déportation et la disparition de milliers d'entre eux dans les camps d'extermination nazis. Sous la direction de Jean-Marie Le Pen au tournant du XXIe siècle, c'est le Front national qui s'est approprié les composantes de cette rhétorique de l'exclusion (conspiration, décadence nationale, marginalisation des Français « de souche » par les étrangers), ajoutant deux éléments à la typologie maurrassienne : l'immigré et le musulman. [36]

Cette sombre vision a cependant fourni l'instrument de sa propre transcendance : le chef providentiel, figure favorite de la mythologie de droite. C'est le bonapartisme qui en représente, à l'origine, la version dominante. Napoléon Bonaparte était arrivé au pouvoir à la fin des années 1790 dans un contexte d'anarchie politique et de désillusion sociale. Ses exploits sur les champs de bataille, son engagement à préserver les principes essentiels de la Révolution et son charisme lui avaient permis de se présenter comme l'unique recours de la nation. Comme le disait l'un de ses admirateurs : « Ce grand homme pouvait seul tirer la France de l'abîme [...]. » Son neveu Louis-Napoléon utilisera plus tard les mêmes ingrédients pour se propulser à la présidence de la République en 1848, puis restaurer un empire autoritaire en 1851. Selon Guizot, le bonapartisme était à la fois « une gloire nationale, une garantie révolutionnaire et un principe d'autorité ». [37]

Après 1870, le providentialisme réapparut sous une nouvelle variante en la personne d'hommes politiques conservateurs tels qu'Adolphe Thiers, Raymond Poincaré ou Antoine Pinay, des dirigeants civils qui montèrent au créneau en période de crise pour restaurer la confiance (notamment la confiance dans les finances publiques). De Thiers il avait été dit que « tout le monde, amis ou ennemis, savait qu'il était notre seul homme d'État et que son nom était pour nous une protection, une force morale ». Une troisième version du chef providentiel se développe autour du culte rendu à des figures guerrières, tels le général Boulanger à la fin du XIXe siècle et le maréchal Pétain dans l'entre-deux-guerres. Si ce dernier en vient à apparaître comme le sauveur de la France sous le régime de Vichy, c'est qu'il peut s'appuyer sur son prestige de vainqueur de Verdun et sur les qualités personnelles qu'on lui attribue : modestie, dignité et surtout sagesse. Il représente tout à la fois un modèle, un chef et une figure paternelle. Un type plus martial d'héroïsme providentiel s'épanouit aussi dans le contexte de l'empire colonial, notamment à travers la figure de Lyautey, admiré pour ses succès militaires autant que pour sa conviction qu'il faut mener la colonisation comme « une conquête pacifique ». Lui, en tout cas, applique ce principe à la lettre, produisant une abondante prose homoérotique à chacune des étapes de sa carrière et saisissant toutes les occasions de se vêtir à l'orientale. Sa nomination au poste de résident général du Maroc en 1912 suscite une vague de ferveur patriotique. Élu à l'Académie française la même année, il reçoit des milliers de lettres d'admirateurs, dont l'une lui attribue l'aura de Bonaparte à la veille de sa conquête de l'Égypte. [38]

Amis et ennemis du peuple

Comme en contrepoint à la figure du chef providentiel exalté par la droite, la gauche s'appuie sur son propre mythe fondateur, celui du peuple, au nom duquel la révolution de 1789 avait été menée, et qui offrait au nouvel ordre politique le fondement de sa légitimité. Pour autant, si les révolutionnaires et leurs successeurs républicains révéraient tous le principe rousseauiste de souveraineté populaire, il n'en existait pas moins des tensions quant à la façon dont le terme était compris. D'une part, le « peuple » désignait l'ensemble des citoyens, au sens où le troisième article de la Déclaration des droits de l'homme affirmait que le « principe de toute souveraineté réside essentiellement dans la nation ».

D'un autre côté, le terme faisait également référence à des groupes spécifiques, au sein de la communauté nationale, définis en vertu de leur représentativité (le tiers-état de Sieyès), d'une conscience politique supérieure (le « peuple » des jacobins ou plus tard des communistes) ou d'une situation économique précaire, comme dans la tradition républicaine radicale, pour qui la Révolution ne sera achevée que le soir où les « damnés de la Terre » seront libérés de l'esclavage de la misère. D'autres encore définissaient le peuple en termes de créativité et d'intelligence émotionnelle : ainsi, pour Michelet, « l'homme du peuple, c'est surtout l'homme d'instinct et d'action », ce qui en fait le principal héros de la Révolution [39]. C'est précisément cet idéal d'une collectivité en marche, hardie et triomphale, composée d'une multitude de types sociaux, qu'Eugène Delacroix a magnifiquement représentée dans son allégorie de la révolution de Juillet *La Liberté guidant le peuple*.

La tension entre l'idéal d'un peuple unique, indifférencié, et celui d'une collectivité empirique faite de sensibilités et d'aspirations diverses, en un sens distincte de la nation, demeure non résolue au sein de la gauche – une ambiguïté que traduit l'expression couramment utilisée de *peuple de gauche*[*]. Ces variations dans les représentations du peuple chez les progressistes ont également été fonction d'expériences historiques différentes. L'iconographie de la révolution de 1848 présente ainsi une collectivité jeune, idéaliste, généreuse et fraternelle qui transcende les clivages de la société française. À l'inverse, celle de la Commune de Paris présente le peuple comme composé de représentants, fiers et insoumis, de la république sociale, en rébellion contre « les profiteurs et les exploiteurs de la bourgeoisie ». De fait, pour les républicains radicaux et les syndicalistes, héritiers des communards, 1871 marque la naissance d'un nouvel idéal : celui d'un gouvernement où « les travailleurs prendraient le contrôle de leur destinée afin de créer un monde dans lequel les prolétaires seraient libérés de toute contrainte, de toute pression, de toute forme d'exploitation ».

L'essor du Parti communiste, qui impose sa domination sur l'ensemble de la gauche après la Grande Guerre, remet au premier plan l'idéal jacobin d'un peuple unique, sous la forme d'une idéalisation de la classe ouvrière. Le travailleur communiste symbolise alors tout à la fois la plus haute forme de moralité sociale, la perversité de l'oppression capitaliste et l'instrument immanent de sa destruction par l'insurrection révolutionnaire. Jean Daniel, fondateur du *Nouvel Observateur*, évoque ainsi avec lyrisme ses premières rencontres avec les gens du peuple alors qu'il était proche d'une organisation antifasciste dans les années 1930 :

> Ces hommes et ces femmes étaient liés par une fraternité que j'enviais et qui paraissait m'exclure. Je souffrais de sentir que je pouvais ne pas être des leurs. Il y avait parmi eux tous les échantillons possibles de l'humanité la plus simple, la plus généreuse et décidément la plus noble. Ces hommes étaient pauvres mais nullement misérables, contestataires mais nullement malheureux, révolutionnaires parfois mais jamais amers. Comme s'ils avaient conscience qu'ils incarnaient une force et que c'était la seule qui fût digne. [40]

En bref, être de gauche signifiait être l'ami du peuple et promouvoir sa marche vers plus de souveraineté – d'où le titre du journal que Marat publia au début de la Révolution, *L'Ami du peuple*. Il s'ensuivait, selon la logique binaire du raisonnement politique français, que ceux qui étaient hostiles à l'exercice de cette souveraineté étaient nécessairement des ennemis. L'expression *ennemi du peuple** apparaît pendant la période jacobine pour stigmatiser les opposants à la Révolution, ceux qui conspiraient directement contre elle à l'instigation des royalistes et des aristocrates, tout comme ceux qui s'opposaient à ses intérêts – profiteurs, colporteurs de rumeurs, séparatistes ou défaitistes. Le traitement réservé aux éléments hostiles était expéditif : comme l'exprima Robespierre devant la Convention en février 1794 en une formule d'un parallélisme frappant : « On conduit le peuple par la raison et les ennemis du peuple par la terreur. » Mais, bien que les adversaires ne soient plus guillotinés, la distinction entre amis et ennemis sera, quant à elle, promise à une belle longévité dans l'imaginaire de la gauche. Dans la liste des personnages maléfiques figure en toute première place le tyran, attaqué par tous les pamphlétaires progressistes de la période moderne pour avoir confisqué au peuple son pouvoir et l'avoir exercé au profit d'une petite minorité. Cette représentation renforce tous les combats menés par les républicains contre les monarchies au XIXe siècle et resurgit sous le « règne » de Charles de Gaulle, qualifié par François Mitterrand de « coup d'État permanent » au début de la Ve République[41].

Tout aussi odieux, pour beaucoup de progressistes, sont les agissements du clergé, qui menacent la souveraineté morale du peuple. C'est ainsi que l'anticléricalisme devient l'un des traits caractéristiques de la gauche française. Les racines du conflit remontent à la Révolution et à l'opposition d'une partie de l'Église au nouvel ordre politique. Le conflit s'exacerbe tout au long du XIXe siècle, la majorité du clergé prenant fait et cause pour les royalistes contre les républicains. Le poète Béranger fulmine ainsi contre « les hommes noirs [les jésuites] » qui « rampent sous terre » et Louis Blanc complète la métaphore spatiale en affirmant qu'« il y a entre le cléricalisme et la liberté un abyme, et un abyme infranchissable ». Une grande partie de la critique anticléricale se concentre sur le rôle nocif des congrégations – le mythe de la conspiration jésuite demeurant un thème majeur des écrits républicains dans les décennies postrévolutionnaires. Elle culmine avec la dénonciation par Gambetta du « cléricalisme », « ennemi de la République », en 1877. Cet esprit militant a survécu jusqu'à la fin du XXe siècle dans certains titres de la presse de gauche, notamment le journal satirique *Charlie Hebdo* – en 1976, lorsqu'il fut révélé que Paul VI avait eu une expérience homosexuelle pendant sa jeunesse, l'hebdomadaire n'hésita pas à titrer : « J'ai enculé le pape. »[42]

Pour autant, c'est la figure du bourgeois qui finit par supplanter le tyran et le curé comme emblème de l'ennemi du peuple. Ce statut particulier reflète en partie le pouvoir insidieux que la tradition républicaine radicale et socialiste prête à cette classe sociale : elle y est souvent représentée comme une caste d'oisifs qui se sont approprié l'héritage de la Révolution afin de défendre leur individualisme et leur cupidité. Dans *Mythologies*, magistrale dénonciation de l'influence du capitalisme moderne sur la culture, Roland Barthes désigne la « Norme bourgeoise » comme l'« ennemi capital ». Les élites bourgeoises sont également vues comme le principal instrument (et principal bénéficiaire) de l'exploitation capitaliste – d'où la persistance du mythe d'un petit groupe de privilégiés, agité avec efficacité tant par le Front populaire dénonçant le pouvoir des « deux cents familles » que par le Programme commun de la gauche de 1972, qui promet la nationalisation de l'« ensemble du secteur bancaire et les groupes et entreprises industriels qui occupent une position stratégique ». Représenter la bourgeoisie comme une force parasite est une habitude de pensée encore largement répandue dans les cercles progressistes français à la fin du XXe siècle. Dans l'un de ses tout derniers livres, écrit juste avant son décès, Mitterrand déclare encore que « la bourgeoisie a toujours choisi son intérêt, ou ce qu'elle croyait être son intérêt. Le patriotisme ne fait partie de ses intérêts que sous bénéfice d'inventaire ». Quant à François Furet, il affirme qu'un des traits distinctifs de la culture démocratique française moderne est que sa passion pour l'égalité s'exprime à travers la haine de la bourgeoisie. [43]

Un clivage toujours actuel

En 2012, peu avant sa mort, Pierre Mauroy publie des Mémoires intitulés *Ce jour-là*, où il raconte son expérience de président de l'Internationale socialiste, de maire de Lille et de Premier ministre de François Mitterrand. L'ancien Premier secrétaire du Parti socialiste en intitule un chapitre « Un cœur à gauche » et rend un hommage rempli d'émotion aux traditions de la gauche. En effet, l'attachement de Mauroy à son « camp », une expression qui revient sans cesse, avait quelque chose de tribal et son engagement politique n'avait que peu à voir avec les conflits idéologiques que nous avons étudiés précédemment : lutte entre la république et la monarchie, entre l'État et l'Église, la bourgeoisie et les ouvriers, les villes et les campagnes, la démocratie et l'autoritarisme. Ses convictions d'homme de gauche avaient des racines plus sentimentales (ses souvenirs du Front populaire) ou plus personnelles (son amitié et sa loyauté envers

François Mitterrand). À maints égards, le principal adversaire de toute sa vie politique n'avait pas été la droite (il admira toujours le général de Gaulle), mais le Parti communiste. Et nombre des valeurs qu'il attribue à la gauche, tels l'humilité, la tolérance, le respect de l'autre et le mépris du matérialisme, reflétaient dans une très large mesure son propre credo éthique [44].

Ce n'est pas un hasard si, dans cette célébration d'une vie consacrée à la gauche, les considérations idéologiques occupent une place si restreinte. Quand Mauroy devient Premier ministre, en 1981, le clivage entre les deux camps a déjà commencé à s'estomper. Comme nous l'avons dit, la droite a abandonné son rejet de la république pendant la première moitié du siècle. La gauche, quant à elle, a également contribué à combler le fossé en abandonnant les idées universalistes qui sous-tendaient sa pensée : croyance en la perfectibilité de l'homme et en la possibilité de réformer radicalement la société capitaliste, conception téléologique de l'Histoire. Ces changements de position vont faciliter l'établissement d'un consensus sur les institutions de la Ve République, consensus symbolisé par les trois expériences de *cohabitation** dans les années 1980 et 1990. Sans surprise, les sondages d'opinion révèlent que les Français sont de plus en plus sceptiques quant à la signification des notions de droite et de gauche [45]. Au début du XXIe siècle, même les icônes du passé semblent se brouiller, les héros canoniques des deux bords cessant d'être la propriété exclusive de leurs tribus respectives. Célébré avec verve par les figures majeures de la gauche, Charles de Gaulle a été ainsi invité à rejoindre le panthéon progressiste, tandis que l'esprit de Jaurès est invoqué avec ferveur (quoique de manière sélective) par le Front national – dont l'un des responsables, Steeve Briois, élu maire de Hénin-Beaumont en mars 2014, a même installé un buste du grand orateur dans son bureau. [46]

Il serait cependant erroné de conclure que le clivage droite-gauche n'a plus de pertinence pour comprendre comment pensent les Français. Nous l'avons vu, les divisions entre les deux camps avaient autant trait au symbolisme politique et à des représentations idéalisées qu'à des préoccupations concrètes ou à des programmes de gouvernement. À y regarder de plus près, on se rend compte que beaucoup de ces éléments mythologiques (négatifs pour la plupart) demeurent présents dans le débat politique. Lors de l'élection présidentielle de 2012, la campagne menée par la gauche contre le style de gouvernance de Nicolas Sarkozy présentait des similitudes frappantes avec le manifeste républicain de 1870 évoqué au début de ce chapitre. Sarkozy a été attaqué pour son style autoritaire, son manque de transparence démocratique et sa tendance à gouverner en divisant plutôt qu'en rassemblant – arguments classiques de la rhétorique progressiste. Et, même si la gauche traditionnelle a discrètement enterré l'ambition des révolutionnaires de créer un nouvel ordre social, sa vision reste définie par l'opposition entre « amis » et « ennemis » – ce que reflètent, entre autres, sa méfiance vis-à-vis de l'État, sa dénonciation du marché et son aversion généralisée à l'égard de toute forme de libéralisme. Cette dernière attitude prend la forme d'un stéréotype opposant la société française aux sociétés anglo-saxonnes. Comme l'explique un éditorialiste du *Monde* en 2005 : « L'ampleur du non au référendum du 29 mai s'explique, en bonne partie, par un refus du "modèle anglo-saxon", perçu par les salariés français comme un univers de concurrence impitoyable où l'emploi se paye de salaires très faibles, d'emplois précaires et d'une hyperflexibilité du travail. Le tout sur fond d'inégalités sociales acceptées par les Britanniques, mais qui sembleraient insupportables ici. [...] on ne peut pas demander à un peuple qui a fait une révolution, guillotiné son roi et pendu les aristocrates "à la lanterne" d'avoir exactement la même conception des rapports sociaux qu'une monarchie où l'une des deux chambres du Parlement est exclusivement composée de lords [47]. »

Ce ne sont pas là de vains mots, car ils ont le pouvoir de mobiliser. Le rejet par les Français du Traité constitutionnel européen, en 2005, a ainsi largement été attribué au succès de la campagne menée par la gauche contre une Europe « libérale », présentée comme l'incarnation de l'arbitraire, de l'individualisme et de l'exploitation capitalistique. Dans la même veine, le candidat François Hollande a déclaré en 2012 que « l'argent s'est

Affiche du Front de gauche (2012) mettant en évidence le fait que le « peuple » demeure un thème majeur de la rhétorique politique de la gauche.

emparé de tout : il était instrument, il est devenu maître ». Quant à Jean-Luc Mélenchon, il a appuyé encore davantage le trait en appelant à débarrasser la nation « des patrons hors de prix, des sorciers du fric qui transforment tout ce qui est humain en marchandise, des financiers qui vampirisent les entreprises ». L'anticapitalisme demeure donc l'argument émotionnel le plus fort pour défendre l'idée d'un monde plus fraternel. Et c'est la principale explication du succès phénoménal qu'a rencontré le pamphlet de Stéphane Hessel *Indignez-vous !*, qui s'est vendu à plus d'un million d'exemplaires depuis sa publication en 2010. L'ancien résistant y affirme : « Le pouvoir de l'argent [...] n'a jamais été si grand, insolent, égoïste, avec ses propres serviteurs jusque dans les plus hautes sphères de l'État. » Un spécialiste de l'histoire de l'occultisme en France a fait observer qu'une grande partie de la société reste attachée à une vision de l'Histoire dominée par des mythologies, en particulier de nature conspirationniste. Dans un éditorial publié peu après les attentats de janvier 2015 à Paris, *Libération* a noté combien d'incroyables rumeurs se répandaient, attribuant la conception et la préparation des attaques à des « forces souterraines » obscures. Il concluait : « Nous sommes tous, peu ou prou, accessibles au complotisme. »[48]

À droite, le recours à des abstractions négatives demeure aussi courant qu'à gauche, si ce n'est plus. Nicolas Sarkozy, de la place Beauvau à l'Élysée, a situé toute sa carrière sous l'inspiration d'un providentialisme conservateur, attaquant violemment les valeurs de Mai 68, qu'il assimile à la permissivité et à l'immoralisme, jouant à de multiples reprises sur les anxiétés de ses compatriotes et stigmatisant certains groupes qui ne se conformeraient pas aux canons de l'« identité française » (les Roms ou les femmes portant le voile islamique). Pendant la campagne de 2012, le président sortant s'est drapé de la cape du « protecteur », affirmant que seule sa gestion déterminée de l'eurocrise avait sauvé la France du désastre. Depuis sa défaite, il est revenu sur le devant de la scène politique en reprenant la tête de l'UMP et en déclarant sur Twitter que ce serait « une forme d'abandon que de rester spectateur de la situation dans laquelle se trouve la France ». Ce message providentialiste a également été relayé par sa femme, Carla Bruni, qui a notamment déclaré, lors d'une émission télévisée, dans son style inimitable : « Il est tellement cool ! » Et, si cette figure locale de sauveur de la nation ne suffisait pas, certains sont prêts à aller chercher plus loin ; déplorant l'absence de leadership du président Hollande et l'« effondrement des valeurs patriotiques », le souverainiste Philippe de Villiers a déclaré en 2014 : « La France a besoin d'un Vladimir Poutine. »[49]

Le thème de la désintégration nationale apocalyptique est encore plus emblématique dans la rhétorique et l'imaginaire du FN. Bien qu'elle prétende avoir normalisé le parti depuis qu'elle a succédé à son père, Marine Le Pen a encore systématiquement recours à la démonologie du nationalisme conservateur français. D'où la référence constante, dans ses déclarations publiques, au thème de la dégradation et de la décadence, et ses mises en garde répétées et obsessionnelles contre la disparition imminente de la nation française (des thèmes très largement exploités dans le livre qu'elle a publié à l'occasion de la campagne de 2012, *Pour que vive la France*). D'où également l'avalanche de théories conspirationnistes pour expliquer l'aliénation de l'intérêt national par les méfaits des technocrates, des banquiers et des fédéralistes européens, sans compter le fait que les Français seraient dépossédés de leur nation par l'immigration massive et par une invasion de cheiks des monarchies du Golfe. En décembre 2010, Marine Le Pen a comparé les prières de rue musulmanes à l'occupation nazie. En novembre 2013, ce sont les piètres résultats de l'équipe de France de football qu'elle a mis sur le compte d'un manque de fierté nationale parmi les joueurs, critiquant par la même occasion le nombre excessif de joueurs « étrangers » évoluant dans le championnat français – autre conséquence perverse de l'« ultralibéralisme ». C'est sans doute ce genre d'accusations que Proudhon avait à l'esprit lorsqu'il fit remarquer que faire de la politique, « c'est se laver les mains dans la crotte ». [50]

6

Nés quelque part

Le 15 août 1866, les onze cents habitants du village de Foix (Nord) se rassemblent : ils célèbrent la Saint-Napoléon, dont la fête a été opportunément déplacée par un décret impérial de 1806 pour coïncider avec le jour anniversaire de la naissance de l'Empereur et avec la solennité de l'Assomption – elle-même redevenue fête nationale sous le second Empire. Dans ce village comme dans toutes les localités petites et grandes du pays, les festivités se succèdent selon un programme bien établi : distribution de vivres aux « nécessiteux » de la commune le matin, puis procession de tous les notables de la mairie jusqu'à l'église, où ils assistent à un *Te Deum* et prient pour la santé de l'Empereur. Enfin, la population participe à des jeux et à des divertissements publics suivis d'un banquet organisé aux frais la municipalité. Cette année-là, cependant, la fin de la journée se déroule quelque peu différemment, comme le raconte le maire de Foix dans son rapport au préfet du Nord :

> Malgré l'animation avec laquelle les habitants se livraient au plaisir, vers six heures du soir les jeux furent suspendus comme par enchantement : la cloche de l'église avertissait la population qu'une cérémonie funèbre allait avoir lieu ; il s'agissait en effet de rendre les derniers devoirs à un brave militaire du premier Empire, le nommé Saumin, décédé le 14 août, à l'âge de 84 ans. La cérémonie religieuse terminée, un des assistants a prononcé un discours dans lequel il a rappelé, par quelques mots bien sentis, les qualités du soldat et du citoyen qui ont fait de Saumin un brave militaire, un

homme honorable et honoré. La fête s'est terminée au milieu d'un calme imposant qui faisait naître les plus sérieuses réflexions sur les devoirs du citoyen envers la patrie [1].

Les élites du XIXe siècle, de droite comme de gauche, tenaient pour vérité générale que les expériences des décennies post-révolutionnaires avaient « réduit la société en poussière », pour reprendre l'expression de Paul Royer-Collard, un intellectuel libéral. Le thème de l'État moderne despote, qui retire « aux citoyens toute passion commune, tout besoin mutuel, toute nécessité de s'entendre, toute occasion d'agir ensemble », est également central dans l'œuvre de Tocqueville, en particulier lorsqu'il compare la France et l'Amérique, au détriment de la première [2]. De tels jugements impliquaient au mieux que l'État empêchait les Français d'exercer leurs facultés intellectuelles collectives, au pis que les Français eux-mêmes étaient incapables de formuler une pensée sociale cohérente, voire simplement indépendante. Pour autant, les manifestations festives telles que celles qui avaient lieu à Foix racontent une histoire plus complète et plus captivante dans laquelle les Français démontraient qu'ils étaient capables de s'exprimer de manière collective par l'intermédiaire de rituels locaux, d'établir des connexions audacieuses avec le passé et de construire des synthèses intellectuelles ingénieuses permettant de concilier célébration joyeuse et commémoration solennelle, allégeance au souverain et sens de l'égalité civique, fierté locale et sentiment d'appartenance à la nation. De fait, ce patriotisme provincial et campagnard anticipe judicieusement la conception de la nation telle que la définira Ernest Renan dans une conférence prononcée en 1882. Il y affirme que l'identité française n'est bâtie ni sur des abstractions ni sur des caractéristiques ethniques telles que la race, la langue ou la religion, mais qu'il s'agit d'un « principe spirituel » fondé sur l'émotion, sur une expérience partagée de la souffrance et sur la volonté collective d'accomplir de grandes choses ensemble. La nation, pour reprendre son heureuse expression, est « un plébiscite de tous les jours », la convergence d'entreprises collectives et d'aspirations populaires s'exprimant par des rituels communs et des souvenirs partagés [3]. Nous verrons ici comment cette synthèse s'est construite et comment elle continue à influencer la façon dont les Français se considèrent de nos jours.

Attachement local et sentiment national

La difficulté à traduire la notion d'une expérience partagée (telle que Renan la définit) en un sentiment d'appartenance collective résidait bien évidemment dans le fait que la France post-révolutionnaire était profondément divisée, non seulement sur le plan idéologique (comme nous l'avons vu précédemment), mais également au niveau social, culturel et géographique. On ne saurait minimiser l'animosité qui existait entre la bourgeoisie et les ouvriers, les citadins et les campagnards, les catholiques dévots et les tenants de la laïcité, pour ne rien dire de l'abîme qui séparait les habitants de la capitale du reste du pays. Et les révolutions qui ont agité Paris tout au long du XIXe siècle n'ont fait qu'accentuer ces clivages. Réfléchissant à la succession des changements politiques radicaux dont sa génération avait été témoin dans la capitale (où il avait passé la majeure partie de sa vie), Louis Veuillot faisait remarquer en 1866 : « Nous nous trouvons à certains égards comme en pays étranger [4]. »

Ce sentiment de dépaysement était tout particulièrement ressenti chez ceux qui restaient attachés à leur localité. Même si la Révolution avait aboli les provinces de l'Ancien Régime pour les remplacer par les *départements**, des fidélités ancestrales avaient perduré et dans beaucoup de régions françaises c'est le *pays** – un terme très fluide qui peut désigner aussi bien le village que la région – qui donnait à l'individu son identité intellectuelle et émotionnelle. Après avoir voyagé dans l'est des Pyrénées en 1837, l'économiste Michel Chevalier fut frappé de constater non seulement combien cette région restait isolée du reste de la France, mais également combien chaque communauté locale vivait à l'écart de ses voisins : « Chaque vallée y est encore un petit monde qui diffère du monde voisin, comme Mercure d'Uranus. Chaque village y est un clan, une manière d'État qui a son patriotisme. Ce sont à chaque pas de nouveaux types, de nouveaux caractères, d'autres opinions, d'autres préjugés, d'autres coutumes [5]. » Rester longtemps loin du *pays* pouvait conduire à des pathologies graves, voire mortelles : au cours des premières décennies de la colonisation en Algérie, une forme de mal du pays particulièrement virulente, diagnostiquée alors sous le terme de *nostalgie**, fut considérée comme la principale cause de mortalité parmi les soldats français [6]. En France métropolitaine, ce sont les fameuses *querelles de clocher** qui expriment cet attachement au *pays*. D'où le scepticisme persistant parmi les élites de la nation quant à la capacité des populations de la périphérie de développer un sens civique. Voici par exemple ce qu'un préfet envoyé par Paris disait des habitants du département qu'il administrait au milieu du XIXe siècle :

> La population du Var est peu éclairée ; elle manque en général d'élévation dans les idées et dans les sentiments. L'esprit des habitants est ombrageux et vindicatif. Les coteries et les hostilités locales sont nombreuses. On vit chez soi et ne s'associe que pour nuire à son ennemi. Cet ennemi, on ne le tue pas, comme en Corse, mais on le dénonce, on le perd par tous les moyens. Il y a de l'Italien et de l'Arabe dans le caractère des habitants de cette partie de la Provence, où plusieurs races se sont mêlées et où la guerre a été plus longtemps qu'ailleurs l'état normal du pays [7].

Ce qui noircissait encore le tableau aux yeux des élites, c'était le fait que les provinciaux maîtrisaient mal la langue française, s'exprimant à l'inverse dans une profusion de dialectes locaux, avec parfois d'étranges dissonances – le poète Mérimée comparait ainsi le phonème breton « c'h » au bruit que fait quelqu'un qui recrache une olive. En effet, à partir du siècle des Lumières se développe un stéréotype bien parisien qui considère le « provincialisme » comme une forme d'étroitesse d'esprit et de manque d'ouverture incapable de générer l'universalisme civique que Renan appelle de ses vœux. Sous une forme ou sous une autre, cette image dépréciative est partagée aussi bien par les aristocrates de la cour que par les républicains jacobins et les élites culturelles parisiennes. Au Grand Siècle déjà, Mme de

Sévigné avait parlé avec mépris des provinciaux comme de « personnes d'un autre monde ». Le philosophe Charles Dupont-White, qui considérait Paris comme « l'âme progressive d'une capitale, chaque jour plus éclairée, plus impérieuse », dépeignait la France rurale des années 1860 d'une formule lapidaire : « Pays de montagne, pays d'idiots. » Quant à Hippolyte Taine, voyageant en province au milieu du XIXe siècle, il trouva que la physionomie des provinciaux était empreinte d'« une sorte d'inertie morale » : « Une société est comme un grand jardin, on l'aménage pour lui faire rendre des pêches, des oranges ou des carottes et des choux. La nôtre est tout aménagée en faveur des carottes et des choux. » Les journaux parisiens décrivant les danses folkloriques bretonnes au début des années 1840 insistaient sur la « maladresse » et la « lourdeur » des gestes ainsi que sur la « vulgarité » des danseurs. Mais c'est dans *La Physiologie du provincial à Paris*, ouvrage humoristique d'Eugène Guinot, que les sarcasmes atteignent leur paroxysme et que l'arrivée du provincial à la capitale est comparée à un dépucelage : « En touchant une fois le sol de la capitale, il a perdu son caractère primitif, sa naïveté départementale. Notre contact l'a défloré ; notre brouillard l'a décati ; la boue parisienne a crotté son pantalon [...] ce n'est peut-être pas encore un Parisien, mais assurément, ce n'est plus un provincial. » [8] Cette ironie se manifeste encore en 1934 dans *Clochemerle*, le roman satirique de Gabriel Chevallier, qui y caricature l'esprit de clocher d'un petit village de Bourgogne.

Ces stéréotypes, cependant, dissimulent en partie la réalité. Au moment même où ils s'enracinent dans certains milieux, des représentations plus positives de la province commencent à se former. Les récits de voyages, qui décrivent les différentes régions françaises, évoquent un espace plus poétique, impressionniste et varié, des paysages pétris de pittoresque et d'évocations romantiques. Le récit plein d'empathie que Michelet fait de l'histoire de France présente les tempéraments des différentes régions comme un assemblage harmonieux dans lequel les qualités positives et négatives sont parfaitement contrebalancées : « C'est un grand et merveilleux spectacle [...] de voir l'éloquente et vineuse

Bourgogne entre l'ironique naïveté de la Champagne et l'âpreté critique, polémique, guerrière de la Franche-Comté et de la Lorraine ; de voir le fanatisme languedocien entre la légèreté provençale et l'indifférence gasconne, de voir la convoitise, l'esprit conquérant de la Normandie contenus entre la résistante Bretagne et l'épaisse et massive Flandre. » La vie de province est tout particulièrement associée aux vertus et à la distinction des gens bien nés : aux yeux des aristocrates, telle la duchesse de Dino, la campagne représente un havre « de paix, de méditation et de contemplation ». Le comte de Falloux célèbre également la vie à la campagne, où « tout peut [se] transporter concentré et, par conséquent, perfectionné. La lecture y est moins distraite, la conversation plus intime, l'amitié plus à l'épreuve ». À l'autre extrémité du spectre politique, le Franc-Comtois Proudhon célèbre quant à lui l'idéal d'une France fédérale, heureusement divisée en une multitude de communautés locales indépendantes, comme le moyen décisif de « cultiver les intelligences, fortifier les consciences ». [9] Toutes ces visions étaient ainsi complétées par l'opinion du philosophe idéaliste Émile Boutroux :

> C'est pourquoi notre pays s'appelle et continuera à s'appeler *la douce France*. On y est patriote certes, et l'on ne fait qu'un lorsqu'il s'agit de défendre l'honneur et la vie du pays. Mais l'union n'y est pas imposée du dehors à des organes entièrement hétérogènes, simplement complémentaires les uns des autres. Le principe de l'union est dans les âmes elles-mêmes, dans une nature commune, dans un sentiment commun de fidélité et d'amour envers cette France idéale et éternelle dont notre histoire nous offre de si belles images. Et dans notre sentiment de Français est impliqué l'amour des traditions et tendances diverses dont l'ensemble harmonieux constitue l'esprit français [10].

Apparaissent également de nouveaux schémas de pensée qui cherchent à revitaliser la vie régionale en cultivant le patrimoine local, en renforçant les institutions représentatives et en créant des associations civiques et culturelles. La contribution de ces idées et de ces pratiques à la construction d'un sentiment d'appartenance moderne à la nation est souvent négligée, en grande partie parce que ces initiatives n'ont pas été dirigées par une institution centrale ou inspirées par un mouvement philosophique. L'élément clé de cet ensemble consiste en ce que l'historien Stéphane Gerson a appelé « une nouvelle pédagogie de l'espace ». L'inspiration intellectuelle en vient de Rousseau, dont l'œuvre, décidément omniprésente, avait créé un nouveau « langage du cœur » qui assimilait l'authenticité des sentiments au retrait loin de l'agitation artificielle de la vie citadine. Dans la conclusion d'*Émile*, Rousseau célébrait « la vie patriarcale et champêtre, la première vie de l'homme, la plus naturelle et la plus douce à qui n'a pas le cœur corrompu ». Le philosophe était également convaincu qu'on ne pouvait se passer de rituels publics pour susciter des sentiments de « fraternité » entre les citoyens. À partir des années 1820, ces idées sont reprises par des pamphlétaires de tous bords et s'incarnent notamment dans une production très importante de monographies locales – plus de 18 000 titres furent publiés entre 1825 et 1877, faisant des *mémoires** d'inspiration locale le genre le plus représenté dans le domaine historique [11].

La multiplication des sociétés savantes dans les différentes provinces stimule cette frénésie de recherche et de publication : compilations de documents historiques, descriptions de monuments et de coutumes folkloriques, études topographiques, chroniques locales, biographies de personnages célèbres, histoires des villes et des villages. Même si ces travaux se focalisent sur des sujets pointus, le présupposé sous-jacent en est que l'étude des faits locaux constitue le moyen essentiel de nourrir un authentique sentiment d'appartenance nationale. Dans sa préface à l'histoire du village oublié de Balneolum, Henri Monin, professeur d'histoire et docteur ès lettres, affirme que « la petite patrie ne peut faire oublier la grande : elle la fait au contraire aimer davantage ». Dans les villes de province, ce patriotisme local naissant est renforcé par l'organisation de spectacles historiques qui coïncident souvent avec la fête traditionnelle de la localité. Dans le département du Nord, ces spectacles allient éducation et divertissement : à grand renfort de chars allégoriques, de costumes, d'hymnes et de bannières, ils mettent en scène de façon spectaculaire l'histoire des villes depuis le Moyen Âge et célèbrent les vertus et les prouesses des habitants. La foule qui se presse pour assister à ces parades atteste de la popularité de ces manifestations de patriotisme municipal : on dénombre ainsi 60 000 spectateurs à Douai en 1839, 63 000 à Rouen à la fin des années 1850 et jusqu'à 100 000 à Valenciennes en 1866. [12]

Ce mouvement de célébration du patrimoine local s'accompagne et se trouve renforcé par une prise de conscience collective : il devient nécessaire de donner davantage d'autonomie aux administrations locales. La question de la décentralisation constitue l'un des débats majeurs du milieu du XIXe siècle et des milliers de livres, pamphlets et articles lui sont consacrées. Dans les années 1860, toutes les grandes forces politiques s'accordent à dire que Paris pèse d'un poids démesuré sur le reste du territoire et que les institutions départementales et municipales devraient avoir davantage leur mot à dire dans la gestion des affaires locales. Napoléon III lui-même, qui se plaint d'« un excès de régulation », y semble favorable. Il existe certes d'inévitables désaccords quant à l'étendue de la liberté à accorder aux acteurs locaux : les projets vont d'une modeste augmentation du contrôle démocratique à la restauration des provinces de l'Ancien Régime ou à un fédéralisme total dans lequel les régions se verraient attribuer une substantielle autonomie. Pour autant, tous partagent l'intuition rousseauiste qu'un plus grand patriotisme local augmenterait le sentiment d'appartenance collective des citoyens. Ainsi le bonapartiste Ernest Pinard estime-t-il que le « sentiment patriotique » repose sur l'« enracinement dans le sol natal » : « On ne peut aimer sa grande patrie que dans la mesure où l'on reste attaché à son lieu d'origine. »

Le point de vue des libéraux n'est guère différent : « Le zèle du citoyen pour les intérêts de sa commune est le signe et la garantie de sa dévotion à l'intérêt général du pays. » Et c'est l'idée que reprend également, avec une touche de religiosité, le royaliste Charles Muller : « Vous vivez au milieu d'hommes auxquels vous rattachent vos souvenirs, vos affections, la pensée d'un même berceau, l'Église où vous vous agenouillez avec eux pour prier le

Seigneur, le cimetière où vos pères reposent à côté des leurs. C'est dans la commune que la patrie a sa racine. » Quant aux républicains fédéralistes inspirés par Proudhon, ils affirment, tout comme les jacobins, que le sentiment républicain ne peut prospérer que sous un régime de liberté locale absolue : « L'agrégation des parties, fondée sur l'adhésion, sur l'alliance volontaire, sur un engagement contractuel, est autrement bien solide et suscite un patriotisme autrement bien énergique que l'annexion ou l'absorption résultant uniquement de la force. » [13]

Le sentiment collectif est également renforcé par la prolifération d'associations de toutes sortes, lesquelles vont prospérer tout au long du XIXe siècle, n'en déplaise aux idées reçues inspirées par l'analyse de Tocqueville : cercles, clubs et organisations philanthropiques, mais également associations à but culturel ou récréatif tels que des orchestres, des associations sportives ou des sociétés de gymnastique, dont l'histoire complexe commence seulement à émerger des archives départementales grâce aux patientes recherches d'*érudits** locaux. Lorsque le maire de Bondues, petite ville de deux mille cinq cents habitants dans le département du Nord, prend officiellement ses fonctions sous le second Empire, sont conviés à la cérémonie des représentants des sociétés de combat de coqs, d'archerie, d'anciens combattants et de joueurs de boule, ainsi que deux cent soixante-deux membres de l'association municipale d'entraide. Les associations sportives se donnent souvent comme but premier de cultiver le patriotisme, tout particulièrement après la défaite de 1871. Quant aux associations culturelles, elles permettent de tisser des liens d'une localité à l'autre, encourageant ainsi le développement d'un sentiment de proximité entre les habitants d'une même région, voire entre différentes régions. Dans le Doubs, par exemple, les associations musicales des petits villages se rendent dans les villes de la région (et parfois même en Suisse) pour participer à des concours. Décrivant les festivités auxquelles son orchestre a participé, un musicien note ainsi que, « grâce à ces luttes amicales, la surface de la France est devenue aujourd'hui familière au plus humble d'entre nous. Des différents déplacements nécessités par les concours est née une fusion plus intime des diverses parties de la nation [...] Bretons,

Gascons, Bourguignons, Normands sont, grâce à l'orphéon, devenus tous français. La vieille âme française vibre et se propage en ses fêtes bruyantes et cordiales ». [14]

Ce sentiment de proximité est stimulé encore par des associations telles que la franc-maçonnerie. Alors que les élites parisiennes du Grand Orient de France, l'obédience la plus importante en nombre de membres, se concentrent sur des questions générales politiques et sociales, les membres de loges de province ont des préoccupations quelque peu différentes. Ils se montrent particulièrement actifs à promouvoir l'esprit civique, mettant en avant les idéaux d'honneur, de sobriété, d'ardeur au travail, d'honnêteté et de philanthropie – les valeurs mêmes de la bourgeoisie dont sont issus la majorité d'entre eux. En 1870, lorsque le républicain Léonide Babaud-Laribière est élu grand maître, il insiste dans son discours d'investiture sur le fait qu'il n'est qu'un « modeste journaliste de province ». Le Grand Orient et autres obédiences ont donc joué un rôle de passerelle entre Paris et le reste de la France, tout particulièrement pour disséminer l'idéal commun aux francs-maçons et à tous les progressistes : l'instruction publique. « La liberté », comme le disait l'un d'entre eux, « réside dans la capacité de développer nos facultés physiques, et intellectuelles et morales ». Il existe d'ailleurs des liens très étroits entre la franc-maçonnerie et la Ligue de l'enseignement dirigée par Jean Macé. Les loges de province organisent des conférences publiques, elles parrainent des bibliothèques populaires et des cours d'alphabétisation pour adultes dans différentes villes, dont Lyon, Marseille, Aix, Nîmes, Bordeaux, Toulouse, Nantes, Grenoble et Amiens. De telles initiatives permettent de diffuser localement un idéal plus vigoureux de patriotisme animé par les valeurs démocratiques et fraternelles. Tandis que certains francs-maçons poursuivent des buts encore plus radicaux, « qui sont de l'intérêt de toute l'humanité », selon les mots d'André Rousselle : défendre une paix internationale entre les nations, promouvoir une plus grande égalité entre hommes et femmes ou lutter contre les antagonismes de classes. [15]

Le sentiment national français s'est donc formé grâce à la contribution d'un grand nombre de facteurs locaux témoignant de sentiments d'appartenance divers, lesquels combinaient des idéaux universalistes avec la célébration vivace de traditions et de valeurs locales. Tel était ce qu'impliquait véritablement le « plébiscite de tous les jours » que constituait, selon Renan, la nation. Il avait d'ailleurs formulé sans détour que ce qui nous relie à la France, à l'humanité, ne diminue pas la force et la tendresse de nos sentiments individuels et locaux [16].

Le culte de la Petite Patrie

Les Français ont longtemps cru que leur sentiment d'appartenance collective était apparu sous l'effet de deux facteurs : une culture politique républicaine qui donnait à la société française une vision du monde cohérente et un système éducatif centralisé reposant sur une conception unitaire de la communauté nationale. Or l'idée que la cohésion nationale a été forgée par les institutions de la Révolution et de l'État napoléonien est de plus en plus critiquée, en particulier parce que la conception de la citoyenneté qui s'est imposée sous la IIIe République était relativement restrictive : à des degrés divers, les femmes, les ouvriers, les catholiques, les immigrés ou les populations indigènes des colonies n'étaient pas conviés au banquet de la République [17].

Pour autant, l'identité française ne s'est pas non plus construite par opposition à des attachements locaux, comme on l'a longtemps pensé, mais par complémentarité. De fait, ce double sentiment d'appartenance était si largement répandu à la fin du XIXe siècle que la République elle-même s'en inspira pour modeler sa culture politique naissante tout en cherchant à l'adapter à ses propres besoins. L'intérêt pour les études régionalistes reçut une nouvelle impulsion à partir des années 1880, grâce à l'essor de sociétés géographiques et historiques, à l'habitude croissante de donner aux rues et aux avenues le nom de figures historiques locales et à la création d'un nouveau type de musée – le *musée cantonal* *. Son inventeur, l'historien et avocat républicain Edmond Groult, y voyait le moyen de « réveiller l'esprit public et d'entretenir l'amour de la patrie » dans les campagnes.

Cette vision paternaliste n'était pas aussi ambitieuse que l'idéal défendu par les républicains avant 1870, selon lequel le citoyen libéré de toute entrave physique ou morale devait marcher « résolument à la conquête de l'Univers ». La doctrine municipale de la IIIe République reflétait aussi cette modeste ambition : bien que les maires fussent élus au suffrage universel, leur mandat était taillé à la mesure de ces petits notables locaux, ces *couches sociales nouvelles* de notaires, de médecins ou de petits industriels – pour reprendre le mot d'Eugène Pelletan, intellectuel républicain, « on ne fait pas un maire, [un] maire existe d'avance ». Les institutions municipales étaient décrites comme des administrations pragmatiques se tenant à l'écart des passions politiques et se dévouant à l'amélioration des routes, à la construction d'écoles, à l'entretien de jardins publics et à la salubrité des rues. [18]

L'idée centrale est que seule la République peut garantir l'ordre à l'échelon local, les pamphlétaires allant jusqu'à célébrer l'écrasement de la Commune de Paris en 1871. Ce message est tout particulièrement destiné à la paysannerie, car, bien que le nombre d'agriculteurs diminue, ils représentent toujours une partie importante de la population française à la fin du XIXe siècle. Les penseurs républicains ne ménagent donc pas leurs efforts pour en appeler à leur conservatisme social, qu'ils avaient auparavant décrié. Ainsi Gambetta affirme-t-il que « c'est dans nos populations agricoles et rurales que se trouvent les réserves et la force de l'avenir », tandis que Jules Ferry loue l'« antique amour de la terre » qui protège les paysans de la tentation « des révolutions sociales ». Un ministre républicain de l'Agriculture va même jusqu'à déclarer : « Nous n'avons pas la prétention, nous autres paysans, d'être de ces hommes qui vont modifier l'État social comme par un coup de baguette magique et qui se figurent qu'une société qui dure depuis des siècles va être transformée soudain en une société nouvelle. » [19]

Dans le domaine de l'instruction, le même esprit de synthèse est promu par la réaffirmation du culte de la *petite patrie**, qui voit les instituteurs embrasser les particularismes locaux et les livres d'école célébrer l'attachement à la province natale comme fondement de la citoyenneté. Selon les mots d'un inspecteur de l'Instruction publique en 1906 : « Il n'est pas une phase de notre histoire nationale qui ne puisse être expliquée par la phase correspondante de notre histoire locale. » Ce provincialisme folklorique atteint son paroxysme dans un manuel scolaire écrit par Augustine Fouillée, *Le Tour de la France par deux enfants*, un ouvrage qui connaît un succès prodigieux – en 1901, six millions d'exemplaires ont été vendus. L'intrigue raconte comment deux orphelins, André et Julien Volden, découvrent au lendemain de la défaite de 1871 les différentes régions françaises. Le livre présente le climat et la géographie de chacune d'elles et détaille les productions locales, tout en évoquant constamment le sentiment de fierté nationale ressentie dans les localités visitées – le sous-titre du manuel étant d'ailleurs *Devoir et Patrie*. Les valeurs célébrées dans cette représentation de l'identité française sont la confiance en soi, le zèle, la probité, le respect et, par-dessus tout, le sentiment d'un ordre légitime des choses : la « conscience » n'est pas considérée comme importante en tant que faculté intellectuelle donnant accès à la connaissance, mais parce qu'elle est à l'origine « de la loi morale et de l'obligation ». L'oncle de Julien lui répète qu'il faut approcher toute chose avec « de l'ordre et de la méthode » et, pendant son séjour à Lyon, le jeune garçon apprend que « l'ordre dans les occupations et dans le travail est encore plus beau que l'ordre dans nos vêtements et dans notre extérieur ». Cet idéal mystique de *la France profonde** – célébrant tout à la fois une mémoire collective ancestrale, le foyer familial et « de saines et solides "classes rurales" [qui] sont le granit des nations » – se mêle harmonieusement à la mythologie du patriotisme républicain. [20]

Dans leur désir de cultiver l'image d'une nation unie, les élites de la IIIe République attachent une importance toute particulière aux rituels tels que les commémorations et les fêtes. Elles reprennent à leur compte la description que Hyppolite Taine avait donné des Français : « Telle est cette race, [...] point morale, mais sociable et douce, point réfléchie, mais capable d'atteindre les idées, toutes les idées, et les plus hautes, à travers le badinage et la gaieté. » Cette volonté d'unité se manifeste tout particulièrement dans le choix du 14 juillet comme date de la nouvelle fête nationale instaurée en 1880. Alors que la référence à la Révolution avait pour but de souligner la filiation progressiste du nouveau régime, les cérémonies étaient conçues pour être des rassemblements festifs dénués de toute référence politique – ce que manifestait d'ailleurs le choix même de cette date, après de longues délibérations. Les législateurs républicains avaient en effet écarté d'autres épisodes dont les connotations potentiellement subversives résonnaient encore puissamment dans la mémoire collective : le 4 août (abolition des privilèges féodaux en 1789), le 22 septembre (proclamation de la Ire République en 1792) ou même le 21 janvier (exécution de Louis XVI en 1793). Pour des raisons similaires, ils n'avaient pas retenu le 24 février (fondation de la IIe République, en 1848). Le but principal des dirigeants de la IIIe République était de gommer toute association entre le républicanisme et ses propres traditions insurrectionnelles – non seulement la Commune de Paris ou la révolte de juin 1848, mais également la résistance populaire (dans la capitale comme en province) au coup d'État de 1851. Et c'est ainsi que les événements qui avaient formé la conscience politique des générations antérieures furent délibérément oblitérés après 1880 – ce qu'illustre de manière édifiante la remarque de Renan : « L'oubli, et je dirai même l'erreur historique, sont un facteur essentiel de la création d'une nation. »[21]

L'avantage du 14 juillet, c'est qu'il s'agissait d'une date doublement symbolique : elle faisait référence non seulement à la prise de la Bastille, mais également à la fête de la Fédération, cet éphémère moment de concorde révolutionnaire qui s'était tenu un an plus tard, avant que n'éclatent les violentes tempêtes des années 1790. Le souvenir de la Révolution était ainsi idéalisé et réinventé, le désir de fraternité présenté comme une quête d'unité nationale et, dans cette réinterprétation spectaculaire de l'histoire, la République n'était plus célébrée comme une *rupture** mais comme le point d'aboutissement suprême d'un long processus de construction de la nation entrepris par les monarques successifs – pour reprendre les mots d'un sénateur, la République était « la consécration de l'unité de la France. Oui, elle a consacré ce que l'ancienne royauté avait préparé ». Des défilés militaires dignes du temps de Napoléon furent organisés pour exalter non seulement les vertus martiales et patriotiques de la République, mais aussi « le respect de l'autorité et le sens du devoir », comme le président Jules Grévy le proclama avec solennité en 1881. Tout rappel du passé révolutionnaire musclé de la République, même symbolique, était regardé d'un mauvais œil : le 14 juillet 1880, rue des Épinettes, des policiers parisiens décrochèrent un bonnet phrygien écarlate qui avait été épinglé sur un drapeau tricolore flottant à la fenêtre d'une maison. [22]

Le but principal de la fête nationale est de faire partager aux Français un moment de célébration collective. Il s'agit de faire revivre dans toutes les villes de province, et en particulier dans les petits villages, une version idyllique de la geste républicaine et patriotique. Dans les communes rurales, faute d'une mairie suffisamment vaste pour accueillir tous les habitants, le banquet du soir se tient souvent dans une grange, un grenier à blé, voire en plein air. Rues et bâtiments sont pavoisés de drapeaux tricolores et ornés d'images de Marianne, représentation allégorique de la République depuis la Révolution. On entonne *La Marseillaise* après le discours du maire, mais également autour des arbres de la liberté, au début et à la fin des bals populaires ainsi qu'après le bouquet final des feux d'artifice. Dans leur discours à leurs administrés, les officiels insistent sur l'unité du peuple français : il s'agit, comme le dit un maire de Charente-Maritime, d'un jour où célébrer « la grandeur d'une nation qui peut inscrire liberté-égalité-fraternité sur son drapeau ». Ces principes, expurgés de toute implication radicale, se trouvent parfois réinterprétés au point de prendre un sens radicalement opposé : en 1882, le maire de Chinon (Indre-et-Loire) rend hommage à la sainte trinité républicaine qui, d'après lui, garantit « le respect de l'ordre, de la famille et de la propriété ». [23]

Festivités contestataires

Les cérémonies du 14 Juillet, qui connaissent un indubitable succès, ont attiré de très nombreux citoyens dans l'orbite de la

République, du moins pendant les premières décennies du nouveau régime. Mais partout en France, et à un degré qui a longtemps été sous-estimé, ces cérémonies ont également été contestées. Ces défis nous offrent un aperçu éclairant sur les résistances rencontrées par les mythes patriotiques républicains ainsi que sur la façon dont ces mythes ont été adaptés ou récupérés. Certains opposants irréductibles considèrent en effet ces festivités comme une insulte à l'encontre de leur propre système de valeurs : rejetant un système politique qui, selon lui, symbolise l'athéisme et la dépravation morale, le curé du village d'Ormes-le-Voulzies arrache, le jour de la fête nationale, en 1884, le drapeau tricolore qui flotte sur le clocher. Cinq ans plus tard, ce sont des groupes anarchistes qui condamnent le 14 Juillet, symbole à leurs yeux de l'oppression capitaliste : « Que d'autres pavoisent et illuminent leurs fenêtres, nous évoquons, nous, la guerre sociale, la seule juste, la seule logique. Si vous êtes avec les maîtres contre les esclaves, avec les repus contre les affamés, avec les parasites contre les travailleurs, si vous fermez l'oreille aux plaintes des pauvres, sans asile, sans pain, aux sanglots des mères, applaudissez aux harangues officielles et fêtez la prise de la Bastille ! Pour nous, nous ne la fêtons point parce que nous ne sommes pas délivrés ! » Beaucoup d'opposants antimilitaristes s'élèvent contre le « patriotisme » qui constitue le cœur de ces célébrations : selon les mots d'un pamphlet de 1913, les Bretons ont davantage de points communs avec leurs frères vivant outre-Manche qu'avec les habitants d'autres régions françaises et cette « mystification patriotique » n'a qu'un seul but : préparer l'opinion française à la guerre – une déclaration qui se révélera prophétique. [24]

Les adversaires de la République ont également cherché à détourner cette journée en la transformant en une « antifête », une commémoration de leur propre tradition politique. Dès 1880, les royalistes (tout particulièrement dans leurs bastions, comme en Vendée) font du 14 Juillet le jour du souvenir des martyrs de la période révolutionnaire. Un esprit tout aussi contestataire se manifeste lorsque le nationaliste breton Yann Sohier (1901-1935) décide de célébrer la fête nationale française en faisant flotter sur sa maison le drapeau noir et blanc de la Bretagne, au grand dam des autorités locales. À Paris, les étudiants socialistes s'abstiennent parfois de participer aux réjouissances, voire poussent leurs condisciples à boycotter les festivités. Certains s'habillent en rouge pour affronter la police, tandis que d'autres hissent des drapeaux de cette couleur sur les édifices publics dans la nuit du 13 au 14 juillet.[25] Mais les provocations les plus originales sont le fait de progressistes qui cherchent à récupérer le 14 Juillet pour célébrer les aspects de l'héritage républicain que la IIIe République passe sous silence. À Lyon, par exemple, des groupes radicaux organisent des contre-manifestations pour commémorer notamment l'exécution de Louis XVI[26]. Même les municipalités socialistes qui marquent officiellement l'anniversaire de la IIIe République le 14 juillet cherchent à donner à la célébration un caractère particulier en distribuant davantage d'aumônes aux pauvres, en insistant sur la nécessité de réformes sociales plus profondes ou même en faisant jouer *L'Internationale* en plus de *La Marseillaise*, soulignant ainsi que patriotisme et internationalisme sont des valeurs complémentaires[27].

En réalité, ce n'est pas par rejet du patriotisme que les progressistes critiquent la façon dont la IIIe République célèbre le 14 Juillet : la plupart du temps, c'est parce qu'ils en ont une conception plus riche et plus inclusive, au nom du principe de fraternité, qui est premier à leurs yeux. Pour de nombreux socialistes, l'aspiration sincère des révolutionnaires à forger un nouveau sentiment d'appartenance collective a été pervertie par la République, qui, d'une part, vide cet idéal de toute signification réelle et, d'autre part, poursuit des politiques qui le contredisent : militarisme, chauvinisme et expansionnisme colonial. D'autres considèrent que ce sont les rituels sociaux eux-mêmes qui sont incompatibles avec l'idéal de fraternité. Aux yeux du socialiste Jules Delmorès, les cérémonies du 14 Juillet, fondées sur l'artifice, trahissent les valeurs rousseauistes d'égalité, de transparence et de bonté naturelle : les « discours vains » et la « fausse félicité » ne sont que des masques derrière lesquels se cache la bourgeoisie pour s'approprier l'espace public et en exclure les classes les plus pauvres. Le décorum et les décorations distribuées en grande pompe aux dignitaires démontrent également la « corruption sociale et humaine » du régime. Cette critique de l'avilissement d'un idéal autrefois noble, très répandue, s'exprime souvent à l'occasion de références faites à *La Marseillaise*, glorieux hymne de libération qui, d'après un journal anarchiste, n'est désormais plus chanté que lorsque les Français sont pris de boisson. C'est le même argument de la perversion des valeurs morales qui prévaut lorsque l'on fait communément remarquer que le 14 Juillet n'est pas la célébration de sentiments collectifs authentiques mais une cérémonie routinière qui éveille peu d'écho parmi les classes populaires – ce que note un syndicaliste en 1930, pour qui le 14 Juillet est la « fête officielle, la célébration "conformiste" d'un événement que les gouvernements successifs de la IIIe République ont fait entrer dans l'histoire "classique" et qui a pris place dans la série des anniversaires archaïques et de tout repos que l'on propose aux réjouissances mécaniques des foules inconscientes ». [28]

Les progressistes attaquent également ce 14 Juillet consensuel et édulcoré en mettant à l'honneur des figures plus radicales d'égalité et de fraternité. Cette « contre-mémoire » se fonde principalement sur le souvenir de la Commune de Paris. Dès le début des années 1880, l'anniversaire de la Semaine sanglante de mai 1871 est marqué par des manifestations au cimetière du Père-Lachaise. Un monument en hommage à la Commune y est inauguré en 1908 et devient un lieu de pèlerinage pour les républicains radicaux, les socialistes et les anarchistes. Cette « Pâque socialiste », comme la surnomme avec ferveur l'intellectuel socialiste Benoît Malon, suscite des interprétations diverses et parfois contradictoires. Au cours des premières années de la IIIe République, ce sont Louis-Auguste Blanqui et ses partisans, des républicains révolutionnaires, qui reprennent le flambeau de la Commune : leur vision des événements de 1871, intégrée à la mythologie plus vaste du républicanisme jacobin, insiste sur le culte de l'héroïsme et des vertus révolutionnaires et établit une division claire et nette entre les deux camps opposés du bien et du mal. Dans le récit blanquiste, la Commune symbolise toutes les valeurs qui sont absentes des rituels officiels : le radicalisme et l'athéisme, mais également un sentiment véritablement révolutionnaire de fraternité fondé sur le culte de la volonté et la défense de *la patrie en danger**. [29]

À l'inverse, les libertaires commémorent en la Commune « un cri de révolte sociale ». Leurs antécédents historiques sont moins la Révolution que la révolte des canuts lyonnais de 1834 et l'insurrection parisienne de juin 1848. Les anarchistes, quant à eux, mettent en relief leur thème favori, la spontanéité, contraire absolu des valeurs d'ordre et d'unité qui sous-tendent le patriotisme de la « république une et indivisible ». Selon eux, en effet, la Commune s'est non seulement épanouie sans aucune organisation, mais ils vont plus loin encore et affirment : « Le 18 mars a été fait sans organisation ; mais, lorsque l'organisation est venue, la Commune a été tuée. » Les libertaires idéalisent ainsi le mouvement communaliste (y compris ses épisodes provinciaux) parce qu'il représente, selon eux, la première tentative sérieuse des révolutionnaires français pour remplacer l'autorité par la liberté dans tous les aspects de la vie sociale – au sein de la famille, au travail et bien évidemment dans l'État lui-même, destiné à être remplacé par un système confédéral de communes librement associées les unes aux autres. Au cours des vingt années qui précèdent la Grande Guerre, ce sont les syndicalistes révolutionnaires qui, reprenant cet idéal proudhonien, se présenteront comme les héritiers légitimes de la Commune et de son opposition radicale à l'« État bourgeois centralisé ». [30]

La Commune est également célébrée par les socialistes français, bien qu'il n'y ait pas consensus entre eux quant à sa signification. À la différence de 1789, qui avait été un épisode « bourgeois », la Commune est présentée comme la véritable incarnation historique du principe révolutionnaire, un exemple du « combat intense et pour un temps victorieux du prolétariat ». Reprenant l'affirmation de Marx (dénuée de tout fondement), Jules Guesde affirme ainsi que la plupart des chefs communards étaient issus du prolétariat et que leur programme était explicitement socialiste. Cependant, l'autoritarisme politique de la Commune heurte la plupart des leaders socialistes, attachés au légalisme et profondément opposés à la violence. Jean Jaurès déclare explicitement qu'en dépit de l'héroïsme des communards cet épisode ne peut en aucune manière fournir un modèle tactique ou stratégique aux socialistes. Le dilemme sera résolu, d'une manière étrangement similaire à celle dont la IIIe République a édulcoré la Révolution : refuser de retenir les prises de position les plus controversées des communards (leur anticléricalisme, par exemple), mais insister au contraire sur le désir qu'ils avaient eu de promouvoir une plus grande harmonie sociale.

Cette réécriture de l'histoire de la Commune est illustrée par la façon dont Jules Guesde et son parti ouvrier vont mener leurs campagnes municipales. En 1900, le parti s'est déjà implanté à Lille, Montluçon, Roubaix et Marseille. Sa propagande électorale porte sur la politique sociale – financement de l'assistance aux pauvres, création de cantine pour les écoliers, réduction de la journée de travail pour les employés municipaux, baisse de loyer pour les ouvriers. Ce « socialisme municipal » est présenté comme la continuation de la Commune de Paris, une adaptation progressiste de l'idéal de la *Petite Patrie**. [31]

Au début du XXe siècle, la Commune est donc devenue, pour l'imaginaire progressiste, le point de focalisation alternatif de l'histoire révolutionnaire française. Ce contre-récit est sous-tendu par une conscience très forte des liens qui unissent les Français entre eux – même si ces idéaux diffèrent, dans une large mesure, du patriotisme « officiel » célébré le 14 Juillet. À l'inverse des communards qui avaient baigné dans la culture révolutionnaire, ceux qui célèbrent leur mémoire font fort peu référence à 1789 ou même à la radicalisation de 1793. Leur but principal est de regarder vers l'avenir et d'annoncer l'avènement d'une *république sociale** plus égalitaire et plus fraternelle. Tel est le message que martèlent tout particulièrement les survivants de la Commune – dont Louise Michel, la « vierge rouge », féministe et socialiste. Cette figure emblématique de la Commune avait été déportée au bagne en août 1873, puis passa plusieurs années en prison dans les années 1880 avant de connaître à nouveau l'exil. De retour en France en 1895, elle devint le symbole vivant le plus puissant de la Commune. Proche des républicains radicaux et

L'Arrestation de Louise Michel, de Jules Girardet (1883). Surnommée la « vierge rouge », Louise Michel joua un rôle de premier plan pendant la Commune de Paris, dont elle devint l'un des symboles, tout particulièrement parmi les socialistes libertaires et les anarchistes. Arrêtée le 24 mai 1871, elle est emprisonnée puis condamnée à la déportation en Nouvelle-Calédonie. Cette scène idéalisée la dépeint entourée d'une foule de gens du peuple qui protestent contre son arrestation.

des socialistes au début des années 1880, elle finit par rejoindre le camp des anarchistes. Jusqu'à sa mort, en 1905, elle ne cessera de sillonner la France, exaltant la mémoire de la Commune et rappelant à ses auditoires de province que la République ne sera définitivement établie que lorsqu'elle sera à la hauteur de ses idéaux d'égalité et de fraternité [32].

Diversité des patriotismes

Tout au long du XIXe siècle, le sentiment collectif en France demeure fondamentalement élastique et malléable : la définition de l'identité française fait l'objet de négociations constantes et dépend d'interactions multiples entre les champions des idéaux universels et les défenseurs des particularismes locaux, les élites parisiennes et les associations politiques et civiques, ainsi que d'échanges entre les partisans de la République une et indivisible et ceux qui les contestent. Les résultats de ces interactions sont dynamiques et donnent souvent naissance à des sentiments d'appartenance hybrides qui combinent attachements à la localité, à la région et à la nation, voire à l'humanité tout entière. Jaurès est sans doute le symbole le plus noble de cette croyance synthétique en l'élasticité de l'humanité : profondément imprégné de culture française et européenne, ses écrits sont parsemés d'hymnes poétiques adressés à la France des provinces (et tout particulièrement à son cher Midi). Il lui arrive même de s'adresser à ses électeurs du Tarn en *patois*[*] [33].

Ce métissage est tout particulièrement présent dans la formation du sentiment régional, dont l'héritage de la Révolution fait une question délicate. Car, au paroxysme de la Terreur, les révolutionnaires, qui voulaient imposer l'unité politique, menèrent une répression brutale contre les républicains de province faussement accusés de séparatisme. Ce mouvement de centralisation s'accompagna de mesures draconiennes visant à imposer l'uniformité culturelle et les langues régionales furent perçues comme une menace à l'intégrité de la nation. Dans son rapport au Comité de salut public sur les langues régionales en janvier 1794, le jacobin Bertrand Barère fit observer : « Le fédéralisme et la superstition parlent bas-breton ; l'émigration et haine de la République parlent allemand… La Contre-Révolution parle l'italien et le fanatisme parle le basque. » Et, pour lever toute ambiguïté, il ajoutait : « Cassons ces instruments de dommage et d'erreur [34]. » Un siècle plus tard, rien ne semble avoir changé : le leader anticlérical Émile Combes déclare que les Bretons ne deviendront républicains que lorsqu'ils parleront français. Le spectre du séparatisme est souvent agité pour contrer toute aspiration à une plus grande autonomie provinciale. Ce mythe négatif s'exacerbe encore après l'expérience de la Commune de Paris et la perte de l'Alsace-Lorraine en 1871.

Cependant, derrière l'écran de cette rhétorique enflammée, la réalité se révèle considérablement plus nuancée. Déjà, en 1847, Alphonse de Lamartine avait réhabilité la mémoire du mouvement régionaliste girondin des débuts de la Révolution et, dans le même temps, l'idée que le fédéralisme était compatible avec le sentiment patriotique. Après la révolution de 1848, une forme de radicalisme provincial s'épanouit dans certaines régions du sud de la France puis se manifeste pendant la guerre franco-prussienne par la formation de la Ligue du Midi, une association patriotique républicaine qui cherche à rallier les départements du sud à la cause de la défense nationale [35]. Plus fondamentalement, la IIIe République va, à bien des égards, être dominée par les cultures du sud et de l'est, comme l'illustre la prééminence de figures provinciales telles que Thiers, Gambetta, Poincaré ou Daladier. Qui plus est, 60 % des ministres sont originaires de communes rurales ou de petites villes [36].

Dans les anciens bastions « contre-révolutionnaires » aussi les loyautés locales prennent des formes extrêmement différentes. En Bretagne, par exemple, le sentiment régional, qui demeure imprégné de valeurs aristocratiques et religieuses, se manifeste principalement par l'emploi de la langue et la persistance des coutumes, comme en témoigne *Barzaz Breiz*, le recueil de chansons et de contes populaires rassemblés par Hersart de La Villemarqué et publié en 1839. En 1870, un groupe de notables bretons (dont un certain Charles de Gaulle, oncle du futur chef de la France libre) adresse au gouvernement une pétition réclamant l'enseignement des langues régionales, moyen selon eux de renforcer l'unité nationale. À l'opposé, les signataires du manifeste du premier Parti nationaliste breton affirment en 1911 qu'ils ne reconnaissent comme patrie que la Bretagne et rejettent tous les symboles de la nation française, y compris le drapeau tricolore et *La Marseillaise*. Le régionalisme breton peut cependant prendre des formes plus consensuelles, comme l'illustre à la fin du XIXe siècle l'émergence d'un catholicisme social dans les régions de la Basse-Bretagne – un mouvement qui fait la synthèse des idées régionalistes, des valeurs républicaines de la démocratie et d'une conception plus progressiste de la foi catholique. En l'occurrence, c'était la périphérie qui donnait un sens nouveau à l'idéal de l'identité française et qui le renvoyait vers le centre.[37]

Le « jacobinisme » français était donc flexible[38] et il existait de multiples façons de définir un terrain d'entente entre le sentiment régionaliste et les exigences culturelles de l'État républicain – ce qu'illustre parfaitement le mouvement Félibrige de Frédéric Mistral, qui orchestre une renaissance majeure de la langue et de la poésie provençale au cours de la seconde moitié du XIXe siècle. Bien que Mistral ait une conception de la territorialité qui étendait le périmètre de la culture méridionale bien au-delà des frontières de l'État-nation (il s'intéresse aux origines latines de la région provençale), il a de cette culture une vision essentiellement romantique, qui présente donc des points de convergence avec la mythologie provinciale folklorique de la IIIe République. Désillusionné par l'échec de la IIe République qu'il avait accueillie avec enthousiasme, Mistral ne cesse de proclamer son refus de s'engager « dans les irritations amères de la politique ». En 1904, il déclare : « Je suis un monarchiste mais la forme du gouvernement m'est totalement indifférente » – ce qui, bien entendu, revient à reconnaître tacitement la IIIe République. Il affirme au contraire que le développement des cultures régionales renforcera l'unité nationale – cheval de bataille classique des *félibristes**. Cette ambiguïté créatrice permet à de nombreux penseurs progressistes de sympathiser avec la cause : parmi les plus célèbres de ces « félibres rouges » figure Louis-Xavier de Ricard, qui édite un almanach en provençal à Montpellier et fonde *L'Alliance latine*, revue destinée à promouvoir le fédéralisme parmi les peuples latins. Quant à Clovis Hugues, l'un des chefs de la Commune de Marseille en 1871, qui deviendra plus tard parlementaire socialiste et auteur à succès de poésie républicaine en français, c'est un ardent défenseur des langues régionales : il écrira une quarantaine de poèmes en provençal (dont *La Sociala*, une ode à la Commune) et sera coopté *majoral* du mouvement félibre en 1898. [39]

À l'opposé des célébrations colorées, de l'évocation poétique des troubadours (et de l'adoption, à l'occasion, d'idéaux radicaux) qui caractérisent le régionalisme ensoleillé et optimiste des félibres, il existe aussi un provincialisme plus sombre, enraciné dans le culte des ancêtres et de ceux qui sont morts pour la France – *La Terre et les morts** –, sur lequel Maurice Barrès entend fonder la conscience française. De sa Lorraine natale, Barrès rejette le jacobinisme parisien qui, d'après lui, asphyxie les villes de France. Flirtant avec le fédéralisme, il soutient en 1895 la création d'assemblées régionales. Le but principal du provincialisme de Barrès est cependant de « rend[re] de la vitalité à la nation » et l'on peut en effet démontrer que ce projet de renforcer le sentiment collectif à partir du sentiment local repose sur un programme national (voir nationaliste) : rendre la France plus résistante aux influences germaniques. [40]

L'exemple le plus intéressant de combinaison entre républicanisme et sentiment régional réside en la personne de Jean Charles-Brun, un disciple de Mistral dont l'approche fédéraliste reflète à la fois des influences progressistes et conservatrices – notamment Proudhon, Comte et Barrès. Dans son schéma de pensée, la localité, la province et la nation apparaissent comme des entités concentriques qui se renforcent mutuellement. Cette branche réformiste du régionalisme, qui devient un élément important de la politique républicaine nationale avant 1914, apparaît foncièrement conservatrice par son empirisme, son mysticisme et son hostilité aux partis politiques. Elle est de plus en plus visible dans l'entre-deux-guerres alors que le régionalisme de Charles-Brun prend un caractère essentiellement folklorique.

Que de tels rapprochements entre régionalisme et républicanisme aient été possibles sous la IIIe République ne doit rien au hasard. Comme nous l'avons vu, le culte de la *Petite Patrie** était inscrit dans la mentalité de ce régime, dont les élites provenaient majoritairement non pas de Paris, mais des régions. En 1913, cette *entente cordiale** fut symboliquement scellée lorsque Poincaré, débutant son mandat présidentiel par un voyage dans le sud de la France, s'arrêta pour déjeuner avec Mistral dans son village de Maillane. [41]

Ces combinaisons éclectiques entre différentes cultures politiques et sentiment d'appartenance sont également visibles dans l'émergence de nouveaux rituels politiques tels que la célébration du 1er Mai. Ces « contre-festivités » avaient été originairement conçues pour défendre l'instauration de la journée de travail de huit heures, mais l'ambition de Jules Guesde, qui en était l'initiateur, était plus vaste : il s'agissait de montrer que les ouvriers et les ouvrières faisaient partie intégrante de l'histoire de France. La signification de ce rituel fut renforcée par l'opposition violente de l'État républicain : les premières manifestations organisées pour célébrer la fête du Travail en 1890 se déroulèrent dans un climat de peur et d'intimidation. Un an plus tard, la police ouvrit le feu sur la foule qui défilait à Fourmies (dans le Nord), faisant dix morts et un grand nombre de blessés. Le « massacre de Fourmies » devint un élément majeur de la mémoire progressiste et pendant toute la IIIe République il fut perçu comme l'événement révélateur des véritables dispositions du régime vis-à-vis des travailleurs. Dans les décennies qui suivirent, les orateurs du 1er Mai y firent constamment référence. [42]

Cette violence donna lieu à des controverses houleuses sur la nature des célébrations du 1er Mai. Les socialistes considéraient la fête du Travail comme un rituel œcuménique et une démonstration pacifique du potentiel de rédemption offert par leur mouvement. Leurs députés proposèrent même que le jour soit déclaré férié afin d'en faire la fête de la fraternité (ironie de l'histoire, c'est sous le régime de Vichy que le 1er Mai deviendra officiellement un jour férié). De nombreux syndicalistes s'opposaient à cette vision consensuelle, voulant réserver l'usage du 1er Mai à la classe ouvrière qu'ils représentaient et à la promotion de la « grève générale » et de la révolution sociale. Certains rejetaient même l'idée que ce jour devienne une « fête » ; comme le proclamait avec une ironie cinglante une affiche anarchiste : « Une fête ! Comme si le Travail, écrasé par un capitalisme parasite, pouvait fêter son esclavage ! » Les années passant, cependant, ce fut l'idéal consensuel qui l'emporta, tout particulièrement dans les petites et moyennes agglomérations, où le 1er Mai était l'occasion de se rassembler, de défiler pacifiquement et, pour les représentants syndicaux, de remettre des pétitions aux autorités locales. À Bordeaux, en 1899, par exemple, pas moins de six événements festifs furent organisés par des groupes différents : tout se déroula sans incident. Une année plus tôt, cette bonne entente avait été parfaitement symbolisée par les socialistes de Lorient, qui avaient défilé sous une bannière tricolore où s'étalait le slogan de l'Internationale : « Travailleurs de tous les pays, unissez-vous. »[43]

De fait, le véritable caractère de cette célébration annuelle résidait dans les manifestations multiples de sociabilité fraternelle qu'elle engendrait parmi les groupes progressistes. Dans beaucoup de régions, le 1er Mai devint une version laïque du jour des Morts, les associations politiques et les syndicats se rassemblant au cimetière pour rendre hommage à leurs membres décédés au cours de l'année passée. Ces rituels de fraternité faisaient systématiquement remonter à la mémoire les tragédies d'antan, tel le massacre de Fourmies, souvent commémoré dans le Nord. Le 1er Mai était aussi l'occasion de se rappeler d'épisodes bien plus anciens des luttes ouvrières : dans le Rhône, en 1891, les commémorations furent organisées autour de la tombe des canuts qui s'étaient révoltés contre la monarchie de Juillet en 1834. Le lien était fait de manière explicite entre le caractère répressif du gouvernement monarchique et celui des gouvernements républicains et, comme pour donner raison aux manifestants, la police lyonnaise dispersa brutalement les participants à cette commémoration.

Pour autant, la dimension mémorielle n'était qu'un aspect du 1er Mai et le caractère solennel ne s'imposait pas à la journée entière. Au contraire, l'ambiance était généralement festive, en particulier dans les provinces où l'on célébrait la fraternité de manière joyeuse et sociable, sans rien du chauvinisme qui marquait de plus en plus les cérémonies du 14 Juillet. À Grenoble en 1900, par exemple, les membres italiens d'une association socialiste furent conviés à se joindre aux festivités. Le 1er Mai était également l'occasion de défier les autorités locales. À Cahors en 1898, un groupe de quatorze socialistes se rassembla au Café du Midi pour narguer le commissaire de police en accrochant trois lanternes rouges au-dessus de la fenêtre du premier étage. Les rituels du 1er Mai, comme ceux du 14 Juillet, prennent aussi un caractère pastoral et bucolique. À Thizy, dans le Rhône, en 1891, les 3 500 habitants de la commune, chargés de victuailles et accompagnés par une fanfare, terminèrent la journée en se rendant au sommet du mont Camp où les festivités se poursuivirent jusque très tard dans la nuit, sous une large bannière rouge. À Besançon en 1898, la Fédération des travailleurs organisa une fête dans les bois de Chailliez : un millier de participants venus en famille (et accompagnés d'un policier dont le rapport circonstancié montrait clairement qu'il avait fraternisé avec l'ennemi) s'y rendirent à pied, « précédés de trois clairons et de six trompettes ».[44]

Le 1er Mai suscite également la composition de tout un répertoire de chants où se mêlent dans une harmonieuse cacophonie les héritages républicain, communard et internationaliste : chants révolutionnaires (tel *Les Fils de 93*, interprété entre autres par la Société chorale socialiste de Nevers en 1901), mais également classiques du répertoire progressiste (*La Chanson des huit heures*, de Pedron, ou *Le Temps des cerises*, l'hymne communard composé par Jean-Baptiste Clément), sans oublier les chansons ouvertement antimilitaristes comme *Il faut supprimer les patries*. Dans le même temps, les participants se réapproprient les chants républicains traditionnels, comme dans le Nord, où les habitants chantent une *Marseillaise fourmisienne*, un détournement de l'hymne national pour dénoncer la violence exercée par la IIIe République à l'encontre des ouvriers.[45]

« Un résidu, un amalgame, des additions, des mélanges »

Méditant sur les caractéristiques essentielles de la France, l'historien Fernand Braudel faisait observer que la nation française était apparue à l'issue d'un lent processus d'accumulation de couches successives : l'identité française était « un résidu, un amalgame, des additions, des mélanges ». Elle se reconnaissait « au vu d'images de marque, de mots de passe connus des initiés [...], à mille tests, croyances, discours, alibis, vaste inconscient sans rivages, obscures confluences, idéologies, mythes, fantasmes...[46] ». Braudel avait eu l'intention de consacrer quatre volumes à l'illustration de ces processus complexes par lesquels la nation s'était formée en France – il n'eut le temps d'en finir que deux avant sa mort.

Tout en souscrivant intégralement à son idée d'une nation se construisant par étapes et par processus collectif, mon but est ici beaucoup plus modeste : démontrer comment, au début du XXe siècle, une certaine convergence devint apparente, à la fois chez les élites et dans de larges portions de la population, sur l'image idéale qu'on pouvait se faire de l'identité française. Dans cette optique, la France apparaissait comme une nation résiliente dont l'essence était sortie indemne des vicissitudes de l'histoire. Cette endurance, comme l'avait noté Renan, avait été fortifiée par l'expérience de souffrances partagées, elles-mêmes atténuées par la capacité collective à surmonter l'adversité. Ce pouvoir d'ordre spirituel, voire magique, se reflète dans la figure largement répandue d'une France marquée par un certain stoïcisme, se refusant à accepter la domination. Tel était le trait commun aux républicains qui luttaient pour imposer l'idée de l'autonomie morale de l'individu, aux socialistes qui défendaient les ouvriers et aux nationalistes qui exaltaient la virilité française. Tel était l'esprit dans lequel Charles Péguy, dont la pensée combine des éléments appartenant à ces trois systèmes de valeurs, célébrait la

« gloire de la guerre ». Cet imaginaire était également partagé dans les provinces : exaltant le patriotisme des populations de Provence, un instituteur de Digne affirmait ainsi que c'était la « résistance à l'oppression » qui caractérisait les habitants de la région depuis des siècles.[47]

Il existait par-dessus tout un consensus général pour dire que la France était une nation exemplaire, dont la vocation était de guider l'humanité autant par sa puissance politique effective que par sa créativité culturelle et scientifique – une vision que partageaient aussi bien les conservateurs que les progressistes. Le royaliste réactionnaire Joseph de Maistre affirmait que la France n'avait survécu à la Révolution que parce que la Providence l'avait destinée à accomplir une mission de rédemption universelle. De son côté, le penseur républicain Edgar Quinet notait que la vocation de la France était de se consumer « pour la gloire du monde, pour les autres autant que pour elle-même, pour un idéal non encore atteint d'humanité et de civilisation ». Quant à Léon Gambetta, décrivant son pays comme « cette création suprême de l'intelligence et de la volonté humaine », il affirmait que la France renfermait les trésors les plus beaux de la civilisation humaine : « La République française, ce serait [...] la recherche dans les arts, le fini dans les métiers, la supériorité dans les sciences, la sublimité dans les conceptions philosophiques, la probité dans les affaires, la clarté dans les intelligences, la lumière et la justice partout et qui enfin apparaîtrait dans le monde comme la plus haute expression de l'esprit humain. » Ne manquait à ce panégyrique qu'une allusion au passé, un oubli que Renan comblera par une superbe hyperbole lorsqu'il affirmera que toutes les « grandes idées libérales et justes » de la modernité – l'abolition de l'esclavage, les droits de l'homme, l'égalité et la liberté – « ont été pour la première fois dites en français, ont été frappées en français, ont fait leur apparition dans le monde en français ». Ce sentiment d'autosatisfaction imprégnait également l'opinion publique : en 1906, *Le Parisien* demanda à ses lecteurs de désigner les Français qui avaient le plus contribué à la grandeur de la nation au cours du siècle précédent. Le quotidien reçut quinze millions de réponses, en provenance de tous les coins de France, qui illustraient le sens de l'équilibre dont faisait preuve le psychisme collectif : en première position figuraient Pasteur, gloire de la science française, juste devant Victor Hugo, prince de la République des lettres ; puis venait Gambetta lui-même, héros du patriotisme défensif, et enfin Napoléon, symbole de l'expansionnisme impérial. [48]

L'autre thème majeur du consensus national était la quête de l'unité. Quel que soit le terme employé pour le désigner – patriotisme, concorde, paix ou fraternité –, cet idéal symbolise les aspirations exprimées par la notion de « plébiscite de tous les jours » forgée par Renan. À cet égard, l'avancée intellectuelle majeure de la seconde moitié du XIXe siècle avait été l'idée que les différentes composantes territoriales de la France étaient complémentaires – idée qui, nous l'avons vu, devint le leitmotiv de toutes les familles de pensée politique. Symbolisé par le culte de la *Petite Patrie*[*], ce compromis historique entre le centre et la périphérie fut garanti par un partage harmonieux des rôles : Paris préservait l'unité nationale, offrait une mémoire et une contre-mémoire collectives unificatrices (car la Commune aussi faisait fort opportunément partie de l'héritage de la capitale) et défendait des valeurs progressistes telles que la laïcité et l'éducation universelle. Quant aux provinces, elles devinrent le terreau nourricier du sentiment patriotique : traditions communales vivaces, beauté des paysages, richesse du folklore et résilience de l'esprit collectif étaient autant de facteurs reflétés par la volonté des habitants à se sacrifier pour le bien de la nation.

À cet égard, la Première Guerre mondiale fut une étape majeure non seulement dans la dissémination du concept de *Petite Patrie*, mais aussi de son enracinement explicite dans une idéologie nationaliste néorurale. La cérémonie au cours de laquelle le cercueil du soldat inconnu fit son entrée solennelle sous l'Arc de Triomphe le 11 novembre 1920 fut également une célébration du « retour à la terre ». Le nombre de mémoriaux augmenta de façon spectaculaire : plus de trente-six mille monuments aux morts furent érigés au cours des cinq ans qui suivirent la fin du conflit. Les motifs religieux firent également leur réapparition : s'exprimant lors d'une messe à la mémoire des enfants du village tombés au champ d'honneur, le curé de Marchampt (Rhône) fit de l'« éducation chrétienne qu'ils avaient reçue dans la paroisse » la source première de leur patriotisme. Le but proclamé de *La Petite Patrie*, mensuel catholique publié à Bayeux, était de « lutter contre l'indifférence religieuse ». Même si elle occupait une place apparemment subalterne dans la hiérarchie du patriotisme, la périphérie devint donc le cœur de la France authentique, havre de vérité et de simplicité où s'épanouissaient héroïsme, loyauté et sens de l'effort et d'où l'on pouvait voir la réalité à sa juste valeur – notamment par la culture de la terre. Dans l'entre-deux-guerres, cette idéalisation de l'esprit provincial est omniprésente, de la célébration des paysans du Centre chez Daniel Halévy à l'épanouissement du thème de la région dans la littérature française (l'Auvergne d'Henri Pourrat, le Jura de Marcel Aymé, les Basses-Alpes de Jean Giono). Comme l'exprima François Mauriac dans *La Province* (1926), « la plus heureuse fortune qui puisse échoir à un homme fait pour écrire des romans, c'est d'être né en province, d'une lignée provinciale ». [49]

Même les communistes, héritiers revendiqués de la tradition centralisatrice jacobine, apportèrent leur voix avec enthousiasme au chœur provincial. Durant le 9e Congrès du Parti communiste qui se tint à Arles en 1937, une exposition fut organisée pour célébrer les réalisations des ouvriers, paysans et artisans : costumes et poteries de Quimper, produits laitiers de Normandie, porcelaine de Limoges, gants de Saint-Junien, savon de Marseille, huîtres de la Gironde, truffes du Périgord et du Lot, couteaux de Thiers, vins, liqueurs de cassis et calvados – les produits exposés fleuraient bon le régionalisme. Simultanément, la IIIe République étendit aussi l'analogie de la *Petite Patrie* à l'empire : l'exposition coloniale de 1931 marqua l'apothéose de la vision d'un Empire français qui serait universel dans ses dimensions géographiques mais bâti sur une multitude de petites patries. C'est cependant dans la rhétorique pastorale et régionaliste de Vichy que cette vision de la campagne, pivot des vertus nationales, atteindra son apogée. Dans un discours prononcé en décembre 1940, Pétain affirmera que l'« attachement à la *Petite*

Cette affiche de Bernard Milleret pour l'Exposition coloniale de 1931 illustre la façon dont la France de l'époque conçoit sa *mission civilisatrice* et son *rayonnement* mondial.

Patrie n'ôte rien à l'amour de la patrie et contribue à l'accroître en opposant une résistance invincible à tout ce qui veut nous déclasser, nous niveler, nous déraciner ». [50]

La « provincialisation » (à défaut d'un autre terme) de ce sentiment d'identité française est toujours aussi vivace. On peut en retrouver la trace dans la célébration de la gastronomie française, un art qui allie à merveille l'excellence des traditions locales et nationales, ou dans l'importance que prennent les villes régionales dans le paysage national, notamment dans le cinéma – que ce soit celui d'Éric Rohmer ou celui de Claude Chabrol, par exemple, qui offrent les portraits les plus nuancés de leurs habitants. On peut également en mesurer l'importance à l'aune de la popularité des maires, qui administrent cet immense réseau de villes et de villages couvrant tout le territoire. De tous les élus ils restent les plus populaires, parce qu'ils incarnent les valeurs autrefois décriées de proximité et de familiarité [51] – valeurs dont la fonction présidentielle française, bien qu'incarnant le centralisme distant de la tradition jacobine, s'est imprégnée : de Charles de Gaulle, profondément attaché à son village de Colombey-les-Deux-Églises, à François Mitterrand, souhaitant représenter la « *force tranquille** », en passant par Jacques Chirac et François

Hollande, tous deux fermement implantés dans leurs fiefs de Corrèze, tous les présidents de la Ve République ont construit leur légitimité sur leur enracinement dans la *France profonde**. Nicolas Sarkozy est l'exception qui confirme la règle – la Hongrie étant trop exotique, Neuilly trop chic et bourgeoise pour lui fournir le capital symbolique nécessaire. Comme l'a fait remarquer Jean-Marie Domenach, ancien rédacteur en chef de la revue *Esprit*, « la France idéale réside encore à la campagne [52] ».

Alors qu'à la fin du XXe siècle le pays a finalement exorcisé sa peur du démembrement en accordant des pouvoirs très importants aux régions et aux départements par la décentralisation, qui peut mieux représenter cette réconciliation patriotique du centre et de la périphérie qu'Astérix le Gaulois, dont le petit village breton « résiste encore et toujours à l'envahisseur » ? Incarnation tout à la fois de l'incorporation au niveau national du folklore régional, de l'utopie rousseauiste de sociabilité communale, de la tradition de résistance à l'invasion étrangère et de l'idéal d'une France immuable, préservée pour toujours des ravages de la modernisation, Astérix marque le triomphe ultime de la *Petite Patrie* dans l'imagination collective française [53].

Interlude

Au-dessus des partis

Au cours des années qui ont suivi la Libération, deux développements majeurs ont profondément modifié la façon dont les Français se voient et se représentent le monde : d'une part une nouvelle synthèse de l'identité française a émergé, centrée sur la figure de Charles de Gaulle, et d'autre part les idées marxistes ont imposé leur hégémonie au sein de l'intelligentsia. Selon la formule de Jean-Paul Sartre, le marxisme est devenu l'« horizon indépassable de notre temps ». Ces transformations témoignent, à leur manière, de la persistance des traditions intellectuelles que j'ai déjà analysées : le rationalisme, le mysticisme, l'utopisme, l'idéalisme scientifique, le nationalisme et, par-dessus tout, la production de visions idéologiques permettant d'englober et de structurer tous ces éléments. Elles soulignent également à quel point certains épisodes historiques décisifs ont façonné la pensée française. À cet égard, gaullisme et marxisme mettent tous deux en relief le rôle central que les expériences de la période 1940-1944 ont joué pour forger l'image que les Français se font aujourd'hui d'eux-mêmes.

La figure qui a dominé la vie politique du XXe siècle n'est paradoxalement pas issue des rangs de l'élite traditionnelle politique ou intellectuelle. De Gaulle est un officier de l'armée française qui a publié quelques essais pendant l'entre-deux-guerres mais qui à cette époque reste largement inconnu de l'opinion publique. Son destin bascule lorsqu'il refuse d'accepter l'effondrement militaire et la capitulation honteuse de la IIIe République devant Hitler en juin 1940. Comme je l'ai déjà évoqué, son discours le plus célèbre appelle ses compatriotes à continuer le combat contre l'envahisseur allemand : « Quoi qu'il arrive, la flamme de la résistance française ne doit pas s'éteindre et ne s'éteindra pas. » Désavoué par le gouvernement de Vichy pour insubordination, il est condamné à mort par contumace. Exilé à Londres, isolé dans ses bureaux de Carlton Gardens, il est au début totalement dépendant du soutien de Winston Churchill, qui apprécie sa rigueur intellectuelle, sa détermination et sa réserve – des qualités que le Premier ministre britannique considère ironiquement comme « très peu françaises ». Franklin Roosevelt, qui n'eut jamais beaucoup de sympathie pour lui, l'appelait « Lady de Gaulle ». Pour autant, le Général s'impose à la tête de la Résistance et fédère autour de la France libre, son mouvement, tous ceux qui rejettent la politique collaborationniste de Vichy – des monarchistes aux marxistes. À la Libération, en 1944, de Gaulle est salué comme le héros, le sauveur de la nation, l'« Homme providentiel ». [1]

La pensée politique du Général était en grande partie inspirée par une sensibilité classique de droite, pétrie de mépris pour le matérialisme, de peur du collectivisme, d'une obsession de la mort et de fascination pour la figure du chef. Mais l'austérité de son comportement dissimulait un personnage pragmatique qui ne partageait ni la nostalgie de ses prédécesseurs réactionnaires pour l'âge d'or de la monarchie française ni leur idéalisation romantique du provincialisme. À l'inverse, même s'il aimait se retirer dans son village de Colombey, sa philosophie de l'État était implacablement jacobine ; il n'hésita pas à faire table rase des éléments centraux de l'héritage de la droite – l'hostilité à la République, les tendances xénophobes, racistes et anti-égalitaires. Au fil du temps, il modernisa la pensée conservatrice française en incorporant à son système de valeurs des idéaux plus démocratiques et plus fraternels, notamment en accordant le droit de vote aux femmes en 1944 ou, plus tard, en mettant fin à la domination coloniale de la France en Algérie. Il fut capable d'entraîner les Français par la force de son charisme, mais également parce que sa vision idéaliste de la vocation de la nation correspondait à leurs aspirations collectives : « La France, affirma-t-il, ne peut être la France sans la grandeur [2]. »

Afin de recouvrer cette grandeur nationale, il fit campagne pour la création d'un exécutif centralisé et fort, et c'est dans cet esprit que la Vᵉ République fut instaurée en 1958. Il en devint le premier président, jusqu'à sa démission, en 1969. C'était un personnage pétri de paradoxes : inaccessible tout en ne dissimulant rien, un homme d'ordre devenu un rebelle, un bonapartiste qui n'aimait pas la guerre, un républicain dont le style de gouvernement était monarchique, un réformateur radical qui rassurait les conservateurs, un esprit morbide affichant un indéfectible optimisme, un homme d'État qui aurait rêvé d'être un homme de lettres (après être sorti indemne d'un des nombreux attentats qui le visèrent, il lança qu'il devait être l'auteur français sur lequel on avait le plus tiré [3]). Dans ses dernières années, plus particulièrement, son leadership fut sévèrement contesté et les aspects monarchiques de sa présidence tournés en dérision. Le jour de sa mort, en novembre 1970, l'hebdomadaire satirique *Hara-Kiri* alla jusqu'à titrer : « Bal tragique à Colombey : un mort [4]. » Ce fut pourtant en vertu de sa capacité à attirer et à réconcilier des idéaux opposés et à faire partager à ses compatriotes sa vision d'une *certaine idée de la France** qu'il devint une source d'inspiration inépuisable.

Avant 1940, le marxisme n'est guère plus connu en France que ne l'est le général de Gaulle, futur inspirateur de la doctrine politique à qui il léguera son nom. En effet, les efforts pour disséminer le marxisme n'ont produit que de piètres résultats, en partie parce que le socialisme à la française (tout particulièrement celui de Proudhon) demeure très influent dans le mouvement ouvrier, mais aussi parce que les principaux théoriciens socialistes comme Jules Guesde ou Paul Lafargue ne connaissent que très superficiellement l'œuvre de Marx et de Engels. Après avoir lu l'un des ouvrages de Lafargue, Engels lui avait écrit sèchement : « Je suis décidément d'avis que vous devez relire sérieusement *Le Capital* d'un bout à l'autre [5]. » La force de l'humanisme et de la tradition positiviste français empêche également que les idées marxistes ne s'implantent dans les institutions académiques les

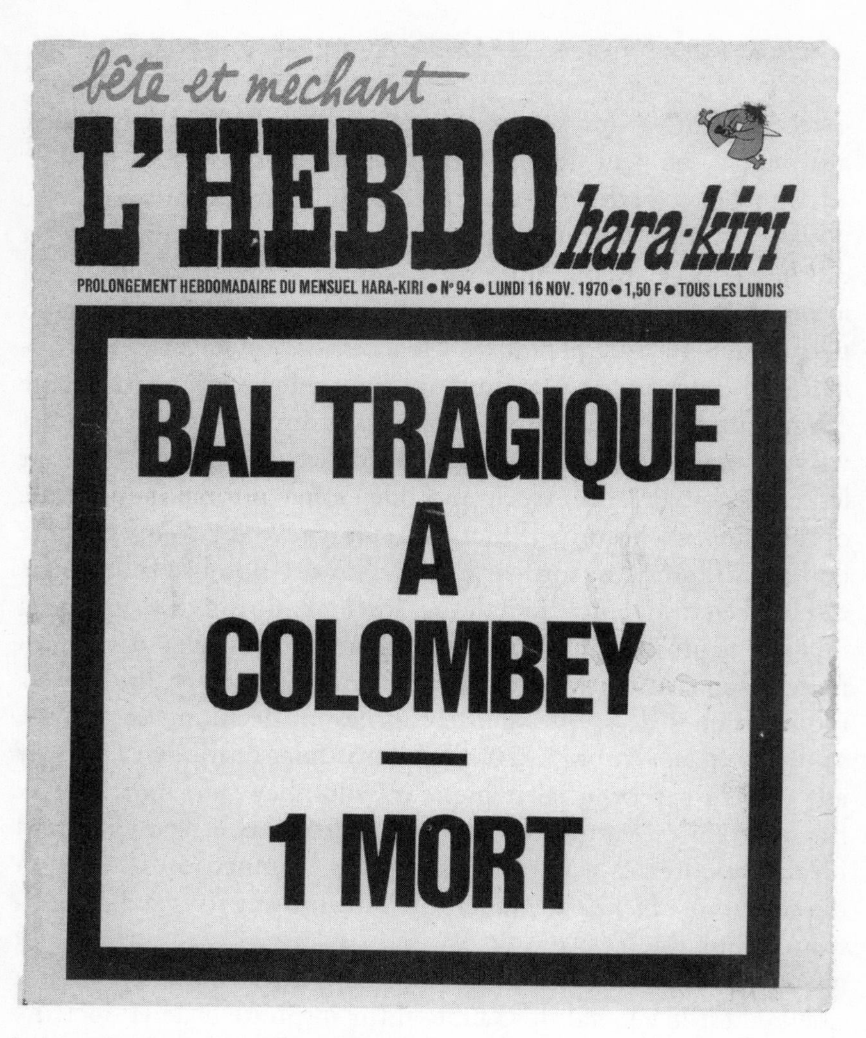
L'HEBDO hara-kiri

bête et méchant

PROLONGEMENT HEBDOMADAIRE DU MENSUEL HARA-KIRI • N° 94 • LUNDI 16 NOV. 1970 • 1,50 F • TOUS LES LUNDIS

BAL TRAGIQUE
A
COLOMBEY
—
1 MORT

La une du mensuel satirique *Hara-Kiri* après la mort de Charles de Gaulle en novembre 1970. Le magazine, interdit par le gouvernement, devient alors *Charlie Hebdo* (nouvelle référence impertinente au Général).

plus prestigieuses ou dans le domaine des sciences sociales[6]. La révolution russe aggrave encore le problème : à cause de la « bolchévisation » du Parti communiste français à partir du milieu des années 1920, la doctrine marxiste exerce moins d'influence au sein de l'organisation que la vulgate léniniste – *Que faire ?* ou *L'État et la Révolution*, entre autres – qui met en avant le rôle du Parti, « avant-garde du prolétariat ». Cette tendance s'accentue encore après la Libération, lorsque le PCF devient la force dominante de la gauche grâce au rôle central qu'il a joué dans la Résistance. Le parti exploite alors sa position pour disséminer les idées fondamentales de Marx sur les inégalités créées par le capitalisme, grâce à la publication de textes canoniques et de pamphlets diffusés par un réseau très dense de journaux et de périodiques. Cependant, cette version doctrinale du marxisme français demeure largement influencée par le léninisme – un phénomène encore accentué par l'adoption par le PCF des objectifs stratégiques de l'URSS pendant toute l'ère stalinienne[7].

Parallèlement à cette montée en puissance du PCF, le marxisme français est nourri et diffusé au sein de l'École normale supérieure (ENS) : un quart des élèves de l'après-guerre sont membres du Parti et il devient à la mode d'y arborer une moustache à la Staline. Comme le philosophe Régis Debray le rappellera plus tard, c'était l'époque où les intellectuels marxistes en France marchaient « au canon de la raison raisonnante ». L'hétérodoxie, voire la moindre velléité de dissidence, y est traquée et expurgée. Dans la vision manichéenne qui s'impose alors, mieux vaut « se tromper avec le Parti, dans le Parti, qu'avoir raison en dehors de lui, et contre lui ». Jusqu'en 1976, l'objectif du PCF demeure l'établissement de la « dictature du prolétariat » en France. Ce n'est donc pas un hasard si le plus grand penseur marxiste de l'après-guerre est Louis Althusser, professeur de philosophie à l'ENS, un homme prodigieusement cultivé, curieux de toute nouvelle idée ou forme de création, d'une riche intelligence émotionnelle et d'une grande sensibilité à la beauté, dont des générations de normaliens se souviendront de la gentillesse et de la générosité. Sa correspondance privée révèle un désir né « au fond de [ses] entraves (et de [ses] entrailles !) » d'atteindre à une forme absolue de liberté naturelle qui rejetterait tout artifice et toute convention et s'exprimerait dans « une liberté d'invention, de geste, de mouvement, d'extravagance même, de drôlerie, de colère aussi, de cœur et de tête ».[8]

Cependant, Althusser était aussi une personnalité tourmentée qui incarnait la place contradictoire du marxisme dans la culture intellectuelle française. Aucune de ses qualités personnelles ne s'exprimait jamais dans sa philosophie, qui demeura schématique à l'extrême. Althusser rejetait toute interprétation de la doctrine fondée sur des conceptions morales de la nature humaine, prétendant à l'inverse chercher l'essence « scientifique » de Marx dans sa théorie de l'histoire et sa conception des relations sociales comme étant déterminées par les structures économiques. La conception qu'Althusser élabora des intellectuels et de leur rôle était tout aussi réductionniste : il affirma que, « comme tout "intellectuel", un professeur de philosophie est un petit-bourgeois. Quand il ouvre la bouche, c'est l'idéologie petite-bourgeoise qui parle [...]. Dans leur masse, [les intellectuels] restent "indécrottablement" petits-bourgeois par leur idéologie ». Cette forme de marxisme obscur, dogmatique et quasi théologique, présupposant l'immoralité de la pensée (Althusser ne se débarrassa jamais totalement de son héritage catholique) ne laissait paradoxalement que fort peu de place à l'action humaine. Cependant, c'était cette rigidité même qui rendait sa pensée attrayante en le faisant aboutir à « une philosophie de l'ordre » – selon la formule de Jacques Rancière, qui l'admirait. Un autre de ses disciples notait qu'il « nous rendait fiers d'être communistes ». Le philosophe-directeur de conscience était toujours disponible pour recevoir la confession de ceux qui traversaient des périodes de doute et les remettre avec douceur dans le droit chemin – un rituel si courant à l'ENS qu'il donna naissance à l'expression *se faire althusser**. [9]

Ce sont donc tous ces facteurs qui donnent au marxisme français de l'après-guerre son homogénéité spirituelle : qu'ils soient membres du Parti ou non, qu'ils se présentent comme communistes, trotskistes, humanistes, existentialistes, structuralistes, marxistes critiques ou situationnistes, les intellectuels progressistes consacrèrent une grande partie de leur énergie à défendre la doctrine contre toute forme de « déviance » potentielle – ou, plus prosaïquement, à la protéger des événements malencontreux, telle la dénonciation des crimes de Staline par Nikita Khrouchtchev durant le XXe congrès du Parti communiste soviétique en 1956. De fait, les intellectuels ne se préoccupaient pas des dimensions politiques ou économiques concrètes du marxisme, mais d'abstractions philosophiques d'un genre particulier – la justification du rôle du Parti, l'idéalisation de la classe ouvrière, la légitimation de la violence politique et de la lutte révolutionnaire pour faire advenir un nouvel ordre politique. Et quand bien même tout cela serait voué à l'échec, il resterait toujours l'argument idéaliste suprême : le marxisme détenait forcément la vérité, car aucune autre hypothèse n'était concevable ou, comme l'avait écrit Merleau-Ponty : « Peut-être, disions-nous, aucun prolétariat ne viendra-t-il jouer le rôle de classe dirigeante que le marxisme lui assigne, mais il est vrai que nulle classe sociale ne peut l'y suppléer et qu'en ce sens l'échec du marxisme serait l'échec de la philosophie de l'Histoire. » Tel était le genre de raisonnement qui poussa le politologue libéral Raymond Aron à dire, de manière cruelle mais somme toute exacte, que le marxisme était devenu l'« opium des intellectuels ». [10]

Par leur vision schématique du monde et leur antagonisme farouche, le gaullisme et les différentes sensibilités du marxisme de l'après-guerre symbolisent cette capacité française à la polarisation intellectuelle et sa prédilection à reproduire indéfiniment les clivages créés par la Révolution. Lorsque le général de Gaulle se rendit à l'ENS en février 1959, moins d'un an après être revenu au pouvoir, les étudiants communistes d'Althusser refusèrent de l'accueillir, clamant qu'ils ne pouvaient se résoudre à « serrer la main d'un dictateur [11] ». Pour autant, le style de pensée des deux camps avait plus en commun qu'ils ne le croyaient ou étaient prêts à le reconnaître. Porteurs d'une vérité qu'ils considéraient comme exclusive, fidèles héritiers de la tradition cartésienne, gaullistes et marxistes offraient à leurs sympathisants respectifs le plus précieux des trésors intellectuels : la certitude. Ils avaient une foi si grande en leur singularité qu'ils prétendaient même avoir inventé une forme d'organisation originale : les communistes affirmaient qu'à cause de la nature scientifique de la doctrine marxiste leur parti n'était pas « comme les autres partis », tandis que les gaullistes maintenaient que leur mouvement se situait « au-dessus des partis ». Les uns comme les autres considéraient leur cause respective comme une forme de religiosité : la doctrine marxiste était traitée comme un catéchisme par les communistes, tandis qu'André Malraux comparait de Gaulle au chef d'un ordre religieux, parce que tout ce qu'il accomplissait était fondé sur un acte de foi en la France. Les deux camps partageaient un même mépris pour le capitalisme et le mercantilisme anglo-américain. De Gaulle affirmait que son principal adversaire durant toute sa carrière politique avait été l'argent et une grande partie de la mystique gaulliste parmi les pays en voie de développement était issue de son discours fondateur prononcé à Phnom-Penh, en 1966, où il avait dénoncé la guerre américaine au Vietnam [12].

Communistes et gaullistes offraient un récit d'espoir enraciné dans des visions historiques, tout en entretenant des relations complexes et souvent ambiguës avec le passé. Ils exagérèrent leur rôle respectif (notamment pendant la Résistance) et minimisèrent les épisodes historiques qui ne cadraient pas avec ces récits héroïques. Les communistes firent preuve à cet égard d'un talent tout particulier, niant des événements qui s'étaient effectivement déroulés et en inventant d'autres qui n'avaient jamais eu lieu (telle une déclaration invitant les Français à résister contre l'occupant nazi, prétendument diffusée par le Parti en juillet 1940). De Gaulle ne fut pas en reste : il récrivit – ou, plus exactement, remania – certains documents historiques sur la France libre avant de les inclure dans les annexes de ses *Mémoires de guerre* [13]. Mais la conséquence directe et ultime des années 1940-1944 fut d'amener les gaullistes et les communistes à considérer la souveraineté collective et la Libération comme les fondements de l'idéal de liberté. Pour de Gaulle, tout était expliqué et justifié, en dernière analyse, par la nécessité de préserver l'intégrité de *la France*[*], une communauté glorieuse et idéalisée qu'il prenait bien soin de distinguer des *Français*, anarchiques et exaspérants. De la même manière, parmi les différentes lignées de la famille marxiste française, la pierre de touche de toute action ou opinion politique consistait à savoir en quoi elle servait les intérêts d'un prolétariat « transcendant [14] ». La passion française pour les grandes théories et pour le débat métaphysique et holistique demeurait bien vivante, comme nous allons le constater.

7

Faire peau neuve

L'événement culturel majeur de l'année 1955 fut la publication de *Tristes Tropiques*, le récit que l'anthropologue Claude Lévi-Strauss tira de ses expériences parmi les tribus amérindiennes du Brésil, où il séjourna entre 1935 et 1939. Le livre présente des qualités littéraires et poétiques si remarquables que l'académie Goncourt publia un communiqué regrettant de ne pouvoir lui décerner le prix prestigieux qu'elle réserve d'ordinaire aux œuvres de fiction. Dès l'été 1956, un article publié dans *Elle* décrit l'auteur comme l'« homme de France le plus intelligent », rendant ainsi hommage à l'éclectisme éblouissant de Lévi-Strauss manifesté par la fécondité de ses emprunts à la théorie linguistique saussurienne, à la psychanalyse freudienne, à la géologie, à la pensée des Lumières, au marxisme et même à la musique (le livre a d'ailleurs été adapté sous forme d'opéra et représenté à Strasbourg en septembre 1996). Cependant, peu de lecteurs auraient pu prédire à l'époque que cet ouvrage, écrit en quatre mois et dont le sujet principal était à mille lieues des préoccupations des Français de 1955, connaîtrait un tel succès. L'auteur était en outre un quasi-inconnu ou, tout du moins, n'appartenait pas au sérail universitaire : privé de son poste d'enseignant sous le régime de Vichy en raison de ses origines juives, il avait dû s'exiler aux États-Unis pendant la Seconde Guerre mondiale. Après avoir repris sa carrière universitaire en France, il avait par la suite échoué à se faire élire au Collège de France, en 1949 et

1950. Bien plus tard, lorsqu'il sera devenu célèbre, la confusion induite par son homonymie avec une marque américaine de vêtements lui vaudra toute sa vie de recevoir des lettres de commande de *jeans* [1].

Tristes Tropiques constitue une critique cinglante de la soif moderne d'exotisme, une soif qui lui a d'ailleurs en partie valu son succès : en 1956, le livre reçoit la Plume d'or, un prix destiné à récompenser le meilleur récit de voyage ou d'aventure de l'année. Il captive l'imagination des lecteurs en décrivant le contraste entre la marche destructrice du monde occidental vers une uniformité de plus en plus monolithique et des visions fugaces de la liberté naturelle dans laquelle vivent les communautés amérindiennes, chérissant « le reflet, fugitif même là-bas, d'une ère où l'espèce était à la mesure de son univers ». Le thème de la perte résonnait d'autant plus dans les années 1950 que la France, encore profondément marquée par le souvenir de la guerre et divisée par des conflits idéologiques et économiques, s'enfonçait dans une crise de plus en plus profonde en Algérie. *Tristes Tropiques* constituait donc un antidote inattendu à ce désenchantement. De l'hétérogénéité même de ses thèmes – des peintures faciales aux rituels religieux, de l'art graphique aux structures de la parenté – le texte tire une vision miraculeuse : l'universalité fondamentale de la pensée humaine. Claude Lévi-Strauss se fonde en effet sur une idée simple : toute pensée sociale est sous-tendue par un certain nombre de structures symboliques ou de mythes. [2] L'inventaire de cet ordre caché et inconscient constitue la pierre angulaire de l'approche structuraliste qu'il appliquera de manière systématique dans ses travaux ultérieurs et qui contribuera à révolutionner le paysage intellectuel français au cours de la décennie suivante. Il nous donne un exemple de la pensée française dans ce qu'elle a de plus hardi et de plus innovant, lorsqu'elle s'appuie sur des expériences et des idées venues de l'extérieur pour remettre en question des schémas de pensée établis. Car *Tristes Tropiques* troquait subtilement l'analyse cartésienne contre une conception holistique de la connaissance, la quête rationnelle de certitudes contre une conception ouverte du sens, le désir positiviste de clarté et de stabilité contre les inversions et les dissonances des mythes, et le dogme rassurant de la vérité scientifique contre l'émerveillement suscité par les mystères de l'Univers.

La perspective de Lévi-Strauss semble dominée par un sentiment tenace de pessimisme envers la modernité : selon un de ses commentateurs, le monde de Lévi-Strauss est « un monde sans destinée, sans but ultime, un monde de vestiges [3] ». Il est difficile d'échapper au sentiment de douleur poignante qui parcourt *Tristes Tropiques*, né de la condamnation de la destruction des communautés indigènes par le colonialisme européen, par les observations mélancoliques sur la surexploitation des ressources naturelles, le caractère oppressif de l'islam ou du système des castes en Inde – sans même parler du caractère irrévocable d'une des dernières phrases du livre : « Le monde a commencé sans l'homme et il s'achèvera sans lui. » Mais s'attarder à ces seuls aspects serait méconnaître la dynamique du récit philosophique de Lévi-Strauss. Son but n'est pas de se détourner du concept de progrès, mais plutôt de définir le caractère singulier qu'il prend à l'intérieur de chaque culture tout en décrivant les liens communs qui unissent l'humanité, des liens qui vont bien au-delà de l'idéal universaliste du prolétariat proposé par Marx. C'est ici que l'inspiration de Rousseau devient essentielle. Saluant en lui « notre maître » et « notre frère », « le plus ethnographe des philosophes », Lévi-Strauss conçoit *Tristes Tropiques* comme une défense et illustration de la sensibilité et de l'anthropologie philosophique de Rousseau. Il trouve aussi la confirmation de sa conception de l'homme naturel dans les gestes d'affection échangés par les Nambikwara : « On devine chez tous une immense gentillesse, une profonde insouciance, une naïve et charmante satisfaction animale et, rassemblant ces sentiments divers, quelque chose comme l'expression la plus émouvante et la plus véridique de la tendresse humaine. » De même, les relations de solidarité entre les membres de la tribu et leur chef justifient l'affirmation de Rousseau selon laquelle la sociabilité humaine se fonde sur des échanges contractuels et un consentement mutuel, non sur le patriarcat. L'objectif sous-jacent du structuralisme ethnographique de Lévi-Strauss concorde ainsi parfaitement avec celui de la philosophie sociale de Rousseau : recouvrer une « fraternité » authentique et idéale en séparant ce qui est artificiel de ce qui est naturel dans la société humaine. Et, pour donner plus de poids à son propos, Lévi-Strauss affirme qu'il était encore temps de renverser la situation : « Rien n'est joué ; nous pouvons tout reprendre. »

L'extraordinaire impact du livre fut d'ébranler les représentations intellectuelles qui avaient dominé la pensée occidentale depuis les Lumières : la croyance en la supériorité de la civilisation européenne et en l'État-nation comme forme la plus aboutie de gouvernement, la foi des progressistes en la possibilité de maîtriser la nature, la conviction des marxistes que l'histoire est mue téléologiquement par des forces matérielles et le postulat des existentialistes selon lequel l'homme conquiert sa liberté en faisant des choix autonomes, individuels et conscients – ce que Lévi-Strauss assimilait ironiquement à une « sorte de métaphysique pour midinettes ».[4] À tous ces égards, *Tristes Tropiques* préparait la voie à de nouveaux schémas de pensée qui se développèrent en France après la Seconde Guerre mondiale, affirmant que l'épanouissement de l'homme était bien plus complexe et bien moins assuré que ne l'affirmait la doctrine rationaliste et que le véritable accomplissement ne serait possible qu'en neutralisant des formes d'oppression intellectuelle, politique et culturelle très profondément ancrées.

L'avertissement de Lévi-Strauss

Six ans après la publication de *Tristes Tropiques*, son appel à une révolution intellectuelle est repris en des termes encore plus forts dans *Les Damnés de la terre*, un essai où Frantz Fanon dénonce le colonialisme : « Pour l'Europe, pour nous-mêmes et pour l'humanité, camarades, il faut faire peau neuve, développer une pensée neuve, tenter de mettre sur pied un homme neuf. » Lévi-Strauss est l'un des inspirateurs de Fanon, d'autant plus qu'il avait dénoncé dans *Tristes Tropiques* l'arbitraire dégradant de l'ordre colonial à la Martinique (l'île natale de Fanon), où il avait fait escale lors de son départ en exil en 1941. Mais, là où la quête d'un nouvel universalisme ramène Lévi-Strauss à Rousseau, la dénonciation du colonialisme entraîne Fanon à rejeter sans appel le modèle européen, « succession de négations de l'homme ».

Publié au plus fort de la guerre d'Algérie, dans laquelle il s'engage au côté du FLN, au moment où la lutte contre la domination occidentale s'intensifie, le cri de Fanon va résonner dans l'ensemble du tiers-monde – son livre sera traduit dans plus d'une douzaine de langues. Son appel à l'universalisme repose par-dessus tout sur une radicalisation de la *négritude*[*], une sensibilité esthétique développée par des écrivains francophones tels que Léopold Sédar Senghor ou Aimé Césaire : d'où le sentiment ressenti par Fanon d'être investi d'une mission et sa conviction que l'émancipation de la domination coloniale ne sera obtenue que par un combat mené collectivement par l'ensemble des peuples opprimés.[5] Au cours des années 1960, *Les Damnés de la terre* influencera directement les stratégies politiques des mouvements de libération nationaux en Afrique et au Moyen-Orient, de l'Afrique du Sud à la Palestine. Et sa conception de l'émancipation façonnera aussi la pensée des progressistes du continent américain, que ce soit la philosophie politique de Che Guevara ou le mouvement de libération des Noirs aux États-Unis, où les activistes afro-américains – comme le fait remarquer Eldridge Cleaver, l'un d'entre eux – considèrent son livre comme « la Bible[6] ».

Au début des années 1950, Fanon fait des études de médecine puis pratique la psychiatrie en Algérie, où il est témoin de l'aliénation psychologique causée par la colonisation et les atrocités de la guerre. Il décrit d'ailleurs un certain nombre de cas cliniques dans *Les Damnés de la terre*. Mais c'est également ce qu'il a vécu pendant la Seconde Guerre mondiale qui a été déterminant dans son rejet de l'humanisme européen. Opposé à l'idéologie nazie, révolté par le racisme des militaires vichystes présents en Martinique, il s'engage dans les Forces françaises libres avant de faire l'amère expérience des préjugés raciaux à l'encontre des soldats originaires des colonies pendant la Campagne de France en 1944-1945. Bien que décoré de la croix de guerre, il constate la vacuité du discours qui affirme que la France est entrée en guerre contre l'Occupation pour défendre des valeurs universelles de liberté et d'égalité [7].

Le décalage entre les déclarations de principes et les actes est encore plus criant dans le contexte colonial. *Les Damnés de la terre* met en lumière la polarisation de cet univers, fondé non seulement sur la ségrégation spatiale, la coercition et l'exploitation, mais également sur une représentation du colonisé comme un être déshumanisé, « quintessence du mal ». Développant les intuitions de ses premiers travaux sur la psychologie de la domination raciale, Fanon démontre que le pouvoir suprême du système colonial réside dans sa création d'une culture dominante, elle-même construite sur les idéaux et les valeurs des colons. Les figures du colonisé et du colonisateur sont donc ainsi enfermées dans une relation mutuellement destructrice. Les populations autochtones sont condamnées à la passivité et à la haine de soi tout en étant poussées à aspirer au rêve impossible de se substituer à leurs maîtres. [8]

C'est Jean-Paul Sartre qui contribua largement à donner aux *Damnés de la terre* leur renommée internationale en écrivant la préface de la première édition. Les deux hommes s'étaient rencontrés à Rome à l'été 1961 et Sartre avait été enthousiasmé par la passion de Fanon, son sentiment d'urgence, sa foi en la possibilité de créer une nouvelle forme de fraternité humaine par la lutte collective. L'horizon mondial de Fanon offrait aussi une issue à la philosophie existentialiste de Sartre, qui se trouvait alors dans une impasse en France. Cependant, tout en saisissant la qualité révolutionnaire de la pensée de Fanon, Sartre contribuait à la dénaturer quelque peu, notamment par la façon dont il traita la question de la violence dans la préface – par exemple, lorsqu'il écrivit : « Abattre un Européen, c'est faire d'une pierre deux coups, supprimer en même temps un oppresseur et un opprimé : restent un homme mort et un homme libre [9]. » La violence jouait certes un rôle formateur dans la vision de libération développée par Fanon mais il s'agissait d'une forme de violence collective, organisée, visant à atteindre des objectifs politiques précis et non l'acte personnel et purificateur que Sartre semblait célébrer. Cette distorsion reflétait sans aucun doute la prédilection sartrienne pour la formule à l'emporte-pièce, mais elle était également symptomatique du destin paradoxal auquel la pensée de Fanon semblait vouée lorsqu'elle se mit à voyager dans le temps et dans l'espace après sa mort, en décembre 1961. Or la vie et la pensée de Fanon représentaient par-dessus tout un engagement en faveur de l'internationalisme et de la croyance universaliste dans l'égalité de tous les êtres humains, ayant les mêmes droits politiques et sociaux. Il s'opposait vigoureusement à une conception folklorique et essentialisée de la culture noire, se méfiait de l'adoption du nationalisme par les élites bourgeoises et méprisait toute forme de communautarisme ou de tribalisme politique. Il est par conséquent ironique qu'il soit devenu l'icône des défenseurs des « politiques identitaires » dans la période postcoloniale.

L'universalisme de Fanon fut également marginalisé par les élites de l'Algérie indépendante, notamment après la décision du régime d'embrasser l'islam en 1965. Au cours des décennies qui suivirent, son rôle dans la guerre de libération fut minimisé. Trop « français » pour les Algériens, il était également considéré comme trop « algérien » par les Français, symbole honni à leurs yeux d'une « guerre sans nom » (et qu'ils faisaient de leur mieux pour oublier), ainsi que d'un projet colonial dont les pratiques avaient contredit de manière flagrante les nobles idéaux du républicanisme français [10]. Cependant, c'est peut-être là que se trouve le paradoxe de sa postérité intellectuelle, car sa maîtrise de la culture française était plus profonde et resta plus prégnante qu'on ne l'a généralement cru [11]. Même vers la fin de sa vie, alors qu'il s'identifiait totalement à la cause de l'indépendance algérienne, sa pensée demeura ancrée dans la tradition du radicalisme philosophique de l'après-guerre : c'est *La Critique de la raison dialectique* et son tableau lugubre de l'aliénation destructrice du capitalisme qui eurent une influence décisive sur *Les Damnés de la terre* [12]. De fait, le caractère passionné de Fanon, sa haine de la tyrannie et sa foi dans l'universalité de la liberté et les vertus rédemptrices de l'action collective demeuraient ceux d'un républicain classique. Dans sa vision comme dans son style, il représentait le retour du « vengeur du Nouveau Monde » décrit par Mercier, il était de la première génération des jacobins révolutionnaires. À sa manière, comme Lévi-Strauss, il était revenu au philosophe de Genève – ou plutôt, comme l'avait proclamé le *New York Review of Books*, il était lui-même devenu le « Rousseau noir [13] ».

Fanon, le Rousseau noir

En juillet 1967, *La Quinzaine littéraire* publie une caricature représentant quatre hommes vêtus de jupes tahitiennes, bracelets autour des chevilles, en pleine conversation dans un décor tropical. Ce « déjeuner structuraliste » rassemble Claude Lévi-Strauss, devenu célèbre depuis la publication de son *Anthropologie structurale* et son élection au Collège de France, Michel Foucault, dont les travaux sur l'histoire de la folie et les transformations du discours scientifique moderne ont fait scandale, Jacques Lacan, qui a renouvelé l'intérêt pour la pensée freudienne et s'est intéressé aux pulsions perturbatrices de l'inconscient, et enfin Roland Barthes, théoricien de la littérature, dont les écrits explorent le pouvoir symbolique du langage et de la culture de masse. Le milieu des années 1960 marque l'apogée de l'influence et du prestige intellectuel du structuralisme en France. Un de ses adeptes comparera plus tard ce mode de pensée à une maladie : « J'avais la peste. La fièvre ne me lâchait pas et j'aimais cette peste. Je me gardais de me soigner. » L'engouement est tel que le terme « structural » est associé à la plus haute forme d'intelligence et crédité de propriétés miraculeuses, au point d'autoriser le sélectionneur de l'équipe de France de football à annoncer « une réforme structurale » pour améliorer les performances de son équipe. [14]

À certains égards, l'emploi générique de l'adjectif est trompeur. À la différence de l'existentialisme de Sartre ou de l'anticolonialisme révolutionnaire de Fanon, le structuralisme n'a pas été un mouvement offrant une théorie générale de l'action politique, et seul Lévi-Strauss a employé le terme de façon plus ou moins systématique. Il ne s'agit pas de se libérer de l'oppression économique, mais de la domination culturelle, de la bonne conscience morale ou de la confusion intellectuelle – bien que les écrits structuralistes soient eux-mêmes parfois envahis par un verbiage foisonnant, comme nous le verrons. La cohésion relative du mouvement tient principalement à un certain nombre de présupposés sur l'entendement humain partagés par un groupe d'intellectuels très divers. Tous croient en la nature centrale du langage et des symboles, affirment que l'histoire est contingente et non linéaire, et contestent le fait que le sens soit fixé de manière immuable. Comme l'écrit Barthes, « il n'y a aucune fixité dans les concepts mythiques : ils peuvent se faire, s'altérer, se défaire, disparaître complètement ». Ce sentiment de fluidité, d'instabilité des choses, nourrit aussi l'intuition structuraliste que les formes véritablement significatives de connaissances résident dans les interstices, les marges, sous la surface du réel. En 1975, Foucault se compare à « un fouilleur des bas-fonds ». Le structuralisme est donc parfaitement à même d'illustrer la prédilection des intellectuels français pour le paradoxe, comme lorsque Lacan affirme la primauté de l'inconscient en renversant la formule cartésienne : « Je pense où je ne suis pas, donc je suis où je ne pense pas. » [15]

Les penseurs structuralistes remettent en question le concept philosophique d'un moi autonome, pierre angulaire du rationalisme cartésien et de celui des Lumières. Le défi le plus radical lancé contre ce schéma de pensée provient de l'œuvre de Foucault, sans conteste l'intellectuel le plus prolifique, innovant et influent de la fin du XXe siècle. Passant librement de la philosophie à l'histoire, de la sociologie à la théorie littéraire, ses écrits ouvrent de nouvelles pistes de recherche, souvent fécondes, dans tous ces domaines. L'un des fils conducteurs de son œuvre consiste à explorer la façon dont les sociétés modernes soumettent leurs citoyens à différentes sortes de contrôle intellectuel et corporel – le pouvoir de l'État, la puissance d'une idéologie dominante, la conformité à des pratiques sexuelles ou médicales. Ses écrits échappent à toute classification simple, en partie parce qu'il les considère comme des travaux exploratoires et non comme des sommes définitives – lui-même se décrit comme « un expérimentateur et non un théoricien » – et en partie aussi parce qu'il s'enorgueillit de sa propre plasticité intellectuelle. Ce sont des textes difficiles : certains concepts centraux (tels le « discours » ou la « gouvernementalité ») demeurant frustrants d'imprécision, le jargon foisonne, mais ces limites sont compensées par une érudition prodigieuse et une certaine nonchalance. En effet, Foucault décrit ses travaux historiques comme des « fictions » – une opinion partagée par beaucoup de ses détracteurs, qui lui reprochent son traitement cavalier des sources historiques. Comme l'a dit Claude Lévi-Strauss avec délicatesse, « Foucault prend quelques libertés avec la chronologie ».[16]

Un des buts constants de Foucault en tant qu'historien a été de dénoncer les aspects les plus sombres de la conception occidentale de la rationalité. Dans *Folie et Civilisation*, il montre comment la maladie mentale en est venue à être considérée, à partir du XVIIe siècle, comme une aberration de la pensée. Telle était notamment la position de Descartes, pour qui folie et raison étaient deux notions antithétiques. La folie était également perçue comme une forme de déviance sociale, ce que reflètent les traitements de plus en plus répressifs imposés aux fous par la censure morale, la médicalisation de leur état et leur enfermement dans des asiles. Foucault pense que c'est cet impératif de contrôle social qui constitue le cœur de l'idéal rationaliste des Lumières. Il s'agissait moins de libérer l'esprit ou de lui donner le pouvoir que d'imposer un ordre bourgeois de pure moralité et d'uniformité éthique[17].

Ce n'est pas un hasard si ce travail de Foucault sur la folie a été publié au plus fort de la guerre d'Algérie, quelques mois avant le pamphlet de Fanon. De façon fort différente, les deux textes soulignaient les contradictions entre les idéaux d'émancipation des sociétés occidentales et la réalité de leurs pratiques. Plus fondamentalement encore, ils montraient à quel point ces idéaux eux-mêmes étaient corrompus de l'intérieur. Foucault, poussant ce paradoxe jusqu'à sa conclusion extrême, développe l'idée que la domination est en un sens inhérente à toutes les idéologies et à tous les modes de pensée, y compris ceux qui se présentent comme « progressistes ». Une telle proposition a de graves implications : comment désormais discuter de la possibilité d'un monde alternatif et meilleur ? Comment l'imaginer ? La réponse de Foucault consiste à développer un nouveau cadre « archéologique » dans lequel il reconsidère systématiquement tous les présupposés conventionnels de l'histoire des idées. Il remet tout particulièrement en question ce que les historiens des idées acceptent comme des vérités universelles, à savoir la continuité et le progrès, ainsi que l'« illusion coercitive d'une histoire reposant sur l'existence d'un sujet pensant » [18]. Le changement politique est par conséquent possible à la condition que ses objectifs, définis avec modestie, demeurent ajustés aux circonstances historiques et aux limites de ce qu'il est possible d'accomplir (Foucault, qui avait un faible pour les métaphores, comparait cette posture au fait d'« être aux frontières »). Les projets utopiques qui avaient cherché à remodeler la nature humaine au nom d'idéaux « globaux et radicaux » devaient être rejetés : « En fait, on sait par expérience que la prétention à échapper au système de l'actualité pour donner des programmes d'ensemble d'une autre société, d'un autre mode de pensée, d'une autre culture, d'une autre vision du monde n'a mené en fait qu'à reconduire les plus dangereuses traditions [19]. » C'est la raison pour laquelle Foucault éprouvait la plus grande méfiance à l'idée de suggérer des directions stratégiques ou de grandes visions de l'avenir :

> Ma position, c'est qu'on n'a pas à proposer. Du moment qu'on « propose », on propose un vocabulaire, une idéologie, qui ne peuvent avoir que des effets de domination. Ce qu'il faut présenter, ce sont des instruments et des outils que l'on juge pouvoir être utiles ainsi [...]. Mais, si l'intellectuel se met à rejouer le rôle qu'il a joué pendant cent cinquante ans – de prophète, par rapport à ce qui « doit être », à ce qui « doit se passer » —, l'on reconduira ces effets de domination et l'on aura d'autres idéologies, fonctionnant selon le même type [20].

Le fait que Foucault propose néanmoins un vocabulaire, voire quelque chose qui s'apparente à un système intellectuel bien à lui, pose nécessairement la question du statut de sa propre pensée. Comme il refuse de s'opposer frontalement aux systèmes existants, il s'expose également à l'accusation de connivence tacite. Mais son aversion à l'idée d'exercer une autorité intellectuelle est en phase avec l'un des leitmotive des écrivains structuralistes français, qui tous rejettent l'idée même de littérature canonique. Ainsi Lévi-Strauss affirme-t-il que les mythes « n'ont pas d'auteur », une assertion à laquelle Barthes fait écho dans son essai majeur, *La Mort de l'auteur*, où il déclare que l'écriture constitue « un espace à dimensions multiples » où « tout est à *démêler*, mais rien n'est à *déchiffrer* » – ce que précisément Foucault illustre sur le plan historique lorsqu'il écrit que l'homme moderne est une création des biologistes, des économistes politiques et des philologues du XIXe siècle. Ou encore, comme il le dit avec sa provocation coutumière : « L'homme est une invention dont l'archéologie de notre pensée montre aisément la date récente. Et peut-être la fin prochaine. ». C'est sur l'image frappante de l'effacement de l'homme, « comme à la limite de la mer un visage de sable », qu'il conclura *Les Mots et les Choses*. [21]

La réticence des structuralistes à intervenir dans les grands débats idéologiques de leur époque tient aussi à un facteur biographique : les principaux penseurs de ce courant étaient des *outsiders* : ils n'ont pas intégré les structures institutionnelles des différentes disciplines universitaires et beaucoup d'entre eux ont été marqués par des drames personnels (dont la tentative de suicide de Foucault est l'exemple le plus extrême). Mais leur éloignement de la sphère publique s'est révélé problématique, tout particulièrement pendant les événements de Mai 68, qui furent largement considérés comme un défi lancé au scepticisme que les structuralistes éprouvaient à l'égard de l'action politique. « Les structures ne descendent pas dans la rue » : cette phrase devint un slogan populaire parmi les étudiants qui manifestaient. *Les Matinées savantes*, pièce en un acte écrite par Clément Rosset sous le pseudonyme de Roger Crémant, livre une satire cruelle des principaux structuralistes, tournant en dérision leur réticence à s'engager dans l'action, leur verbosité et le conservatisme qui se dissimulait derrière leurs protestations de radicalité et leur « délire d'interprétation ». [22]

Cette dernière remarque visait tout particulièrement Jacques Derrida, enfant terrible du structuralisme français, qui poussa le questionnement sur le langage, la dissolution du sujet et les aspects cachés de la rationalité jusqu'à leurs conclusions les plus extrêmes, au point de finir par remettre en question le concept philosophique de certitude. Au cours de près d'un demi-siècle de carrière, il a publié un nombre impressionnant d'ouvrages : plus de quarante livres et des centaines d'articles. Figure hautement controversée qui ne laissait personne indifférent, il a été admiré, voire adulé, par ses adeptes, mais dénoncé comme un charlatan par ses adversaires, qui l'accusaient, entre autres, de manquer de substance et d'être obnubilé, pour ne pas dire tétanisé, par les questions de méthode. Ses collègues philosophes lui ont souvent reproché une obsession pour la tradition littéraire occidentale (parmi ses auteurs favoris figurent Joyce, Beckett, Mallarmé et Celan) et sa frivolité – il était particulièrement friand de jeux de mots fondés sur des associations d'idées ou des effets d'allitération. Son style se caractérise par une tendance à la digression et au foisonnement ainsi qu'à l'évitement de toute forme de conclusion ou déclaration définitive. Cela reflète en partie une personnalité tourmentée : je me souviens d'avoir assisté à une conférence qu'il avait donnée au Sheldonian Theatre à Oxford, en 1992, où il insistait sur l'avantage qu'il y a à rester toujours dans un « état d'angoisse » par rapport au monde. Son écriture combine un style emphatique (caractérisé par sa manie de mettre des mots en italique ou entre guillemets) et un don infaillible pour la mystification : ainsi *La Carte postale. De Socrate à Freud et au-delà* s'ouvre sur des lettres d'amour qui n'ont apparemment pas de destinataires. C'est son mode d'expression tout à fait singulier qui, pour une grande part, a fait de lui le penseur français le plus controversé de sa génération. En effet, déstabiliser son auditoire constituait une stratégie délibérée, comme il l'a lui-même expliqué en une occasion : « [...] à travers la neutralisation de la communication, des thèses, de la stabilité d'un contenu, à travers une microstructure de signification, [j'essaie de] provoquer, non seulement chez le lecteur, mais en soi-même, un tremblement nouveau ou une secousse de corps qui ouvre un nouvel espace d'expérience[23]. »

Ruptures et déplacements n'ont pas manqué dans la vie de Derrida, qui, dès sa jeunesse en Algérie, s'est trouvé dans une position d'*outsider*. Il est renvoyé de son lycée en 1942 car il est d'origine juive, puis *pied-noir** vivant en France, il garde ses distances avec le communisme français, dont la culture stalinienne des années 1950 le rebute. Bien qu'ayant reçu une formation intellectuelle somme toute orthodoxe à l'École normale supérieure, il ne parviendra jamais à se faire accepter dans le premier cercle. À la différence de Lévi-Strauss, de Barthes, de Foucault ou de Lacan, qui finiront par devenir membres de prestigieuses institutions, Derrida restera toujours considéré avec suspicion par l'*establishment* philosophique français et ne recevra jamais l'accolade suprême que représente une élection au Collège de France. Dans quelle mesure ce sentiment de marginalité a-t-il influencé son propre questionnement sur le thème de l'absence, comme l'a affirmé son principal biographe ? La question n'est pas tranchée. [24]

Derrida considère que le sens d'un concept ne peut être correctement élucidé qu'en le rapprochant d'autres termes connexes et en examinant la façon selon laquelle ces concepts se déploient dans des contextes différents. La notion de « différance » est donc au cœur de la nouvelle méthode interprétative des textes qu'il a conçue et qu'on a fini par désigner du terme de « déconstruction ». Pour Derrida, l'œuvre de tous les grands philosophes occidentaux se structure selon des oppositions binaires (intérieur/extérieur, masculin/féminin, raison/folie, liberté/domination) dont l'un des termes est généralement refoulé. C'est cette polarité qui donne aux textes un semblant de sens, mais, une fois identifiée, elle subvertit ce sens, allant jusqu'à détruire la possibilité même de construire une signification[25]. Ou, selon les termes d'un spécialiste de Derrida : « L'intuition de la déconstruction est que chaque structure, qu'elle soit littéraire, psychologique, sociale et économique, politique ou religieuse, qui organise notre expérience est constituée et maintenue par des actes d'exclusion[26]. »

Derrida n'a pas seulement appliqué sa méthode aux textes de Platon, de Rousseau ou de Hegel, mais également à ceux des autres structuralistes, affirmant que même leurs écrits restaient prisonniers des postulats « logocentriques » auxquels ils tentaient d'échapper. Il a ainsi reproché à Foucault de ne pas avoir complètement abandonné la notion cartésienne du sujet pensant et à Lévi-Strauss d'en appeler à Rousseau, ce qui semblait contredire le rejet par l'ethnologue de tout ethnocentrisme. Il a également suggéré que le travail de Lacan était sapé par son attachement intransigeant à l'épistémologie scientifique[27]. Derrida est parfaitement conscient du fait que son *œuvre** est perçue comme manquant d'une dimension positive ou affirmative ; il consacre donc ses derniers travaux à traiter de façon plus directe de questions politiques ou morales telles que la mort, la violence, l'amitié, l'ouverture culturelle et la justice. Cependant, comme chez Foucault, il est difficile de voir comment il aurait pu réconcilier ses prises de position sur ces sujets avec son rejet de toute certitude – sans même parler du scepticisme radical qu'il a toujours entretenu quant à la possibilité du sens. De façon très caractéristique d'ailleurs, il a évité d'avoir à traiter de ces problèmes directement et s'est réfugié dans des partis pris contre-intuitifs et des propositions elliptiques. Parlant de l'amitié, par exemple, il affirme que les démocraties modernes sont fondamentalement imparfaites parce qu'elles se fondent sur des idéaux de « communauté » par nature aliénants. Par conséquent, la fraternité « harmonisatrice » ne peut se réaliser que par la création de hiérarchies oppressives (entre frères et sœurs, citoyens et étrangers, amis et ennemis). Nous avons ici un exemple classique de « déconstruction » qui contient indéniablement une part de vrai. Mais était-il possible à la démocratie de dépasser ces divisions et cette polarisation afin d'offrir un horizon pour la libération de l'humanité ? La réponse de Derrida plonge le lecteur dans des abîmes de perplexité : « Car la démocratie reste à venir, c'est là son essence en tant qu'elle reste : non seulement elle restera indéfiniment perfectible, donc toujours insuffisante et future mais, appartenant au temps de la promesse, elle restera toujours, en chacun de ses temps futurs, à venir : même quand il y a la démocratie, celle-ci n'existe jamais, elle n'est jamais présente, elle reste le thème d'un concept non présentable[28]. »

De même, Derrida choisit de revenir à Marx à un moment tout à fait excentrique, après la chute du communisme en Europe, au début des années 1990, alors même que les progressistes occidentaux s'en débarrassent sans autre forme de procès. La lecture « spectrale » que donne Derrida de Marx consiste en partie en une déconstruction critique de sa philosophie, qui se concluait, sans surprise, par l'affirmation que l'œuvre du philosophe allemand n'avait pas pu totalement échapper aux fantômes métaphysiques de l'idéalisme allemand. Dans le même temps, Derrida affirme que la promesse d'émancipation d'un monde meilleur continue à hanter la période moderne et à offrir une force morale à ceux qui cherchent une alternative au capitalisme et au néolibéralisme : « Je crois à la Révolution, c'est-à-dire à une interruption, à une césure radicale dans le cours ordinaire de l'Histoire. Il n'existe pas de responsabilité éthique, d'ailleurs, ni de décision digne de ce nom qui ne soit par essence révolutionnaire, qui ne soit en rupture avec un système de normes dominant, voire avec l'idée même de norme [...] » Mais les fondements intellectuels de cet impératif éthique restent flous, pour ne pas dire plus : définissant l'héritage de Marx comme une « hantologie » (jeu de mots typiquement derridien sur le terme ontologie), Derrida note ainsi : « Après la fin de l'histoire, l'esprit vient en *revenant, il* figure *à la fois* un mort qui revient et un fantôme dont le retour attendu se répète, encore et encore. »

Cette conclusion était la métaphore parfaite de la déconstruction elle-même. Elle avait fort peu à dire sur la façon dont les idées émancipatrices pouvaient être utilisées de manière constructive. Et elle semblait ne rien avoir à offrir qu'une promesse de changer le monde par l'interprétation – une entreprise elle-même vouée à l'échec puisque aucun sens stable ne pouvait être déduit d'aucun texte. Ayant ainsi atteint les sommets les plus vertigineux de la déconstruction, Derrida avait formulé sa fameuse déclaration : « Il n'y a rien hors du texte. » Mais en France au moins, arrivé à ce point, il était clair pour tous qu'il ne demeurait pas non plus grand-chose à l'intérieur du texte.[29]

L'invention de la French theory

Pour les structuralistes, le salut allait surgir ailleurs. Dès la fin des années 1960, les travaux des intellectuels contemporains français se diffusent de plus en plus à l'étranger. Au moment même où leur influence atteint son apogée en France, les textes de Foucault sur le pouvoir, la connaissance et la sexualité ainsi que les travaux de Derrida sur la notion de déconstruction trouvent un écho international.

Ce qu'on va appeler la *French theory* viendra bouleverser la configuration interne de nombreuses disciplines en sciences humaines et sociales, de la philosophie aux études cinématographiques, et participer à l'émergence de nouveaux champs de recherche tels que le postcolonialisme, les études ethniques ou les études de genre. Les concepts prolifèrent : « épistémè », « discours », « archéologie », « absence » ou « (phal)logocentrisme ». Une nouvelle génération de théoriciens – dont Julia Kristeva, Jean Baudrillard ou Gilles Deleuze – apparaît. Le fantôme démembré de la raison occidentale subit de nouveaux assauts. À la fin du XXe siècle, la remise en question des taxonomies, l'effondrement des hiérarchies, le questionnement des modalités de l'énonciation ou encore de l'individualisation de la vérité ont envahi la sphère intellectuelle américaine au point de susciter la satire. Dans son *Petit Livre de la déconstruction*, le journaliste Andrew Boyd résume ainsi l'ère de la déstructuration du sujet par de délicieuses maximes : « scruter le pouvoir », « perdre le centre » ou « rationaliser la mode et modéliser la raison » [30].

Pour des raisons qui apparaîtront de façon très claire, c'est aux États-Unis que la diffusion de la *French theory* aura l'impact le plus durable, tout particulièrement dans le domaine littéraire : plus de la moitié des articles consacrés à Barthes, à Lacan et à Foucault durant les années 1980 sont rédigés par des spécialistes de littérature. Le travail de Derrida catalyse aussi la transformation de nombreux départements de littérature en bastions du déconstructionnisme (notamment à l'université Yale) [31]. Le zèle de ses adeptes américains, les cycles de conférences que le maître lui-même vient faire en Amérique, sa nomination à une chaire d'humanités à l'université de Californie, à Irvine, attisent les ardeurs structuralistes [32]. Derrida lui-même entretient le feu sacré par des interventions d'une obscurité calculée, comme lorsqu'il affirme en 1985 que l'Amérique est synonyme de déconstruction (avant de retirer son propos). Il flotte toujours comme un parfum de mystification dans la façon dont un de ses dévots rend compte de l'épisode, une dizaine d'années plus tard : « Pour parler de la déconstruction en Amérique, il faudrait prétendre savoir de quoi on parle – et d'abord ce qu'on entend ou délimite sous le mot "Amérique". Or qu'est-ce que l'Amérique dans ce contexte ? [...] L'Amérique, mais c'est la déconstruction. Ce serait, dans cette hypothèse, le nom propre de la déconstruction en cours, son nom de famille, sa toponymie, sa langue et son lieu, sa résidence principale. [...] Mais nous avons appris, de la déconstruction, à suspendre ces attributions, toujours hâtives, de nom propre. Il nous faut donc abandonner l'hypothèse. Non, "déconstruction" n'est pas un nom propre et Amérique n'est pas le sien. » [33]

Cette migration des idées françaises a été rendue possible par les invitations de plus en plus fréquentes faites aux philosophes structuralistes à se rendre outre-Atlantique à partir des années 1960 et par un contexte institutionnel et éditorial américain propice. Au fur et à mesure que leurs ouvrages sont traduits, les structuralistes offrent aux jeunes universitaires les instruments conceptuels dont ces derniers ont besoin pour détrôner les traditions conservatrices qui règnent dans les facultés de littérature et de sciences humaines américaines. L'un d'eux, Edward Said, a très bien décrit l'inspiration donnée à sa génération par les travaux de Barthes, de Lacan, de Foucault et de Derrida, une inspiration qui n'était pas seulement due à la nouveauté et à la radicalité de leurs idées, mais également à leur ton irrévérencieux et ludique. Les propres travaux de Said témoignent de cette influence riche et multiple, notamment dans *L'Orientalisme. L'Orient créé par l'Occident* (1978), où il reconnaît sa dette envers Foucault : « Je soutiens que, si l'on n'étudie pas l'orientalisme en tant que discours, on est incapable de comprendre la discipline extrêmement systématique qui a permis à la culture européenne de gérer – et même de produire – l'Orient du point de vue politique, sociologique, militaire, idéologique, scientifique et imaginaire, pendant la période qui a suivi le siècle des Lumières. » Dans le même esprit, on peut penser à l'impact décisif qu'a eu la conception foucaldienne de la sexualité, instrument de contrôle social du corps, sur certaines féministes américaines telles que Judith Butler ou Joan Scott – même si d'autres écrivaines ont appelé à se méfier de « la séduction charmante et dangereuse de la *French theory* ».[34]

La raison principale de la fascination exercée par la *French theory* est le fait qu'elle s'est trouvée enrôlée dans la « guerre culturelle » qui a fait rage en Amérique entre les libéraux progressistes et les conservateurs traditionalistes au cours des années 1980. Dans l'ensemble des disciplines littéraires (à l'exception de la philosophie), Foucault et Derrida ont été perçus comme des alliés naturels sur ce nouveau champ de bataille des « politiques identitaires » (*identity politics*) puisqu'ils célébraient tous deux la différence et « comprenaient implicitement comment les phénomènes et les institutions culturels trouvaient les moyens de réduire au silence les minorités féministes ou homosexuelles ». Cela constituait une lecture assez généreuse de leurs travaux : Foucault ne prête en effet guère attention à l'aliénation des femmes dans son *Histoire de la sexualité* et, s'il faut en croire un de ses biographes, la question de la domination ne l'intéressait que dans la mesure où lui-même pratiquait le sado-masochisme.[35]

De fait, la transplantation de la *French theory* outre-Atlantique s'est faite au prix de graves distorsions intellectuelles et de profonds malentendus culturels. Le contexte philosophique dans lequel le structuralisme avait émergé en France, notamment le défi qu'il avait lancé au marxisme et à l'existentialisme, restait largement ignoré, d'autant plus qu'aucune de ces deux doctrines n'avait jamais eu de réelle influence aux États-Unis. Plus fondamentalement, la *French theory*, une forme de pensée qui se voulait hypothétique et visait principalement à critiquer les hiérarchies existantes du savoir, fut systématisée et ainsi transformée en l'objet même dont elle cherchait à questionner les limites. Déplorant qu'elle ait été adoptée par des « humanistes fumeux » dépourvus de la culture historique qui leur aurait permis de critiquer les œuvres qu'ils absorbaient sans le moindre recul, la féministe américaine Camille Paglia en conclut que Lacan, Derrida et Foucault étaient « les prophètes qu'il fallait à des universitaires anxieux, prisonniers de formules verbales et sans cesse victimes des circonstances de la vie ». Avant d'ajouter avec cruauté : « La *French theory* leur offre une explication cosmique qui leur permet de se dédouaner de ce qui est l'état professoral normal : un mélange de ressentiment, d'aliénation, de tergiversation passive et d'inaction. » [36]

Le succès de la *French theory* dans le monde anglo-saxon s'accompagne donc de multiples paradoxes. D'un côté, une étude publiée en 2009 démontre que Foucault est l'auteur le plus fréquemment cité dans les sciences humaines (Derrida arrive en troisième position) [37]. De l'autre, la décontextualisation des travaux originaux et le culte voué à leurs principaux auteurs contredisent de manière flagrante les postulats épistémologiques de la démarche structuraliste. Cela a également contribué à faire naître des divergences croissantes d'interprétations et d'approches des deux côtés de l'Atlantique. Il existe notamment un abyme entre l'historicisme et le scepticisme méthodologique des intellectuels français et la façon dont leurs travaux sont présentés et utilisés par leurs homologues américains, qui les dépeignent comme détenteurs de la vérité. Ainsi le professeur de sciences politiques Wendy Brown fait de Foucault un critique de la « rationalité politique » du néolibéralisme occidental. Quant à Gayatri Chakravorty Spivak, elle enrôle la déconstruction derridienne dans la bataille pour former une coalition des groupes opprimés. [38] Ironiquement, les « politiques identitaires » à l'américaine reposent sur la notion de continuité du sujet, cela même dont Derrida avait farouchement nié la cohérence, voire la possibilité.

Dans le même temps, la combinaison des théorisations françaises et américaines a généré tout un corpus dont la principale caractéristique est son impénétrable opacité – tentative, selon un critique, visant à dissimuler l'indigence de l'analyse « par la création du sentiment que quelque chose d'extraordinaire et d'inédit se déroulait [39] ». La vacuité de cette production fut percée à jour en 1996, lorsque Alan Sokal, professeur de physique à l'université de New York, soumit à la revue *Social Text* un faux article traitant des implications philosophiques de la théorie quantique, appuyé sur d'authentiques citations d'intellectuels français et américains [40]. La revue n'y vit que du feu et publia le canular. La controverse qui s'ensuivit mit à nu les prétentions scientistes de la littérature postmoderniste et souligna les dangers moraux et politiques d'un mode de réflexion qui rejetait la vérité en faveur du relativisme [41]. À la fin du siècle, le structuralisme était passé de mode en France, au point que, lors de sa sortie dans l'Hexagone en 1997, il fallut rebaptiser *Deconstructing Harry*, le film de Woody Allen, *Harry dans tous ses états* – à l'instar du personnage joué par Robin Williams, le concept derridien était devenu flou.

Jean Monnet réinterprète Barthes et Foucault

Le projet français d'émancipation de l'homme se retrouve donc en grande difficulté au cours de la seconde moitié du XXe siècle. Sa variante révolutionnaire *tiers-mondiste**, incarnée par le messianisme généreux et égalitaire de Fanon, sombre : les nouveaux États issus de la décolonisation restent pris au piège de la pauvreté, de l'endettement et d'une économie déstabilisée. Malgré le prestige dont elle jouit à l'étranger, l'entreprise structuraliste, qui ambitionnait de découvrir une nouvelle archéologie de la connaissance humaine, ne s'en tire guère mieux, défigurée par sa transplantation outre-Atlantique puis engloutie dans le trou noir du postmodernisme derridien.

Mais l'esprit prométhéen français avait un autre atout dans sa manche, un idéal formulé en des termes moins ambitieux et plus circonscrits géographiquement parlant – la création d'une confédération européenne. Après un long hiatus, des projets fédéralistes pour des « États-Unis d'Europe » reviennent en force dans les années 1940, en France comme en Europe. C'est Jean Monnet, diplomate français issu d'une famille de notables provinciaux, qui devient le champion le plus éloquent de cette cause. Persuadé que l'État-nation est une institution chauvine et peu efficace qui menace la liberté et la paix dans le monde, il va consacrer sa carrière à bâtir une confédération européenne afin de libérer les citoyens des entraves nationales. Dès les premiers jours de la Seconde Guerre mondiale, sa conviction que la coopération politique entre les États occidentaux est absolument nécessaire se cristallise. En juin 1940, alors que les troupes nazies bousculent toutes les lignes de défense françaises, il prépare un projet de fusion entre la Grande-Bretagne et la France. La proposition est approuvée par le cabinet britannique et par de Gaulle, mais la capitulation française en empêchera la mise en œuvre. Monnet fera de cet épisode spectaculaire la première page de ses Mémoires. Il en conclura que la souveraineté nationale, pierre angulaire du système de l'État moderne, est un « obstacle » à la réalisation de la liberté humaine [42]. En 1943, il émet l'idée que les États forment une « entité européenne » et se fondent en une « unité économique commune » [43], un but qu'il poursuivra avec acharnement au début des années 1950. Il est l'architecte de la Communauté économique du charbon et de l'acier (CECA) et le premier président de sa Haute Autorité. À sa mort, en 1979, il sera reconnu comme l'un des pères fondateurs de l'Europe et c'est à ce titre que sa dépouille sera transférée au Panthéon en 1988.

Monnet considérait qu'un « nouveau type d'homme était en train de naître dans les institutions de Luxembourg, comme dans un laboratoire [44] ». Son idéal de liberté était celui d'un cosmopolite fortuné qui considère les affiliations nationales comme des *impedimenta*. Européen convaincu mais également atlantiste engagé, il semblait parfois plus à l'aise à Washington qu'à Paris. Au début de la Seconde Guerre mondiale, il travaille pour Churchill, puis pour Roosevelt, et use même de toute son influence pour monter les Américains contre de Gaulle, qu'il décrit en 1943 comme « un ennemi du peuple français et de ses libertés

[qui] doit être détruit [sic] dans l'intérêt des Français[45] ». Son style est à l'opposé de celui du *grand intellectuel** à la française : peu intéressé par la culture classique, cet homme qui a interrompu ses études à l'âge de seize ans se méfie d'instinct des systèmes de pensée abstraits. Il affirmera toujours aborder les problèmes de manière empirique, « à l'anglo-saxonne », et il ajoutera : « Je me méfie des idées générales et je ne les laisse jamais m'entraîner loin du concret. »

Son approche est délibérément prosaïque, son style plat et efficace, et il préfère de beaucoup œuvrer en homme de l'ombre.[46] Lors de la cérémonie au Panthéon en 1988, le président Mitterrand le décrira comme un « homme de silence pour lequel toute parole est acte[47] ». Sa philosophie politique ressemble à un bricolage, entre convictions fonctionnalistes (il croit dans les vertus de l'intégration), intuitions libérales et saint-simoniennes sur les bienfaits économiques de l'interdépendance, et idéaux technocratiques d'efficacité et de pragmatisme – le tout mâtiné de bon sens charentais : son père avait été marchand de cognac dans la ville du même nom et Monnet avait débuté sa carrière comme représentant de commerce de l'entreprise familiale. Il se dépeindra toujours comme une éminence grise, non comme un chef de file, comme un homme d'État pragmatique plutôt que comme un utopiste, accordant sa confiance non à ceux qui parlent le « langage de l'imagination », mais à ceux « dont la première règle est de ne pas commettre d'erreur : banquiers, industriels, avocats et journalistes ».

Pour autant, Monnet développe une vision européenne de grande ampleur dont la puissance réside dans la simplicité et l'absence de spécifications détaillées, ce qui lui permet de s'adapter aux changements de circonstances, voire de se réinventer au fil du temps. Il adopte avec enthousiasme la conviction classique du libéralisme international selon laquelle la coopération entre hommes de bonne volonté favorise le développement de la liberté et le progrès. Rejetant l'idée communément admise selon laquelle les relations internationales ne sont qu'une arène où les intérêts nationaux s'affrontent avec violence, il affirme qu'on peut moraliser les États en les intégrant à des institutions qui changent progressivement leurs attentes et leurs buts, et, à long terme, modifient leur nature même. Il affirme également – c'est un point de vue fort peu conventionnel sur les relations internationales au XXe siècle – que l'intérêt général a toujours été supérieur aux intérêts particuliers de chaque État. Il est donc convaincu que plus il y aura d'États travaillant de conserve, plus les bénéfices d'une souveraineté partagée seront grands et plus les États apprécieront les avantages de la coopération. Aux partisans du réalisme philosophique qui lui rétorquaient que la volonté de domination était inscrite dans la nature humaine, ou qui étaient tentés par la vision marxiste de la lutte des classes, Monnet répondait en citant les succès qu'il avait obtenus en tant que fonctionnaire européen, notamment la collaboration exemplaire à laquelle les représentants des ouvriers et ceux des industriels étaient parvenus, au sein de la CECA. Il y voyait la preuve que « des transformations psychologiques considérables, que certains cherchent à travers des révolutions violentes, peuvent intervenir très pacifiquement si l'on oriente l'esprit des hommes vers le point où leurs intérêts convergent. Ce point existe toujours, il suffit de se fatiguer pour le trouver ». [48]

Charles de Gaulle ne cessa de critiquer l'approche supranationale de Monnet. À ses yeux, la seule Europe viable était celle qui était construite et maintenue par les gouvernements – tout le reste, comme il le déclara avec mépris en 1962, n'était que « des mythes, des fictions, des parades ». Or de Gaulle, cet illusionniste de génie, aurait dû être le premier à reconnaître que les mythes sont parfois plus puissants que la réalité. Si Monnet en vint à occuper une place centrale dans l'histoire de l'intégration européenne, c'est parce qu'il élabora un récit idéalisé mais extrêmement cohérent, diffusé par ses propres écrits et ceux de ses alliés ainsi que par le Comité d'action pour les États-Unis d'Europe, groupe de pression dont il fut le fondateur. Sa vision s'imposa comme la représentation dominante parmi les élites françaises au cours des dernières décennies du XXe siècle [49]. Monnet lui-même disait de ses idées qu'elles possédaient un « pouvoir fédéral intellectuel » et son « discours » européen, qui légitimait certains schémas de pensée tout en en marginalisant d'autres, était empreint d'un certain foucaldisme. Ce discours associait institutions européennes et préservation de la paix, tout en présentant l'État-nation comme porteur d'atavismes potentiellement dangereux. Il affirmait aussi que l'Europe était un espace politique où l'« égalité entre les pays et les peuples » était la norme, alors qu'en réalité certains États, tout particulièrement l'Allemagne et la France, étaient plus égaux que d'autres. [50] Il déclarait que l'intégration européenne était une garantie de croissance et de prospérité économique, mais, dans le même temps, cette Europe idéale était comparée à l'accomplissement d'une promesse téléologique et avait tout d'une prophétie autoréalisatrice [51].

Le style patient et discret de Monnet – « la politique des petits pas », pour reprendre l'expression de son disciple Jacques Delors – a été transformé en « méthode communautaire » pour faire avancer l'intégration européenne par étapes. Le père de l'Europe n'a pas été seulement un visionnaire, mais également un sage, qu'un manuel scolaire rédigé en Charente crédite d'avoir influencé « tous les progrès dans la construction de l'Europe », en partie grâce à la sagesse qu'il avait acquise à Cognac, où, disait Monnet, « on ne faisait qu'une chose avec concentration et lenteur. [...] C'est la seule manière de faire un bon produit ». Même les critiques à son encontre ont indirectement renforcé le mythe de sa toute-puissance. L'eurosceptique socialiste Jean-Pierre Chevènement a ainsi reconnu que les idées de Monnet ont fourni la matrice fondatrice de tous les développements importants de l'intégration européenne au cours de la seconde moitié du XXe siècle : création du Conseil de l'Europe, établissement du système monétaire européen, accord sur le marché unique, traité de Maastricht de 1992 menant à la création de l'Union européenne et à la monnaie unique. Mais, écrivant au début du XXIe siècle, à un moment où l'opinion publique française est devenue beaucoup plus méfiante vis-à-vis de l'Europe, Chevènement met en lumière les limites de la vision de Monnet, notamment sa trop grande confiance dans le gouvernement technocratique et son absence totale de préoccupation démocratique ou républicaine. En fait, selon Chevènement, la liberté promise par Monnet apparaissait illusoire : ce qu'il offrait en réalité était la domination étrangère. [52] De Gaulle avait déjà résumé cela de façon lapidaire lorsqu'il avait fait observer à ses collaborateurs que Monnet était l'« homme de l'Amérique » – une déclaration reprise par François Duchesne, un ancien collaborateur de Monnet, qui pensait que la principale fonction de cet atlantiste avait été de faciliter la pénétration de l'influence politique et économique américaine dans l'Europe de l'après-guerre. D'où sa conclusion : « Qu'il en ait eu conscience ou non, Monnet avait été un agent de l'empire américain. » Un jugement qui ne fit plus l'ombre d'un doute lorsque l'un de ses biographes américains révéla que Monnet stockait dans sa cave des cartons entiers de boîtes de haricots à la bostonienne. [53]

« Une pyramide de dollars, de ferraille et de charcuterie » (Maurras)

Le rétrécissement des horizons de l'universalisme français au cours de la seconde moitié du XXe siècle a coïncidé avec la montée en puissance de l'influence américaine dans l'Europe de l'après-guerre. En fait, il en est en partie la conséquence, le choc de ces deux messianismes ne pouvant manquer de causer des étincelles et de creuser les incompréhensions de part et d'autre de l'Atlantique. Au cours d'une conférence prononcée à l'université de Princeton en 1954, Hannah Arendt affirme que l'antiaméricanisme est, en un certain sens, le catalyseur nécessaire à l'émergence du sentiment européen, mais la raison plus profonde de cette animosité, suggère-t-elle également, c'est le fait que l'amitié requiert l'égalité et que les disparités de richesses entre l'Amérique et l'Europe sont trop importantes pour rendre une telle relation possible. Elle conclut ainsi : « De tout temps le malheur des riches a été d'être à la fois flattés et injuriés, et toujours de rester impopulaires, quelle que soit leur générosité [54]. »

L'attitude des élites politiques françaises (et notamment celle de De Gaulle) semble très largement corroborer cette analyse.

C'est au lendemain de la Seconde Guerre mondiale que l'anti-américanisme français devient une caractéristique majeure de la vie politique et intellectuelle hexagonale. Pour autant, ce sentiment manifeste bien plus qu'une forme d'ingratitude envers un bienfaiteur généreux ou qu'une haine française de la société libérale. Il est en effet frappant de constater que les caractéristiques majeures de l'antiaméricanisme se sont forgées dès les premiers temps de la République américaine et qu'au début du XXe siècle, bien avant que l'Amérique ne devienne une puissance mondiale, elles constituent déjà un ensemble cohérent. À l'exception notable de Tocqueville (dont l'œuvre a sombré dans l'oubli à la fin du XIXe siècle), les auteurs français représentent l'Amérique comme une société où dominent aliénation, violence et matérialisme, une société soumise à des croyances excentriques et totalement incapable d'élévation culturelle. Charles Maurras n'y voit qu'« une pyramide de dollars, de ferraille et de charcuterie ». Dans le même temps – les mythes n'étant pas tenus d'être cohérents –, ce vide est également perçu comme une menace : ainsi Maurice Thorez, lançant une campagne contre les films américains dans les années 1950, affirme-t-il que Hollywood est « une entreprise de désagrégation de la nation française, une entreprise de démoralisation de nos jeunes gens et de nos jeunes filles avec des films abêtissants où l'érotisme le dispute à la bondieuserie, où le gangster est roi ; ces films ne visent pas à préparer une génération de Français conscients de leurs devoirs envers la France, envers la République, mais un troupeau d'esclaves écrasés par le "Talon de fer" ». [55]

Ce genre d'affirmation confirme l'intuition que l'antiaméricanisme français est essentiellement une construction civilisationnelle dont la force réside, par le biais du rejet de l'Amérique, dans sa puissance d'évocation d'une France idéalisée résistant aux influences culturelles étrangères et demeurant indéfectiblement attachée à ses valeurs locales – un « mode de vie à la française » qui se définit par un certain sens de la sociabilité, un attachement aux traditions locales et la croyance à la justice sociale et à la moralité. Sans surprise, les manifestations d'antiaméricanisme les plus virulentes s'articulent contre ce qui est ressenti comme

Une affiche communiste de propagande antiaméricaine dans les années 1950.

une menace à l'encontre du style de vie hexagonal et tout particulièrement les traditions culinaires. Georges Duhamel, conservateur antimoderniste, décrivait déjà en 1930 « une mangeaille [américaine] à l'arrière-goût de déchets industriels ». Quant aux communistes, après la Seconde Guerre mondiale, ils vont mener une campagne active contre la « cocacolonisation » de la France. Ils ne parviendront certes pas à empêcher l'introduction de la fameuse boisson sur le marché français, mais leur mobilisation culturelle ralliera de nombreux sympathisants, dont la revue catholique *Témoignage chrétien*, qui décrira le Coca-Cola comme « l'avant-garde d'une offensive de colonisation économique ». [56]

Au cours des années 1990 et 2000, les mêmes arguments sont repris par des groupes écologistes contre les restaurants McDonald's, symboles de l'impérialisme économique et des organismes génétiquement modifiés (OGM) aux yeux du syndicaliste paysan José Bové. À Millau, en 1999, ce dernier prend la tête d'un groupe de militants qui démontent un restaurant de la chaîne en construction, une démonstration de force qui va attirer l'attention des médias internationaux et valoir au leader paysan d'être comparé à Astérix le Gaulois. Quant à l'essayiste écologiste Paul Ariès, il retournera l'argument, dans un accès de sophistication toute postmoderniste, pour faire de la chaîne de restauration rapide la preuve que l'Amérique elle-même est devenue la proie de la mondialisation : « McDo, c'est américain parce que les Américains ont cessé justement d'être de vrais Américains. » D'où la nécessité, selon les auteurs de *Non merci Oncle Sam !*, ayant dressé le catalogue des maux de la société américaine (drogue, sexe, violence, pauvreté et bœuf aux hormones), de lutter contre la « morne uniformité » de la puissance américaine en préservant la culture française et son « art de vivre universellement reconnu ». [57]

Le message a été reçu cinq sur cinq par un médecin grenoblois qui, à l'été 2003, punaise dans sa salle d'attente une affiche contre les dangers de l'obésité : « Le régime anglo-saxon nuit gravement à la santé de vos enfants. » De son côté, Jean-Luc Mélenchon trouve le moyen d'associer la malbouffe à la destruction du moi pensant : la consommation de ce fourrage de la *pensée unique*[*], affirme-t-il, ne peut que causer l'anéantissement de la conscience humaine. Mais c'est le philosophe Yves Roucaute qui propose l'analyse la plus créative en procédant à une longue comparaison entre la fadeur du hamburger et l'authenticité du jambon-beurre à la française, avant de conclure que le menu servi chez McDonald's n'a rien de français, non seulement en raison de ses ingrédients mais aussi à cause du cadre fonctionnel et déshumanisant dans lequel on le consomme. Cette affirmation introduisait une évocation lyrique des vertus libératrices du café français, véritable cocon de sociabilité républicaine : « Remarquable école d'égalité, le café français symbolise la dignité de tous. Extraordinaire école de liberté, le café français ouvre ses portes à tous et permet le libre choix. Fantastique école de fraternité, par cet acte apparemment simple de prendre un sandwich, se crée une communion autour des produits du terroir. "Un jambon-beurre", entendez-vous ? Entrer dans un café revient à embrasser d'un coup d'œil non une salle mais une nation qui adhère à des valeurs civiques communes instruites par sa république et qui croit à la communion autour des valeurs universelles léguées par sa tradition chrétienne. Un jambon-beurre ? Avec le beurre, le pain et le cochon, sans le savoir, vous déclamez ces trois mots : liberté, égalité, fraternité. » [58]

Frenchies, *et fiers de l'être*

Il ne faudra pas attendre longtemps avant que l'influence américaine, principale menace à l'encontre de la civilisation française, ne soit également perçue comme un danger existentiel pour la langue française elle-même. Dès 1964, la prolifération de mots anglais dans la langue de Molière est dénoncée par René Étiemble dans son féroce pamphlet intitulé *Parlez-vous franglais ?*, un texte qui connaît un grand retentissement. L'auteur, fervent gaulliste, présente ces importations verbales étrangères comme une tentative pour imposer « *the American way of life* » en France et appelle ses compatriotes à résister à cette forme insidieuse de colonialisme des « *Yanquis* [59] [sic] ».

Au cours des décennies suivantes, les gouvernements successifs vont réagir à cet appel de clairon et charger sabre au clair : création de commissions aux noms ronflants, établissement de pesants glossaires ainsi que d'impérieux édits rendant obligatoire l'usage du français dans les lieux publics, au travail, dans l'éducation, la recherche, les médias ou la publicité. Cette vague d'activisme culmine en août 1994 avec la loi Toubon qui prévoit, entre autres, des peines d'amende pour les individus ou les organismes qui ne respecteront pas ce patriotisme culturel. En 2006, une filiale de General Electric est ainsi condamnée à verser 580 000 euros pour n'avoir pas fait traduire des documents destinés à ses techniciens [60]. Cependant, la loi est très souvent bafouée par les institutions publiques françaises elles-mêmes et, en tout état de cause, elle sera impuissante à endiguer le flot des anglicismes. À la fin du XXe siècle, on estime à plus de 8 000 le nombre de mots d'origine anglaise couramment utilisés à l'écrit ou à l'oral, qu'il s'agisse d'emprunts directs (tels *best-seller*, *discount* ou le mal-aimé mais omniprésent *fast-food*) ou de barbarismes – le nom *tennisman*, les verbes *booster* ou *stopper*, ou encore l'adjectif *surbooké* [61]. Depuis 2011, le site Internet de l'Académie française contient un onglet destiné à éradiquer « les néologismes et les anglicismes » de la langue française. Parmi les expressions ainsi frappées de censure en 2014 figurent *conf call*, *off the record*, donner son *go* (autoriser), chambre *single*, *news*, faire du *running* ou encore *replay*.

Les arguments des défenseurs de la langue française sont d'une variété extrême. Avec les circonvolutions dont il était coutumier, Derrida avait déjà pesé sur le débat lorsqu'il avait reconnu, dans *Le Monolinguisme de l'autre*, qu'il y avait quelque chose d'inavouable à ne pas tolérer l'emploi de mots anglais dans la langue française. Il expliquait son adhésion à l'idéal d'une langue pure comme une exigence inflexible venue de son for intérieur, un impératif pour écouter le murmure impérieux d'un ordre dont quelqu'un en lui-même se flattait de comprendre la visée dernière [62]. D'autres ont été moins subtils et la campagne de défense de la langue française a ainsi produit une nouvelle race de gardiens du temple qui, se faisant remarquer par la violence de leur rhétorique et la férocité de leurs métaphores, considèrent l'emploi de l'anglais comme une forme de débilité mentale. Pour l'écrivain Dominique Noguez, « il n'y a plus que deux partis : les colonisés et les tenants de l'universel ». Dans son essai satirique *Comment rater complètement sa vie en onze leçons*, il fait figurer l'apprentissage de l'anglais sur la liste des principaux moyens de

Affiche de l'association COURRIEL (Collectif unitaire républicain pour la résistance, l'initiative et l'émancipation linguistique), un groupe progressiste qui fait campagne pour la protection du français.

parvenir à ce but. Quant à Jean Dutourd, de l'Académie française (une institution dont de nombreux membres jouent un rôle majeur dans ce combat d'arrière-garde), il considère que la langue française est « en état de siège » et que ce qui est en jeu n'est rien de moins que l'« âme » de la nation : « Baragouiner l'américain ou ce que l'on prend pour tel, c'est quasiment capituler en rase campagne, déserter, passer à l'ennemi. C'est aspirer à la condition de colonisés. » Il est intéressant de noter au passage l'hommage indirect rendu ici à la psychologie de l'aliénation raciale qu'avait décrite Fanon, une analyse reprise par le député néogaulliste Jacques Myard comparant son combat pour la langue française à celui d'un « *nègre blanc* ».[63]

Pour autant, l'analogie la plus fréquente reste celle de la Seconde Guerre mondiale. Un ancien ambassadeur a ainsi explicitement comparé l'anglicisation de la France à la victoire allemande de juin 1940 et ses compatriotes qui utilisent des termes anglais à des « traîtres », agents de l'« empire américain ». Le philosophe Michel Serres, lui aussi membre de l'Académie française, a fait observer de façon spectaculaire que l'emploi de l'anglais est devenu si fréquent dans la publicité qu'il y avait « plus de mots anglais sur les murs de Paris qu'il n'y avait de mots allemands pendant l'Occupation ». Et, pour ceux qui n'auraient toujours pas perçu le message d'apocalypse, un autre défenseur du français a déclaré (mais c'était, il faut le reconnaître, au plus fort des années Bush) que les États-Unis « n'avaient jamais eu qu'un seul ennemi, la France », avant d'attribuer la guerre culturelle entre les deux pays à une ligne de fracture civilisationnelle : « Deux visions de l'histoire s'affrontent, deux universalismes également, deux projets occidentaux inconciliables et irréconciliables : le choc des civilisations est là. »[64]

Comment en est-on arrivé à cette désastreuse situation ? La question agite l'esprit des preux défenseurs du français. Pour certains, le « changement de civilisation » s'est produit de manière invisible et silencieuse : « Nous avons intégré les codes américains sans nous en rendre compte à aucun moment précis. » Le processus a cependant été facilité par une certaine prédisposition psychologique française à la servitude, renforcée par la croyance largement répandue que l'anglais est une langue plus précise et plus puissante. D'autres voient dans l'essor du *globish* un sous-produit du capitalisme, l'expression d'une « mondialisation sans frein des forces financières anglo-saxonnes qui cherchent à détruire les langues de la planète ». Le linguiste Claude Hagège ajoute un nouvel élément à ce tableau lorsqu'il note que les bureaucrates européens n'ont cessé de vouloir faire de l'anglais la langue unique de l'Union européenne puisqu'il s'agit de la « langue des marchés néolibéraux ». Le président Jacques Chirac lui-même en a fait l'amère expérience en 2006, lorsque Ernest-Antoine Seillière, alors président d'une union de confédérations patronales européennes, s'est exprimé devant le Conseil européen en anglais, « parce que c'est la langue de l'entreprise ». Pour marquer sa désapprobation, Chirac a instantanément quitté la salle avec ses ministres. Il ne manque pas non plus de conspirationnistes pour répandre de subtiles théories, telle cette romancière et essayiste qui, affirmant que la croyance messianique en la destinée anglo-saxonne serait un trait inhérent de l'américanisme, a prétendu en 1997 que la CIA aurait préparé un plan pour faire de l'anglais la langue universelle dans les cinq ans. [65]

Beaucoup, cependant, pointent du doigt l'irresponsabilité des élites dirigeantes qui ont capitulé devant l'hégémonie anglo-saxonne dès la fin de l'ère gaullienne. Dans une conférence donnée en 1981, René Étiemble observait que les véritables coupables de la « trahison » de la langue française étaient les hommes politiques, les journalistes et les publicitaires [66]. Ce message a été relayé par des groupes de pression tels que Défense de la langue française ou Amour de la langue française, qui, en 1999, ont fondé un prix de la Carpette anglaise, lequel est remis chaque année à une personnalité s'étant particulièrement illustrée dans la promotion de l'anglais. Le premier récipiendaire en a été Louis Schweitzer, alors président de Renault, et parmi les lauréats on compte de célèbres journalistes, de grands industriels ainsi que des personnalités politiques de droite comme de gauche, tels Martine Aubry, Christine Lagarde et Jean-François Copé – ce dernier pour avoir émis l'idée que les petits Français devaient apprendre l'anglais dès la maternelle et pour avoir écrit un article intitulé « Les Français *must speak English* » (ce qui, ajouté à des soupçons de malversations politico-financières, explique sans doute aussi pourquoi il est devenu l'un des hommes politiques les moins populaires du moment) [67]. Autre exemple : lorsque la ville de Loches a décidé de séduire les touristes en affichant un « I Loches you » des plus racoleurs, la branche locale de Défense de la langue française s'est insurgée et son président, Christian Massé, a dénoncé l'usage de la « langue de l'argent et du commerce »[68].

De toute évidence, quelque chose de bien plus profond se cache derrière ces protestations : un sentiment de nostalgie pour l'âge d'or de l'universalisme français et la foi en la suprématie absolue de la langue française. Il est délicieusement ironique que la défense de l'« exception française » soit menée au nom de la diversité culturelle par des élites qui refusent catégoriquement que ce principe s'applique en France. Et ce n'est pas un hasard si Marc Fumaroli a publié en 2001 un livre intitulé *Quand l'Europe parlait français*. Dans cette évocation tout à la fois érudite et brillante de la culture française à son apogée, celle du siècle des Lumières, Fumaroli reconnaît que l'anglais a supplanté le français comme *lingua franca*. Mais ce n'est pas une défaite qu'il accepte de bonne grâce : il déplore le manque de style de la langue anglaise, ajoutant (de façon peut-être légèrement exagérée) qu'elle ne demande « à ses locuteurs aucun engagement ni dans la manière ni dans la matière de leur parole, qui fait l'essentiel de sa puissance d'attraction ». Pour les pessimistes, la messe est dite : l'addiction des Français à l'anglais les a transformés en une communauté folklorique de *Frenchies* exotiques – ou, plus grave, selon Jean Dutourd, en une nation de zombies, « un peuple nuageux, ésotérique, hermétique, incantatoire ». Comme pour confirmer, avec un suprême raffinement de cruauté posthume, les pires craintes de l'écrivain, c'est un poète d'origine anglaise, Michael Edwards, qui a été élu à l'Académie française pour lui succéder. Ce sentiment de déchéance linguistique si fortement éprouvé par certains semble s'accompagner d'une décadence culinaire : voyageant sur Air France, Dominique Noguez est atterré de se voir servir du beurre salé, au mépris de toutes les traditions. Pis encore, il note que l'emballage est rédigé en anglais. Mais l'anglo-saxonisme peut avoir des conséquences autrement dramatiques, telles celles révélées par *Avenir de la langue française* au sujet des cinq patients traités à l'hôpital d'Épinal, décédés après avoir reçu des doses trop fortes de rayons – les techniciens n'auraient pas compris le mode d'emploi des appareils rédigé en anglais…[69]

Le sentiment de déclin irréversible atteint son paroxysme en mai 2013, lorsque la majorité socialiste de l'Assemblée nationale adopte une loi autorisant les universités françaises à dispenser des cours en anglais, en dépit d'un feu roulant de critiques, tant de la part de l'Académie française que des associations francophones ou de courageux résistants, tel Claude Hagège, qui déclare dans une tribune du *Monde* : « Nous sommes en guerre[70] ! » L'extrême gauche fait également entendre sa voix : *L'Humanité* publie une pétition du Collectif unitaire pour la résistance, l'initiative et l'émancipation linguistique, accusant les élites de la nation d'organiser l'« assassinat silencieux » du français, submergé par la « langue des affaires », et appelant le peuple français à « prendre la parole pour ne pas se laisser couper la langue[71] ». Ce qui va inspirer à Michel Serres, toujours aussi combatif, l'idée de lancer une « grève de l'anglais » et d'appeler à un boycott notamment des commerces n'utilisant pas le français. Invoquant l'esprit de Fanon pour se placer à l'avant-garde des nouveaux damnés de la terre, l'académicien conclut ainsi : « La classe dominante n'a jamais parlé la même langue que le peuple. Autrefois ils parlaient latin et nous, on parlait français. Maintenant, la classe dominante parle anglais et le français est devenu la langue des pauvres ; et moi je défends la langue des pauvres[72]. »

8

L'ART FRANÇAIS DE S'INDIGNER

Le 19 avril 1980 se déroulent à Paris les obsèques de Jean-Paul Sartre. Ses romans et ses pièces de théâtre, ses interventions retentissantes dans l'arène politique, la synthèse originale du marxisme et de l'existentialisme qui lui a permis d'allier, d'une part, la conviction que les valeurs collectives sont modelées par les choix personnels et, d'autre part, la défense de la révolution – s'emparer du pouvoir par une lutte des classes violente [1] – avaient fait de lui l'une des figures les plus célèbres de son temps. Plus de cinquante mille personnes suivront son cercueil, soit le cortège le plus impressionnant pour un homme de lettres depuis les funérailles de Victor Hugo en 1885.

De fait, la trajectoire tumultueuse de Sartre dans l'après-guerre résume bien les principales caractéristiques de la pensée française que j'ai évoquées dans les chapitres précédents. Sartre incarne la confiance de la tradition progressiste en la perfectibilité de l'homme. Il fait preuve de l'esprit philosophique, tout à la fois synthétique et abstrus, du *normalien**. Il n'a jamais abandonné sa quête radicale, mais toujours insatisfaite, d'une nouvelle utopie, se faisant du monde la vision manichéenne de l'idéologue pour qui les catégories du bien et du mal sont d'une évidence intuitive. Sartre est si parfaitement représentatif des diverses catégories de pensée identifiées dans ce livre qu'à la fin de sa vie, sous l'influence de son secrétaire personnel Benny Lévy, il semble même avoir été happé par l'orbite occultiste. Dans un entretien accordé au *Nouvel Observateur* peu avant sa mort, il se disait fasciné par la vision mystique de la « résurrection des morts » offerte par le judaïsme [2]. Dans l'espoir peut-être de voir la prophétie se réaliser, l'un de ses admirateurs alla jusqu'à se jeter dans sa tombe au cimetière du Montparnasse.

Par-dessus tout, Sartre avait personnifié avec panache la figure de l'« intellectuel » – terme employé pour la première fois à la fin du XIXe siècle pour désigner des personnalités, comme Émile Zola, qui se battirent pour obtenir la révision du procès Dreyfus au nom d'un idéal universel de justice. Pour autant, ce type d'intervention sur la scène publique n'était que la poursuite de pratiques culturelles datant des Lumières, où les grandes figures littéraires de l'époque dénonçaient le pouvoir arbitraire. Voltaire, par exemple, avait fait campagne pour la réhabilitation de Jean Calas, marchand protestant jugé puis exécuté, accusé à tort d'avoir assassiné son fils pour l'empêcher de se convertir au catholicisme. Le *Traité sur la tolérance* que le philosophe fit paraître en 1763 à la suite de cette affaire constituait un plaidoyer éloquent en faveur d'une plus grande concorde religieuse et contre le dogmatisme. Après la Révolution, l'intellectualisme français s'érige donc comme une forme d'autorité laïque qui rivalise avec l'Église avant de l'emporter sur elle. Bien avant l'avènement de Sartre, ce « sacre de l'écrivain » est devenu l'une des caractéristiques distinctives de la vie culturelle française et a fait des romanciers et des poètes les guides spirituels de la société. Même si l'essor du rôle des intellectuels après l'Affaire Dreyfus a été considéré comme une victoire de la raison républicaine sur les préjugés raciaux et le nationalisme, la réalité est bien plus complexe et de fait, pendant l'entre-deux-guerres, les intellectuels se distinguent par la passion avec laquelle ils embrassent toutes sortes de causes, du royalisme et du nationalisme au pacifisme et au communisme – dans un accès de militantisme dénoncé par Julien Benda en 1927 dans sa fameuse *Trahison des clercs.* [3]

C'est au lendemain de la Seconde Guerre mondiale que Sartre se jette dans la bataille, affirmant, d'une part, que l'homme peut échapper aux circonstances contingentes de l'existence en prenant le contrôle de son destin et, d'autre part, que l'écrivain a le devoir de parler au nom de ceux qui n'ont pas de voix. Il rassemble ces deux idées sous la figure de l'*intellectuel engagé**, dont il devient l'archétype. L'*engagement** est une vocation qui donne à l'auteur la responsabilité de composer pour toute la collectivité – une fonction qui fait de lui un intermédiaire social indispensable car le sujet de la littérature a toujours été l'homme dans le monde : « Engagé dans la même aventure que ses lecteurs, [...] l'écrivain, en parlant d'eux, [parle] de lui-même, en parlant de lui-même, il [parle] d'eux. » Les devoirs de l'intellectuel sartrien sont définis de manière extrêmement vaste : « L'intellectuel est quelqu'un qui se mêle de ce qui ne le regarde pas » et qui vit « une association concrète et sans réserves à l'action des classes défavorisées ».[4]

La présence de Sartre sur la scène intellectuelle française pendant les décennies de l'après-guerre aura quelque chose de magnétique : de son repaire, le Café de Flore, à Saint-Germain-des-Prés, il occupe le terrain culturel, définit les termes du débat et influence les attitudes et les pratiques sociales, notamment par son style de vie bohème et son mépris des conventions bourgeoises (à cet égard, la comparaison avec le rejet rousseauiste de la « civilisation » paraît évidente). Il impose une voix bien spécifique dans *Les Temps modernes*, la revue qu'il fonde en 1945 avec sa compagne, Simone de Beauvoir, ainsi qu'à l'occasion des pétitions publiques et des manifestes dont il est à l'origine et dont il devient le champion incontesté. Au plus fort de la guerre d'Algérie, lorsque son nom apparaît dans un manifeste appelant les soldats français à la désertion, le gouvernement décide d'engager des poursuites contre lui. De Gaulle lui-même y mettra fin en déclarant : « On n'emprisonne pas Voltaire[5]. »

La domination de Sartre sur la vie publique française après la Seconde Guerre mondiale résulte donc de plusieurs facteurs : le statut d'autorité du philosophe (il représente le summum de la culture humaniste telle que la distille l'École normale), le fait d'avoir défini et incarné avec succès de nouvelles pratiques intellectuelles alliant idéalisme et militantisme ; la capacité à exprimer ses idées par l'intermédiaire de genres très variés, qui vont de la fiction au théâtre, de la critique à la biographie, et à diffuser son œuvre par des canaux prestigieux grâce à la relation privilégiée qu'il entretient avec son éditeur Gallimard. Son style offre également un atout majeur, car autant ses textes philosophiques sont ampoulés, autant sa prose politique et journalistique est d'une élégante fluidité qui ne souffre pas de son érudition. Même si ses formules sont parfois un peu trop générales, il excelle à proposer des comparaisons inattendues d'un effet dévastateur. C'est ainsi qu'il décrit Drieu la Rochelle comme un homme « qui a souhaité la révolution fasciste comme certaines gens souhaitent la guerre parce qu'ils n'osent pas rompre avec leur maîtresse ». Dans cette approche belliqueuse, tout est perçu sous l'angle d'un combat politique et idéologique en cours. À la différence de l'univers labyrinthique des structuralistes, de leurs subtiles archéologies et de leurs généalogies instables, le monde de Sartre se divise en catégories claires et nettes – le prolétariat et la bourgeoisie, les socialistes et les impérialistes, les héros révolutionnaires et les *salauds**. Tout atermoiement subit une condamnation morale immédiate : par exemple, l'écrivain est « complice des oppresseurs s'il n'est pas l'allié naturel des opprimés ». Le mépris de Sartre pour ceux qui ne partagent pas ses idées devient légendaire : « Un anticommuniste, déclarera-t-il un jour, est un chien. »[6]

Sartre est un redoutable polémiste et sa conception intransigeante de ce que doit être l'activisme politique et littéraire va naturellement provoquer des heurts répétés avec les autres intellectuels – notamment les intellectuels communistes. Mais le plus emblématique et le plus révélateur de ces conflits demeure sa rupture avec Albert Camus. Les deux hommes se sont rencontrés pour la première fois en juin 1943, après que Sartre a publié une critique enthousiaste de *L'Étranger*. Leur amitié personnelle s'approfondit après-guerre, lorsque les deux hommes deviennent les symboles de l'« existentialisme ». Cependant, si Camus partage le point de vue progressiste de Sartre, les deux hommes sont d'une sensibilité très différente. Le premier est davantage un moraliste qu'un idéologue, un individualiste plutôt qu'un partisan des affiliations collectives ou des causes communes. À la différence de Sartre, qui pose sur la nature humaine un regard pessimiste, Camus éprouve instinctivement pour ses semblables un sentiment de sympathie et son premier réflexe est de « chercher d'abord ce qu'il y a de valable dans chaque homme ».[7] Il est également beaucoup moins enclin à considérer le monde sous le prisme de grandes abstractions : en partie parce qu'il a grandi dans un quartier populaire d'Alger, il n'idéalise pas le prolétariat, comme le font Sartre et la génération des marxistes de l'après-guerre.

Même s'il existe indéniablement une forme de rivalité personnelle entre les deux hommes (tous deux aspirant à la prééminence littéraire dans les années 1950), la cause directe de leur rupture sera leur opposition sur la question de la violence politique – mal nécessaire pour Camus (qui a été un résistant actif), bien nécessaire pour Sartre (qui ne l'a pas été). Comme toujours, ce dernier approche la question de manière théorique, adoptant le principe marxiste selon lequel le changement de société n'est possible que par la violence collective : en ce sens, la violence fait partie de la logique de l'Histoire. À l'inverse, le sang versé révulse Camus – un rejet qui doit autant à son expérience personnelle qu'à son humanisme et lui inspire non seulement son opposition à la peine de mort et à l'arme atomique, mais aussi son horreur devant les massacres causés par les conflits politiques. La tension entre les deux hommes atteint son acmé en 1951, lorsque paraît *L'Homme révolté*. Camus y critique les différentes formes de rébellion de la société moderne et le culte progressiste de la violence, dans une tirade visant manifestement le raisonnement sartrien : « Ceux qui se ruent dans l'histoire au nom de l'irrationnel, criant qu'elle n'a aucun sens, rencontrent la servitude et la terreur et débouchent dans l'univers concentrationnaire[8]. » Naturellement, *Les Temps Modernes* étrille le livre l'année suivante. Pour mieux enfoncer le clou, l'article (qui n'a pas été rédigé par Sartre mais par un de ses collaborateurs) se concentre sur les défauts stylistiques du texte. À Camus qui se plaint de ce traitement Sartre adressera une lettre au vitriol – et publique de surcroît –, accusant son ancien camarade d'« incompétence philosophique », de « compilation hâtive d'informations » et, injure suprême, de « peu de goût pour la complexité intellectuelle »[9]. La rupture sera consommée.

Dans ses rapports avec Camus comme dans son style en général, Sartre incarne le penchant de la pensée française à considérer les sujets dans leurs dimensions absolues ou globales, dans leur essence plutôt que dans leurs formes contingentes. Cette qualité lui permet de poser des questions extraordinairement ambitieuses : ainsi, dans *La Critique de la raison dialectique*, cherche-t-il à établir s'il existe une chose telle que la vérité de l'humanité dans son ensemble. Sans surprise, le livre demeurera inachevé. Cette forme de holisme lui permet également de ne pas perdre foi en la pureté de la cause révolutionnaire, quel que soit l'état d'esprit du prolétariat ou les événements qui se déroulent alors en France ou en URSS. De fait, ses fréquentes incursions sur le terrain philosophique du marxisme, au sujet de la théorie du prolétariat ou du rôle du parti révolutionnaire, ont une fonction cruciale : il s'agit de présenter le marxisme de manière plausible et attrayante afin de justifier les positions du Parti communiste français et de rejeter le stalinisme comme une funeste aberration. Dans *Les Communistes et la Paix*, série d'articles publiés entre 1952 et 1954, Sartre charge ainsi les communistes de défendre les intérêts essentiels de la classe ouvrière et de la nation tout entière, le parti étant la seule force « qui grouille de vie, quand les autres grouillent de vers » (pourriture et putréfaction figurent d'ailleurs parmi ses métaphores favorites). [10]

Sartre va exercer sur la pensée française une influence aussi considérable que variée. Sa version de l'existentialisme donne à ses compatriotes le moyen d'affronter le traumatisme et l'humiliation des années de guerre, en mettant notamment l'accent sur l'héroïsme collectif des Français et sur la capacité de l'individu à rompre avec le passé[11]. Au tournant des années 1960, le soutien qu'il apporte à la cause de l'indépendance algérienne lui offre un leadership intellectuel qui contraste avec la prudence opportuniste des élites politiques. À la fin de sa vie, bien que diminué, il engage encore son prestige pour soutenir des groupes aussi divers que les nationalistes basques ou bretons, les maoïstes français, les révolutionnaires portugais, les dissidents soviétiques ou

Michel Foucault et Jean-Paul Sartre participant à une manifestation en 1972 devant l'usine Renault de Billancourt, pour protester contre le meurtre du militant d'extrême gauche Pierre Overney.

les réfugiés vietnamiens. Choisir de défendre des causes si diverses repose sur son engagement sans faille à protéger le faible et sur son rejet non moins résolu de toute forme de pouvoir officiel ou dominateur – d'où son refus d'accepter le prix Nobel de littérature en 1964 ou celui de dépendre des institutions de son temps, qu'il s'agisse du mandarinat universitaire parisien, de l'État « bourgeois » ou du Parti communiste. Comme il le dit un jour, il se considère toujours comme « un traître ».

Cette posture de dissidence permanente explique pourquoi une foule d'hommes et de femmes aussi différents se rassemblèrent spontanément pour l'accompagner jusqu'à sa dernière demeure en avril 1980 : étudiants et syndicalistes, *gauchistes** et anciens communistes, stars de cinéma et postiers, sociaux-démocrates européens et islamistes iraniens, anticolonialistes africains et révolutionnaires latino-américains. Ils rendaient hommage non seulement à ses pérégrinations sur toute la planète, mais également à l'universalisme d'une certaine tradition humaniste française. C'est au nom de tous ces sympathisants que Régis Debray s'exprima lorsqu'il affirma que, « de Buenos Aires à Beyrouth, tous les intellectuels de notre époque ont appartenu, à un moment ou un autre de leur vie, à la famille Sartre et, même lorsqu'ils s'opposaient à lui, ses adversaires ont partagé avec lui une profonde intimité ». [12]

Le siècle de Sartre et de BHL

Il est clair que la substance de la vie intellectuelle en France sera fondamentalement altérée après la mort de Sartre, non seulement parce qu'il fut un personnage exceptionnel, mais parce que les idéaux au cœur de sa conception rédemptrice de la politique (le communisme, la révolution, le prolétariat) perdront beaucoup de leur résonance au cours des années 1980. Le marxisme cesse d'être l'« horizon indépassable » de la vie intellectuelle française au moment où la nation se donne pour président de la République un socialiste réformiste, où le Parti communiste décline, où la classe ouvrière s'étiole et où la guerre froide touche à sa fin. Le sentiment général de dépossession augmente encore avec la mort, en quelques années, de la plupart des géants de la philosophie qui ont dominé les années d'après-guerre. C'est ainsi que le structuralisme perd ses chefs de file avec la disparition successive de Roland Barthes en 1980, de Jacques Lacan en 1981 et de Michel Foucault en 1984. Quant à Louis Althusser, il quitte également la scène de façon dramatique, en 1980, après avoir étranglé sa femme, Hélène (ses détracteurs faisant remarquer fort peu charitablement qu'il avait fini par donner une expression pratique à son antihumanisme théorique [13]). À l'été 1983, *Le Monde* conclut donc que les intellectuels de gauche sont désormais « silencieux ». Certains attribueront une cause plus profonde à leur mutisme : l'incohérence de l'universalisme idéologique qui avait nourri les générations précédentes de penseurs radicaux. Pour citer Jean-François Lyotard, le fait que Sartre ait systématiquement cherché à déterminer ses positions du « point de vue des opprimés » avait « perverti sa pensée ». [14]

Ce qui disparut avec Sartre, ce n'est pas seulement un certain type d'universalisme radical, mais également la domination de la scène intellectuelle française par des figures littéraires. Pour autant, de nombreux aspects du style de pensée à l'honneur pendant l'ère sartrienne ont continué à fleurir dans les décennies suivantes : le phénomène des modes intellectuelles (de même que l'existentialisme et le structuralisme avaient triomphé pendant un temps, le libéralisme connaîtra bientôt lui aussi son heure de gloire) ; la conviction que le fait de posséder un certain capital culturel donne droit aux écrivains et aux penseurs d'intervenir dans le débat public et de proposer des réponses globales aux problèmes de la société française ; la préférence pour le débat abstrait au détriment d'une discussion concrète fondée sur les faits ; la transformation d'antipathies personnelles en querelles théoriques et la conversion de questions socioculturelles controversées (telle l'intégration des minorités) en batailles rangées idéologiques. Cette continuité s'explique par la concentration de la vie intellectuelle à Paris, un phénomène qui, à bien des égards, atteindra son apogée à la fin du XXe siècle. En 1981, Hervé Hamon et Patrick Rotman offrent dans *Les Intellocrates* une description ethnographique savoureuse des principaux décideurs culturels de la capitale, décrivant un univers incestueux presque exclusivement concentré dans le 6e arrondissement, où se trouvent ses principaux centres de pouvoir : prestigieuses institutions académiques (l'École des hautes études ou le Collège de France), éditeurs (Gallimard, Le Seuil, Grasset...), journaux et magazines (*Le Monde, Le Nouvel Observateur* ou *L'Express*). Dans cet univers, le pouvoir est détenu par une petite oligarchie intellectuelle dont les membres occupent des positions stratégiques au sein de ces institutions et ne répugnent pas à utiliser les médias pour promouvoir leurs travaux ou leur vision du monde – notamment en apparaissant à *Apostrophes*, présentée par Bernard Pivot, l'une des émissions télévisées les plus populaires de l'époque. De ce point de vue, la sphère intellectuelle parisienne semble moins concernée par la valeur intrinsèque des idées que par des stratégies de promotion, des techniques de marketing et la constitution de réseaux d'influence. L'exemple suprême en sera l'émergence des « nouveaux philosophes » à la fin des années 1970, une opération brillamment orchestrée par Bernard-Henri Lévy et sa garde rapprochée [15].

L'héritage intellectuel de Sartre continue également d'être une source de débats et d'inspiration critique. Ce qui manifeste une autre caractéristique de la pensée française : la construction d'une « tradition » autour d'une personnalité de premier plan ou d'un événement majeur. De même que la figure de l'intellectuel « dreyfusard » a hanté les républicains au long de la première moitié du XXe siècle, la figure de Sartre devient le catalyseur de vifs échanges, de polémiques et de réappropriations fécondes. D'ailleurs, les témoignages ont été légion dans les années suivant sa disparition. *La Cérémonie des adieux*, de Simone de Beauvoir, constitue une évocation poignante de la dernière décennie de la vie du philosophe ainsi qu'une déclaration d'amour à l'homme dont elle avait partagé la vie depuis 1929. Benny Lévy écrivit pour sa part un singulier « dialogue » avec son mentor intitulé *Le Nom de l'homme*, mélange dense et passablement excentrique d'existentialisme sartrien et de philosophie judaïque. Quant à Olivier Todd, dans *Un fils rebelle*, il porte un regard empathique mais également critique sur le philosophe : il identifie les causes « honorables » dont Sartre se fit le champion, insistant sur sa neutralité et son anticolonialisme, sa défense du mouvement étudiant de 1968 et celle des immigrés. Pour autant, conclut-il, ce que la postérité retiendra du philosophe, ce seront ses pièces et ses romans, non ses prises de position politiques. [16]

Se réfugier dans l'œuvre littéraire de Sartre, un terrain plus neutre, constitue une manœuvre typique destinée à faire oublier son héritage politique. C'est d'ailleurs exactement ainsi que les républicains français du XIXe siècle et du début du XXe avaient traité Rousseau, mettant en avant l'écrivain pour dissimuler l'embarrassante récupération politique que les robespierristes avaient faite du philosophe. Dans le cas de Sartre, la chose est d'autant plus facile que son œuvre littéraire est d'un classicisme impeccable, tant dans sa forme que dans son style. Tel sera donc le thème majeur des hommages publiés dans *Les Temps modernes* pour le dixième anniversaire de sa mort – célébrations devenues rituelles dans le monde éditorial français. Claude Roy fait donc observer : « On risque bien d'oublier l'essentiel, et que Sartre est d'abord un écrivain, un grand. » Sa gloire littéraire intacte permet de maintenir une filiation très forte avec la tradition humaniste de Voltaire et de Victor Hugo. D'autres, comme Jean Cau, autre ancien secrétaire de Sartre, ont fait des révélations intéressantes sur la façon dont Sartre réfléchissait : lorsqu'il était plongé dans ses pensées, il se tenait « l'épaule droite soulevée en même temps qu'il écart[ait] légèrement du corps le bras replié. Les boxeurs, gauche en alerte, ont ce mouvement du bras droit prêt à se déplier ». Cependant, ce même Cau affirme également que le pugiliste ne s'intéressait guère aux causes qu'il défendait et que sa véritable passion était la littérature : « Il ne lisait pas les journaux et ne s'intéressait pas du tout, mais alors pas du tout, à la politique. » Pourquoi donc avait-il signé de si nombreuses pétitions ? La réponse constitue une défense ingénieuse, mais paradoxale, de l'intellectualisme sartrien : d'après Cau, Sartre était devenu prisonnier du personnage public qu'il s'était lui-même créé. Il n'est donc guère surprenant que *Le Point* ait résumé les engagements politiques de Sartre comme découlant d'une « passion pour l'erreur » – ou, comme l'a formulé le philosophe cartésien Denis Moreau avec un peu plus de subtilité : « J'aime Sartre, mais j'aime encore mieux la vérité. »[17]

Poser la question en ces termes, c'est pourtant souligner un paradoxe encore plus fondamental : l'intellectualisme sartrien appartient peut-être au passé, mais son esprit continue à hanter la pensée française. L'histoire des intellectuels, en tant que domaine de recherche universitaire, a connu en France un développement très important au cours des dernières décennies du XXe siècle, comme le prouve en 1996 la publication, largement commentée, d'un très copieux *Dictionnaire des intellectuels français.* Sartre est une figure majeure de ces études, même si sa contribution à la vie intellectuelle y est souvent sévèrement évaluée. Pour Jean-François Sirinelli, Sartre a manqué le train de l'histoire, car, sur des questions aussi fondamentales que le rôle des révolutions du tiers-monde ou les positions politiques de l'extrême gauche européenne, son analyse politique est complètement erronée. La reconsidération du régime de Vichy dans les années 1990, tout comme celle des expériences communistes, n'a pas non plus été favorable à Sartre : sa réticence à rompre radicalement avec le système léniniste a été attaquée comme une preuve de cécité morale et son militantisme d'après-guerre attribué à une forme de mauvaise foi pour ne s'être pas engagé de façon significative dans la Résistance (voire, aux dires de certains, pour avoir entretenu des rapports moins qu'honorables avec les autorités de Vichy). La charge la plus véhémente a été menée par Tony Judt, pour qui le philosophe de l'*engagement** symbolise les défauts les plus pernicieux de la pensée progressiste des années 1930 à la fin des années 1970 : fascination pour l'abstraction, haine de la bourgeoisie (dissimulant une forme de culpabilité et de haine de soi), culte de la violence, doublé d'un mépris affiché envers la démocratie libérale, et amnésie morale qui se manifeste par l'incapacité à reconnaître les crimes commis au nom de la liberté, dans le seul but d'éviter de fournir des arguments aux adversaires de sa propre cause.[18]

Cependant, cet antisartrianisme polémique a fait long feu et le balancier, comme souvent en France, est reparti dans l'autre direction. Alors que le pays s'enfonce dans une crise économique et politique toujours plus profonde au cours des années 1990, la gauche radicale connaît une renaissance intellectuelle et l'engagement sartrien fait son retour, quoique de façon plus discrète mais toujours reconnaissable, dans la personne du sociologue Pierre Bourdieu (lequel, à l'instar de Sartre, est un pur produit de l'École normale supérieure). Se tenant jusque-là relativement à l'écart de l'arène politique et n'ayant jamais caché ses critiques à l'encontre de la formule de l'intellectuel « total » prônée par Sartre, Bourdieu devient alors convaincu que les intellectuels doivent intervenir directement dans l'action politique pour briser le carcan de la mondialisation et de la libéralisation de l'économie – ou, comme il le dit lui-même dans une prose assez rigide : « Il est possible de tirer de la connaissance de la logique du fonctionnement des champs de production culturelle un programme réaliste pour une action collective des intellectuels. » À l'hiver 1995, à l'occasion des grèves organisées contre le plan Juppé de réforme de la protection sociale, Bourdieu se lance dans la bataille et, devant les cheminots de la gare de Lyon, il prononce un discours apocalyptique « contre la destruction d'une civilisation ». Il s'agit d'un retour aux oppositions rhétoriques de l'ère idéologique et une reprise consciente du discours que Sartre avait adressé aux ouvriers de Billancourt en 1970. Quelques années plus tard, après toute une série d'interventions publiques sous forme de pétitions, de participation à des manifestations, d'éditoriaux et d'apparitions à la télévision, *Le Magazine littéraire* posera une question lourde de sous-entendus sartriens : Bourdieu est-il désormais devenu l'« intellectuel dominant » de la vie culturelle française ? [19]

Le vingtième anniversaire de la mort de Sartre, en 2000, a confirmé cette résurrection et la capacité du grand intellectuel à être réinventé. Malgré son hostilité aux positions politiques prises par Sartre, Pierre Grémion le décrit comme « écrivain et philosophe, bohème et homme de lettres, anarchiste et ultra-bolchéviste, génie hors du commun ». C'est un roman de Bernard Fauconnier qui apporte la confirmation de cette étonnante plasticité du personnage. Intitulé *L'Être et le Géant*, ce succès de librairie raconte un dialogue imaginaire entre Sartre et de Gaulle. Mais le livre qui a volé la vedette à tous les autres est *Le Siècle de Sartre*, un hommage passionné de Bernard-Henri Lévy à l'homme et à son *œuvre*. Pourfendeur de la pensée radicale dans les années 1970 et 1980, BHL semble *a priori* un avocat encore plus improbable de la cause sartrienne que Bourdieu lui-même. Car, dans *La Barbarie à visage humain* (1977), il avait affirmé que les utopies progressistes avaient toutes été des « catastrophes » : « Le rêve ne date donc pas d'hier mais il est avéré qu'il tourne toujours au bain de sang. » Les intellectuels devaient, par conséquent, cesser de prétendre être « au service des opprimés ». Une décennie plus tard, bien que dressant un bilan plus nuancé de l'*engagement** intellectuel, BHL maintenait encore que tout retour à Sartre serait « ridicule ». Mais cela ne pouvait guère constituer un obstacle pour lui-même et, en 2000, dans *Le Siècle de Sartre*, il se lance dûment dans l'éloge de la créativité philosophique et littéraire de son nouveau héros, et même de son « autorité morale planétaire ». [20] Le livre, qui passe rapidement sur les erreurs de jugement de Sartre, offre une version allégée de ses positions politiques qui le font paraître comme un défenseur de la liberté. À le lire plus attentivement, on comprend néanmoins que ce Sartre-là est une sorte de personnification idéalisée de BHL lui-même – notamment dans le portrait dressé d'un homme intellectuellement brillant (et normalien, tout comme son thuriféraire), de sa vie amoureuse, de son entrain et de sa générosité, de son insatiable curiosité et de la haine viscérale qu'il suscite parmi chez certains membres de l'intelligentsia. Quelques années plus tard, un film intitulé *Les Amants du Flore* complétera cette réinvention posthume de Sartre en dandy frivole et star littéraire de Saint-Germain-des-Prés – la figure même que BHL incarne désormais à merveille.

La renaissance libérale

Parmi les nombreuses personnalités présentes aux obsèques de Sartre en 1980 se trouvait Raymond Aron. Les deux hommes, proches amis à leur entrée à l'École normale supérieure, en 1924, empruntèrent des chemins opposés après la Seconde Guerre mondiale. Ils ne reprirent brièvement contact qu'en 1979 pour défendre la cause des réfugiés vietnamiens. Aron était devenu un critique sévère de l'idéalisme sartrien de l'intellectuel engagé, rejetant son utopisme révolutionnaire au nom de la tolérance et du scepticisme[21]. Derrière les différences de fond, on retrouve cependant une étonnante similitude de forme : pour Aron comme pour Sartre, Marx fut un interlocuteur intellectuel privilégié. Et, bien qu'il se considère « probablement isolé et opposant, destin normal d'un authentique libéral[22] », Aron est un « intellocrate » – une présence puissante sur la scène parisienne, qui met à profit son capital culturel en tant qu'universitaire et éditorialiste au *Figaro* pour défendre ses idées avec vigueur. Il devient ainsi l'un des principaux critiques de la gauche et l'avocat du libéralisme politique, de l'état de droit et de l'atlantisme. À l'instar de Sartre, qui a parfois été violemment attaqué par les communistes, les positions de Raymond Aron n'ont pas toujours été appréciées dans son propre camp. De Gaulle le traita un jour de « journaliste au Collège de France et [de] professeur au *Figaro* ».[23]

Lorsque Aron disparaît, en 1983, au sommet de sa gloire littéraire (il vient de publier des *Mémoires* salués par la critique), il a préparé le terrain pour une renaissance de la pensée libérale. Pendant une brève période, la France semble adopter le libéralisme avec la même ferveur et le même aveuglement dont elle avait fait preuve à l'égard du révolutionnisme de Sartre. Invité à prononcer une conférence à Paris en 1984, Friedrich von Hayek est agréablement surpris de cette nouvelle atmosphère et annonça que même en France le libéralisme classique était devenu la « nouvelle orthodoxie ». Jacques Chirac lui décerne à cette occasion la grande médaille de vermeil de la ville de Paris. Autre signe que les temps ont changé : les programmes économiques de Ronald Reagan et de Margaret Thatcher sont accueillis avec un intérêt critique à la fois par les étoiles montantes de la politique, tel Alain Madelin, ou des économistes, tel Guy Sorman. Deux ans plus tard, cet engouement pour le néolibéralisme culmine avec les privatisations et la politique de dérégulation du gouvernement Chirac, alors que d'anciens adeptes du dirigisme à la française comme Édouard Balladur font allégeance aux principes du libéralisme économique.[24]

Dans le domaine intellectuel, une version plus philosophique du credo libéral commence à se constituer autour de certaines publications : *Esprit* (qui existe depuis 1932), *Commentaire* (revue de centre droit fondée par Jean-Claude Casanova, un disciple d'Aron) ou encore *Le Débat*, de centre gauche. Beaucoup de leurs contributeurs sont des universitaires parisiens désireux de renouveler l'exercice de la pensée en revenant aux vertus de l'érudition : selon Marcel Gauchet, « la tâche de défense et illustration des Lumières [...] est d'une urgence toute spéciale – les vraies valeurs contre les fausses, l'analyse contre le cliché, l'esprit du raisonnement contre l'esprit du slogan, le sens de la difficulté contre la dictature de la facilité[25] ».

Dans le premier numéro du *Débat*, Pierre Nora prononce l'éloge funèbre de la tradition révolutionnaire sartrienne : « L'intellectuel-oracle a fait son temps. » Ce qui est exact, en un sens, mais également quelque peu hypocrite, car la génération montante d'intellocrates libéraux et progressistes cherche clairement à occuper le terrain laissé par ses prédécesseurs radicaux. C'est dans cet esprit qu'en 1982 François Furet, la figure la plus influente de cette renaissance du libéralisme français, fonde l'Institut Raymond-Aron à l'École des hautes études en sciences sociales. Beaucoup des chercheurs qui y sont associés vont plonger dans l'histoire de la pensée libérale française et produire une série de travaux originaux et souvent brillants sur les penseurs classiques, réexaminant des thèmes tels que l'individualisme, les droits de l'homme ou la démocratie. C'est à ce corpus que Pierre Manent fait référence comme à une « science politique libérale de la démocratie », et le portrait de la France moderne qui s'y dessine est fortement coloré par les conceptions du XIXe siècle – tout particulièrement par l'ambivalence tocquevillienne à l'égard de la modernité démocratique. Lorsque Manent conclut son livre sur Tocqueville en affirmant que, « pour bien aimer la démocratie, il faut l'aimer modérément », il se fait l'écho du malaise provoqué chez les libéraux par le principe de souveraineté populaire, ainsi que des craintes suscitées par les politiques redistributives du gouvernement socialiste nouvellement élu. [26]

Un autre thème tocquevillien largement repris est la célébration du consensus politique. Dans *La République du centre*, livre écrit peu après la réélection de Mitterrand en 1988, François Furet, Jacques Julliard et Pierre Rosanvallon saluent l'avènement de l'âge post-idéologique en France : « L'idée de gauche, l'idée de socialisme et l'idée de république ont dépéri en même temps. » Étant donné que la majorité des électeurs se situe « quelque part entre le centre droit et le centre gauche », Furet affirme que la France est désormais prête à rejoindre les rangs de la normalité démocratique. Julliard, quant à lui, se félicite d'un « effort de convergence de toute la société pour limiter la part de passion dans le traitement de la chose publique ». Mais ces espoirs vont se révéler trop optimistes, en particulier parce que le consensus qui émerge est plus négatif que positif : citant les *Souvenirs* de Tocqueville, Rosanvallon établit un parallèle entre la France des années 1980 et celle de la monarchie de Juillet finissante : « Langueur, impuissance, immobilité, ennui. » L'ère post-idéologique a donc paradoxalement étouffé le débat intellectuel – d'où la conclusion des auteurs que la tâche la plus urgente consiste désormais à promouvoir une « société de délibération » capable de « produire des idées, d'élaborer des projets et de formuler des diagnostics ». [27]

Furet et Rosanvallon seront les chevilles ouvrières d'une des plus intéressantes initiatives de revivification de la pensée française post-sartrienne : la Fondation Saint-Simon. Établi à l'automne 1982, ce groupe d'experts veut devenir un forum non partisan où sera menée une réflexion sur des questions politiques, économiques et sociales – sorte de version collective de l'intellectuel engagé. Située rue du Cherche-Midi, à Paris, la fondation cherche à reconstituer cette coalition des « industrialistes » définie au XIXe siècle par Saint-Simon : penseurs, professeurs d'université, membres de l'élite politique et administrative, syndicalistes et entrepreneurs (rien ne montre, en revanche, hélas, que la Fondation ait cherché à remettre en vigueur les rituels les plus pittoresques des saint-simoniens). Même si le cercle des participants est restreint (on n'intègre cette fondation que par cooptation), des comptes rendus sont publiés dans de petits fascicules à la couverture verte, les *Notes de la Fondation Saint-Simon*, qui paraissent presque tous les mois à partir de 1990 [28]. Les sujets traités sont extrêmement divers, mais ces pamphlets forment néanmoins un ensemble cohérent par leur orientation intellectuelle (généralement d'une sensibilité modérée, réformiste et technocratique), mais également parce que la réflexion sur les problèmes français est menée dans une perspective européenne et comparatiste (l'économiste Thomas Piketty y a par exemple publié un article comparant la création d'emplois en France et aux États-Unis). Les dysfonctionnements du système politique et économique sont donc analysés en vue de proposer des solutions qui formeront la base d'une version modernisée du libéralisme français : attribution d'un rôle plus important aux corps intermédiaires et aux associations, évolution vers un État plus impartial et plus efficace, reconnaissance des bienfaits de l'intégration européenne. [29]

Ce « moment tocquevillien » prend symboliquement fin en 1997 avec la disparition de François Furet. Quels changements a-t-il apportés dans la vie intellectuelle française ? Les intellocrates libéraux ont très largement réussi dans leur ambition de prendre le contrôle de l'espace public. Le meilleur exemple en est peut-être la célébration du bicentenaire de la Révolution en 1989, des commémorations dominées par la perspective anti-jacobine de Furet, efficacement relayée par tout un réseau d'éditeurs, de revues et de journaux qui n'ont eu aucun complexe à célébrer leur triomphe. En 1990, dans une sorte d'anticipation fukuyamesque, *Le Débat* annonce ainsi que les idéaux qu'il se fixe – mener des analyses dépassionnées, développer des connaissances pratiques et rechercher le consensus politique – sont devenus l'« esprit du temps ». À un niveau plus spécialisé, des institutions comme la Fondation Saint-Simon ont également contribué à donner une orientation plus pragmatique au débat sur les politiques publiques (notamment sur les questions économiques) en abandonnant peu à peu les grands schémas de l'avant-1981. [30]

Néanmoins, la réconciliation des Français avec le marché est demeurée fragile, d'autant plus que subsiste une très forte hostilité sous-jacente au capitalisme (comme je l'ai noté plus haut en mentionnant Bourdieu), laquelle resurgit avec une assurance grandissante depuis le milieu des années 1990. Or les libéraux n'ont pas senti le vent tourner, en partie parce qu'ils souffrent de leur insularité parisienne, défaut typique de l'intellectuel français, mais également parce qu'ils restent trop attachés à l'idée d'un monde dominé par une forme de rationalisme individualiste. Ils n'ont pas suffisamment mesuré le fait que la politique (tout particulièrement en France) est aussi affaire d'imagination, de mythologie et de passion. En 1995, révisant leurs aspirations à la lumière des événements, les auteurs de *La République du centre* ont reconnu qu'avoir diagnostiqué la fin du conflit idéologique en France était prématuré. Furet a admis que les divisions entre la droite et la gauche avaient non seulement survécu, mais qu'elles demeureront encore longtemps la matrice essentielle de la culture politique nationale. L'avertissement de Raymond Aron prenait soudain tout son sens : « L'essence de l'Histoire, c'est de ne pas résoudre les problèmes. Quand par bonne chance elle en résout un, elle en crée immédiatement un autre. »[31]

Un moment d'introspection

Le tournant du siècle a vu le retour d'un autre trait caractéristique de la vie intellectuelle en France : la *polémique**. La fin de l'épisode libéral a été disséquée sous tous ses angles et avec une anxiété mélancolique dans deux copieux numéros de la revue *Esprit*. Mais c'est sur un ton plus corrosif qu'en 2002 Daniel Lindenberg (collaborateur régulier d'*Esprit*) identifie dans *Le Rappel à l'ordre* les prémices d'une nouvelle forme de pensée « réactionnaire ». Parmi les thèmes de cette nouvelle vague de néoconservatisme figurent la quête de l'ordre, une renaissance de l'élitisme culturel, une contestation de l'héritage de Mai 68, la critique de l'égalité et (à la suite des attaques du 11 septembre 2001 aux États-Unis) un rejet du multiculturalisme et tout particulièrement de l'islam. Les adeptes de ce nouveau credo sont, d'après Lindenberg, Michel Houellebecq, Alain Finkielkraut, Pierre Manent et Marcel Gauchet, ainsi que Pierre Nora.[32]

Parmi les intellectuels français aussi, ce qui est personnel prend une dimension politique et, à cet égard, la controverse est dans une large mesure le produit d'une rupture entre les barons de l'institut Raymond-Aron. Les personnalités mises en cause par Lindenberg incluaient les membres les plus conservateurs de ce groupe, alors que son livre était publié dans une collection dirigée par Pierre Rosanvallon, l'un des plus progressistes. Pour autant, *Le Rappel à l'ordre* avait indéniablement fait mouche : ce pamphlet faisait preuve d'une prescience singulière, annonçant le virage conservateur de la pensée sous l'ère Sarkozy[33].

Lindenberg ne fut pas le seul à observer ce tournant à droite (et cette évolution vers le bas) de la pensée française. Certains l'ont attribué au déclin des universités et à l'influence croissante des médias audiovisuels, tandis que d'autres ont noté que les intellectuels libéraux des années 1990 n'étaient pas parvenus à cimenter un consensus autour de leurs valeurs, ce qui faisait écho à l'échec des générations précédentes de réformistes. Le pamphlet de Perry Anderson *La Pensée tiède* porte une conclusion encore plus sévère en opposant la vitalité de la vie politique intellectuelle pendant l'ère sartrienne à la « décadence » qu'il perçoit au début du XXIe siècle. Fondant son argumentation sur des prémisses politiques plus radicales que celles de Lindenberg, Anderson se lance dans une diatribe accablante contre la corruption et l'esprit de clocher des intellectuels français, dénonçant tout particulièrement l'influence des technocrates de la haute fonction publique sur les dirigeants politiques, le consensus dépolitisé entre la droite et la gauche, la baisse de niveau de la presse dite de qualité (notamment du *Monde*), le statut de célébrité accordé à Bernard-Henri Lévy et le réalignement idéologique imposé par les intellocrates libéraux, dont la véritable ambition est, d'après lui, de momifier les traditions radicales françaises dans une nostalgie néorépublicaine et patriotique. [34]

Comment interpréter ce nouvel « air du temps » ? Plutôt que de le qualifier de « réactionnaire » (comme le fait Lindenberg), on peut le décrire comme un état d'esprit « réactif » ou « de retrait » : le début d'un repli sur l'horizon national accompagné d'un comportement moins universaliste, plus défensif et pessimiste, et de la renaissance de vieux mythes tels que la cohésion nationale ou la menace contre l'identité collective – un syndrome qui sera analysé en détail dans le dernier chapitre. Une des manifestations les plus immédiates et spectaculaires du phénomène a été la victoire du « non » au référendum de mai 2005 sur la Constitution européenne. En première analyse, le rejet de la proposition pourrait s'expliquer comme une réaction de bon sens de la part d'électeurs rejetant, à l'issue d'une campagne officielle peu inspirée, un document interminable, mal rédigé et jargonnant (dont le principal auteur n'était autre que Valéry Giscard d'Estaing, tout fraîchement élu à l'Académie française). Mais il faut également noter qu'à de rares exceptions les intellectuels ne sont pas intervenus publiquement dans la campagne et que, lorsqu'ils l'ont fait, ce fut sans grand enthousiasme. La désorientation du camp pro-européen après sa défaite est reflétée dans un éditorial assez méprisant de la revue *Esprit* évoquant un vote

« trompeur » : « Le peuple a parlé mais, rebelle ou victime, il ne sait toujours pas à qui il s'adresse et sur quelles médiations s'appuyer[35]. » *Le Débat*, quant à lui, analyse le poids des facteurs culturels tels que l'héritage jacobin ou la profonde hostilité que les Français éprouveraient à l'égard du libéralisme, qu'ils assimilent souvent à l'individualisme destructeur du « modèle anglo-saxon[36] ».

De fait, l'aspect le plus frappant de la victoire du « non », c'est qu'elle a été portée par une coalition efficace d'attitudes négatives. Sur la crainte classique des eurosceptiques de voir diminuer la souveraineté nationale s'est greffée une combinaison toxique de différents populismes : refus xénophobe de l'élargissement européen, anxiété des progressistes de voir se déliter les acquis sociaux français (peur symbolisée par la figure du « plombier polonais ») et rejet néopoujadiste des élites parisiennes par les militants de base[37]. Alors que l'étoile de Jean Monnet commençait à pâlir, le héros inattendu du moment fut un certain Étienne Chouard, professeur d'économie dans un lycée marseillais, qui monta une campagne contre la Constitution européenne par l'intermédiaire de son site Internet, très largement consulté. *Libération* le salua comme le « champion sur Internet » de la campagne pour le non. Quant au *Monde*, il consacra un article à « ce Don Quichotte du non ».[38] Qu'un simple blogueur marseillais ait réussi à faire dérailler le projet européen, un des fruits les plus élaborés de la pensée française, nous donne la mesure de la fragilisation des élites parisiennes (et parallèlement de la montée en puissance de la communication horizontale à l'heure d'Internet).

Parmi les manifestations les plus surprenantes de ce tournant introspectif et autoréférentiel de la pensée française, il faut noter l'influence croissante de Jean Baudrillard. Théoricien de la culture, son travail combine le scepticisme structuraliste (quant à la possibilité de trouver un sens objectif à la réalité) et des concepts tels que la « simulation » ou l'« hyperréalité » qui semblent indiquer que la réalité de la société contemporaine a été remplacée par des symboles et des signes – notamment par les représentations virtuelles qu'en donnent les médias de masse.

Cette analyse constitue à bien des égards une version des « mythologies » de Barthes, mais en plus sombre, sur fond de disparition des grands récits historiques construits par le marxisme ou le libéralisme.

Le goût de Baudrillard pour le paradoxe et la provocation l'a ainsi amené à prétendre que la première guerre du Golfe, en 1991, n'avait pas eu lieu – il entendait par là que le conflit avait été si déséquilibré qu'il ne s'agissait pas d'une guerre à proprement parler, mais d'une opération planifiée et produite à l'instar d'un événement médiatique. L'accent mis sur la primauté du symbolique sur le réel – et la création d'un monde parodique d'« événements fantômes » – a rendu Baudrillard célèbre non seulement en France, mais également aux États-Unis, où il est parfois considéré comme un plaisant épigone de Derrida. C'est d'ailleurs lui qui a fourni l'une des inspirations philosophiques qui sous-tendent le film culte *Matrix* (1999), dans lequel un exemplaire (factice) de son ouvrage *Simulacres et Simulation* apparaît au cours d'une scène. Pour autant, son interprétation des attentats du 11 Septembre n'a pas du tout fait rire les Américains : Baudrillard a en effet affirmé que c'était l'« arrogance » du pouvoir américain qui avait rendu ces événements possibles et nécessaires, avant de proposer une mystérieuse conclusion prouvant que les intellectuels français continuaient à nourrir un certain penchant pour le paradoxe : « La réalité dépasse-t-elle vraiment la fiction ? Si elle semble le faire, c'est qu'elle en a absorbé l'énergie et qu'elle est elle-même devenue fiction. [...] L'effondrement des tours du World Trade Center est inimaginable, mais cela ne suffit pas à en faire un événement réel. »[39] (La mort de Baudrillard en 2007 amena ses nécrologues les plus facétieux à se demander quelle signification Baudrillard avait voulu donner à ce dernier acte.)

Une autre controverse aux conséquences bien plus graves que la polémique sur les nouveaux réactionnaires s'est également développée pendant cette période : la question de l'intégration des minorités ethniques et notamment de celles originaires des anciennes colonies d'Afrique du Nord. La France est loin d'être le seul pays où se pose la question du multiculturalisme, mais la façon dont les élites françaises l'abordent témoigne de leur capacité toujours intacte à traiter les questions sociales et politiques par le biais d'arguments essentialistes et dogmatiques. Même si une dose importante de décentralisation a été introduite en France à partir des années 1980 et si les langues régionales sont reconnues depuis la réforme constitutionnelle de 2008, toute tentative pour étendre le pluralisme culturel aux minorités religieuses se heurte à une très forte résistance. Ce qui aggrave le problème, c'est que le débat en France ne peut s'appuyer sur aucunes données statistiques précises car, au nom du principe républicain de l'égalité de tous les citoyens et des idéaux d'unité et de cohésion nationale, il est illégal de collecter des informations sur l'origine ethnique ou l'appartenance religieuse [40]. La discussion a donc principalement porté sur la question secondaire de savoir si on devait autoriser ou pas le port du voile islamique dans les écoles. Or cette question a transformé le problème de l'intégration (certes complexe sur le plan socio-économique ou politique, mais tout de même concret) en une controverse philosophique abstruse : la défense du principe républicain de *laïcité**, qui, depuis la loi de séparation des Églises et de l'État votée en 1905, cantonne strictement la religion dans la sphère privée. La controverse, née de l'exclusion en 1989 de trois élèves voilées d'une école de Creil (dans l'Oise), s'est poursuivie pendant toute la décennie suivante, les gouvernements successifs cherchant un compromis sur la question [41]. Le débat a finalement été conclu par le rapport de la commission Stasi, nommée par le président Chirac en 2003, qui a recommandé l'interdiction de tous les signes religieux ostentatoires à l'école. En mars 2004, une loi a été adoptée à cet effet.

Pendant tout le débat, la réflexion a été alimentée par un certain nombre de contributions, dont celle de la sociologue Dominique Schnapper, qui a cherché à réaffirmer l'universalité des valeurs républicaines tout en reconnaissant la nécessité d'un dialogue constructif entre les différentes communautés. Une minorité des contributeurs a même tenté de défendre un multiculturalisme à la française. [42] Mais ces voix de la raison ont été étouffées par l'émergence d'un républicanisme « national-communautariste » véhément, qui s'est montré de plus en plus influent et a fini par triompher. Pour citer la politologue Sophie Heine, ce courant considère la question du voile comme « un moyen de défendre l'identité française contre ce qui est perçu comme une affirmation culturelle croissante des citoyens d'origine musulmane[43] ». Si on suit le raisonnement de ce courant, la priorité doit être donnée à la préservation de la cohésion nationale et de l'ordre public, et l'existence des minorités culturelles (tout particulièrement musulmanes) est vue comme une menace à l'intégrité de la nation. En plus de la stigmatisation des immigrés, les partisans de cette perspective se sont appuyés sur une conception essentialiste de l'identité nationale – le sentiment que l'identité française est une notion fixe et immuable, mais cependant et paradoxalement susceptible de se déliter si elle est soumise à l'influence de la culture musulmane. Ils ont aussi fait preuve d'une tendance récurrente à l'inflation rhétorique – exactement comme ceux qui partent en croisade pour défendre le français, ainsi que nous l'avons décrit au chapitre précédent. En 1989, Régis Debray, Alain Finkielkraut et Élisabeth Badinter ont ainsi comparé les propositions pragmatiques de compromis sur la question du voile à un « Munich de l'école républicaine ». Alain Finkielkraut a fait le parallèle entre défendre le multiculturalisme et revenir aux idées nationalistes de Maurice Barrès, Christian Jelen l'a assimilé à une forme de complicité avec les crimes d'honneur. Et, après le score électoral inattendu du Front national à l'élection présidentielle de 2002, Pierre Manent a affirmé redouter que la société française ne soit victime d'« un sentiment de triple dépossession par l'immigration musulmane, par l'Europe, par la mondialisation ».[44]

La personnalité qui deviendra le symbole de l'arrière-garde conservatrice n'est autre que Régis Debray, ancien compagnon de Che Guevara et brièvement conseiller de François Mitterrand à l'Élysée, qui s'est réinventé en champion de l'idéal de la « modernité archaïque », signant par exemple une pétition pour réclamer davantage de discipline à l'école et de sens des responsabilités parmi les jeunes. Après s'être distingué en s'opposant à la première guerre du Golfe au nom de l'anticolonialisme, puis en décernant un brevet de démocratie au Serbe Slobodan Milošević, promoteur de la purification ethnique au Kosovo, Debray a siégé à la commission Stasi, où il a fourni sa contribution à l'orientation nationale-communautariste en appelant à un plus grand « respect » de l'école et en suggérant de protéger les institutions éducatives des « effets de groupe ». Bien qu'il se soit prononcé contre l'interdiction légale du port du voile, préservant ainsi sa réputation de progressiste, il a donné à ceux qui réclamaient une loi des arguments clés : la nécessité d'agir contre la (prétendue) déliquescence du tissu social français, l'incompatibilité (non démontrée) de la croyance religieuse avec la citoyenneté républicaine et la nécessité impérative de forger une « communauté de destin » (mal définie) par le truchement du système éducatif. Toutes ces imprécations ont culminé dans *Le Moment fraternité*, où, bizarrement, Debray affirme que renverser le principe de laïcité serait le prélude à la « délégalisation de la contraception ». Sans surprise, Jean Baubérot, le plus grand spécialiste de l'histoire de la laïcité en France, en a conclu que les véritables fondamentalistes étaient désormais dans le camps des républicains. [45]

De Rosanvallon à Badiou

La dérive d'un grand nombre de membres de l'élite française vers un républicanisme néoconservateur et chauvin au cours de la première décennie du XXIe siècle a suscité un certain nombre de réactions de la part de penseurs progressistes. Dans une série de nouveaux travaux, Pierre Rosanvallon a offert une analyse fouillée de la crise de la démocratie française. Rejetant l'idée reçue selon laquelle les citoyens, devenus apathiques, se détourneraient de la politique, il cherche à démontrer que de nouvelles formes de « défiance » collective envers l'autorité (telles qu'elles s'expriment notamment dans les mouvements sociaux ou sur Internet) portent en germe une régénération civique. Il défend ainsi la cause d'une « renationalisation » de la vie collective française fondée sur une forme de démocratie participative plus forte et une promotion plus vigoureuse de l'égalité par la redistribution. [46]

Le travail de Rosanvallon a été largement salué, mais pas toujours soigneusement lu. Il faut noter que, de sa chaire au Collège de France ou sur le site Internet qu'il a fondé, « La vie des idées », il essaie de dépasser la dichotomie entre l'utopisme sartrien et le scepticisme aronien qui a dominé la vie intellectuelle française pendant la majeure partie du XXe siècle [47]. Pour autant, même si ses contributions (pamphlets, articles, recensions ou ateliers) ont jeté un éclairage intéressant sur les évolutions de la société française contemporaine et notamment contribué à repérer de nouvelles formes d'exclusions sociales ou économiques, son aspiration à refonder la compréhension collective de la démocratie française est loin d'être entrée dans les faits.

Plusieurs raisons expliquent les limites de son succès, dont la principale est affaire de style plutôt que de fond : la prose académique assez austère de Rosanvallon n'a pas la fougue et l'élégance rhétorique de celle de son mentor, François Furet, sans même parler de celle des grands intellectuels français de l'âge d'or. Contrairement à Sartre, il ne possède pas l'art de donner au lecteur le sentiment de participer à une conversation collective. De plus, ses interventions dans l'arène politique ont été assez limitées (il est resté largement absent de la campagne présidentielle de 2012, par exemple). Il cherche aussi à intégrer dans ses travaux des concepts empruntés à la science politique anglo-américaine, qui sont peu compris en France. Enfin, sa vision de la démocratie opère à l'intérieur d'un cadre largement réformiste. Les subtilités d'une telle position n'ont donc pas toujours été comprises. De fait, elles vont contre l'idéal sartrien de l'intellectuel dissident, critique radical de la démocratie française. C'est d'ailleurs l'argument de ceux qui, à gauche, contestent sa modération et son réformisme, ainsi que son refus de remettre en question les fondements de l'ordre politique et économique mondial contemporain [48].

Parmi ces détracteurs, il faut noter au premier rang le néomarxiste Alain Badiou, qui a souvent attiré l'attention de l'opinion publique avec plus de succès que Rosanvallon en défiant la pensée politique conventionnelle. Disciple critique de Sartre et ancien professeur à l'École normale supérieure, Badiou occupera dans une large mesure la place laissée vacante à la mort de Bourdieu en 2002. Son pamphlet vivement polémique intitulé *De quoi Sarkozy est-il le nom ?* a été l'un des succès littéraire de l'année 2007. Il y présente la conquête du pouvoir par Sarkozy comme la conséquence de son désir d'intégrer la France dans les réseaux du capitalisme financier international et de son instrumentalisation efficace des peurs de la société française : peur du terrorisme, de l'immigration, de l'insécurité. Mais les convictions les plus centrales de Badiou – la grandeur de la révolution culturelle maoïste, la pérennité de l'idéal communiste, la renaissance de l'Histoire à la lumière du printemps arabe – n'ont guère trouvé d'écho dans l'opinion publique. Son autorité repose davantage sur les traits de sa pensée qui, de tout temps, ont attiré les progressistes français : l'universalisme, le mépris de toutes les formes de chauvinisme, la conviction que la démocratie « bourgeoise » est limitée, l'antiaméricanisme (allié à une hostilité à l'égard de l'expansionnisme israélien), la dénonciation de l'immoralité du capitalisme et de la vacuité de la rhétorique « républicaine ». L'article qu'il a publié dans *Le Monde* après l'adoption de la loi contre le port du voile islamique était particulièrement incisif : il mettait en lumière les nombreuses contradictions de la pensée communautariste républicaine et dénonçait les véritables motivations du législateur – la peur du « barbare ». [49]

Le retour de Camus

Chaque étape de l'histoire intellectuelle française requiert le patronage d'une grande figure philosophique tutélaire : après l'hégémonie sartrienne de l'immédiat après-guerre, suivie de la reconnaissance tardive de Tocqueville à la fin du XXe siècle, le personnage qui est revenu réclamer une place posthume au soleil n'est autre que l'ancien adversaire de Sartre, Albert Camus. L'écrivain, un temps ravalé au rang de philosophes pour lycéens, a ainsi refait surface, non seulement parce que son élégance et son légendaire *trench-coat* en font une icône parfaitement adaptée à l'âge de la publicité, mais parce que ses romans sont toujours restés populaires. Avec plus de 6,7 millions d'exemplaires, *L'Étranger* figure parmi les plus gros tirages en livre de poche de toute l'histoire de l'édition française. Mais il est tout aussi crucial que le profil de Camus ait correspondu idéalement aux besoins très divers de l'âge du repli de l'intellectuel. Camus n'incarne-t-il pas, après tout, le scepticisme érigé en idéal contre le dogme ? N'est-il pas l'homme qui a refusé de consentir à la décision française de se retirer de l'Algérie ? Celui qui a déclaré que, s'il était obligé de choisir entre la justice et sa mère, il choisirait sa mère ? Cette philosophie légale a séduit tout particulièrement Nicolas Sarkozy, empêtré dans plusieurs scandales financiers au cours de son mandat présidentiel et devenu, fort opportunément, le grand champion de Camus. Il tentera même, sans succès, de faire transférer ses cendres au Panthéon (bien qu'il ne semble pas avoir lu son auteur préféré avec assez d'attention pour en retenir le prénom : à Avignon, en 2012, il évoquera « Stéphane » Camus). [50]

Cette renaissance camusienne constitue également un hommage indirect à Sartre, car elle reflète la pérennité d'un sentiment bien français : le besoin de se référer à une figure d'intellectuel symbolique pouvant exprimer l'air du temps. Car de quoi s'agit-il enfin, sinon du fait que Camus représente une sorte d'anti-Sartre ? C'est précisément ce qu'a voulu dire Olivier Todd dans sa monumentale biographie lorsqu'il a tenté de prouver que Camus l'emportait sur Sartre en termes d'authenticité, d'honnêteté, d'humanité, de rejet de la violence, de reconnaissance des limites de l'engagement intellectuel. Ce qui constitue un portrait flatteur, car l'attrait de Camus réside par-dessus tout dans son infinie adaptabilité. Là où Sartre avait représenté l'universalisme, la profondeur de la connaissance et la constance des opinions (au point de se vautrer dans l'erreur), Camus en est venu à incarner la superficialité – un intellectuel à tout faire, salué comme « une conscience morale pour le XXIe siècle » par *Le Nouvel Observateur* et récupéré au profit de toute sorte de causes : « l'urgence et l'improvisation de la vie » pour André Comte-

Sponville ; une éthique de l'humanisme pour Alain Finkielkraut ; un idéal de tempérance et de justice pour Jean Sarocchi ; une philosophie de l'ordre libertaire pour Michel Onfray ; le symbole du « pur et noble intellectuel » pour Stéphane Giocanti ; la mémoire des colons français d'Algérie pour les critiques de la repentance coloniale, tel Jean-Louis Saint-Ygnan ; « un grand frère de la cité » pour le rappeur Abd al Malik, qui lui a consacré un spectacle musical à Aix-en-Provence ; l'aspiration républicaine d'établir l'égalité par l'éducation pour François Hollande. [51] Aucune mode intellectuelle ne serait complète sans son adoption par Bernard-Henri Lévy : c'est ainsi que l'infortuné Albert se retrouve également acclamé comme l'incarnation des idéaux de la « gauche mélancolique » : un pessimisme plein d'espoir et un engagement sceptique à rendre le monde meilleur. Quelques années plus tard, dans son récit outrageusement narcissique des événements de 2011 en Libye, BHL se dépeindra comme le fer de lance d'une intervention militaire française visant à apporter la démocratie à ces malheureux Arabes et, dans une scène saturée d'orientalisme camusien, il se présente comme l'architecte intellectuel de l'unité nationale libyenne. [52]

Avant-garde/arrière-garde

Nul ne peut donc contester que des changements considérables aient eu lieu depuis les années 1980 dans le paysage intellectuel français. Les personnalités de la stature de Sartre, Foucault ou Aron ont disparu et, avec elles, les confrontations épiques qui avaient marqué la vie publique pendant la majeure partie du XXe siècle. Saint-Germain-des-Prés est devenu un quartier de boutiques de luxe où le souvenir des gloires artistiques et littéraires qui le fréquentaient alors disparaît peu à peu. Comme le note avec désillusion un habitué des lieux rencontré par un journaliste, « vous êtes ici dans un secteur touristique, un jour on vendra des statues de Sartre *made in China*, ça va venir [53] ».

Ont également disparu les combats pour la défense des grandes causes politiques par l'élite culturelle parisienne. Le sociologue Bruno Latour le commente avec humour : « Cela fait très longtemps que les intellectuels ne sont plus à l'avant-garde. Cela fait même très longtemps que la notion même d'avant-garde – le prolétariat, l'artiste – a disparu, délogée par d'autres forces, reléguée à l'arrière-garde, peut-être même chargée dans la soute à bagages. » L'une des caractéristiques les plus notables de l'élection présidentielle de 2012 a été l'absence quasi totale d'intellectuels, d'auteurs ou d'artistes célèbres venus soutenir les candidats – même si Nicolas Sarkozy, jamais à court d'idées, a réussi à « caser » Gérard Depardieu durant l'une de ses réunions de campagne (depuis l'élection de Hollande, l'acteur ne réside plus en France). Les partis font encore appel à des universitaires ou à des experts pour les aider à rédiger manifestes et programmes, mais ces interventions sont limitées et davantage motivées par des considérations de court terme que par des stratégies de long terme. Quand elles ont lieu, les rares interventions des intellectuels portent sur des points plus spécifiques et limités – ce fut le cas lorsque le Prix Nobel de littérature 2008 Jean-Marie Le Clézio dénonça avec force le traitement que la communauté internationale réserve aux habitants des îles Chagos. [54]

Il ne faudrait cependant pas exagérer l'étendue de ces changements. Même si la substance de la vie intellectuelle française a changé au cours de l'ère post-sartrienne, il demeure des facteurs de continuité importants en termes de style et d'approche. Dans les années 1990, l'autosatisfaction des libéraux français, convaincus que l'heure de la victoire avait sonné pour eux, a été le pendant de l'eschatologie triomphale de Sartre et des marxistes français à l'apogée de leur influence. Les rêves respectifs étaient certes très différents, mais représentaient une forme typiquement française d'universalisme, et l'aveuglement des uns et des autres provenait des mêmes causes : un mode bien parisien de raisonnement en vase clos, exacerbé par la distance et parfois le mépris dans lesquels les opinions des gens ordinaires sont tenues. C'est ce phénomène qui explique la retentissante défaite du « oui » au référendum européen de 2005. Cependant, même si Bourdieu ou Badiou n'ont pas la stature de Sartre, l'audience significative qu'ils ont trouvée dans l'opinion publique montre que la foi sartrienne dans la valeur politique et sociale de la contestation reste toujours aussi vivace, tout comme la conviction de l'*intellectuel engagé** qu'il y a quelque chose d'intrinsèquement corruptible dans le « pouvoir ». À cet égard, et c'est fondamental, même si Sartre et Foucault ont eu des conceptions opposées du rôle de l'intellectuel, leurs héritages concordent. La controverse sur le multiculturalisme a bien illustré l'attachement pérenne des élites françaises à la théorisation holistique et à l'hyperbole, ainsi que leur refus farouche de raisonner à partir des faits.

Ces éléments de continuité ne sont cependant pas tous négatifs. Se présenter comme médiateur entre l'élite qui réfléchit et le citoyen ordinaire est un idéal ancien qui reste cher à l'intellectuel français, comme le prouve « Raconter la vie », un projet original lancé par Pierre Rosanvallon en 2014. Il s'agit de fournir (via un site Internet dédié et une collection publiée par Le Seuil) une plate-forme où des Français et des Françaises de tous horizons peuvent raconter leur histoire directement, sans l'intermédiaire de professionnels. L'aspiration sartrienne – « écrire pour tout le monde » – est ainsi radicalement renversée : tout le monde peut aspirer à écrire. Plus largement, le but de ce « parlement des invisibles » est de donner la parole aux sans-voix et de forger les « éléments d'une reconstruction positive d'un monde commun, reconnu dans sa diversité et dans sa réalité [55]. » L'initiative a reçu un accueil généralement favorable et, parmi les titres les plus remarqués, on peut citer *Ligne 11*, de Charles Petot, qui raconte la vie d'un conducteur de métro, *La Fiche de renseignements*, de Nadia Daam, qui relate ses expériences de travail au noir, et le récit remarquablement intitulé *Je suis l'ombre fatiguée qui nettoie vos merdes en silence*, d'Anaëlle Sorignet, qui dépeint le quotidien d'un employé de la restauration rapide [56].

Cependant, quel que soit le succès de ces projets d'émancipation et de démocratisation intellectuelles, ils ne peuvent ni dissimuler ni compenser le retrait beaucoup plus généralisé des écrivains et des universitaires, qui ont progressivement quitté la sphère publique depuis l'ère sartrienne. Les conséquences négatives de ce phénomène sont faciles à démontrer : même si elles n'ont pas toujours rempli leurs ambitions, des générations d'intellectuels français ont, tout au long du XXe siècle, alerté l'opinion publique contre des évolutions spécifiques (telle la montée du fascisme), élargi l'horizon des dirigeants (notamment sur la question de la décolonisation) et dénoncé les insuffisances les plus flagrantes des élites politiques françaises. À cet égard, il n'y a peut-être pas eu de plus grand échec au cours des dix dernières années que l'impuissance collective des intellectuels à contrecarrer l'essor du Front national et la dissémination croissante de ses idées dans la population – un silence d'autant plus assourdissant que, tout au long de l'histoire et notamment depuis l'Affaire Dreyfus, les intellectuels français ont été à la pointe du combat contre le racisme et la xénophobie. Le fait que certains intellectuels progressistes reconnaissent désormais ouvertement la fascination qu'ils éprouvent pour Jean-Marie Le Pen donne la mesure de la désorientation qui frappe les élites culturelles françaises [57].

Cet abandon de la sphère publique a aussi facilité son occupation par des pamphlétaires de second ordre. En 2010, l'hebdomadaire *Marianne* a publié un sondage qui révèle que l'intellectuel le plus connu en France est Bernard-Henri Lévy, dont le nom est cité par 82 % des personnes interrogées. En termes d'influence, il est devancé par Élisabeth Badinter et Jacques Attali – deux personnalités dont les travaux sont essentiellement de la vulgarisation et qui sont peu connus en dehors de l'Hexagone. Il n'est guère étonnant, par conséquent, que dans le numéro du trentième anniversaire du *Débat* Pierre Nora ait conclu que la vie intellectuelle en France avait subi une sévère dégradation et avait été frappée de maux divers : « Rétrécissement des horizons, atomisation de la vie de l'esprit, provincialisme national, effondrement du système et du message éducatifs ». [58] Ce sera l'objet des deux derniers chapitres que d'explorer les vicissitudes de la pensée française de ces dernières années, à commencer par la place de l'Histoire dans la culture nationale et dans l'imaginaire politique.

9

De l'horrible danger de l'Histoire

Au soir du 22 février 1825, un groupe d'invités se retrouve à Paris chez Paul-François Dubois, l'un des fondateurs de la revue progressiste *Le Globe*. Ils sont venus écouter la lecture de la nouvelle pièce de théâtre de Charles de Rémusat, un jeune intellectuel qui a rejoint les rangs des contributeurs de la revue. L'action se déroule à la fin du XVIIIe siècle, dans une plantation de canne à sucre d'une très prospère colonie française. *L'Habitation de Saint-Domingue* est la dramatisation de la révolte des esclaves qui, en 1791, a entraîné l'indépendance de l'île [1]. Rémusat y fait un portrait frappant de la société coloniale subissant les contrecoups de la Révolution et des passions qui l'ont déchirée : cupidité, peur, désir, haine et soif de vengeance. Il décrit l'égoïsme des colons représentés par le planteur Boistier de Valombre, l'exploitation physique et sexuelle dont sont victimes les esclaves (avec la complicité du clergé local et de la population mulâtre) et la bravoure des rebelles incarnés par Timur, le chef charismatique qui les entraîne à renverser leurs oppresseurs et à reconquérir leur liberté. Cependant, en dépit de la sympathie qu'éprouve l'auteur pour les esclaves, il ne cède pas au mythe romantique du Prométhée noir. Malgré la victoire des révoltés, le dénouement de la pièce est tragique : au dernier acte, les esclaves libérés mettent en cause l'autorité de Timur et, refusant d'écouter son appel à la clémence, provoquent la mort de leurs captifs, le fils et la fille de Valombre ainsi qu'un ecclésiastique. Désenchanté à la suite de ce drame terrible, le chef rebelle déclare : « Depuis que vous êtes libres, vous ne valez pas mieux [2] [que vos anciens maîtres]. »

L'Habitation de Saint-Domingue sera l'un des premiers exemples d'un genre littéraire destiné à connaître un avenir glorieux en France : la fiction historique. Stimulés par l'accueil enthousiaste réservé à l'œuvre de Walter Scott et à celle de Fenimore Cooper, les écrivains français cherchent à donner plus de réalisme et de profondeur dramatique à leurs personnages en les plaçant dans des contextes historiques authentiques. Parmi les prototypes du genre figurent *Les Barricades*, de Ludovic Vitet (1826), une pièce sur la révolte du peuple de Paris en 1588, pendant les guerres de Religion ; *Cinq Mars*, d'Alfred de Vigny (1828), l'histoire tragique d'un aristocrate idéaliste victime au XVIIe siècle du cynisme de l'Ancien Régime ; *Les Chouans*, de Balzac (1829), un roman sentimental sur fond de révolte royaliste en Bretagne en 1799 ; et le roman épique de Victor Hugo *Notre-Dame de Paris* (1831), exubérante évocation du Paris du XVe siècle. La nouveauté de ces œuvres réside dans l'attention méticuleuse portée au détail, dans l'abandon des conventions rhétoriques classiques, dans l'intérêt pour les sujets généraux et les passions collectives plutôt que pour l'introspection et les sentiments intimes, et dans la projection de questions et de valeurs contemporaines dans le passé. À cet égard, le drame de Rémusat se révèle emblématique, car derrière son évocation de la révolte de Saint-Domingue se dissimule le thème plus général de la Révolution. La pièce souligne comment la Révolution parvint à façonner les destinées des différents groupes sociaux, de façon parfois subliminale et inattendue, car même les planteurs admirent Rousseau – l'un d'eux a donné à un esclave le prénom de Jean-Jacques. Rémusat souligne aussi la violence tour à tour créatrice et destructrice de la Révolution, car la révolte des esclaves contre Timur est une allégorie évidente de la radicalisation des événements en France après 1792. Derrière tout cela il fallait aussi voir un sévère avertissement destiné aux dirigeants ultra-royalistes de la Restauration : refuser d'accomplir les réformes indispensables mènerait inévitablement à de violentes révolutions.

L'Histoire, en bref, se préoccupait autant d'influencer le présent que de faire revivre les événements du passé.

En finir avec la Révolution

La restauration de 1815, inaugurée par le retour au pouvoir des Bourbons après la défaite de Napoléon à Waterloo, est hantée par le passé. Observant la prolifération des ouvrages historiques de toutes sortes dans les années 1820, Augustin Thierry prophétise que « l'histoire sera le cachet du XIXe siècle et elle lui donnera son nom, comme la philosophie a donné le sien au XVIIIe ». Quant à Chateaubriand, commentant cette vague d'enthousiasme collectif quelques années plus tard, il fait observer : « Tout prend aujourd'hui la forme de l'histoire : polémique, théâtre, roman, poésie. » De fait, cette ferveur ne se limite pas au monde artistique. Journaux et revues commentent abondamment les sujets historiques et l'Histoire trouve une place de plus en plus importante dans les programmes scolaires, ce que confirme l'apparition des premiers manuels. François Guizot rassemble et publie de nouvelles sources documentaires sur le Moyen-Âge. Les conférences sur l'histoire de la civilisation française qu'il donne à la Sorbonne à la fin des années 1820 sont des événements intellectuels majeurs de l'époque. Elles attirent un public nombreux qui interrompt fréquemment l'orateur par des salves d'applaudissements enthousiastes. [3]

Cette explosion de l'activité des historiens s'explique par deux raisons connexes. À la sortie du maelström post-1789, toutes les traditions politiques ressentent un sentiment de perte où se mêlent le souvenir de l'impact destructeur de l'expérience révolutionnaire, la nostalgie de la grandeur passée (qu'elle soit monarchique, républicaine ou impériale) et le sentiment que les liens entre le passé et le présent ont été irrémédiablement rompus. Embrasser l'Histoire n'est pas seulement réagir contre ces bouleversements, mais aussi tenter de les guérir en forgeant un récit national qui pourrait « renouer enfin la chaîne des temps qui ne se laisse jamais rompre tout à fait, quelque violents que soient les coups qu'on lui porte[4] », comme l'exprime Guizot. Ce point de vue éclaire l'une des caractéristiques frappantes de l'écriture de l'histoire en France depuis ses débuts : l'historien est considéré comme un guérisseur et un oracle dont le rôle est de révéler les origines et la continuité essentielle de la nation française, ainsi que sa destinée ultime. Ce qui donne à cet exercice de divination une cohérence particulière, c'est le fait que les historiens de la Restauration partagent un même attachement à un libéralisme modéré qui informe à la fois leur compréhension philosophique du passé et leur volonté de guider la France vers une monarchie constitutionnelle gouvernée par des élites éclairées. La priorité de l'historien est de mettre en lumière d'autres thèmes que les sujets traditionnels de l'historiographie royaliste – monarques, batailles ou traités diplomatiques. Pour citer Augustin Thierry à nouveau : « L'histoire de France telle que nous l'ont faite les écrivains modernes n'est point la vraie histoire du pays, l'histoire nationale, l'histoire populaire, cette histoire est encore ensevelie dans la poussière des chroniques contemporaines, d'où nos élégants académiciens n'ont eu garde de la tirer [...]. Il nous manque l'histoire des citoyens, l'histoire des sujets, l'histoire du peuple[5]. » Dans un article fondateur qu'il publie en 1820, il esquisse un récit alternatif centré sur la figure de « Jacques Bonhomme », archétype du paysan français, dont le combat pour la liberté et la propriété privée a sans cesse été frustré par les invasions étrangères ou les spoliations de l'État. Thierry insiste sur la race, moteur de l'Histoire, et célèbre les Gaulois, dont il fait les fondateurs de la nation. Il affirme également que, des Romains et des Francs jusqu'à l'Empire en passant par l'Ancien Régime et la République, les institutions politiques ont toujours adhéré à un principe immuable : le « pouvoir absolu[6] ».

Le défi majeur de ce nouveau récit est de fournir un compte rendu satisfaisant de la Révolution qui permette simultanément d'expliquer ses causes et de justifier son déroulement tout en lui assignant une place dans le cadre plus large de l'histoire de la nation. *L'Histoire de la Révolution française* de François Mignet (1824) dépeint le renversement de l'ordre ancien sous l'angle de la lutte des classes et introduit la distinction fondatrice entre les

« deux révolutions » : celle menée par le tiers état contre l'aristocratie entre 1789 et 1791, et la révolution populaire dirigée contre la bourgeoisie entre 1792 et 1795. Mignet s'appuie également fortement sur la notion de nécessité : la Révolution n'a pas été un événement fortuit mais le produit « inévitable » de la désintégration de l'Ancien Régime [7]. En faisant référence au « pouvoir irrésistible » de ces phases successives et en notant que, « lorsque la société est remuée dans ses fondements, ce sont les hommes les plus audacieux qui triomphent [8] », il inaugurait aussi une controverse sur la justification de la Terreur qui provoquera des débats houleux parmi les tenants de toutes opinions.

Ce sont les écrits de Guizot qui vont porter à leur apogée la production de cette nouvelle école historique. Dans une série d'ouvrages sur la civilisation française et européenne publiés dans les années 1820, Guizot affine la vision de Mignet en mettant en exergue les singularités de la tradition nationale française : liberté de pensée, rationalisme et individualisme moral – des principes qu'il fait remonter à Descartes. Il ajoute aussi, pour faire bonne mesure, que tous les grands idéaux de la civilisation européenne sont venus de la France :

> la France a été le centre, le foyer de la civilisation en Europe [...] Et non seulement telle a été la destinée particulière de la France, mais les idées, les institutions civilisantes, si je puis ainsi parler, qui ont pris naissance dans d'autres territoires, quand elles ont voulu se transplanter, devenir fécondes et générales, agir au profit commun de la civilisation européenne, on les a vues obligées de subir en France une nouvelle préparation ; et c'est de la France, comme d'une seconde patrie, qu'elles se sont élancées à la conquête de l'Europe. Il n'est presque aucune grande idée, aucun principe de civilisation qui, pour se répandre partout, n'ait passé d'abord par la France [9].

Fondamentalement, Guizot considère que c'est la bourgeoisie qui est le moteur du progrès social et de l'unification nationale, autant parce qu'elle a valorisé le travail que parce qu'elle a mené le combat contre la féodalité. La signification de 1789 est ainsi pleinement dévoilée : le renversement de l'ordre ancien a été le dénouement d'une « lutte terrible, mais légitime, du droit contre le privilège, de la liberté contre l'arbitraire ». Guizot concluait donc que, dans sa dernière incarnation en tant que tiers état, la bourgeoisie avait été l'« élément le plus actif et le plus décisif de la civilisation française ». [10]

Après la chute des Bourbons, renversés par la révolution de juillet 1830, qu'il compare à la Glorieuse Révolution anglaise de 1688, Guizot devient l'une des figures principales de la monarchie constitutionnelle de Louis-Philippe, occupant successivement les fonctions de ministre de l'Éducation puis des Affaires étrangères avant de devenir Premier ministre. Cependant, sa foi en l'idéal libéral de la raison souveraine ne va pas tenir longtemps. Avant même que ce régime qui lui est si cher ne soit renversé, l'ensemble de l'opinion s'est déjà retourné contre lui – les insurgés qui envahissent le palais des Tuileries y trouvent même un perroquet qui répète : « À bas Guizot [11] ! » Le récit libéral prophétique nécessitait désormais d'être réajusté, tout particulièrement pour expliquer pourquoi l'irrésistible *élan** de la Révolution n'avait pas permis d'établir un ordre bourgeois stable.

Dans son *Histoire du Consulat et de l'Empire* en vingt volumes, Adolphe Thiers souligne le rôle crucial de l'ère napoléonienne. Il dresse un portrait convaincant du dualisme qui caractérise la figure de l'Empereur : d'un côté, Napoléon apparaît comme le pacificateur et le réformateur dont l'aura providentielle a sauvé la Révolution d'elle-même et établi de solides fondations pour l'État moderne français. De l'autre, il figure aussi le guerrier et le despote « qui ne faisait aucun cas de l'homme ou de la nature » et a entraîné la France dans un cycle de guerres destructrices contre le reste de l'Europe. Aux yeux de Thiers, cependant, ces élans conflictuels entre l'égalité civique et le despotisme ne sont que le reflet des contradictions de 1789 : « C'était la Révolution française qui délirait en lui, en son vaste génie. » [12]

Il en va autrement pour Alexis de Tocqueville, qui, dans *L'Ancien Régime et la Révolution*, formule une hypothèse encore plus pessimiste. Il affirme que pendant les deux siècles qui ont précédé 1789 l'ordre ancien a amorcé deux processus contradictoires qui l'ont finalement mené à sa perte. D'un côté, le creusement des inégalités politiques entre groupes sociaux (notamment entre l'aristocratie et la bourgeoisie, et entre la paysannerie et l'ensemble des autres classes) et, de l'autre, le remplacement de la diversité des ordres juridiques provinciaux par une hiérarchie administrative uniforme sous l'égide de la monarchie absolue. Les derniers temps de l'Ancien Régime ont donc été caractérisés par l'émergence d'une bureaucratie étatique toute-puissante qui a préparé la voie au despotisme centralisé de la Révolution et de l'Empire [13]. L'argument de la continuité permettait à Tocqueville de brouiller l'antinomie entre les périodes pré- et post-1789 tout en rejetant la responsabilité de l'instabilité constitutionnelle qui s'en était suivie sur la culture politique créée par les révolutionnaires – une combinaison mortifère de passion égalitaire et de culte de l'autorité.

Dès l'origine, l'écriture de l'histoire en France a présenté les caractéristiques générales de la pensée française : un penchant pour les grands schémas (la marque de fabrique des travaux de Guizot comme de ceux de Tocqueville), l'idéalisation d'un groupe particulier perçu comme représentant l'expression la plus haute de la culture française (ici, la bourgeoisie) et un style à la fois cérébral et littéraire qui, à son meilleur niveau, peut toucher des lecteurs extrêmement nombreux – *L'Histoire* de Thiers s'est vendu à plus d'un million d'exemplaires, ce qui a valu à son auteur le titre officieux, mais d'autant plus prestigieux, d'« historien national [14] ». Un grand sens de l'ambition intellectuelle est également perceptible : l'objectif premier de l'école historique libérale a été d'intégrer le passé révolutionnaire aux périodes qui l'avaient précédé et de lancer la recherche d'un nouveau récit national. Ces historiens ne se sont d'ailleurs pas contentés de rédiger ce récit : ils se sont plongés dans les archives. Tocqueville affine son argumentation sur la centralisation en épluchant les rapports des fonctionnaires de l'Ancien Régime conservés aux Archives nationales. Quant à Thiers, il a consulté les 30 000 dossiers constituant les archives napoléoniennes. Dans le même temps, la cohésion intellectuelle de cette école a été facilitée par le fait que ses principales figures appartenaient toutes à l'Académie française, bastion du libéralisme conservateur au XIXe siècle.

Thiers y est élu en 1833, Guizot en 1836, Tocqueville en 1841 et Rémusat en 1846. Ces historiens, tous activement engagés dans la défense des différentes branches de la famille libérale, ont cherché à établir un récit de l'histoire de la France moderne qui cadrerait avec leurs idéaux et leurs préjugés – notamment leur opposition à l'idée de souveraineté populaire. À cet égard, leur contribution la plus durable a été la représentation du peuple français comme une « ville multitude » (selon l'expression de Thiers), irrationnelle, capricieuse et encline au despotisme. D'où le portrait que Tocqueville dresse de ses compatriotes, dans lequel son exaspération se mêle à un ressentiment typiquement aristocratique à l'égard des ordres subalternes : « Indocile par tempérament, et s'accommodant mieux toutefois de l'empire arbitraire et même violent d'un prince que du gouvernement régulier et libre des principaux citoyens ; aujourd'hui l'ennemi déclaré de toute obéissance, demain mettant à servir une sorte de passion que les nations les mieux douées pour la servitude ne peuvent atteindre ; conduit par un fil tant que personne ne résiste, ingouvernable dès que l'exemple de la résistance est donné quelque part [15]. »

Visions républicaines

En avril 1832, un instituteur robespierriste de trente-quatre ans, Albert Laponneraye, comparut devant les assises de Paris ; il avait été quelques mois plus tôt arrêté et mis en détention à la prison de Sainte-Pélagie pour avoir organisé une série de conférences publiques et gratuites sur l'histoire de la France moderne, au cours desquelles, d'après le procureur, il prêchait des doctrines « subversives » contre l'institution monarchique et « excit[ait] la haine des ouvriers contre les bourgeois ». Après son arrestation, les autorités avaient d'ailleurs fermé le local où se tenaient ses conférences, saisi toutes les brochures de diffusion de ses cours et supprimé son autorisation d'enseigner. Pour sa défense, Laponneraye déclara que sa motivation principale avait été l'« amour de ses semblables » et son désir d'« améliorer le sort de la classe ouvrière par l'instruction ». Le but premier de sa « chaire populaire » avait été de démontrer que, depuis la Révolution, toutes les sociétés évoluaient vers la « destruction du principe monarchique » et l'« établissement de la souveraineté populaire ». Il conclut en affirmant que ses cours ouvraient la voie à un nouveau type d'histoire : non plus la récitation d'événements et de dates, mais « une histoire raisonnée, une histoire morale, une histoire philosophique [16] ».

Ce défi lancé par Laponneraye marque symboliquement le début d'une nouvelle tradition dans l'écriture de l'Histoire en France, inspirée par les idéaux républicains. Tout en partageant le but de l'école libérale (à savoir intégrer la rupture de 1789 dans le cadre plus général de l'histoire nationale), l'école républicaine porte un jugement beaucoup plus positif sur la nature et le déroulement de la Révolution, ainsi que sur ce que ce qu'elle implique pour le sentiment d'identité collective des Français. Par-dessus tout, elle a la conviction que l'historien n'a plus seulement la responsabilité de comprendre le passé et de le rendre intelligible, mais qu'il a une vocation particulière – éduquer les citoyens.

L'homme qui incarne au plus haut degré cette conception pédagogique de l'histoire est Jules Michelet, le plus grand des historiens modernes français. Michelet avait beaucoup de points communs avec Laponneraye : lui aussi était issu d'un milieu modeste, son père était maître-imprimeur, lui aussi sera démis de ses responsabilités (notamment de sa chaire au Collège de France) pour avoir refusé d'abjurer sa foi républicaine. Ce qui donne une force particulière à la vision de Michelet, c'est sa conviction de remplir une mission singulière : « Être le lien entre le passé et le présent [17]. » Même pour l'époque, sa production est stupéfiante : ses œuvres complètes s'élèvent à quarante volumes, dont dix-sept consacrés à l'histoire de France et sept à la Révolution. Pour autant, sa contribution majeure réside dans la façon dont il a transformé l'horizon même du passé. Michelet croyait que l'historien était un créateur dont le devoir était de ressusciter le passé dans toutes ses dimensions : individuelles et collectives, matérielles et spirituelles, humaines et naturelles [18].

Il a couvert un éventail de sujets étonnamment large, traitant aussi bien de Giambattista Vico que de Luther, des codes de lois médiévaux que du sentiment amoureux, des jésuites que de la sorcellerie, des insectes que des montagnes, des républiques romaines que du martyre de la Pologne. Dans cette inlassable quête de la *pensée commune** des époques passées, il est le premier historien à avoir réfléchi à la dimension symbolique de la vie collective (ce qui lui valut, d'après Heine, le surnom de « Monsieur Symbole [19] »). Il a insisté sur l'importance de comprendre une société non seulement en étudiant ses formes de pensée rationnelle, mais aussi tout ce qui relève de l'anthropologie – croyances, rituels et mythes. Dans *La Sorcière* (1862), livre pionnier traitant de la sorcellerie au Moyen-Âge, il présente ainsi le phénomène comme une forme de rébellion populaire contre l'ordre répressif de la féodalité et de l'Église catholique.

Le *leitmotiv* de l'œuvre de Michelet est de chercher à démontrer que le principal acteur de l'histoire de France a été le « peuple » [20] : des Croisades à la Révolution en passant par la Réforme, les masses populaires ont joué un rôle critique pour déterminer le destin de la nation. La grandeur médiévale de l'Église catholique, par exemple, a coïncidé avec le moment où elle était la plus démocratique, alors que, plus tard, son déclin a été la conséquence de sa dérive vers le despotisme. De manière similaire, l'unité de la monarchie française a reposé sur le fait qu'elle incarnait l'« identité nationale » (un anachronisme que Michelet assume avec aplomb), la survie des pires monarques, tel Charles VI, étant rendue possible par la compassion que le peuple éprouvait à l'égard de son roi, si dément fût-il [21]. Rejetant aussi bien l'importance que Thierry accorde à la race que le « fatalisme » de l'école de Guizot, Michelet développe une conception essentiellement spirituelle du peuple français, dans la lignée de Rousseau : une collectivité vivante, consciente d'elle-même, animée par des sentiments de sociabilité, de compassion et d'amour [22].

La représentation des idéaux collectifs du peuple français culmine dans le récit qu'il fait de la Révolution. Alors que ses confrères républicains glorifient des aspects singuliers de la période (qui les chefs girondins, qui les vertus jacobines, qui encore l'inspiration chrétienne ou égalitariste), Michelet identifie la vraie grandeur de 1789 à l'humanisme du peuple, à ses interventions créatrices et souvent spontanées dans la vie publique. Les héros de la Révolution, comme Marat, Danton ou Desmoulins, se sont distingués car ils se sont exprimés au nom du peuple, comme Jeanne d'Arc des siècles auparavant. Les réformes politiques et administratives majeures de l'après-1789 reflètent une aspiration collective à l'égalité et à la justice. De même, le rassemblement des fédérations provinciales en une unité collective des Français le 14 juillet 1790 symbolise le sens de la communauté : c'était l'« époque de l'unanimité, l'époque sainte où l'ensemble de la nation, libre des distinctions de partis et ne connaissant pas l'opposition entre les classes, marchait d'un même pas sous le drapeau de la fraternité ». Et, bien que cette unité nationale eût été éphémère, Michelet affirmait qu'elle demeurerait l'« idéal vers lequel nous tendons toujours [23] ».

L'influence de Michelet sur l'historiographie française a été immense, tout particulièrement chez les progressistes. Sa conviction que la connaissance du passé pouvait être une force positive de changement a aussi inspiré une façon plus militante de concevoir cette discipline. Un siècle avant *l'engagement** sartrien, les intellectuels républicains ont fourni des histoires de leur époque qui cherchaient à remettre en question la légitimité des monarques français – *Histoire de dix ans*, de Louis Blanc (1841), *Napoléon le Petit*, de Victor Hugo (1852), ou plus tardivement *Histoire du second Empire*, de Taxile Delord (1869), des travaux publiés dans le but de démontrer que le régime monarchique était incompatible avec les idéaux collectifs de la nation. Dans les pages de conclusion de son *Histoire de dix ans*, Louis Blanc condamnait les dirigeants « bourgeois » de la monarchie de Juillet et leur conception étriquée et intéressée de la politique, avant d'ajouter : « Retrempée dans le peuple et raffermie par son concours, la bourgeoisie [...] acquerrait, en devenant la nation, toutes les vertus qui lui manquent [...] : l'énergie, la puissance des mâles instincts, le goût de la grandeur, l'aptitude au dévouement [24]. » Après avoir décrit les événements qui avaient mené au renversement de la IIe République par Louis Napoléon en 1851, Victor Hugo concluait sur un ton de défi : « Ce siècle proclame la souveraineté du citoyen et l'inviolabilité de la vie : il couronne le peuple et sacre l'homme [25]. » Quant au premier volume d'*Histoire du second Empire*, Delord l'inaugurait en faisant observer qu'il avait combattu la restauration de l'Empire et qu'il espérait que son travail inspirerait le combat du peuple contre ses institutions [26]. L'humanité, avait proclamé Michelet, était son propre Prométhée.

Les historiens républicains se sont également mis à l'école de Michelet pour écrire des histoires « populaires », des récits qui exaltent les perspectives des gens du peuple. Garnier-Pagès, dans son ouvrage de référence sur la révolution de 1848, se fonde sur plus d'un millier de témoignages recueillis auprès de témoins directs, dont des membres de la Garde nationale, des ouvriers ou de simples citoyens. Écrire une histoire « populaire » signifie également dénoncer les exactions des ennemis de la République (telles celles commises pendant la Terreur blanche de 1815) ou raconter les actes d'héroïsme individuel (pendant la révolution de Juillet, par exemple), voire identifier les victimes civiles de la répression sanglante qui suivit le coup d'État de 1851 à Paris – parmi lesquelles des femmes du peuple comme Françoise Noel, giletière, ou les demoiselles Grellier et Simas, respectivement femme de ménage et demoiselle de boutique. Il fallait aussi, pour respecter les principes de la pédagogie républicaine, rendre les récits accessibles au plus grand nombre. D'où la nécessité, notée par Prosper-Olivier Lissagaray (1838-1901), de rédiger de « petits traités élémentaires aussi complets, aussi courts que possible, faciles à comprendre, faciles à retenir », qu'il comparait à « un catéchisme civique à l'usage de nos frères des villes et des campagnes ». Cette conception prosélyte de l'histoire est reflétée dans la production de la Société d'instruction républicaine, dont les pamphlets publiés au cours des années 1870 visent à saper le prestige du royalisme et de l'impérialisme et à conforter l'image de la République auprès des électeurs ruraux. On fait donc revivre le personnage de Jacques Bonhomme pour rappeler au paysan français combien il a été opprimé sous l'Ancien

Régime, puis cyniquement manipulé sous le premier et le second Empire. Heureusement, le changement est en marche : Jacques Bonhomme « est bien décidé à ne plus accepter ni dictature, ni coup d'État, ni escamotage, ni insurrection, ni révolution, ni restauration, ni sauveur ». Bref, « il prend goût à la République ».[27] À cet égard, l'histoire républicaine n'était pas moins idéologique que la tradition libérale qui l'avait précédée.

Ce récit pédagogique du passé atteint sa forme la plus aboutie pendant la seconde moitié du XIXe siècle. S'inspirant de l'initiative de Napoléon III qui avait fait ériger une statue de Vercingétorix sur le site présumé de la bataille d'Alésia (statue dont le visage présente une ressemblance étonnante avec l'empereur jeune), la IIIe République rend hommage aux Gaulois, fondateurs de la nation française, en couvrant le pays de monuments et en consacrant l'expression *nos ancêtres les Gaulois*[*] – le mérite suprême de ces vaillantes tribus, à une époque de germanophobie croissante, étant précisément de ne pas être d'origine teutonique[28].

Dans l'ensemble, cette période marque le triomphe de la vision que Michelet avait formulée de la communauté nationale, une vision si synthétique qu'elle est adoptée par tout l'éventail des républicains, des conservateurs aux socialistes. Lorsque Renan, dans sa conférence de 1882, définit la nation comme un « principe spirituel », il s'inspire directement de Michelet, dont il a suivi les cours avec assiduité quelque trente années auparavant. De même, la loi de 1880 qui fait du 14 juillet la fête nationale constitue aussi un hommage à Michelet, qui avait tant insisté sur l'importance des mythes qui façonnent la conscience collective et qui avait décrit la fête de la Fédération de 1790 comme l'événement fondateur de l'unité républicaine. Les socialistes, eux aussi, définissaient l'essence de l'esprit français en s'inspirant de Michelet. Avec Plutarque et Marx, le pédagogue républicain fut l'inspirateur d'*Histoire socialiste de la Révolution française*, ouvrage dirigé et en partie rédigé par Jaurès (1901-1917), un ouvrage qui célébrait le prolétariat comme l'incarnation moderne des véritables idéaux de la Révolution.[29]

Le mode de pensée des historiens républicains présentait néanmoins un certain nombre de traits communs avec celui de leurs prédécesseurs libéraux. Les deux écoles partageaient un identique sentiment missionnaire (même si les républicains l'exprimaient avec plus de vigueur) et un identique présupposé sous-jacent : celui de parler au nom d'une communauté plus large (ici, le « peuple »). Dans le même temps, l'horizon intellectuel de l'école républicaine était indéniablement plus vaste. Par la diversité et l'ampleur de ses travaux, par son ambition à faire de l'historien le pédagogue de la nation, Michelet a dans ses théorisations surpassé les œuvres des libéraux les plus novateurs. L'accent qu'il a mis sur le rôle de l'imagination et du mythe, allié à la puissance de sa rhétorique, a porté la qualité littéraire de l'histoire française à de nouveaux sommets.

Ainsi les historiens républicains ont-ils prolongé et parachevé l'élaboration d'un récit national facteur de cohésion. Ce processus de synthèse n'a pas été exempt de défauts, comme le montrent les travaux d'Ernest Lavisse. Sous la IIIe République, ses manuels scolaires vont propager une version édulcorée et œcuménique du *roman national* présentant les Français comme une collectivité patriotique forgée par ce que les traditions monarchiques et révolutionnaire ont eu de meilleur, unie dans le culte rendu à ses grands héros populaires (telle Jeanne d'Arc), capable de grands exploits scientifiques, une nation dont l'idéal de progrès est source d'inspiration pour le monde entier. Mais Lavisse ne traitera pas d'épisodes fâcheux tels que l'esclavage, dont il passe l'abolition sous silence. Et, de conserve avec la réorientation de l'idéologie républicaine sous la IIIe République, il célébrera l'expansion coloniale en termes élogieux, exaltant les hauts faits de l'armée et affirmant que « notre France est bonne et généreuse pour les peuples qu'elle a soumis [30] ».

Une histoire plus scientifique

L'un des ouvrages les plus célèbres et les plus controversés du début des années 1860 a été *La Vie de Jésus*, d'Ernest Renan :

en un an, il a connu treize rééditions et s'est vendu à plus de cent mille exemplaires [31]. Le succès du livre tient à la volonté de l'auteur de s'aventurer sur un terrain habituellement occupé par les théologiens plutôt que par les historiens et à son refus de croire que la vie du Christ ait été en quoi que ce soit surnaturelle. Car il ne s'agit pas ici d'un récit édifiant de miracles, de révélations ou d'interventions divines, mais de la biographie d'une figure hors du commun racontée d'un point de vue purement historique. Le Jésus de Renan est un homme qui a perdu ses illusions par rapport à sa foi juive et dont la vie remarquablement altruiste et idéaliste atteint un tel point de sublimité qu'elle donne naissance à une religion qui a changé la face du monde à jamais. À la grande horreur des autorités ecclésiastiques, Renan affirme que le Christ n'est ni un sage, ni un moraliste, ni un saint, mais un personnage charismatique – un meneur d'hommes, non le fils de Dieu [32].

En laïcisant l'une des figures les plus sacrées de l'histoire de l'humanité, le travail de Renan marque les débuts d'un changement dans le rôle dévolu à l'historien : après avoir été considéré comme un prophète puis comme un pédagogue, l'historien va se faire chercheur scientifique. Comme nous l'avons vu au chapitre 4, Renan avait affirmé que seule la science pouvait bâtir les vraies fondations du savoir humain, une position qui reflétait la pensée dominante de la génération positiviste à laquelle il appartenait. Être qualifié de « scientifique » constitue désormais l'hommage suprême pour tout historien. Lorsqu'en 1885 une chaire d'histoire de la Révolution française est inaugurée à la Sorbonne, son premier titulaire, Alphonse Aulard, est crédité (non sans exagération) par l'un de ses admirateurs du fait d'avoir « créé de toutes pièces l'histoire scientifique de la Révolution française », devenue grâce à lui le « domaine tranquille de la science impartiale ». Quant à Gabriel Monod, l'une des principales figures de ce qu'on a appelé l'*école méthodique**, il affirme dans le premier numéro de la *Revue historique* : « Notre revue sera un recueil d'histoire positive. » Sous l'influence de Charles-Victor Langlois et de Charles Seignobos, l'Histoire devient la chasse gardée de spécialistes professionnels, une corporation qui établit son camp de base dans les universités et qui applique des règles méthodiques et des pratiques qui lui sont propres : publication de revues, usage rigoureux des sources, refus des effets rhétorique et recherche de l'« objectivité ». Pour autant, s'ils saluent l'idéal d'une histoire débarrassée de la « métaphysique », les travaux de cette historiographie positiviste (et notamment l'*Introduction aux études historiques* publié par Langlois et Seignobos en 1897) ne marquent pas de coupure intellectuelle ou méthodologique radicale avec les traditions précédentes – en particulier parce que leur vision du passé continue d'être influencée par des considérations idéologiques et parce qu'ils restent fidèles à la conviction républicaine que l'histoire doit former les citoyens et nourrir un sentiment d'identité collective. [33] Ce n'est qu'en 1929 qu'interviendra la rupture avec ces deux présupposés, lorsque Marc Bloch et Lucien Febvre fonderont la revue qui lancera la nouvelle école historiographique destinée à dominer le travail de trois générations d'historiens – *Annales*.

Les fondateurs de l'école des *Annales* rejettent l'histoire pédagogique, centrée sur la nation, alors hégémonique à l'université – l'Histoire telle que la pratique la tradition positiviste. Avec la brutalité d'un hérétique menant la charge contre les bastions de l'orthodoxie, Febvre assène son opinion : « Une histoire qui sert, c'est une histoire serve. » La quête des « origines » de la France est également rejetée comme anachronique et présupposant faussement l'existence d'une psychologie nationale « immuable ». Les principes généraux des *Annales* sont de se concentrer sur les problèmes économiques et sociaux plutôt que sur le récit des événements, de produire une histoire « totale » qui traite de toutes les activités humaines plutôt que l'histoire d'une élite politique et de faire tomber les barrières entre disciplines pour situer la recherche historique dans le cadre plus large des sciences sociales. [34]

De fait, la production des *Annales* marquera une réorientation significative des sujets d'étude. La France cesse d'être le sujet privilégié (entre 1965 et 1984, elle représentera moins du tiers des articles publiés dans la revue). Ainsi, dans sa monumentale étude en trois volumes du monde méditerranéen au XVIe siècle,

Fernand Braudel cherche à décrire la culture matérielle de l'Europe méridionale en parcourant les nations, les systèmes économiques et les structures sociales. La puissance de ce travail réside dans sa vision panoramique, dans le refus de se concentrer sur des individus ou des institutions politiques et dans la recherche des structures profondes (géographie, climat, échanges commerciaux ou migrations) qui influencent les évolutions historiques. (Peut-être l'aspect le plus remarquable du livre est-il d'avoir été rédigé par Braudel pendant sont internement dans un camp de prisonniers de guerre. Même s'il avait l'usage d'une bibliothèque locale, il travailla principalement de mémoire [35].) Braudel innove également en introduisant différentes échelles temporelles : le temps individuel (le court terme), le temps social (le moyen terme) et un dernier type de temporalité opérant à une échelle géographique, qu'il définira plus tard comme la *longue durée** [36]. Pour répondre à ses ambitions scientifiques, l'histoire pratiquée par les *Annales* prend également une tournure quantitative, comme en témoignent notamment les travaux d'Ernest Labrousse sur l'évolution des prix au XVIIIe siècle, qui ont permis de jeter un regard nouveau sur les origines économiques de la Révolution [37].

Tournant ainsi le dos au conformisme insipide des approches républicaines, le mouvement des *Annales* fait preuve de créativité et de sophistication théorique, ce qu'illustre sa quête hardie d'une « histoire globale » de l'humanité – c'est en cela qu'il est caractéristique de la capacité d'innovation de la pensée française et de son aspiration à l'universalité. Dans le même temps, l'entreprise a quelque chose d'étonnamment paradoxal : le refus de prendre au sérieux l'histoire des élites ou des institutions signifie que ces historiens ont eu fort peu de choses à dire sur les vicissitudes de la vie politique française aux XIXe et XXe siècles, et notamment sur sa propension aux bouleversements idéologiques et aux changements de régime. L'angle mort met ainsi en évidence l'importance d'un phénomène que les historiens des *Annales* n'ont cessé de sous-évaluer : la relative autonomie de la sphère politique. Mais les événements, cette « poussière de l'Histoire » tant raillée par Marc Bloch ou Lucien Febvre, n'en ont pas moins rattrapé les deux hommes, qui se sont retrouvés confrontés de manière tragique aux conséquences de leur attachement à leur nation et à leur citoyenneté française. Dans son témoignage sur la défaite de 1940, Bloch insiste sur son « culte des traditions patriotiques ». Issu d'une famille juive installée en Alsace depuis la fin du XVIIIe siècle, il affirme : « La France [...] demeurera, quoi qu'il arrive, la patrie dont je ne saurais déraciner mon cœur [38]. » Cette déclaration est une réponse à l'antisémitisme du régime de Vichy et à sa politique d'aryanisation, qui a provoqué un douloureux désaccord entre les deux hommes. Afin de pouvoir continuer à publier la revue, Febvre décide de supprimer le nom de Bloch de la liste des éditeurs [39]. Ce dernier rejoint la Résistance : il sera arrêté et fusillé par les Allemands en juin 1944. Quant à Febvre, s'il ne joue pas de rôle actif dans la Résistance (ou peut-être à cause de cela), il parsème ses conférences au Collège de France d'allusions à la situation contemporaine, glissant, par exemple, au détour d'un cours intitulé « Michelet et la Renaissance », que la liberté n'est pas une loi « imposée de dehors : l'homme vraiment libre la porte en lui [40] ». Après la Libération, il donnera une série de conférences intitulée « Honneur et patrie [41] ».

Ces contradictions deviennent encore plus éclatantes après la guerre. Une école d'historiens qui rejetait l'influence des individus – « l'Histoire fait aussi les hommes et façonne leur destin », avait impérieusement déclaré Braudel lors de son cours inaugural au Collège de France en 1950 – se voit rapidement dominée par un petit noyau de figures autoritaires, notamment Febvre (qui meurt en 1956) et Braudel lui-même. Une approche qui cherchait à ouvrir l'Histoire à des influences intellectuelles plus larges se retrouve de plus en plus prisonnière de son jargon « scientifique » et de sa tendance à voir des symboles sexuels ou religieux partout (comme lorsque Furet et Richet découvrent avec exaltation que la pique du sans-culotte représente « un très ancien symbolisme d'origine sexuelle ».) [42]

L'ambition louable de remettre une dimension critique dans l'écriture de l'Histoire est progressivement remplacée par les impératifs professionnels d'un groupe qui part à la conquête des institutions universitaires, imposant son hégémonie à la sixième section de l'École pratique des hautes études, laquelle prend le nom en 1975 d'École des hautes études en sciences sociales. La revue *Annales* devient, paradoxalement, la nouvelle orthodoxie, ce qui rend lesdites institutions de plus en plus vulnérables au risque de sclérose ou, pour reprendre l'euphémisme de Pierre Bourdieu, « l'écart ne cesse de croître entre le niveau d'aspiration et le niveau d'accomplissement ».

Une autre contradiction se fait jour : le thème de la nation réapparaît de façon plus que subliminale dans la volonté de se concentrer sur l'« histoire de masses » – un parti pris idéologique populiste qui découle de l'opposition des fondateurs au fascisme et de leurs emprunts à la théorie marxiste. Ce thème explique aussi pourquoi les historiens des *Annales* ont privilégié l'étude du monde rural : les articles sur la France se caractérisent par l'importance accordée à la géographie historique et à la culture matérielle et mentale de la paysannerie. Ce n'est pas un hasard si les merveilles de la ruralité française ont été redécouvertes précisément au moment où la France subissait un processus d'industrialisation rapide dont le premier effet a été de dépeupler les campagnes. Les *Annales* ont donc constitué un travail de deuil, au sens propre du terme, et un exercice de nostalgie nationale face à la disparition des traditions de stoïcisme et de sagesse ancestrale ainsi que de l'identité rurale, dont les fondements étaient ébranlés par l'expansion économique et la prospérité des Trente Glorieuses. [43]

Cette tendance bucolique a encore été accentuée par la dernière génération de cette école, qui se spécialise dans l'histoire des représentations collectives ou *mentalités*[*], un sujet d'étude qui apparaît dès 1924 avec la publication du livre de Marc Bloch *Les Rois thaumaturges*. Dans les années 1970, les « nouveaux historiens » remettront cette approche à l'honneur [44] et elle culminera avec *Montaillou*, la fresque passionnante qu'Emmanuel le Roy Ladurie brosse de ce village de l'Ariège au début du XIVe siècle. S'appuyant sur les registres d'interrogatoires de l'inquisiteur local, un certain Jacques Fournier, il reconstitue la vie des villageois cathares : leurs pratiques religieuses et leurs rituels sociaux, leurs joies et leurs peines, leur conception de la mort et de l'au-delà, leurs notions de l'amour et de la sexualité. *Montaillou* fut un succès de librairie immédiat, en grande partie grâce à sa galerie de personnages inoubliables : Pierre Maury, le berger souriant ; Béatrice de Planissoles, la sensuelle châtelaine ; ou encore Pierre Clergue, le curé libidineux flanqué de sa kyrielle de maîtresses [45]. Les archives de l'Inquisition confirmaient ainsi l'intuition de Renan : le charisme et le christianisme étaient indissociables.

Le général providentiel

L'année 1958 a été marquée par deux événements apparemment sans lien : d'une part, la publication d'un monumental ouvrage d'Aragon, *La Semaine sainte*, l'un des romans historiques classiques de la littérature française moderne, et, d'autre part, le retour au pouvoir du général de Gaulle. Les deux premiers volumes de ses *Mémoires de guerre* avaient reçu un accueil triomphal quelques années auparavant. En dépit de leurs différents politiques (Aragon le communiste s'était violemment opposé au projet du Général de fonder une nouvelle république présidentielle), les deux hommes rejettent vigoureusement la conception braudélienne de l'Histoire, structure complexe demeurant pour toujours inintelligible aux individus et indifférente à leurs desseins.

Le roman épique d'Aragon se déroule sur une période de sept jours, à la fin du mois de mars 1815, alors que se répand la nouvelle du retour en France de Napoléon et que le roi Louis XVIII s'enfuit en Belgique avec la cour. Bien que le personnage principal soit le peintre Théodore Géricault, qui, rallié au monarque, a rejoint l'état-major de la Maison du roi, les vrais héros du roman sont les foules qui constituent la nation française – soldats, paysans, jeunes villageoises ou conspirateurs bourgeois. Quoique peinant à comprendre les événements, ce sont ces personnages qui « font tous l'histoire ». Dans cette fresque magnifique d'une société déchirée par le chaos de la guerre (dans tout le récit, on entend des échos de la débâcle de 1940), Aragon évoque les actes extrêmes auxquels on peut être poussé par amour de la patrie (tel le suicide du maréchal Berthier) et les choix déchirants qu'il faut faire entre la loyauté et la trahison. Cependant, même si le roman ne tire aucune conclusion politique explicite, le message central d'Aragon constitue une réaffirmation de son credo humaniste : il n'y a pas de fatalité en histoire, les choix individuels peuvent façonner de manière décisive les destinées humaines – « Les hommes et les femmes ne sont point que les porteurs de leur passé, les héritiers d'un monde, les responsables d'une série d'actes, ils sont aussi les graines de l'avenir [46] ». Le récit se termine par la décision de Géricault d'abandonner le camp monarchiste et de se consacrer à sa véritable vocation : la peinture.

La Semaine sainte enregistre la première grande fissure dans la vision que les intellectuels communistes français se font de l'Histoire lors de la déstalinisation. Sa publication coïncide avec le moment où nombre de ceux qui deviendront les principaux historiens de leur génération – Emmanuel Le Roy Ladurie, Mona Ozouf, François Furet – quittent le PCF, assumant ainsi le risque de vivre hors de l'Histoire. Par chance, de Gaulle réaffirme simultanément la foi en l'intelligibilité du monde dans ses *Mémoires de guerre*, une œuvre qui rejette de manière encore plus explicite l'affirmation de Braudel selon laquelle l'Histoire n'est pas faite par des individus. Le Général y fait le récit épique de son action à la tête la Résistance, de la défaite catastrophique de 1940 à la libération de la France en 1945. Il endosse la mission d'« assumer la France », ce qui inclut d'influencer les *mentalités**, son but étant de « mener les Français par les songes ». [47] La publication des deux premiers volumes des *Mémoires*, en 1954 et 1956, événement littéraire majeur de la décennie, jouera un rôle important dans le retour du Général au pouvoir en 1958. Cependant, la portée intellectuelle de cette œuvre est bien plus profonde : en explicitant ce qu'il entendait par « une certaine idée de la France » et en se présentant comme la seule figure pouvant légitimement l'incarner, de Gaulle reprenait le *roman national** rejeté par les *Annales* et remettait au centre de la pensée

La descente des Champs-Élysées, 26 août 1944. Emmenés par Charles de Gaulle, les chefs de la Résistance française descendent la célèbre avenue pour marquer la libération de Paris. Dans le second tome de ses *Mémoires de guerre*, le Général comparera le spectacle de ces deux millions de Parisiens venus les acclamer à « un miracle de la conscience nationale ».

historique ce qui constituait, selon lui, son seul et unique sujet : la France (et lui-même). La vision gaullienne de l'identité française était tout à la fois une représentation héroïque du passé récent, une réaffirmation solennelle de la continuité historique de *la France éternelle*[*] et un programme de régénération pour l'avenir.

Le pouvoir transformateur de la vision gaullienne du passé repose sur la synthèse de deux genres littéraires : les mémoires de guerre, l'un des principaux moyens par lesquels l'expérience des deux guerres mondiales a été transmise à l'opinion publique française, et la tradition des « mémoires d'État », qui, de Louis XIV à Napoléon, ont célébré les « trois moments clés de l'unité nationale » à l'ère moderne : la monarchie absolue, l'héritage révolutionnaire et l'avènement de l'État républicain démocratique[48]. Ce qui rend la figure de Charles de Gaulle remarquable, c'est le fait qu'il revendique de représenter l'union, dans sa personne, de ces trois éléments. À l'instar des rois d'autrefois, il est le symbole de « quelque chose de primordial, de permanent et de nécessaire [49] ». Il représente à lui seul l'autorité de l'État, qu'il est capable de restaurer par sa simple présence. Et, nonobstant les protestations de ceux qui, autour de lui (notamment les communistes), prétendent incarner l'idéal révolutionnaire, c'est lui qui est le véritable ordonnateur du changement radical : « J'en venais à me demander si, parmi tous ceux-là qui parlaient de révolution, je n'étais pas en vérité le seul révolutionnaire [50]. »

Son heure de gloire républicaine survient au cours de la scène la plus riche d'émotions, qui est décrite à la fin du deuxième tome des *Mémoires* : il s'agit de sa descente triomphale des Champs-Élysées en août 1944. Après avoir invoqué les héros du passé, de Jeanne d'Arc et des grands monarques de l'Ancien Régime à Napoléon et Clemenceau, de Gaulle compare le spectacle de ces deux millions de citoyens rassemblés pour célébrer la Libération à « un miracle de la conscience nationale », avant de conclure : « Dans cette communauté, qui n'est qu'une seule pensée, un seul élan, un seul cri, les différences s'effacent, les individus disparaissent [51]. » Cette vision lyrique du rassemblement spontané du peuple français, mêlée du pressentiment que l'unanimité sera éphémère, n'est pas sans rappeler la description par Michelet de la fête de la Fédération en 1790 et exprime également l'idée que se faisait de Gaulle de la démocratie idéale : l'accord unanime avec ses propres vues.

Les *Mémoires de guerre* ont également constitué une étape centrale de l'émergence d'un récit français dominant sur les événements de 1940-1944, un récit qui tourne autour de ce que l'historien Henry Rousso a décrit comme le « mythe du résistancialisme ». De Gaulle n'en a pas été le seul architecte : tous les courants de la Résistance, des communistes aux conservateurs, ont contribué à le propager après la guerre. Mais c'est lui qui, par ses paroles et ses actes, en a donné la version la plus puissante. Les principaux éléments de ce mythe sont, premièrement, la marginalisation de l'épisode de Vichy (dans ses *Mémoires*, le Général fait observer de manière spécieuse que ce régime n'avait pas de base légale [52]) et, deuxièmement, la célébration de la

Résistance comme un mouvement unifié, possédant ses propres lieux de mémoire, ses martyrs et ses épisodes héroïques (dont le plus significatif, toujours d'après de Gaulle, était son Appel du 18 juin, qu'il décrit comme « un moment de la renaissance [53] »). Un troisième élément du mythe, tout aussi important que les deux premiers, est l'assimilation de la Résistance à l'ensemble de la nation [54]. La réinvention des Français en une « nation de résistants », héritage durable de la vision gaullienne, a transformé l'idéal lavissien de la France, puissance coloniale satisfaite d'elle-même et garante du statu quo, en un nouveau mythe : une nation fière, ingénieuse et généreuse, qui, depuis Vercingétorix (encore lui !), « le premier résistant de notre race », ne cesse de combattre l'injustice et l'oppression. Déployant tout l'éventail de son répertoire métaphorique, de Gaulle se comparera lui-même vers la fin de sa vie à Tintin en faisant observer : « Nous sommes les petits qui ne se laissent pas avoir par les grands. » [55]

Mémoire et roman national

La plus grande crainte du général de Gaulle, celle qu'il a passé sa vie à exorciser, était que la destinée historique de la nation française n'en vienne à s'éteindre. Or, soudainement, depuis la fin des années 1980, ce cauchemar semble être devenu une terrible réalité. Le recul idéologique de la gauche en France, suivi de l'effondrement du communisme en Europe, a marqué la fin d'un long cycle d'optimisme historique qui avait débuté dans les années 1820 – la fin d'un rêve successivement porté par les prophètes progressistes, les pédagogues républicains et les eschatologistes marxistes. La célébration du bicentenaire de la Révolution, en 1989, a représenté un adieu grandiose au « catéchisme révolutionnaire » qui avait subjugué l'imagination de si nombreuses générations de Français. Faisant explicitement référence aux années 1880, mais pensant sans aucun doute implicitement au nouvel âge d'un consensus qu'il appelait de ses vœux, François

Furet avait conclu en 1988 que la Révolution était enfin arrivée à bon port [56].

À peu près au même moment, la geste héroïque gaullo-communiste d'une « nation de résistants » s'effondre sous l'effet combiné de nouvelles recherches historiques impulsées par le travail novateur de l'historien américain Robert Paxton, de poursuites judiciaires engagées contre d'anciens vichystes pour « crimes contre l'humanité » et d'un certain nombre de révélations montrant que des figures publiques majeures (dont François Mitterrand) ont pactisé avec ce régime. Les Français prennent donc la mesure de la réalité sordide qu'a été la collaboration ainsi que de la complexité de l'histoire de la Résistance. Peu après son élection à la présidence, en 1995, Jacques Chirac reconnaît la complicité de l'État français et sa participation active dans la déportation de milliers de juifs vers des camps de la mort nazis. Ce sentiment d'anomie se communique à la communauté des historiens : écrasés par le poids (et l'incohérence) de leurs ambitions et atteints de toutes parts par les attaques contre leurs prétentions scientifiques, les quelques historiens des *Annales* survivants reconnaissent sans peine leur « désorientation ». Sans avenir radieux à contempler, dotée comme seule perspective d'un « éternel présent », l'Histoire en France est officiellement déclarée « en crise ». [57]

À certains égards, ce moment de désarroi a été une bénédiction puisqu'il a permis d'ouvrir de nouvelles pistes de recherche jusque-là négligées ou marginalisées à l'université : la période de Vichy, le second Empire, les colonies françaises (notamment l'Algérie) et l'histoire des femmes. La sphère politique, longtemps considérée comme un épiphénomène (et traitée avec un mépris à peine dissimulé par l'historiographie marxiste et celle des *Annales*), a regagné du terrain et l'on note un surcroît d'intérêt pour des objets d'études classiques tels que les biographies, parmi lesquelles il faut distinguer celle de Jean Monnet par Éric Roussel, celle d'Édouard Drumont par Grégoire Kauffmann et celle de Maurice et Jeannette Thorez par Annette Wieviorka. [58]

Cependant, par un de ces retournements dont l'Histoire a le secret, cette version politique revigorée qui se concentre presque exclusivement sur la France va paradoxalement marquer le retour triomphal du récit national. Le souci de la singularité française est ainsi au cœur des travaux de Pierre Rosanvallon (dont la contribution au débat public en tant qu'intellectuel a été abordée au chapitre précédent). Dans ses travaux universitaires centrés sur l'« histoire conceptuelle du politique », il cherche à isoler les caractéristiques distinctives du « modèle politique français », une forme de gouvernance fortement centralisée, héritée de l'ère révolutionnaire, caractérisée par l'accent rousseauiste mis sur la souveraineté populaire et l'égalité, la prédominance du politique sur le social et la méfiance vis-à-vis du pluralisme ou des institutions de la société civile, considérées comme obstacles au principe d'unité. L'œuvre de Rosanvallon corrige donc subtilement la vision de Furet, qui avait affirmé que l'ombre portée de la Révolution était en train de reculer. Non seulement la « culture politique de la généralité » jacobine n'avait pas disparu, mais elle demeurait l'un des traits caractéristiques du modèle politique français [59].

À partir des années 1980 se développe une histoire culturelle, un champ d'investigation toujours plus riche et diversifié, qui est devenue le principal successeur de l'école des *Annales*. L'analyse abandonne la grande herméneutique de l'« Histoire totale » pour s'attacher à la construction d'une réalité sociale révélée par des objets culturels, des codes symboliques et des mentalités collectives – le concept clef étant désormais la « représentation » [60]. Explorant ainsi l'histoire des « sensibilités » et des émotions au XIXe siècle, Alain Corbin, l'un des historiens les plus innovants de cette école, fait apparaître un monde qui n'est pas façonné par les appartenances de classe, le prix du blé ou les taux de mortalité, mais par les émotions, les sons, les odeurs, les paysages et les rumeurs. Pour autant, même si la majeure partie de cette histoire culturelle ne traite pas des questions politiques, la trame de fond demeure la question de la tradition républicaine moderne. Ses études sur les intellectuels sont dominées par le cadre dreyfusard ; celles sur les rituels politiques se concentrent principalement sur les commémorations républicaines, des fêtes révolutionnaires à l'invention du 14 Juillet sous la IIIe République. Quant à l'histoire des symboles, elle est dominée par l'impressionnante trilogie que Maurice Agulhon a consacrée à Marianne [61]. En bref, le tournant culturel se révèle également un tournant républicain et c'est dans le travail de Pierre Nora que la symbiose apparaît le plus clairement.

Lieux de mémoire, une somme de sept volumes éditée sous la direction de Pierre Nora, a profondément remodelé le paysage de l'Histoire en France dans les années 1980 et au début des années 1990. L'historien a conçu ce projet comme la redécouverte d'un héritage perdu, la réhabilitation du sentiment d'appartenance collectif français qui (selon lui) a été brisé par l'émergence de loyautés partisanes fondées sur des critères régionaux, religieux ou ethniques : « Ce que l'on appelle en France "mémoire nationale" n'est autre que la transformation de [la] mémoire historique de fond par l'invasion, la subversion, la submersion des mémoires de groupe. » D'une ampleur monumentale, d'une profondeur remarquable, l'inventaire dressé par Nora de ces différents domaines de mémoire a pour ambition de reconstituer la relation que la France entretient avec son passé. Parmi les chapitres les plus stimulants de cet ouvrage auquel ont contribué des historiens de premier plan figurent des analyses magistrales de symboles canoniques français tels que *La Marseillaise* (par Michel Vovelle), le Panthéon (par Mona Ozouf) ou le drapeau tricolore (par Raoul Girardet). Certains chapitres rédigés par Nora lui-même sont particulièrement brillants, notamment son portrait de Lavisse en pédagogue de la nation ou sa subtile évocation du partenariat conflictuel entre gaullistes et communistes. [62] Ces sept tomes offrent un kaléidoscope éblouissant de l'histoire de France – ses triomphes et ses tragédies, leurs commémorations ; ses héros nationaux et ses gloires locales ; ses traités classiques et ses humbles manuels pédagogiques ; ses paysages et ses musées ; ses monastères et ses cafés ; ses fêtes et ses noms de rues ; la diversité de ses terroirs et ses institutions unificatrices, qu'il s'agisse de l'État, des municipalités ou du Tour de France. En réponse aux critiques adressées aux deux premiers volumes d'avoir négligé les aspects conflictuels de la mémoire française, l'un des tomes suivants a été entièrement consacré aux *guerres franco-françaises** qui ont divisé le pays en deux camps (comme toujours, cartésianisme *oblige**) : les Francs contre les Gaulois, les Français contre les étrangers, les Parisiens contre les provinciaux. Malgré son éclectisme apparent, la collection est sous-tendue par un présupposé idéologique fort [63]. En marginalisant les récits nationaux alternatifs (qu'ils soient républicains, radicaux ou bonapartistes), en écartant les sujets embarrassants (tel le colonialisme) et en surreprésentant l'un des courants de la tradition républicaine (celui qui avait fondé la IIIe République), *Lieux de mémoire* offre à la nation une nouvelle téléologie : la célébration de la république comme horizon indépassable du présent ou, selon la formule féroce, mais non dénuée de vérité, de l'historien Perry Anderson, d'une « *union sucrée* dans laquelle les divisions et les discordes de la société française fondent et disparaissent dans les rituels compatissants de la mémoire postmoderne [64] ».

Malgré ses limites, le projet de Nora d'ancrer la mémoire au cœur de l'Histoire a prouvé, une fois de plus, que les Français savent faire preuve d'originalité intellectuelle et qu'ils conservent un amour intact pour les grands schémas holistiques où chaque élément peut être interprété comme le reflet du tout (accentué ici d'un *je ne sais quoi**, dans la mesure où Nora ne donne jamais au lecteur une définition claire de ce qu'il entend par « mémoire »). Pour autant, même les critiques ont été fascinés par cette œuvre, monument d'exubérance et de panache qui a représenté pour son auteur un triomphe à la fois personnel, intellectuel et professionnel. Pierre Nora a été élu à l'Académie française en 2001 et salué comme l'« historien public », selon ses propres mots. La commémoration du passé est devenue une obsession nationale, chaperonnée par le ministère de la Culture. Grâce à ce parrainage officiel, le concept de *lieu de mémoire** a entraîné le classement de plus de deux cent cinquante sites historiques en France [65]. Il s'agit cependant un triomphe à double tranchant : comme l'a noté l'historien François Hartog, « la "vague mémorielle" a peu à peu envahi, recouvert le territoire de l'Histoire [66] ».

Cette sanctification de la mémoire nationale a aussi été source de controverses, tout particulièrement autour de la notion de

La notion de *lieu de mémoire* est devenue omniprésente en France, non seulement sous la plume des historiens, mais également dans toutes sortes de documents ou d'initiatives destinés à promouvoir et à célébrer le patrimoine national.

devoir de mémoire et des interventions répétées (et parfois maladroites) de l'État dans ce domaine. À partir des années 1990, les gouvernements successifs ont fait voter un certain nombre de *lois mémorielles* : pénalisation de la négation de la Shoah, reconnaissance du génocide arménien, reconnaissance de la traite et de l'esclavage comme crimes contre l'humanité [67]. Quant à l'article de loi néolavissien visant à faire entériner le rôle « positif » de la colonisation française, il a suscité un tel tollé qu'il a été retiré, mais la boîte de Pandore avait été ouverte. La nostalgie d'un « bon vieux temps » colonial a inspiré des films tels que *Chocolat*, de Claire Denis (1988), ou *Indochine*, de Régis Wargnier (1992), et des romans tels que *Le Marabout de Blida*, d'Annie Cohen (1996) [68]. Si le but de la mémoire était de ranimer le sentiment patriotique, n'était-il pas approprié que l'État joue un rôle moteur ? Tel est le raisonnement qui a servi à justifier le projet de Nicolas Sarkozy de créer une Maison de l'histoire de France, un nouveau musée national dont la vocation explicite était de promouvoir le patriotisme et la cohésion nationale. Mais, après s'être heurté à l'opposition véhémente de la confraternité des historiens français, et de Pierre Nora lui-même, le projet a fini par être abandonné par le gouvernement Hollande en décembre 2012[69].

« *Je le dis une fois pour toutes : j'aime la France* »

Depuis le début du XIXe siècle, l'historiographie française a donc subi des transformations majeures : l'âge de la prophétie libérale a cédé la place à la pédagogie républicaine, qui a été délogée à son tour par les préoccupations « scientifiques » des *Annales* au milieu du XXe siècle. L'implosion chaotique de cette dernière école a laissé le champ libre à la consécration de la figure du mémorialiste contemporain. Pour autant, s'ils pouvaient voyager dans le temps, les lecteurs des débuts de la Restauration trouveraient les préoccupations des historiens actuels étonnamment familières, qu'il s'agisse de la nature du sentiment collectif français ou de l'absence d'un horizon d'avenir compréhensible. La vogue du roman historique est toujours aussi forte, comme le démontre l'attribution du prix Goncourt en 2013 à Pierre Lemaître pour *Au revoir là-haut*, roman consacré à la Grande Guerre.

Plus encore, les discontinuités entre les différentes traditions, bien que réelles, ne doivent pas être surévaluées. Libéraux et républicains partageaient le sentiment que l'Histoire, mue par les rivalités de classes, poursuivait un même but : le progrès. Républicains et historiens des *Annales* avaient adopté l'idéal commun d'une histoire célébrant l'intervention des masses (ce n'est pas un hasard si l'auteur favori des historiens des *Annales* est Michelet). Enfin, la dimension anthropologique de l'histoire culturelle contemporaine provient principalement du concept de *mentalité** développé par les *Annales*. Quant au projet *Lieux de mémoire*, il a fait la synthèse des caractéristiques essentielles de tous les courants qui l'ont précédé. Il a été bâti dans l'esprit des aspirations libérales et républicaines du XIXe siècle : recréer le lien entre les Français et leur passé fracturé, et leur redonner confiance en eux. Par l'ampleur des sujets qu'il traite, il a repris, implicitement, l'ambition des *Annales* de produire une histoire globale prenant en compte toutes les expériences humaines. (Et, même si *Lieux de mémoire* se concentre sur la France, cela ne fait qu'accentuer son retour nostalgique à l'idéal de la *nation universelle**.) Enfin, grâce au génie de son principal architecte, *Lieux de mémoire* est parvenu à trouver dans le concept de nation un substitut parfait aux entités métaphysiques qui avaient soustendu la vision des écoles historiques précédentes : successivement la bourgeoisie, le peuple et la « totalité ». En ce sens, des premiers romans historiques à l'œuvre de Pierre Nora en passant par Michelet et les historiens républicains, l'histoire de France n'a été qu'une longue « fable » racontant comment le peuple accomplit sa destinée collective en surmontant, selon le mot du général de Gaulle, « l'antique propension française à se disperser en tendances verbeuses [70] ».

Ces recoupements et ces convergences n'ont rien de fortuit. Pendant toute l'ère moderne, les « écoles » historiographiques françaises se sont constituées au sein de coteries extrêmement homogènes, toutes issues d'un petit groupe d'institutions parisiennes élitistes : la Sorbonne, le Collège de France, l'École normale supérieure, l'Académie française et, plus récemment, l'École pratique des hautes études, la Maison des sciences de l'homme et l'Institut des études politiques [71]. L'extrême proximité de ces élites avec le siège du pouvoir politique a également influencé les horizons de la recherche historique, de façon ouverte ou occulte. L'idée fixe des historiens libéraux, écrire un nouveau récit national, provenait de leur désir de légitimer les monarchies constitutionnelles post-1815 auxquelles ils étaient directement associés. De même, l'historiographie pédagogique des républicains chercha dans un premier temps à traduire l'axiome rousseauiste de souveraineté populaire dans l'Histoire, puis à représenter l'ordre républicain postérieur à 1870 comme l'aboutissement du processus historique. La méthode des historiens des *Annales*, férus de statistiques et d'études quantitatives, reflétait les ambitions technocratiques de l'État français voulant, après la Libération, apporter des solutions scientifiques aux problèmes de la nation. Quant à de Gaulle, il n'a jamais tenté de déguiser le fait qu'il écrivait une histoire téléologique. Enfin, la nostalgie républicaine qui imprègne *Lieux de mémoire* a été l'expression d'une renaissance, dans tous les domaines, du néorépublicanisme qui a marqué les années 1980. Ainsi la pique de Lucien Febvre taxant l'histoire positiviste de « déification du présent à l'aide du passé [72] » peut-elle en un sens s'appliquer à tous les courants dominants de l'historiographie moderne française. La connivence intellectuelle entre élites politiques et universitaires explique également en partie la manie qu'ont les hommes politiques français de vouloir publier des travaux historiques sous leur nom – voire, pour certains, de se donner le mal de les écrire eux-mêmes [73].

L'autre trait commun à toutes ces écoles historiographies modernes, c'est leur fascination pour l'identité nationale. Cette tendance « gallocentrique » se manifeste dans les sujets traités (les origines de la France, ses dynamiques physiques et territoriales, ses guerres intestines et ses conflits extérieurs, ses caractéristiques culturelles et spirituelles, sa destinée), ainsi que dans le fait qu'en dépit d'avancées significatives au cours des dix dernières années (notamment dans le domaine de l'histoire coloniale et militaire) les approches globales, transnationales ou comparatistes n'ont pas encore eu d'influence majeure dans l'étude de l'histoire de France. Le « gallocentrisme » transparaît également dans quelque chose de fondamental et de distinctement français : l'idée que le passé est une composante indispensable de la formation d'une identité collective [74]. Le récit national pédagogique, qui dérive logiquement du modèle civique républicain, a été produit par les historiens avant d'être actualisé par les mythes gaulliens. Le romancier Alexandre Jenni rend d'ailleurs hommage au talent littéraire du Général, qui « construisit par la force de son verbe, pièce à pièce, tout ce dont nous avions besoin pour habiter le XXe siècle. Il nous donna, parce qu'il les inventa, les raisons de vivre ensemble et d'être fiers de nous [75] ». Même les historiens des *Annales*, ceux qui ont tenté avec le plus de vigueur d'échapper à la logique émotionnelle du *roman national*, y ont éventuellement succombé. Il suffit de lire les premières phrases de *L'Identité de la France* où Braudel affirme : « Je le dis une fois pour toutes : j'aime la France avec la même passion, exigeante et compliquée, que Jules Michelet [76]. »

La longévité de ce thème patriotique s'explique par un facteur prépondérant : l'expérience de la guerre. Pour les historiens du XIXe siècle, les guerres et les révolutions furent des moments décisifs. Pour ne prendre que l'exemple de Michelet, ce fut l'« éclair » de la révolution de Juillet qui servit de révélateur : « Dans ces jours mémorables, une grande lumière se fit et j'aperçus la France. » Braudel, quant à lui, fait remonter les origines de son exploration d'« une France en profondeur » au choc de la débâcle militaire de 1940, où il fut frappé par le contraste qu'offrait le spectacle du naufrage des institutions et le visage de « la vraie France, la France en réserve, la France profonde [qui] restait derrière nous [et] survivrait ». [77] On ne peut que noter la tonalité gaullienne de cette formulation, y compris la référence à cette date fatidique de 1940. Cette expérience fondatrice de la guerre apparaît sous de multiples formes dans toute une série d'« essais d'ego-histoire » publiés par les grands historiens de la fin du XXe siècle – du portrait que Maurice Agulhon dresse de sa grand-mère maternelle, bonapartiste convaincue, aux souvenirs de la Grande Guerre qui ont dominé l'enfance de Pierre Chaunu ou de Raoul Girardet, en passant par l'engagement passionné suscité par la guerre civile espagnole chez Georges Duby ou la participation, plus sobre et désabusée, de Jacques Le Goff à la Résistance [78]. Peu avant le centenaire de la Première Guerre mondiale, l'un des principaux spécialistes de ce conflit, Stéphane Audoin-Rouzeau, a publié un livre remarquable qui combine l'histoire familiale (et la description des conséquences dévastatrices de la guerre sur les combattants), l'évocation littéraire (celle des surréalistes fréquentés par son père) et la réflexion historiographique (il mesure l'abîme entre l'analyse académique du patriotisme des belligérants et la désillusion qui s'empare de son père et de son grand-père). La tension entre son désir de renouer des liens affectifs avec son père (et de poursuivre ainsi le deuil) et le souhait de dire « adieu » au conflit reste insoluble [79].

La question qui subsiste est de savoir combien de temps ce style historiographique introspectif et replié sur lui-même peut survivre, à un moment où la France est devenue un acteur de moindre importance sur la scène internationale et où l'anglais s'est imposé comme la *lingua franca* des sciences humaines. Analysant les évolutions majeures de l'historiographie mondiale depuis les années 1950, Jean-François Sirinelli fait sombrement observer que l'influence globale des historiens français est en diminution constante et que la génération montante des chercheurs nord-américains et sud-américains est de moins en moins susceptible de lire le français. Ce qui rend la situation encore plus préoccupante, c'est la double menace qui pèse sur la communauté des historiens français : le déclin démographique, à cause du manque de postes à l'université, et la pénurie de moyens qui frappe l'éducation supérieure. Il en conclut dramatiquement que l'Histoire en France est menacée de « nécrose ». [80] Comme nous le verrons dans le dernier chapitre, cette crainte de voir disparaître un certain mode de pensée française n'est pas l'apanage des seuls historiens.

10

La tentation du repli

À l'approche de l'été 2013, une vague de neurasthénie balaie la France. Les sondages d'opinion montrent que les Français, devenus « champions d'Europe du pessimisme », ont une vision beaucoup plus sombre de l'avenir que l'ensemble de leurs voisins. Enquête après enquête, les résultats sont les mêmes : plus des deux tiers des Français pensent que leur pays est en déclin. Résumant ce sentiment d'abattement, *Le Figaro* déclare que la France « fait naufrage » : son moral est en berne, son économie dépassée en termes relatifs et absolus par ses concurrents européens, une « guerre froide civile » se développe alors que l'autorité de l'État est contestée par différents groupes, qu'il s'agisse des opposants au mariage gay ou des Bonnets rouges bretons refusant l'écotaxe. Quant à un éditorialiste des *Échos*, il considère que ce sentiment de déclin représente un accès de nostalgie pour l'après-guerre, âge d'or de la croissance et du pouvoir gaulliste : « Le déclin, c'est tout ce qu'il nous reste. » [1]

Pendant les années 2000, la question du malaise français s'est progressivement imposée comme le cœur des débats des élites intellectuelles et culturelles. Certes, il y a eu des tentatives pour faire de ce phénomène une illustration de la prédilection des Français pour le paradoxe : un spécialiste du développement personnel a même suggéré que le malheur français provenait peut-être de « trop de réflexion ». Le *mal de vivre** (expression intraduisible en anglais) a même désormais son historien, lequel explique avec candeur que cet état constitue un élément essentiel de la modernité, voire « peut-être la seule raison de vivre, car il est signe du progrès de la pensée et de la conscience ». Pour autant, ce qui caractérise le pessimisme qui règne depuis la fin de l'ère Sarkozy et sous la présidence de François Hollande, c'est l'absence totale de toute perspective de salut. Le déclinisme est devenu l'idée fixe des élites politiques : l'ancien Premier ministre François Fillon a ainsi affirmé que la France « perdait sa substance » – une phrase d'autant plus alarmante qu'on ne voit pas précisément ce qu'elle veut dire. Quant au Parti socialiste, il a réagi, comme à son habitude, en organisant un séminaire. Cependant, beaucoup de progressistes concèdent qu'on observe de véritables réactions de « paniques morales » dans la société et une « droitisation de l'imaginaire collectif français ». [2]

De tous les secteurs d'activité et de toutes les régions proviennent des images de désolation. *Le Monde* s'alarme du « déclin industriel », *L'Usine nouvelle* déplore l'« inexorable déclin de l'industrie automobile française ». Pleyel, l'emblématique manufacture de piano célébrée par Chopin, annonce sa fermeture pour la fin de 2013. La dégradation économique entraîne aussi d'importantes conséquences sur le territoire : de nombreuses villes de province (telle Caen) perdent de leurs habitants, des régions entières du nord et de l'est souffrent de désindustrialisation chronique. La France rurale n'est guère en meilleure posture, comme le montre une étude portant sur un village provençal. On est bien loin de l'image idyllique que le plus méridional des écrivains anglais, Peter Mayle, en a donné dans ses livres. Cette étude (qui a suscité un fort écho) révèle que les traditions de solidarité communale s'étiolent, que les habitants vivent dans l'anonymat, à l'écart des uns des autres et de la modernité. Comme le dit l'un d'eux : « Un monde est en train de mourir et je ne sais pas ce qui va se mettre à sa place. » C'est également ce sentiment de vacuité qui a inspiré à Michel Houellebecq *La Carte et le Territoire*, un roman dystopique où la France rurale n'est plus qu'une destination touristique mondiale « n'ayant guère à vendre que des hôtels de charme, des parfums et des rillettes ». [3]

Il n'est jusqu'au calendrier des anniversaires et commémorations, sur lequel on pouvait compter auparavant pour détendre l'atmosphère, qui ne semble de collusion avec l'atmosphère funèbre. L'année 2013 a été marquée par les préparatifs des commémorations du centenaire de la Grande Guerre, un événement qui, selon Pierre Nora, évoque « la prise de conscience collective du déclin de la France au XXe siècle » (et les choses ne se sont pas améliorées puisque, en 2015, il a fallu commémorer le bicentenaire de Waterloo). Sans compter qu'en 2013, toujours, le centième anniversaire de la naissance de Camus est venu alourdir le climat en produisant une flopée d'analyses des thèmes favoris de l'écrivain – doute de soi-même et aliénation. Un historien de la littérature en a conclu que le pessimisme, autrefois privilège des élites culturelles, s'était désormais répandu dans toutes les couches de la société : « Même les idiots ont cessé d'être heureux. » Sans surprise, le seul mouvement politique qui semble s'épanouir dans ces conditions est le Front national. Évoquant la « marinisation des esprits », Franz-Olivier Giesbert a affirmé que la morosité générale expliquait en partie le regain d'intérêt suscité par le leadership de Marine Le Pen et la capacité du FN à tirer profit de tous les problèmes – immigration, sécurité, chômage, corruption, sans oublier crise de l'industrie et de l'agriculture. Pour autant, ajoute-t-il, le Front national ne fait qu'exploiter un profond sentiment d'anxiété collective : « Il y a bien quelque chose de métaphysique dans le sentiment de déclin qui envahit notre Vieux Monde en général et la France en particulier. » [4]

Ce qui arrive en France s'inscrit en effet dans un malaise européen plus généralisé, même s'il semble que le pessimisme soit ressenti de façon nettement plus aiguë par les Français. Cela est en partie dû au fait que, depuis l'ère postrévolutionnaire (comme nous l'avons vu au chapitre précédent), les élites françaises ont régulièrement été saisies d'angoisse face à l'avenir et que l'antimodernisme est un élément constitutif de la pensée française. Le désespoir progressiste a lui aussi une longue histoire. Voici par exemple ce qu'écrivait Proudhon en 1863, période où le pouvoir de Napoléon III était à son apogée : « Je crois que nous sommes en pleine décadence et plus je reconnais que j'ai été dupe de mon excessive générosité, moins il me reste de confiance dans la vitalité de ma nation. Je n'ai foi ni à l'avenir, ni à aucune mission humanitaire du peuple français ; et le plus tôt que nous disparaîtrons de la scène sera le mieux pour la civilisation et le genre humain. »[5]

Des sentiments aussi lugubres avaient été exprimés dans les années 1930, lorsque le sentiment d'être plongé dans une crise de civilisation s'était largement répandu. En ce sens, la phrase de Giesbert ne fait que reprendre l'opinion exprimée en 1931 par Robert Aron et Arnaud Dandieu dans *Décadence de la nation française*, où ils affirmaient que le malaise français était révélateur d'une « angoisse supérieure, métaphysique ». En 2013, les comparaisons fleurissent entre les deux époques, comme l'illustrent certains titres de la presse, tel « Au secours, les années 30 sont de retour ! ». Inévitablement, l'attention se focalise sur l'incapacité des métaphysiciens traditionnels de la nation, à savoir les intellectuels, à proposer des visions alternatives pour sortir de ce désespoir. *L'Humanité* déplore ainsi l'« odeur de décadence philosophique » qui a envahi la vie intellectuelle au cours des dernières années, tandis que l'hebdomadaire populiste *Marianne* regrette l'absence de « visions globales qui pourraient remplir le vide absolu de la pensée française actuelle ». D'où la suggestion iconoclaste du philosophe Gaspard Koenig : si le rationalisme, le marxisme, le structuralisme et le postmodernisme sont tous morts, peut-être le temps est-il venu pour les Français d'embrasser enfin le libéralisme ?[6]

Une maladie nationale

Quel sens devons-nous donner à ces visions de plus en plus sombres de l'état de la France et de ses perspectives d'avenir – un syndrome que Michel Winock a décrit comme la « maladie nationale des Français[7] » ? Le fait que le phénomène soit assimilé à une pathologie par l'un des historiens français les plus distingués est en lui-même révélateur. Il reflète la tendance des intellectuels hexagonaux à traiter le problème du déclin en termes psychologiques et, par conséquent, à l'analyser comme un état subjectif plutôt que comme un problème à résoudre de façon empirique, en s'appuyant sur des faits et des statistiques. De fait, même si la littérature décliniste fait référence à des événements particuliers et à des tournants historiques (telles l'élection présidentielle de 2002 ou la crise financière de 2008), une de ses caractéristiques paradoxales est qu'elle s'appuie très rarement sur des données incontestables. Conformément au mode de raisonnement holistique privilégié par les intellectuels français, le déclin lui-même est accepté comme un fait acquis puis expliqué par le recours à des schémas conceptuels plus généraux : la nature humaine, l'histoire, l'économie, la culture ou la race.

D'une autre manière également, il s'agit d'un débat typiquement français qui met en lumière la fascination profondément enracinée dans la culture pour la perte, l'aliénation et la mort. Dans le même temps, les analyses des uns et des autres sont souvent l'expression, sous couvert de grandes visions du monde philosophiques, de petites frustrations et de déceptions individuelles. Que leurs auteurs soient issus d'un milieu conservateur, libéral ou progressiste, elles expriment un même sentiment de désillusion radicale à l'égard de convictions désormais perdues. Il s'agit également d'une littérature extrêmement schématique, qui reprend à l'envi l'opposition classique entre le bien et le mal, la civilisation et la barbarie, le progrès et la décadence. D'où aussi le fréquent recours à l'hyperbole, notamment dans les affirmations les plus apocalyptiques (sur l'échec de l'intégration des immigrants, par exemple, ou sur la perte du sentiment d'identité collective), de la part de certaines figures qui ne s'aventurent que très rarement hors des arrondissements du centre de la capitale et qui ne savent pratiquement rien de la façon dont vivent les gens ordinaires. Le conspirationnisme (autre thème favori de cette littérature) est également largement exploité, ce qui permet de faire peser la responsabilité du déclin national sur les élites ou d'autres entités (tels le « néolibéralisme » ou l'« islamisme ») d'autant plus inquiétantes qu'elles ne peuvent être précisément définies. Le débat est également caractéristique du mode de pensée français, car, la plupart du temps, il n'a pas grand-chose à offrir en termes de solutions concrètes ni de plans d'action si ce n'est de suggérer l'importance de changements mentaux ou comportementaux. De fait, les observateurs chevronnés de la vie intellectuelle française ne sont guère dépaysés par le caractère éthéré du débat, en particulier la prédilection pour des sentiments négatifs, le goût des idéaux vagues ou irréalisables (telle la transformation de la nation française en une communauté ethniquement homogène), voire la tendance à pousser propositions ou raisonnements jusqu'à l'extrême.

La version la plus aboutie de ce pessimisme philosophique a été formulée par Cioran, qui s'installe à Paris dans le Quartier latin après la Seconde Guerre mondiale. Il se fait remarquer en 1949 avec son *Précis de décomposition*, un recueil d'aphorismes salué comme un chef-d'œuvre de l'existentialisme, en particulier pour son rejet absolu de la possibilité que la vie ait un sens : « Nos éclairs sont instantanés, les chutes sont notre règle. La vie, c'est ce qui se décompose à tout moment ; c'est une perte monotone de lumière, une dissolution insipide dans la nuit, sans sceptres, sans auréoles, sans nimbes. » Les thèmes majeurs de son travail sont la solitude, l'ennui et, bien sûr, la mort, le « grand oui » (un écho direct de la tradition occultiste, mais entièrement dépouillé de son optimisme foncier). Cioran poussera cette posture négative jusqu'à sa conclusion logique dans *De l'inconvénient d'être né* (1973), où il dépeindrait l'ensemble de l'existence comme une réaction (futile) à la tragédie de la création : « Nous ne courons pas vers la mort, nous fuyons la catastrophe de la naissance, nous nous démenons, rescapés qui essaient de l'oublier. La peur de la mort n'est que la projection dans l'avenir d'une peur qui remonte à nos premiers instants. » [8]

Alors que la pensée française plongeait dans les ténèbres à l'approche du millénaire, le désespoir mitteleuropéen de Cioran a connu un regain d'intérêt, suscité par la publication de ses œuvres complètes dans La Pléiade en 2011, seize ans après sa disparition. Sa contribution la plus remarquable à la réflexion collective sur le déclin français se trouve dans un texte intitulé *De la France*, qu'il avait rédigé dès 1941, donc pendant l'Occupation, mais qui n'a été publié qu'en 2009. Dans cette remarquable description par anticipation de ce que serait l'état d'esprit des Français au début du XXIe siècle, Cioran affirme que l'esprit français est essentiellement provincial et hédoniste et, sous l'influence de Descartes, tourné vers une forme de « perfection étroite » préférant l'élégance stylistique et la clarté formelle à la profondeur philosophique. La grandeur intellectuelle de la France avait consisté à bâtir la « mythologie rationaliste » qui domina la pensée européenne à l'époque moderne. Mais Cioran ne croyait plus les Français désormais capables de croire en de tels idéaux : « Les fontaines de l'esprit se tarissent, et elle se réveille devant son désert, les bras croisés, effrayée par l'avenir. »[9] Parmi les disciples de Cioran, on peut compter le philosophe Frédéric Schiffter, qui se décrit lui-même comme un « nihiliste petit-bourgeois » et dont les textes fustigent l'*ennui*[*] de la modernité, la futilité de l'éthique et l'inutilité de Foucault (dont il refuse de lire l'œuvre au prétexte que leur auteur portait un col roulé[10]).

Alors que le pessimisme de Cioran a trouvé son expression dans une certaine sensibilité philosophique et esthétique, Alain Peyrefitte, quant à lui, déroule son argument dans un cadre historique de grande envergure, mais ses conclusions générales n'en sont pas moins mélancoliques. Publié pour la première fois en 1976, *Le Mal français* est un ouvrage hybride qui mêle les réflexions autobiographiques d'un ancien ministre gaulliste désabusé (sur le thème de l'« ingouvernabilité » de la France) et une tentative pour expliquer les failles de la culture politique française à l'ère moderne. L'argument majeur de Peyrefitte consiste à dire que la France est différente des autres nations industrialisées car elle reste prisonnière d'un affrontement « maudit » entre des citoyens aliénés et un État interventionniste. Peyrefitte, qui suit ici Tocqueville, considère l'excès de centralisme français comme l'héritage de la monarchie absolue, conforté par la Révolution et les républiques successives. Au fil du temps, les Français sont ainsi devenus une nation de « conservateurs contestataires » frappés d'un mal particulier, l'« immobilisme convulsionnaire ». Ce mal se manifeste par différents symptômes : les Français idolâtrent la tradition (« Dans l'éternelle querelle des Anciens et des Modernes, ce sont régulièrement les Anciens qui ont eu le beau rôle. »). Ils conjuguent leur vénération pour le pouvoir absolu avec leur passion pour les crises périodiques (ce que Peyrefitte surnomme leur « spasmophilie »). Ils sont obsédés par un principe d'égalité universelle qui leur fait refuser la différence. Ils sont fascinés par l'irrationnel (« En France, l'esprit logique abandonne le terrain à l'esprit magique. »). Enfin, ils sont enclins à diviser tous les problèmes en dichotomies simples, opposant, par exemple, la « liberté » à l'« autorité » ou l'« ordre » au « mouvement ». Ce qui a amené Peyrefitte à conclure laconiquement : « Nous ne sommes pas un peuple bien dans son être. »[11]

Même si Peyrefitte prétend croire que les Français sont capables d'accomplir la « révolution mentale » qui leur est nécessaire pour se réformer, le poids même de sa démonstration et son caractère quasi anthropologique semblent indiquer le contraire. Il réaffirme son pessimisme dans la préface rédigée pour la réédition du livre en 1996, montrant que, en dépit de la décentralisation introduite par les socialistes dans les années 1980, la France demeure prise au piège de la tradition colbertiste. Dans cet épilogue de mauvais augure, Peyrefitte incarne le pessimisme inhérent à la tradition gaulliste, bien que dissimulé sous un volontarisme grandiloquent.

Un autre courant du pessimisme français, encore plus virulent et associé à la droite nationaliste, refait également surface dans les années 1980. Le thème central en est que la France est entrée « en décadence », une forme de déclin ontologique irréversible qui se manifeste par la décomposition complète de l'ordre existant. Ce tableau extrêmement sombre tire son inspiration idéologique des écrits antirévolutionnaires et antimodernistes de figures telles que Veuillot, Drumont, Barrès et Drieu La Rochelle. Il dépeint une société française tombée dans le piège d'une forme de corruption morale et spirituelle dans laquelle l'individualisme rationnel a triomphé de tout sentiment d'appartenance collective. L'homme, coupé de son moi véritable (le moi religieux), se

Une affiche du Front national (2010) : un exemple de l'amalgame de plus en plus fréquent qui est fait entre religion musulmane et « islamisme », une idéologie dangereuse et extrémiste qui, d'après le Front national, serait très largement répandue parmi la population d'origine maghrébine.

réfugie dans « un matérialisme vulgaire, issu de l'union monstrueuse de la paresse de pensée et du désir de confort ». [12]

L'autre thème distinctif de ces récits pessimistes est la dégénérescence raciale de la nation française, d'où l'insistance de la droite nationaliste sur la menace que représente l'immigration. La peur d'une dépossession nationale par l'islamisme (un concept mal défini qui fait insidieusement l'amalgame entre la pratique de la religion musulmane et le fondamentalisme religieux) constitue le cœur du message du Front national depuis les années 1980. Il est associé à la condamnation des effets désastreux d'une société permissive : liberté sexuelle, drogues, violence, effondrement de la famille traditionnelle et indiscipline à l'école – tous ces facteurs culminant dans la peur d'une disparition de la nation. Dans un discours prononcé en septembre 1994, Jean-Marie Le Pen déclarait que la France avait continué de régresser et, suivant le chemin du monde occidental en général, était tombée dans une crise si grave que, non seulement au niveau économique, social et politique, mais également au niveau culturel et moral, son existence même, et avec elle l'existence du peuple français dans son ensemble, se retrouvait menacée de mort [13].

Manifestations de déclin

Déjà bien établies dès la fin du XXe siècle, ces différentes formes de déclinisme vont fournir la matrice dans laquelle la sensibilité pessimiste des Français prospérera et s'approfondira. La phase suivante de cette évolution correspond au développement du thème du déclin de la culture dite « supérieure » – refrain familier des décadentistes conservateurs et nationalistes que les élites parisiennes se sont approprié avec ardeur. *La Défaite de la pensée* (1987) d'Alain Finkielkraut constitue l'un des premiers classiques de ce nouveau genre, un sombre essai où l'auteur annonce la destruction imminente de l'héritage des Lumières par une alliance disparate de tiers-mondistes, de tenants du relativisme éthique et de vedettes de la culture de masse. Finkielkraut y développe certaines idées qui vont faire de lui l'un des polémistes néorépublicains les plus influents et le chantre d'une laïcité s'élevant contre la menace que représente, à ses yeux, le multiculturalisme [14]. Il s'inquiète tout particulièrement de ce que la mise sur un piédestal de la « différence culturelle » délégitimise les qualités intellectuelles qui avaient permis la libération de l'homme moderne – le scepticisme, l'ironie et l'individualisme rationnel. De cette prémisse il déduit (en forçant quelque peu le trait) que la civilisation risque de retomber dans une nouvelle ère barbare : « La vie avec la pensée cède doucement la place au face-à-face terrible et dérisoire du fanatique et du zombie. » L'intuition de Finkielkraut est qu'il y a quelque chose de fondamentalement brisé dans le royaume culturel français. Elle est partagée par d'autres (notamment l'écrivain et critique antimoderne Philippe Muray) et a trouvé un écho dans *La Barbarie intérieure* (1999), une diatribe philosophique cinglante de Jean-François Mattéi contre la corruption de la civilisation par la culture de masse. [15]

Le débat sur le déclin s'étant aventuré en terrain culturel, il devenait inévitable qu'il finît par porter aussi sur l'état de la littérature française. En 1995, Jean-Marie Domenach avait dressé un bilan accablant de l'état de la fiction contemporaine française. Pointant du doigt l'absence d'une véritable tradition de critique littéraire telle qu'on la pratique en Grande-Bretagne ou aux États-Unis dans des périodiques tels que *Times Literary Supplement* ou *New York Review of Books*, il fustigeait la qualité « sinistre » de la plupart des romans français, leur absence de personnages convaincants, leur divorce de la réalité sociale et leur apologie de l'anormalité. Dans un long article publié en 2001 dans *L'Express*, Michel Crépu fait écho au pessimisme de Domenach en notant avec consternation l'émergence de nouvelles formes d'écriture introvertie exprimant « un moi hystérique, tout en nerfs et en tripes, misérabiliste et mégalomane, obsédé de transparence, extraordinairement puritain et pornographique en même temps ». Une décennie plus tard, le romancier Patrick Besson dresse un tableau toujours aussi sombre dans un article au titre provocateur : « La littérature française est-elle morte ? » Ses observations entrent en résonance avec une opinion largement répandue dans le monde anglophone qui veut que la littérature contemporaine française se soit égarée, qu'elle soit devenue trop nombriliste et exagérément obsédée par l'abstraction – les romanciers français contemporains ayant perdu la capacité d'invention narrative de leurs illustres prédécesseurs. [16]

Cependant, on retrouve à nouveau ici un paradoxe bien français : avec plus de deux mille prix littéraires décernés chaque année (dont les prestigieux Goncourt, Renaudot, Femina et Médicis) et l'excitation qui, chaque année aussi, monte à l'approche de la *rentrée littéraire* de septembre, la culture littéraire française semble être en excellente forme, mais c'est à l'étranger que l'on prend la vraie mesure du problème. Alors que Flaubert, Dumas, Proust ou Camus appartiennent désormais à l'héritage de la littérature mondiale, leurs successeurs contemporains, auteurs à succès ou lauréats de ces fameux prix – les Katherine Pancol, Guillaume Musso, Anna Gavalda, Emmanuel Carrère,

Amélie Nothomb, Marie Darrieussecq ou Christophe Ono-dit-Biot – ont de grandes difficultés à attirer un nombre conséquent de lecteurs anglophones. Même J. M. G. Le Clézio et Patrick Modiano, lauréats du prix Nobel, demeurent pratiquement inconnus dans le monde anglophone. Il est vrai qu'aux États-Unis il y a davantage de romans traduits du français que de toute autre langue, mais les chiffres restent extrêmement faibles (soixante-six en 2012, soixante-dix-sept en 2013) et la plupart des titres font l'objet de tirages modestes – seule une poignée figurent sur les palmarès des ventes [17]. Et, quand c'est le cas, ces succès tendent à confirmer les stéréotypes des lecteurs américains : les Français seraient par nature des êtres cérébraux (telle Renée, la concierge cultivée héroïne de *L'Élégance du hérisson*, de Muriel Barbery) ; ils sont capables de légèreté et de frivolité dans les situations les plus effroyables (dans *HHhH*, premier roman de Laurent Binet, les réflexions personnelles de l'auteur jalonnent l'histoire de l'assassinat du dirigeant SS Reinhard Heydrich). À ces clichés il faudrait ajouter la persistance de l'antisémitisme (représenté dans *Suite française*, roman posthume qui dépeint le début de la Seconde Guerre mondiale et dont l'auteur, Irène Némirovsky, est morte en déportation à Auschwitz) ; sans oublier, bien évidemment, leur perversité sexuelle (voir toute l'œuvre de Michel Houellebecq).

Au début du XXIe siècle, c'est un autre domaine qui devient le sujet privilégié des théoriciens du déclin : le malaise économique croissant en France. L'ouvrage précurseur est ici l'essai de Nicolas Baverez, *La France qui tombe* (2003) : l'auteur cherche à proposer une version encore plus pointue du diagnostic de Peyrefitte en s'appuyant sur le libéralisme conservateur de Raymond Aron. Le principal argument de Baverez est que le déclin de la France découle de politiques délibérément mises en œuvre par ses élites depuis la fin du XIXe siècle. Il en a résulté un « modèle français » caractérisé par un secteur public très important, un État qui joue un rôle étendu dans l'économie et les affaires sociales (notamment en matière de santé publique et de protection sociale) et une préférence constante donnée à la stabilité sociale intérieure plutôt qu'à la promotion d'un changement dynamique (on retrouve là un écho de la « société bloquée » définie par le politologue américain Stanley Hoffmann.)

Selon Baverez, la façon dont les Français ont réagi aux bouleversements du monde de l'après-guerre froide a suivi le schéma historique suivant : alors que les autres nations modernisaient leur économie en réduisant la part du secteur public et en promouvant davantage d'innovation et de compétitivité, les gouvernements français successifs, de droite comme de gauche, se sont contentés de consolider le « modèle français » traditionnel, laissant la dette publique s'envoler et les investissements s'effondrer. C'est ainsi que la protection sociale et le secteur public absorbent désormais plus d'un tiers du PIB, alors que 2,5 % seulement sont consacrés à des dépenses d'investissement. Le résultat de cet « autisme politique » (notons à nouveau la métaphore de la pathologie), c'est « un immobilisme qui est politique, économique et social, ainsi qu'intellectuel et moral », dont l'inéluctable conséquence, conclut Baverez, a été de « plonger la France dans le déclin ».[18]

C'est une version plus nuancée de cette analyse que propose Jacques Marseille (décédé en 2010) dans *Du bon usage de la guerre civile en France*, un livre écrit juste après le rejet du projet de Constitution européenne au référendum de 2005. S'appuyant sur toute une série d'exemples historiques, il affirme que le déclin français n'est pas une fatalité, voire que les crises politiques peuvent parfois fournir l'élan nécessaire pour impulser un changement – ce qui avait été le cas notamment lors du retour au pouvoir du général de Gaulle en 1958. Au début du XXIe siècle, cependant, un scénario aussi positif est difficile à imaginer tant la société française est déchirée par de nouvelles divisions – entre ceux qui ont un emploi et ceux qui sont au chômage, entre les optimistes et les pessimistes, entre les secteurs qui bénéficient de la protection de l'État et ceux qui sont exposés à la mondialisation. Il en conclut que le réflexe le plus probable des élites françaises sera de « rentrer frileusement dans leur coquille ». Cette prophétie d'immobilisme a été reprise au cours de la campagne présidentielle de 2012 par Christian Saint-Étienne dans *L'Incohérence française*, essai où il rend la « lâcheté intellectuelle » des élites responsable des difficultés économiques du pays. Plusieurs autres ouvrages ont ajouté des variations sur le même thème, dont *Le Pays où la vie est plus dure*, du journaliste Philippe Manière, ou, plus catastrophiste encore dans ses conclusions, le livre de Simone Wapler intitulé *Pourquoi la France va faire faillite*. Dans un pamphlet publié en 2012, Baverez a retourné le couteau dans la plaie en déplorant que ses appels soient restés lettre morte, y compris dans son propre camp : en dépit de ses promesses de réformer le système français, Nicolas Sarkozy a présidé à une augmentation de la dépense publique et de la dette, aggravant ainsi le déclin. Rien ne changera, conclut Baverez, tant que les dirigeants français n'abandonneront pas leur étatisme et leur opposition au libéralisme économique. [19]

Le thème de la responsabilité de l'État a donné lieu à une importante littérature qui allie une analyse sans complaisance de la « crise » sous tous ses angles avec des propositions de réforme parfois judicieuses [20]. Mais le langage utilisé pour le diagnostic se révèle souvent exagérément hyperbolique, tout particulièrement lorsque l'analyse porte sur le système éducatif français. D'après Marc Le Bris, instituteur et directeur d'école, l'école (publique) française est responsable d'une véritable « catastrophe culturelle » : fort pourcentage d'échec dans les apprentissages élémentaires (lecture, écriture et mathématiques), indiscipline généralisée, effondrement de l'autorité des professeurs et abandon de la culture classique. Il conclut son cri d'alarme en observant que c'est l'idéal même de l'école républicaine, lieu de transmission de l'héritage culturel de la nation, qui est désormais compromis [21]. Dans un pamphlet tout aussi violent, Jean-Claude Brighelli dénonce quant à lui un processus qui « fabrique des crétins », dont il rend en grande partie responsable la philosophie post-soixante-huitarde qui a remplacé la pédagogie traditionnelle par les concepts pernicieux de « compétence » de l'élève et d'autonomie individuelle. Ce pseudo-égalitarisme s'incarne dans une novlangue pédagogique où l'on ne parle plus d'élèves mais d'*apprenants*[*]. L'une des conséquences particulièrement perverses du système, affirme-t-il, c'est de creuser le fossé culturel qui sépare les catégories socioprofessionnelles privilégiées des classes défavorisées « décérébrées ». La création de zones d'éducation prioritaire dans les quartiers dits « difficiles » au début des années 1980 s'est soldée, selon lui, par un échec total en instaurant un système à deux vitesses qui bafoue la mission fondamentale de l'école républicaine – promouvoir une plus grande égalité des chances. [22]

Même si la fracture culturelle et les différences de niveaux scolaires identifiées par Brighelli sont indéniables, il est frappant de constater que ce déclin de l'éducation n'est pas mis sur le compte d'un manque de ressources ou d'une faillite de l'institution, mais de causes idéologiques – nouvel exemple de raisonnement intellectualiste à la française. Parmi les facteurs aggravant la crise de l'enseignement, selon Brighelli, figure en effet l'influence du « néolibéralisme » (manière détournée de pointer du doigt la pensée anglo-américaine), dont la philosophie pédagogique serait de former des individus « sans passé, sans histoire, sans attachements », de dociles serviteurs des intérêts du capitalisme mondialisé. L'accusation a été reprise par un autre professeur progressiste de Bordeaux, Alain Planche, qui a dénoncé lui aussi la pénétration de l'« idéologie néolibérale » au sein de l'Éducation nationale. [23]

Les déclinistes conservateurs ont opiné avec vigueur. Dans son tout dernier discours en tant que président du Front national, en 2011, où il assure que la France a été entraînée dans la « décadence » par ses élites depuis la fin de la Première Guerre mondiale, Jean-Marie Le Pen a déclaré que l'Éducation nationale était tombée sous la coupe de « rêveurs utopistes, de pédagogues marxistes et de matérialistes ultralibéraux » – une galerie de méchants certes un peu plus fournie, mais qui partagent tous le même mépris pour les méfaits du libéralisme. Le Pen reprend également à son compte l'idée que l'école française est un facteur d'aliénation, tout en déplorant la perte de l'héritage national. Il se plaint en particulier qu'on n'enseigne plus aux élèves l'« amour de la France ou la beauté de son passé ». Au lieu d'insister sur les hauts faits de la monarchie ou de l'époque napoléonienne, ou encore sur les bienfaits de la colonisation, le programme d'histoire chercherait, selon lui, à faire naître un sentiment de

« culpabilité » chez les élèves en s'attardant sur des épisodes aussi « ignobles » que l'esclavage ou la collaboration [24]. Il s'agit là d'un exemple classique de rhétorique lepéniste : identifier un phénomène réel (la diminution de la place de l'histoire de France dans les programmes scolaires et leur ouverture croissante sur l'histoire mondiale), mais en exagérer les conséquences afin de prendre une posture politique aussi dénuée de fondement qu'extrême (et sujette à caution) – en l'occurrence, dénoncer une conspiration supposée de pédagogues qui voudraient démoraliser la nation en étouffant le sentiment patriotique.

L'accent mis sur l'échec moral du système éducatif français constitue aussi le leitmotiv d'un expatrié britannique, Peter Gumbel. Dans un essai intitulé *On achève bien les écoliers* (2010), il affirme que la conséquence principale d'un système scolaire inadapté est de favoriser une « culture de la nullité » qui génère une angoisse généralisée chez les élèves. Les études ont montré que, confrontés à des enseignants intimidants et à un système de notation extrêmement sévère (où la note maximale n'est presque jamais accordée et les zéros, en revanche, sont monnaie courante), les élèves français souffrent d'un déficit de confiance en soi et qu'ils ont davantage peur de l'échec que leurs homologues des autres pays industrialisés. Ce que confirme la sociologue Anne Muxel : « Comparée aux autres pays européens, la France a un véritable problème d'intégration de sa jeunesse. » Dans un mouvement typiquement français de généralisation, certains ont prétendu trouver un lien entre la baisse du niveau scolaire et le malaise collectif qui s'est emparé de la société française. L'économiste Claudia Senik a émis l'hypothèse que la cause principale du *mal de vivre** français serait le système éducatif, qui distille chez les élèves « une prédisposition culturelle au malheur ». Ses collègues Yann Algan, Pierre Cahuc et André Zylberberg ont proposé une extrapolation encore plus audacieuse et suggéré que ce qui distinguait les Français, c'était une attitude de « défiance sociale ». Cette incapacité à développer un comportement coopératif et réciproque serait le pur produit d'une culture éducatrice verticale qui inculque aux élèves le « sens de la hiérarchie et de l'élitisme ». [25]

« Le malheur français »

Tout en s'étendant à la sphère culturelle, économique et éducative, la sensibilité pessimiste s'est également développée à gauche. L'un des premiers à manifester (et à décrire) ce pessimisme progressiste a été le socialiste Michel Charzat, qui introduit son livre *La France et le Déclin* (1988) par une déclaration spectaculaire : « *Nous sommes tous malades**. » Ses compatriotes, suggère-t-il, éprouvent un attrait particulier pour le défaitisme et le masochisme. Même s'il ne croit pas que la décadence nationale soit une fatalité, il reconnaît qu'elle représente une réalité psychologique, « un miroir qui éclaire le malaise ». Le retour des récits déclinistes pendant les années 1990 révèle une France qui s'enfonce dans une forme de « nihilisme postmoderne » caractérisé par le sentiment qu'elle n'a plus de destinée nationale, ainsi que par une « rétromanie » malsaine qui se complaît dans les commémorations nationales et la nostalgie de l'âge d'or. Le principal danger de ce nouveau pessimisme, d'après Charzat, c'est qu'il pousserait les Français à une forme de « repli égotiste ». [26]

Charzat avait de bonnes raisons de s'inquiéter. L'un des premiers à contracter cette maladie fut le théoricien néomarxiste Guy Debord, figure emblématique de la pensée libertaire française, devenu le porte-drapeau d'une nouvelle forme de désespoir progressiste. Dans *La Société du spectacle* (1967), ouvrage largement influencé par Barthes, il affirmait que le capitalisme avait renforcé sa domination sur la société en utilisant le pouvoir des médias, de la publicité et de la culture de masse. À la fin des années 1980, de plus en plus convaincu que cette aliénation collective était devenue générale, il concluait : « Il n'existe plus d'agora, de communauté générale. » Après avoir ainsi rendu hommage à la pensée néolibérale, il s'était retiré sur cet aphorisme désespéré et énigmatique : « La décadence générale est un moyen au service de l'empire de la servitude ; et c'est seulement en tant qu'elle est ce moyen qu'il lui est permis de se faire appeler progrès. » [27] Il mit fin à ses jours en 1994.

Pour autant, la morosité « postpolitique » a été pendant un instant tempérée par le retour de la gauche au gouvernement.

Au règne de Mitterrand succède en 1997 le gouvernement de la *gauche plurielle** mené par Lionel Jospin et formé après la victoire de la gauche aux élections législatives. Le tournant survient avec la défaite de Jospin à l'élection présidentielle de 2002, un événement qui provoquera son retrait de la vie publique et l'amenera à formuler cet amer diagnostic : la France est paralysée par « *un mal napoléonien**[28] ». Le peuple de gauche est sorti profondément traumatisé de l'échec du candidat socialiste à figurer au second tour de cette élection – un résultat d'autant plus calamiteux que Jospin a été devancé au premier tour par Jean-Marie Le Pen. Le 21 avril devient donc une date funeste pour la gauche, symbole d'une catastrophe d'ampleur épique. La blessure reste profonde : des années plus tard, des sympathisants de gauche évoquent toujours leur incompréhension et leur colère, convaincus que les Français ont voté « comme des moutons ». Certains se sentent « coupables » de n'avoir pas voté pour le candidat socialiste, d'autres disent qu'ils ont « honte » d'une gauche qui a laissé tomber le pays. Un militant va jusqu'à dire qu'il « ne reconnaît plus la France ». Le sentiment général, répété sur tous les tons, est que les Français se replient de plus en plus sur eux-mêmes – conséquence de la « *lepénisation des esprits** », cette propagation insidieuse des idées du Front national sur l'immigration et l'insécurité. Le pronostic est donc sombre : la gauche est en état de « décomposition intellectuelle ».[29]

Une des manifestations les plus criantes de ce repli intellectuel de la gauche française a été l'étiolement de ses perspectives internationales et internationalistes. À un moment où les philosophes politiques progressistes, aux États-Unis ou en Europe, formulent des théories novatrices pour confronter les dangers qui menacent le pouvoir démocratique et les libertés civiles des sociétés occidentales (qu'il s'agisse de la notion d'empire chez Michael Hardt et Antonio Negri ou du concept d'État d'exception chez Giorgio Agamben[30]), leurs homologues français continuent à se livrer à de futiles jeux de mots dans l'esprit de Derrida ou de Bourdieu. Certes, il y a bien eu quelques projets ambitieux de définir le nouvel air du temps, tel *Le Nouvel Esprit du capitalisme*, l'ouvrage de Luc Boltanski et Eve Chiapello, pompeusement présenté comme une relecture moderne de l'ouvrage classique de Max Weber alors qu'il est en réalité largement fondé sur une analyse de la littérature managériale française [31]. (Ce qui, soit dit en passant, ne fait que reprendre un postulat classique du répertoire français : l'idée que quelque chose ne devient véritablement significatif que si cela se passe en France et, réciproquement, que tout ce qui se passe en France a une valeur universelle.) La plupart des penseurs progressistes, cependant, ne font que lever les mains au ciel en signe de désespoir, tels les politologues Gérard Grunberg et Zaki Laïdi, qui concluent que la culture de la gauche française a été transformée avec le nouveau millénaire et que sa représentation intellectuelle et émotionnelle de la réalité est désormais dominée par le « pessimisme social ». Cette négativité n'est pas seulement le fruit d'un sentiment morose : elle naît d'une conception de la politique où on ne croit plus que le changement et la transformation soient encore possibles – tout particulièrement en ce qui concerne la gouvernance de la mondialisation. Incapable de se projeter dans l'avenir – ou hors de l'Hexagone –, la gauche ne peut que se recroqueviller. D'où le vote antieuropéen de 2005, qui symbolise ce *repli identitaire** ; d'où aussi la transformation paradoxale de la gauche en principale championne de l'État : une vision conservatrice qui « vise non pas à faire advenir un monde nouveau mais à prévenir l'avènement du monde de demain ». [32]

On peut trouver plus spectaculaire encore en matière de pessimisme philosophique : aux yeux de Jean-Claude Michéa, par exemple, le progressisme moderne a été incapable d'offrir une alternative viable au capitalisme parce qu'il s'est coupé de ses racines populaires et a adopté l'individualisme libéral des Lumières. Le « nouvel ordre » promis par la civilisation libérale est un monde orwellien déshumanisé dans lequel les êtres humains « se résignent enfin à devenir de pauvres monades égoïstes condamnées à produire et consommer toujours plus, chacune luttant impitoyablement contre toutes les autres ». [33]

La mélancolie s'est donc répandue chez tous les intellectuels progressistes. Marcel Gauchet, l'une des figures majeures de la gauche « antitotalitaire », a déclaré que c'était la démocratie elle-même qui se trouvait confrontée à une « crise des fondations » caractérisée par un sentiment général de « dépossession » civique et de « captation » par l'oligarchie, et par « la disparition programmée du sujet politique collectif ». Gauchet pense que l'affaiblissement de la gouvernance dans les sociétés démocratiques est la preuve d'une crise spirituelle qui pourrait mener à terme à la « décomposition de la Cité ». (Même si, de façon très classique, cette formule semble universaliste, il faut peut-être y voir une allusion inconsciente au fait que sa chère École des hautes études en sciences sociales était sur le point de quitter le très germanopratin boulevard Raspail pour aller s'installer au fin fond d'une banlieue parisienne). Il pense que les perspectives à court terme sont pessimistes parce que « le mouvement vers le bas d'une société est tellement marqué qu'aucune correction de trajectoire ne peut être envisagée dans un avenir immédiat ». Au terme d'une interminable polémique contre ceux qui, à gauche, rejettent le déclinisme au nom du progrès, le sociologue Pierre-André Taguieff a conclu quant à lui que « les prophètes du pire, dans certaines situations, sont peut-être les véritables maîtres de sagesse ». [34]

Pour autant, les remèdes à apporter à ce malaise demeurent mal définis. Affirmant que l'idéologie progressiste est devenue une « camisole intellectuelle », Régis Debray a invité ses camarades à se réfugier dans le passé et à reconnaître que l'être humain aurait un « besoin vital d'appartenance » (enterrant ainsi l'internationalisme), avant de conclure sur une note nietzschéenne et d'appeler de ses vœux la naissance d'une « gauche tragique » qui échangerait les universalismes métaphysiques d'antan contre l'« énergie du désespoir » et une forme de « progressisme sans optimisme ». En 2010, Debray pousse le raisonnement sur la nécessité du repli sur soi jusqu'à sa conclusion logique dans *Éloge des frontières*. Toujours prêt à saisir l'opportunité de s'autoflageller, Bernard-Henri Lévy a lui aussi apporté sa contribution à cette nécrologie, comparant la gauche à un cadavre en putréfaction et fustigeant son antilibéralisme, son antieuropéanisme, son antiaméricanisme et son antisémitisme, ainsi que son admiration pour les travaux du philosophe nazi Carl Schmitt. Quant à Guy Hermet, il voit dans l'essor du populisme en France et dans d'autres pays industrialisés le signe avant-coureur de la fin de la démocratie elle-même. [35]

L'exposé le plus sombre de ce pessimisme de gauche figure dans *Le Malheur français*, essai qui révèle à quel point la mentalité progressiste a été contaminée par le sentiment général de déclin. Jacques Julliard y dresse un tableau extrêmement noir de la France : le sentiment national est marqué par le découragement, l'abandon et le repli sur soi, le malheur est si profondément ancré qu'il est devenu partie intégrante de l'« inconscient collectif ». Julliard partage l'analyse de Baverez sur le déclin économique, ainsi que sa conviction que, dans le domaine culturel, la France a définitivement perdu la partie contre les « Anglo-Saxons ». Sur ce dernier point, son analyse paraît encore plus négative puisqu'il note que le niveau scolaire a chuté de façon spectaculaire non seulement dans le domaine littéraire au collège et au lycée, mais aussi en sciences humaines et à l'université, où la France n'est désormais plus compétitive sur le plan international. Tout comme Peyrefitte, il attribue les causes du problème aux attentes « schizophréniques » des Français : leur amour de l'égalité allié à un attachement aussi farouche à leurs privilèges. Mais la mesure véritable de la crise s'évalue, selon lui, au fait qu'elle a entamé la capacité de la gauche à penser en catégories universelles : influencé par les schémas conspirationnistes de la droite xénophobe et par le rejet populiste de l'Europe, le progressisme français se définit désormais par son déni de toute réalité extérieure, son immobilisme et une foi aveugle dans les vertus rédemptrices de l'État – en bref, par « sa résistance au changement ». [36]

Même la victoire de François Hollande à l'élection présidentielle de 2012 n'a guère fait reculer la neurasthénie généralisée, comme l'illustre le titre révélateur d'un pamphlet publié par Philippe Corcuff : *La gauche est-elle en état de mort cérébrale ?* Le discours qui reflète peut-être le mieux l'absence de toute perspective est celui tenu par Alain Soral et son mouvement Égalité et réconciliation (fondé en 2007), qui cherche à bâtir un programme fondé sur la fraternité, l'anticapitalisme et l'antieuropéanisme. Ancien membre du Parti communiste puis adhérent du Front national, Soral a bâti sa notoriété sur un ensemble disparate de positions extrémistes qu'il expose assidûment via Internet : ses vidéos mensuelles y ont été consultées par plus de quinze millions d'internautes (en majorité des jeunes). Il se définit lui-même comme un opposant féroce à la gauche « officielle », qui a, d'après lui, trahi ses traditions populaires, et se dit convaincu de la nécessité d'une régénération intellectuelle et morale de la France, d'où la priorité qu'il assigne à la « défense de la nation ».[37]

L'identité en crise

Voulant synthétiser en 2011 l'atmosphère de pessimisme qui règne alors en France, le politologue Pascal Perrineau avance un certain nombre des facteurs que nous venons de développer : la fin des grands récits idéologiques, la nostalgie d'un âge d'or, la crise du « modèle » français, la contestation des élites, les dysfonctionnements du système éducatif et la perte généralisée des références politiques et culturelles. Non seulement ces éléments se renforcent les uns les autres, mais en plus ils réveillent, selon lui, l'une des peurs ancestrales des Français – la crainte d'un effondrement du sentiment d'identité collective[38]. La traduction la plus visible de cette profonde anxiété semble être l'essor d'un fort courant de nationalisme ethnique[39]. De fait, au cours des dix premières années du nouveau millénaire, les partisans d'un « retour à la nation » ont gagné beaucoup de terrain dans les cercles politiques et culturels républicains, où ils se sont fait l'écho de la rhétorique et de l'imaginaire raciste du Front national. Sous la présidence de Nicolas Sarkozy et à l'instigation de son conseiller Patrick Buisson, ce mouvement a trouvé une traduction institutionnelle avec la création d'un ministère de l'Identité nationale. Quant à l'UMP, elle a adopté une posture plus agressive vis-à-vis de l'islam : certains de ses chefs de file ont stigmatisé les pratiques culturelles de l'islam en France, affirmant que les « Français de souche » étaient devenus les victimes d'une forme de « racisme antifrançais [40] ». La dénonciation de l'immigration et de l'« islamisme », censés menacer la cohésion nationale, est devenue un thème récurrent de la presse conservatrice (aussi bien dans *Le Figaro* que dans *Valeurs actuelles*), ainsi que des écrits d'intellectuels « culturalistes » tels qu'Éric Zemmour, Élisabeth Lévy ou Éric Brunet.

On peut trouver un échantillon de cet ethnocentrisme républicain dans *Mélancolie française* (2010), d'Éric Zemmour. Présentant la vocation historique de la France comme la continuation de son héritage romain, il attribue, lui aussi, le déclin de la nation au fait qu'elle n'a pas été capable de contenir ses rivales « anglo-saxonnes », ce par quoi il entend non seulement la Grande-Bretagne, mais aussi l'Allemagne. Après quelques observations convenues sur les périodes napoléonienne et gaullienne et des suggestions passablement excentriques (notamment que la France devrait réannexer la Wallonie), Zemmour en vient au cœur de sa démonstration : comparer le destin de la France à la chute de Rome telle qu'elle est racontée par Edward Gibbon dans sa célèbre *Histoire de la décadence et de la chute de l'Empire romain.* De même que Rome s'était effondrée parce qu'elle n'avait pas réussi à assimiler les peuples barbares qui l'entouraient, de même la France est condamnée à la décadence car elle se révèle incapable d'intégrer ses populations d'immigrés. Zemmour ne se montre pas seulement critique à l'égard de l'ouverture des frontières aux Européens, la véritable menace qu'il perçoit est celle que représentent à ses yeux les immigrés originaires des anciennes colonies françaises d'Afrique du Nord, qui « envahissent » le pays et le mènent « à la déchristianisation et à la défrancisation ». (Le parallèle avec les arguments développés par le politicien conservateur d'extrême droite Enoch Powell, en Grande-Bretagne, dans les années 1970, est frappant.) Le processus de dépossession nationale résulte de facteurs culturels et démographiques que Zemmour détaille dans un mélange caractéristique de formules à l'emporte-pièce, de citations tronquées de leur contexte et de « statistiques » sujettes à caution : la non-assimilation des immigrés et leur refus de parler français (« la langue du diable ») lorsqu'ils sont chez eux ; le nombre élevé de Français issus de l'immigration qui se marient avec des étrangers et le fort taux de fécondité de la population immigrée ; l'affaiblissement de la civilisation traditionnelle française sous l'influence du multiculturalisme et des mariages mixtes ; et la « substitution » pure et simple de la population française de souche par des immigrants arabes dans certaines villes de banlieue. Zemmour en conclut que la France vit sous la menace d'un conflit civil de longue durée et de la désintégration de son héritage culturel traditionnel [41]. Il décrit régulièrement la population française d'origine musulmane comme l'« ennemi de l'intérieur », laissant entendre que ses valeurs sont étrangères à la culture de la nation. C'est ainsi qu'il a qualifié les terroristes qui ont perpétré les attentats de janvier 2015 à Paris de « cinquième colonne islamique qui s'est installée sur notre terre [42] ».

Tous ces efforts pour promouvoir une conception ethnique de l'identité collective française ont aussi été relayés par une historiographie nationaliste et conservatrice de plus en plus affirmée. Ce phénomène s'enracine dans l'« Histoire bling-bling » de l'ère Sarkozy (pour reprendre l'expression de Nicolas Offenstadt) : une tentative des autorités publiques pour remettre à l'ordre du jour un récit national patriotique célébrant officiellement la grandeur de la France [43]. Comme nous l'avons vu au chapitre précédent, l'idée de créer une Maison de l'histoire de France, clef de voûte de ce projet idéologique, a été abandonnée en 2012. Mais le travail plus général de promotion d'une version aseptisée du passé, débarrassé de ses épisodes les plus sombres et de tout sentiment de « repentance », se poursuit à maints égards de manière florissante. À la tête de ce courant on trouve un personnage tel que Jean Sévillia, rédacteur en chef adjoint du *Figaro Magazine*, dont les travaux cherchent à élaborer un contre-récit destiné à corriger ce qu'il considère comme une représentation faussée du passé de la France de la part des historiens professionnels sur des sujets tels que la monarchie, la religion, le colonialisme, les deux guerres mondiales et l'immigration. Dans

Historiquement incorrect (2011), Sévillia propose une solution originale au problème de l'intégration des minorités : l'« évangélisation » des musulmans de France (à condition, ajoute-t-il avec magnanimité, que cela ne se fasse pas par la force). Son *Histoire passionnée de la France* est un retour décomplexé au *roman national**, qui insiste sur la célébration des racines chrétiennes de la nation et de ses chefs charismatiques – le genre de récit historique, conclut-il, qui est nécessaire pour fortifier l'« amour de la France ».[44]

L'avocat le plus célèbre de cette vision culturelle conservatrice n'est autre que Lorànt Deutsch : son livre intitulé *Métronome. L'histoire de France au rythme du métro parisien* (2009), parrainé par la municipalité de la capitale, s'est vendu à quelque 800 000 exemplaires en moins de quatre ans et a même fait l'objet d'une adaptation télévisée en quatre épisodes. Son deuxième ouvrage, *Hexagone. Sur les routes de l'histoire de France* (2013), qui fait voyager le lecteur de la fondation de Marseille à la construction du tunnel sous la Manche, a lui aussi connu un immense succès. Bien qu'entièrement légitimes, les convictions monarchistes et catholiques de l'auteur influencent sa conception de l'Histoire et sont exposées avec force. Deutsch a ainsi déclaré dans un entretien avec un journaliste : « Pour moi, l'histoire de notre pays s'est arrêtée en 1793, à la mort de Louis XVI. Cet événement a marqué la fin de notre civilisation, on a coupé la tête à nos racines et depuis on les cherche[45]. »

De façon similaire, le récit que Deutsch fait de la Révolution s'appuie, sur la vision classique de la tradition contre-révolutionnaire, qui présente le peuple révolté comme une foule menaçante, sujette à d'irrationnels accès de violence et de destruction. Son hostilité au républicanisme radical apparaît également dans le portrait négatif qu'il dresse de la Commune de Paris, qu'il accuse de façon erronée d'avoir tenté de détruire la colonne de la Bastille. Pas une seule référence non plus, dans *Hexagone*, à la Résistance.[46] En revanche, il renforce sa lecture biaisée de l'histoire de France en mettant en relief la signification de certains épisodes du conflit des cultures, telle la victoire remportée à Poitiers en 742 par Charles Martel contre les agresseurs arabes de la nation française : de toute évidence, cette célébration de l'« union sacrée des chrétiens et des païens contre l'envahisseur musulman » se voulait une allusion à l'époque contemporaine [47].

Parallèlement à la promotion de ces versions relativement consensuelles du *roman national** se développe une tendance plus agressive et conflictuelle du nationalisme ethnique à la française. Selon l'écrivain Renaud Camus, la France est confrontée à la « Grande Déculturation », conséquence de la présence « massive » d'immigrés sur le sol national. Camus, qui a soutenu Marine Le Pen pendant la campagne présidentielle de 2012, adopte avec enthousiasme la thèse du « choc des civilisations » développée par Samuel Huntington et affirme que l'identité française est un concept essentiellement ethnique. Pour lui, il n'y a pas de cohabitation paisible possible entre races différentes, il n'y a que la conquête ou l'assimilation – une affirmation assénée sans argumentation, sans même de référence aux faits qui sembleraient pointer dans la direction inverse. En tout état de cause, Camus en est convaincu : l'idée que la France est une terre d'immigration n'est qu'un « mythe » fabriqué par les idéologues de l'*establishment* afin de promouvoir le multiculturalisme et l'utopie « décivilisée » du village planétaire. D'après lui, cette stratégie a été couronnée de succès : les concepts sacrés du patriotisme, du patrimoine et de l'héritage ont été vidés de leur substance et la France est menacée par le « remplacement » de sa population de souche par des immigrants maghrébins – une invasion islamique que Camus appelle « contre-colonisation ». C'est à ce terme que fait écho Éric Zemmour dans *Le Suicide français* (2014) lorsqu'il conclut que la France postgaullienne est devenue une nation « déculturée » et que les élites « crachent sur sa tombe et piétinent son cadavre fumant ». [48]

La disparition du sentiment d'identité collective et ses conséquences sont décrites de façon encore plus sombre par Hervé Juvin dans *La Grande Séparation*. Le diagnostic de cet essayiste conservateur libéral est à bien des égards similaire aux précédents : les Français se trouvent confrontés à un monde de plus en plus hostile et ils ont perdu ce sentiment d'unité spirituelle qui était le leur lorsqu'ils étaient une nation blanche chrétienne.

L'identité française a été dissoute non seulement par le multiculturalisme, mais également par la mondialisation qui, en séparant l'État de la nation, a transformé celui-ci en un agent passif des intérêts économiques des Anglo-Saxons. D'où (et c'est là que l'argumentation prend une tournure hyperbolique) l'avènement d'un « individu dénaturalisé », coupé de ses traditions et privé de tout attachement authentique à une histoire et à une géographie. Le cœur de l'argumentation de Juvin consiste à dire qu'en détruisant le sentiment d'appartenance à une communauté locale la mondialisation a également donné lieu au développement de nouvelles formes de nomadisme caractérisées par de vastes mouvements de populations qui franchissent les frontières des États. Cela a paradoxalement renforcé le sentiment d'appartenance ethnique et forgé de nouvelles lignes de démarcation à l'intérieur même des sociétés postnationales. Et le principal agent de ce « nouveau totalitarisme » est un mode de production capitaliste qui requiert une armée mondiale de travailleurs pour répondre à ses besoins. Si elles ne trouvent pas le moyen de restaurer des frontières effectives, les sociétés européennes où vit déjà une importante population immigrée (telle la France) seront donc confrontées à un avenir apocalyptique : « invasion » continue de la nation par des immigrants étrangers, « problème majeur » posé par l'islam, dont les croyants considèrent le territoire européen comme « terre d'islam », établissement d'un « apartheid » social dans lequel les populations de souche et les nouveaux arrivants vivront sur des territoires séparés et « misère de tous, migrants et indigènes, confondus dans un déracinement contraint et morose, au cœur des promesses non tenues de la modernité ».[49]

« Étrangers sur leur propre sol »

L'exposition la plus emblématique de cette nouvelle forme de nationalisme ethnique a été faite par Alain Finkielkraut, dont *L'Identité malheureuse* a figuré sur la liste des plus grands succès de librairie de l'automne 2013. Le pessimisme et les modes de raisonnement que nous venons de décrire trouvent leur aboutissement dans ce pamphlet, et à juste titre, parce que Finkielkraut lui-même est l'incarnation ultime du repli de l'esprit français, comme le démontrent à la fois son propre parcours intellectuel et sa légitimation par les élites culturelles – il a été élu à l'Académie française en avril 2014. Ex-maoïste désillusionné, il produit une *œuvre* parcourue d'images de mort, de maladie et de décadence. Il a une prédilection pour le schématisme, cultive des propositions paradoxales (telle l'idée excentrique que l'antiracisme est plus pernicieux que le racisme lui-même) et poursuit des *idées fixes** (notamment la prétendue omniprésence de l'antisémitisme dans la France contemporaine). Il est également devenu obsédé par tout ce qu'il voit comme menaçant l'intégrité française, en particulier l'« islamisme » (sujet sur lequel il se montre d'autant plus prolixe qu'il n'a aucune expérience directe de la façon dont les communautés d'immigrés vivent en France). Sa passion pour l'hyperbole est irrépressible, tout comme sa capacité à trouver partout des signes de désintégration du sentiment d'appartenance collective : dans les effets culturels dévastateurs des nouvelles technologies (« l'identité nationale est ainsi broyée, comme tout ce qui dure, par l'instantanéité et l'interactivité des nouveaux médias ») ou dans l'érosion de la tradition humaniste française et dans l'abandon de l'héritage culturel de la nation par « ses élites surbookées et hyperconnectées ». Autres signes funestes à ses yeux : la corruption de la langue française par l'abandon des règles de la grammaire et l'emploi croissant de l'anglais dans l'enseignement (Finkielkraut a décrit la décision des socialistes en 2013 d'autoriser des enseignements en anglais à l'université comme « le dernier clou planté dans son cercueil ») et l'effondrement du système éducatif français (« l'école "ouverte" n'a pas cultivé le peuple, elle a eu raison du peuple cultivé »). À cela s'ajoutent les incursions du multiculturalisme dans la vie nationale (symbolisées par le fait que des enfants d'origine immigrée refuseraient de déjeuner à la cantine scolaire) et l'impossibilité de mener une discussion dépassionnée sur la signification de l'« identité nationale » française. Sans oublier la déconstruction de cette identité nationale elle-même, un processus qui trouve ses origines dans le triomphe d'une conception purement civile de l'Europe à l'ère post-hitlérienne, renforcée par le cosmopolitisme antieuropéen de penseurs progressifs, tel Fanon. [50]

Une grande partie de ce discours n'est que la répétition des thèmes favoris de Finkielkraut (ses critiques les plus sévères l'accusent d'écrire le même livre à intervalle régulier, ce qui n'est pas entièrement faux [51]). On ne peut qu'être frappé, cependant, par le langage et le ton de ce pamphlet, et par la façon dont son nationalisme a été vidé de toute substance républicaine. Les combats précédemment menés par le philosophe en faveur du principe de laïcité à l'école, par exemple, l'avaient été au nom des idéaux républicains traditionnels de l'égalité et de l'autonomie morale. Mais dans *L'Identité malheureuse* l'égalité est fermement rejetée comme ne produisant qu'une uniformité stérile et la domination de la « muflerie ». Finkielkraut adopte à la place une conception hiérarchique de l'ordre culturel et social : ainsi justifie-t-il bizarrement l'interdiction du voile islamique au nom de la « tradition galante française ». Son but ultime n'est donc pas ici de travailler à l'établissement d'une communauté de valeurs partagées, mais de réhabiliter la notion d'« identité commune » en récupérant la culture « nationale » de la majorité des Français et en dénonçant l'appropriation de l'identité française par les minorités immigrées et l'« effacement » supposé des autochtones.

En bref, le principe moteur du nationalisme de Finkielkraut n'est plus civique mais ethnique. Ce tournant idéologique se manifeste lorsque, célébrant la conception « racialiste » de l'identité française développée par Maurice Barrès, il déplore que le concept de race ait été abandonné dans le discours politique moderne. Or Barrès appartient pourtant à une tradition de nationalisme étroit que Finkielkraut lui-même avait critiqué dans le passé (comme nous l'avons vu précédemment), mais la cohérence ne semble plus être une de ses priorités. Plus encore, malgré une tentative alambiquée pour enrôler l'anthropologue Claude Lévi-Strauss dans la défense de la singularité occidentale, les références culturelles de *L'Identité malheureuse* soulignent l'éloignement de l'auteur du terrain de l'humanisme français. Sa conception du respect est tirée de Hobbes, son idéal de conservatisme culturel du philosophe politique Leo Strauss et son postulat que les élites nationales ont développé la haine de leur propre culture (l'« oïkophobie ») du penseur conservateur Roger Scruton. De tout cela il tire la conclusion que les Français « se sentent devenir étrangers sur leur propre sol » et sont menacés de « désintégration nationale » : il s'agit là d'un écho pur et simple du discours de dépossession et de déculturation tenu par son ami Renaud Camus. [52] Dans cette dérive vers un nationalisme xénophobe et larmoyant, Finkielkraut illustre à quel point le déclinisme ambiant a corrompu l'héritage rousseauiste et républicain de la pensée française.

Conclusion

Anxiété et optimisme

L'ampleur de la perte de confiance en soi dont souffrent aujourd'hui les Français se révèle pleinement lorsqu'on relit la façon dont les élites ont décrit l'air du temps pendant la majeure partie du XXe siècle. Telle est, par exemple, la façon dont l'historien et sociologue André Siegfried, membre de l'Académie française, parlait de la place de son pays dans le monde au sortir de la Seconde Guerre mondiale :

> Quand la France est absente, une certaine façon d'aborder les problèmes manque : tout devient commercial, administratif, pratique, mais on cherche alors quelque chose d'essentiel, sans quoi l'Europe ne serait plus elle-même, ni le monde occidental le foyer de la civilisation humaine. La France ne résout pas les problèmes mieux que d'autres, mais elle sait mieux les poser. Sa formation classique lui permet de discerner les proportions, de mettre chaque chose à sa place, de composer et par là d'éclairer. Elle introduit, partout où elle passe, de l'aisance intellectuelle, de la curiosité (c'est-à-dire de la jeunesse intellectuelle) et, en fin de compte, je ne sais quelle subtile et nécessaire sagesse [1].

Le dernier à avoir incarné ce type d'aplomb cartésien sur la scène internationale a été Dominique de Villepin lors de son fameux discours de 2003 aux Nations unies et qui nous a servi d'introduction à ce livre. Avec le recul, cet épisode nous apparaît désormais comme un ultime morceau de bravoure, l'ultime écho d'une tradition universaliste sûre d'elle-même mais dont les éléments constitutifs ont désormais disparu. Bien évidemment, les institutions publiques françaises nient qu'une telle déroute se soit produite et vont réaffirmant le *rayonnement** de la nation – un terme dûment intraduisible, qui dénote à la fois l'impact et l'expansion, ainsi que la notion d'une illumination bénéfique. Ces affirmations sont reprises dans de luxueuses publications telles que *L'Atlas de l'influence française au XXIe siècle*, qui proclame majestueusement que « la singularité française est d'offrir une alternative, une voie autonome, originale, par rapport aux autres grands centres de pouvoir ». Faisant remarquer qu'il y a près de 220 millions de francophones sur la planète, *L'Atlas* met aussi en avant le réseau diplomatique et économique que la France entretient au niveau mondial, de même que le rôle de ses institutions culturelles – en particulier l'Alliance française et l'Organisation internationale de la francophonie [2]. Mais cette dernière est un bon exemple de la façon dont l'apparente grandeur de la France peut se révéler trompeuse, parce que les institutions gouvernementales ou l'Académie française ont beau célébrer la communauté des peuples francophones, la francophonie demeure un idéal symbolique et fondamentalement néocolonial qui ne trouve aucun écho intellectuel ou affectif dans la pensée contemporaine française [3].

Le déclin de l'influence de la France peut aussi se mesurer à la baisse généralisée du nombre de livres traduits en anglais, singulièrement dans le domaine des sciences sociales et humaines, et par un phénomène qui aurait surpris Rousseau, Victor Hugo ou Sartre : l'absence d'intérêt, chez les progressistes des autres pays, pour la pensée contemporaine française. Il est extrêmement frappant de constater à cet égard le peu d'influence que la pensée critique française a exercé sur les révolutions démocratiques de l'après-guerre froide, en particulier sur le Printemps arabe. Dans l'hommage qu'il a rendu à Mohamed Bouazizi, dont l'immolation par le feu avait été l'élément déclencheur de la révolution en Tunisie, l'écrivain Tahar Ben Jelloun concluait de manière appuyée : « L'histoire de Mohamed n'appartient à personne. » Par ailleurs, le gouvernement français de l'époque, quant à lui, persistait à ne pas dévier de la coutume bien ancrée qui consiste à préférer un despote connu aux incertitudes du changement démocratique. Deux jours avant la chute du régime de Ben Ali, en janvier 2011, Michèle Alliot-Marie, alors ministre des Affaires étrangères de Nicolas Sarkozy, proposait encore de mettre à la disposition de la police tunisienne le savoir-faire des forces de sécurité françaises. [4]

Le pessimisme s'est donc aggravé : d'un sentiment d'anxiété contenue il est devenu l'un des traits caractéristiques de la mentalité française contemporaine. Nous l'avons vu, il s'agit d'un déclinisme aux forts accents ethniques et nationalistes, dont le discours et l'imaginaire imprègnent des concepts ou des institutions qui, jusqu'à présent, avaient constitué des bastions de la confiance en soi : non seulement la projection des valeurs françaises dans le monde (telle que la décrivait Siegfried), mais aussi la culture classique, le modèle de l'État, le système éducatif républicain et la pensée sociale progressiste. Même le nouvel opus des aventures d'Astérix publié à grand renfort de publicité pendant l'automne 2013, faible reflet de la gloire passée de cette collection, a déçu de nombreux lecteurs. Cette morosité est reprise dans la presse quotidienne régionale : ainsi *La République des Pyrénées* note-t-elle que le « repli de la France sur elle-même » est devenu « une profonde maladie ». Comme le fait observer Sibylle Vincendon, journaliste à *Libération*, « le discours du déclinisme a colonisé le récit national ». Confirmation symbolique de cette dégradation générale, *Libération*, en grande difficulté financière, a frôlé le dépôt de bilan au début de l'année 2014 lorsque ses propriétaires ont émis l'idée de convertir le quotidien en réseau social. Quant au directeur du plus grand institut de sondage français (l'Ifop), il affirme que depuis la moitié les années 1990 l'opinion publique s'est constamment déclarée pessimiste quant à l'avenir de la France. Rien que dans la seconde moitié de 2013 la proportion d'optimistes est tombée de 44 % à 30 %. [5]

Toujours cultivés, toujours heureux

Il serait cependant prématuré de condamner la France à devoir porter, comme l'a titré *Le Monde* en juin 2013, une nouvelle devise : « Liberté, égalité, morosité ». Quels que soient les critères utilisés pour en juger et quoi qu'en disent tous ceux qui annoncent sa fin prochaine, les Français demeurent extrêmement attachés à leur culture. Près de trois mille festivals d'importance sont organisés chaque année, dont plus de 60 % l'été, majoritairement dans les régions littorales, mais aussi dans d'autres départements. Comment expliquer autrement que par la fierté culturelle l'extraordinaire succès des Journées du patrimoine, qui, tous les ans, attirent douze millions de visiteurs dans les monuments et sites historiques de l'Hexagone ? Bien que le budget du ministère de la Culture ait subi de nombreux coups de rabot au cours de ces dernières années, il reste considérable comparé à celui de la plupart des autres pays européens, ce qui lui permet de subventionner de manière non négligeable toutes sortes d'activités artistiques et culturelles : musées, théâtres, orchestres symphoniques, associations éducatives (et même la Fondation Charles-de-Gaulle). [6]

Dans la sphère littéraire, le ministère soutient, par le biais de subventions ou de mesures fiscales, un large réseau de 3 500 librairies indépendantes qui reçoivent le label *Librairie indépendante de référence*[*] à condition de s'engager à proposer un large choix de livres et à organiser des lectures, des rencontres et autres événements culturels dans leur commune. Notons au passage la merveilleuse conception que les Français se font de l'autonomie, car pour être estampillé Librairie indépendante il faut recevoir le soutien de l'État[7]. Mais, comme le révèle un article du *Monde*, la passion des Français pour les livres se porte bien : les enquêtes indiquent qu'au moins la moitié d'entre eux lisent un livre chaque jour et, contrairement à une idée répandue, cette proportion s'élève à 80 % chez les 15-24 ans[8]. Le Salon du livre de Paris accueille près de deux cent mille visiteurs chaque année. Des rassemblements plus intimes d'amoureux de la lecture se tiennent aussi dans des lieux provinciaux et pittoresques, autour de thèmes variés : la correspondance à Grignan, l'alpinisme à Passy, la nouvelle à Muret, le roman policier à La Canourgue, le polar corse à Ajaccio et ailleurs sur l'île, la poésie à Sète et au

Chambon-sur-Lignon, la fiction contemporaine à l'île de Ré, au cap Ferret et à Chanceaux-près-Loches, le théâtre à Alès, etc. [9].

Les déclinistes soulignent souvent que la presse est en crise et que le secteur de l'édition connaît des difficultés financières, deux réalités indéniables. Les défenseurs les plus actifs de la langue française notent également avec désapprobation que les traductions de romans américains ont tendance à monopoliser les premières places des classements littéraires : en 2013 sont arrivés en tête des ventes *Cinquante Nuances de Grey*, d'E. L. James, et *Inferno*, de Dan Brown. (La situation est exactement la même en Grande-Bretagne, où ces deux titres n'ont été dépassés que par la biographie de sir Alex Ferguson, l'ex-entraîneur du club de football de Manchester.) [10] Cependant, des approches et des styles de raisonnement distinctement français continuent d'exister, notamment grâce à la présence sur la scène d'éditeurs tels que Flammarion, Gallimard, Plon, Grasset ou Fayard, qui se sont adaptés aux évolutions des marchés nationaux et internationaux tout en conservant une philosophie culturelle bien distincte [11]. C'est également l'une des principales raisons pour lesquelles les intellectuels occupent toujours une place significative dans la sphère publique française. Non seulement ils sont plus nombreux que dans les autres pays développés, mais le volume de leur production (livres, essais, pamphlets) est remarquable. Ce qui les rend encore plus visibles, ce sont leurs participations à des émissions de radio et de télévision, les contributions qu'ils publient dans les journaux et les revues, et le rôle stratégique joué par les plus importants d'entre eux, qui influencent les programmes de publication des principaux éditeurs de la place parisienne. Même s'ils ne sont plus aussi célèbres sur la scène internationale que leurs prédécesseurs de l'après-guerre, les intellectuels français continuent à peser ; leurs interventions (et leurs activités sociales) font l'objet de débats dans la presse nationale ou dans des hebdomadaires comme *Le Nouvel Observateur* [12].

L'écriture est encore très largement considérée comme une activité pédagogique, un moyen de relier l'élite et le peuple et de renforcer le sentiment de citoyenneté. Ce n'est pas un hasard si *Les Rendez-vous de l'histoire*, la plus importante manifestation de ce genre en France, qui se tient à Blois tous les ans, a souvent été décrit comme un « pèlerinage républicain ». Tandis que l'enseignement académique de la philosophie à l'université stagne, l'influence plus profonde de Descartes dans la société contemporaine réside dans la façon dont son œuvre continue à inspirer des pratiques et des normes culturelles – tels l'idéal pédagogique que représente l'épreuve de philosophie au baccalauréat, centrée sur les notions du rationalisme abstrait et du jugement critique individuel, et la réflexion collective qui foisonne chaque fin de mois de juin en France lorsque les questions de l'examen sont rendues publiques. [13]

Cette conviction que la philosophie doit être accessible à tous se manifeste, entre autres, par l'offre croissante d'événements populaires et de produits culturels, qui vont de l'université d'été philosophique au bistro philosophique, du festival à la croisière encore philosophiques, sans compter les BD, CD et DVD toujours philosophiques, ou *Les Nouveaux Chemins* de France Culture, l'un des plus beaux succès radiophoniques (et philosophiques !) de ces dernières années [14]. De la même manière, le marché des livres de culture générale à destination du grand public se porte fort bien, ce que confirment les tirages très élevés d'un genre bien français : le manuel idiosyncratique. Les exemples les plus notables incluent *La grammaire est une chanson douce* (2003), d'Erik Orsenna, *Le Dictionnaire égoïste de la littérature française* (2005), de Charles Dantzig, *Nos ancêtres les Gaulois et autres fadaises* (2010), de François Reynaert, et la collection « Pour les nuls », des ouvrages de vulgarisation écrits dans un style alerte et destinés au grand public ainsi qu'aux élites à la culture défectueuse [15]. La collection, qui comporte désormais plus de 900 titres, a déjà écoulé plus de 14 millions d'exemplaires et compte parmi ses lecteurs un certain François Hollande : une photo emblématique du futur président prise pendant ses vacances de 2006 le montre en train de lire *L'Histoire de France pour les nuls.*

Le pessimisme des élites culturelles (décrit dans le chapitre précédent) s'exprime par l'intermédiaire d'un répertoire conceptuel très familier dont beaucoup d'éléments continuent d'influencer le mode de pensée français aujourd'hui : grands systèmes abstraits, tendance à l'essentialisme, prédilection pour les contradictions apparentes formulées sous forme d'oppositions binaires. Même une figure aussi atypique que le sociologue Bruno Latour, qui s'intéresse à des notions fort peu françaises (comme le pluralisme ou le relativisme) et qui a abandonné l'idée que le comportement humain puisse s'expliquer en termes généraux (tels que la classe, le pouvoir ou le genre), qualifie son approche alternative de « métaphysique pratique [16] ».

Il ne s'agit cependant pas de nier qu'il y a eu des changements substantiels dans le paysage intellectuel français. Les notions de révolution et de *rupture** apparaissent bien moins fréquemment dans le débat public et les conversations sur la « vie bonne » ne tournent plus autour d'abstractions idéales telles que la raison, la volonté générale ou le prolétariat. Mais ces entités n'ont disparu que pour être remplacées par d'autres concepts tout aussi métaphysiques. Un thème prédominant qui a émergé dans ce contexte est celui d'un individualisme plus privé, une « apothéose des singularités individuelles », pour reprendre la formule de François Miquet-Marty, et c'est là que nous retrouvons un autre paradoxe classique. Certes, les Français se montrent majoritairement pessimistes quant à l'avenir collectif de leur nation (et beaucoup plus pessimistes que presque tous les autres Européens), mais quand on leur demande s'ils sont *personnellement* heureux une très large majorité d'entre eux (près de 80 %) répondent affirmativement. L'une des explications de ce paradoxe a été donnée dans un article du *Point* publié en août 2013 et intitulé « Pourquoi il ne faut pas désespérer de la France ». Le journaliste note que « l'un des traits constants du génie français [est] son idée du bonheur et la *douceur de vivre** » – comme en écho à la prophétie élégiaque de Cioran : « Lorsque l'Europe sera drapée d'ombre, la France demeurera son tombeau le plus *vivant.* » [17]

Ce contraste entre pessimisme collectif et optimisme personnel marque la résurgence d'un courant classique de l'individualisme français, à la fois cérébral et frivole, et orienté vers ce que le philosophe Benjamin Constant avait appelé la « jouissance paisible de l'indépendance privée ». Cet individualisme n'est pas seulement bien vivant, il se porte à merveille : son esprit transparaît dans la douce ironie des romans de Benoît Duteurtre, par exemple, ou dans la redécouverte de la nonchalance de Montaigne par Antoine Compagnon, ou encore dans toute une série de livres sur le bonheur qui mettent l'accent sur l'épanouissement personnel et la poursuite d'une forme de contemplation sensuelle. Pour illustrer la nature « ontologique » de ce sentiment de félicité, le philosophe Bertrand Vergely célèbre « la joie de vivre, de respirer, d'inhaler l'air frais du matin, de regarder le soleil, d'entendre le vent bruisser dans les arbres ». Dans la même veine hédoniste, Luc Deborde, comédien, chef d'entreprise et « coach de vie », définit le bonheur suprême comme « la capacité – peut-être même la tendance – à maximiser la joie et le plaisir et à minimiser les douleurs et les peines ». Quant à Jérôme Deschamps, directeur de l'Opéra-Comique, il considère que le cœur de la modernité française réside dans « une façon de fabriquer un bonheur bien à nous, que nous envient les étrangers, fascinés par ce mélange de populaire et de raffinement. » Ce plaisir utilitariste peut parfois être limité par un ineffable sentiment d'inquiétude. C'est en ce sens que l'historien Michel Faucheux comprend l'expression de contentement anxieux qui s'empare d'Albert Camus lorsque, dans l'« heureuse lassitude d'un jour de noces avec le monde », il affirme qu'« il n'y a pas de honte à être heureux ».[18]

Le poids du passé

Cette résurgence de l'individualisme hédoniste démontre non seulement la continuité de certaines attitudes par rapport à la vie, mais également la capacité toujours actuelle des Français à construire des mythologies lénifiantes et à s'y plonger. Pendant la majeure partie de l'après-guerre, la menace de la décadence a ainsi été contrée par l'affirmation gaullienne rassurante que les Français s'étaient comporté héroïquement pendant l'Occupation et que la France représentait une force alternative dans le jeu politique mondial, par son leadership messianique et ses valeurs politiques et culturelles particulières. (Comme l'avait fait observer le Général lui-même : « Je préfère des mensonges qui élèvent à des vérités qui abaissent [19]. ») Ce mythe était censé remplacer l'idéal (tout aussi fabulé) de la *mission civilisatrice** de la France dans les colonies. Cependant, ce sentiment collectif de confiance a été mis à mal par la désagrégation du mythe de la Résistance et par l'émergence d'un « syndrome de Vichy » qui, au cours des deux dernières décennies du XXᵉ siècle, a mis en lumière le côté sombre de l'Occupation et généré un sentiment croissant de malaise historique [20].

Comme l'a fait observer Henry Rousso, c'est au terme du XXᵉ siècle que la notion de contemporanéité a changé en France, avec la fin des conflits idéologiques sur l'héritage de la Révolution et la redéfinition des souvenirs que la mémoire collective avait gardés des catastrophes du XXᵉ siècle et notamment de la Seconde Guerre mondiale [21]. En ce sens, le marasme intellectuel dans lequel la France semble plongée pourrait s'interpréter comme le contrecoup funeste de son obsession pour la période de 1940-1944. L'historien Robert Frank affirme ainsi pour sa part que les Français sont « hantés par le déclin » non seulement à cause de la défaite de 1940, mais parce que cet épisode calamiteux a été suivi de deux autres catastrophes qui n'ont jamais été entièrement assimilées : la perte de l'Indochine et le retrait de l'Algérie [22]. Dans les écrits des Français des générations les plus âgées, on trouve de fréquentes références qui font de la débâcle de mai 1940 le fondement psychologique du pessimisme de la nation. Analysant le malaise français en 2006, René Rémond s'était lui aussi demandé si ses contemporains avaient « vraiment soldé les conséquences de 1940 ». Il pressentait une résurgence collective de la mémoire de ce désastre, de cette défaite qui pesait encore lourdement sur les consciences. Marcel Gauchet ne dit pas autre chose dans un entretien accordé au *Journal du dimanche* en 2013 : mai 1940 marque à ses yeux le moment où « nous avons brutalement cessé d'être une grande puissance. Nous traînons encore le boulet de cette défaite jamais vraiment assumée ».[23] Ce syndrome explique en partie l'extraordinaire succès littéraire remporté en France par *Les Bienveillantes*, le roman où Jonathan Littell fait le récit de la barbarie nazie du point de vue d'un officier SS. Acclamé par la critique pour la crudité de son réalisme et son tableau de la banalité du mal, le livre a également été cloué au pilori pour ses erreurs historiques et sa relativisation implicite de la violence[24].

Un autre changement dans cette vision du monde propre aux Français a été très largement commenté : il s'agit de la désintégration de l'eschatologie progressiste, ce mélange de rationalisme cartésien, de républicanisme et de marxisme qui avait dominé la mentalité des intellectuels pendant la majeure partie de l'ère moderne. Lorsqu'en 2008 la France a célébré avec sobriété le quarantième anniversaire de Mai 68, les anciens chefs de file du mouvement ont dressé un bilan nostalgique de leurs rêves d'« une autre vie et d'autres rapports humains[25] ». Ce n'est nullement une coïncidence si le penchant français pour l'utopie semble avoir au moins momentanément disparu, vers la fin du XXe siècle, lorsque le communisme implosait et que les intellectuels parisiens se détournaient des grands schémas théoriques qui avaient si longtemps constitué la marque de fabrique de la Rive gauche. Certes, Paris demeure le principal centre de la vie culturelle en France, mais il n'est plus un foyer d'innovation intellectuelle majeure sur la scène mondiale. Cela reflète en partie (comme nous l'avons vu au chapitre 10) le repli croissant de la pensée française, son abandon des questions universalistes pour des horizons plus étroits. Il faut également tenir compte d'un facteur plus local : le fait que la philosophie ait très largement perdu la prédominance qu'elle exerçait dans le champ des sciences humaines en France (ce qui résulte en grande partie de l'impasse dans laquelle l'a entraînée le déconstructivisme derridien). Si un livre rédigé en français attire l'attention à l'étranger de nos jours, il s'agira le plus souvent d'un ouvrage traitant de sujets techniques tels que l'économie, comme *Le Capital au XXIe siècle*, de Thomas Piketty, que Paul Krugman a décrit dans la *New York Review of Books* comme « un livre qui changera à la fois la façon dont nous réfléchissons à la société et la façon dont nous faisons de l'économie ».[26] Que la prédiction se réalise ou pas, peu d'autres travaux publiés en français dans le domaine des sciences sociales ont reçu un tel adoubement sur la scène internationale.

Institutionnellement parlant, le centre de gravité de la formation des élites s'est déplacé de l'École normale supérieure aux grandes écoles plus technocratiques telles que l'École nationale d'administration ou l'École polytechnique. Le règne de l'humaniste (dont la dernière incarnation a été François Mitterrand, bibliophile énigmatique et versatile) a cédé la place à celui de l'« expert ». Comme nous l'avons dit au chapitre 4, ce changement n'a pas été sans conséquences : selon Ezra Suleiman, l'un des meilleurs spécialistes de la sociologie comparée des élites, les principales caractéristiques intellectuelles des étudiants formés par les grandes écoles françaises sont l'esprit de corps et la résistance au non-conformisme intellectuel[27]. Ce qui ne veut pas dire que les Français n'écrivent plus de livres sérieux et intellectuellement ambitieux. Au contraire, le goût des grandes théories a survécu dans un certain nombre de champs de recherche – notamment ceux qui tentent d'expliquer les changements majeurs qui ont affecté le tissu social français depuis les années 1960. Dans un ouvrage désormais classique, le sociologue Henri Mendras a forgé l'expression « seconde révolution française » pour caractériser la transformation de la société française après Mai 68. Il a montré comment, alors que la société se détournait du catholicisme, ses valeurs devenaient plus libérales (au sens social du terme) et plus individualistes. La proportion d'agriculteurs et d'ouvriers dans la population active a également beaucoup diminué tandis que celle de la classe moyenne augmentait[28]. Cette tradition de la théorisation globale est réaffirmée dans *Le Mystère français*, une présentation cartographique des transformations sociales et culturelles les plus importantes survenues entre 1980 et 2010. En cent vingt cartes, Hervé Le Bras et Emmanuel Todd ont retranscrit le passage vers une société post-industrielle et démontré que les effets socio-économiques négatifs avaient été amplifiés par des conflits entre des systèmes de valeurs différents selon les régions – d'un côté, un bassin parisien traditionnellement révolutionnaire et égalitaire en déclin, et de l'autre une périphérie de plus en plus sûre d'elle-même, marquée par un héritage catholique qui influence encore les solidarités sociales, les activités associatives et la réussite scolaire.

Tout en reconnaissant que le malaise social est très profond, Le Bras et Todd ont également trouvé des signes de perspectives plus positifs dans les comportements collectifs de leurs compatriotes : déclin du nombre de suicides et d'homicides, augmentation du taux de fécondité, niveau d'éducation en hausse (ce que reflète, entre autres, le nombre toujours croissant de *bacheliers*[*]), progrès continus de l'émancipation des femmes et de l'assimilation des immigrants. Les conclusions qu'ils ont tirées de ce « mystère français » nous ramènent donc au paradoxe précédemment évoqué entre perceptions collectives et perceptions individuelles. D'après eux, ce paradoxe est le produit d'une tension sous-jacente entre un pessimisme conscient et un optimisme inconscient. En adoptant ce point de vue plus large (et plus approfondi), les auteurs ont désavoué certaines idées fausses qui entourent la notion de déclin – notamment l'idée que les immigrés ne parviendraient pas à s'intégrer ou que se développerait en France un choc des civilisations entre l'islam et la chrétienté. [29]

La grande fracture

Sous la surface apparemment lisse du pessimisme français se dissimulent donc des mouvements intellectuels et culturels plus complexes. On pourrait en conclure qu'une nouvelle division entre une nation confiante et une nation anxieuse a remplacé les anciens clivages de classe, de religion, d'idéologie ou d'identité régionale. La France confiante est constituée principalement des élites politiques et économiques et des classes d'âge les plus jeunes et les mieux éduquées. Elle se sent en sécurité sur le plan économique (parce qu'elle bénéficie souvent des garanties qu'apporte un emploi dans le secteur public), elle a des perspectives positives et cosmopolites, elle maîtrise l'anglais (et le parle souvent couramment) et elle a une vision optimiste de l'avenir de la nation dans un monde économique de plus en plus mondialisé. C'est la France qui se reconnaît dans l'optimisme tranquille de l'académicien Jean d'Ormesson ou dans les romans populaires de Marc Levy ou de Guillaume Musso [30]. D'après un sondage effectué en avril 2014, cet optimisme est tout particulièrement marqué chez les 18-25 ans : 66 % d'entre eux pensent qu'ils ont de réelles chances de réussite. Ils sont 80 % à dire que la France reste une grande puissance et 82 % à juger la qualité de vie excellente dans leur pays, perpétuant ainsi le mythe de *la douce France*[*31].

La France anxieuse est, quant à elle, plus âgée, plus provinciale et plus nationaliste. Elle se sent beaucoup plus fragile sur le plan économique. Elle se méfie davantage du monde extérieur, dont elle appréhende l'impact (à la fois matériel et culturel) sur la société et le mode de vie traditionnel. Ses phobies et ses rancœurs se reflètent dans les discours populistes de droite comme de gauche. Elle s'exprime par le biais d'un sentiment antieuropéen diffus, d'un soutien croissant au Front national de Marine Le Pen ainsi que par de brusques accès de révolte qui font fi des clivages politiques traditionnels – qu'il s'agisse de la révolte fiscale égalitaire et régionaliste des Bonnets rouges bretons ou des manifestations socialement conservatrices de La Manif pour tous contre le mariage gay. Cette France anxieuse se caractérise aussi par un antiparisianisme virulent. Dans un article publié dans le *Figaro*, la pamphlétaire conservatrice Natacha Polony a accusé les élites de la capitale de faire preuve d'« un mélange d'arrogance, de certitude et de bonne conscience » avant de dénoncer la façon dont l'incorporation de la nation dans « un village mondial indifférencié » détruisait la France « authentique ». (Notons non seulement le recours à l'argument essentialiste, mais cette délicieuse *French touch* qui permet qu'une diatribe antiparisienne se retrouve publiée… dans le plus parisien des quotidiens !) La presse provinciale se déchaîne elle aussi fréquemment contre les anciens de l'ENA qui monopolisent les positions de pouvoir en politique et dans la haute administration. Citons le coup de colère du président d'un club local de football dans les Deux-Sèvres : « J'en ai ras le bol de ces *énarques** pourris qui n'arrêtent pas de prendre des décisions absurdes. » Ou encore l'opinion d'un retraité breton selon qui les *énarques*, toujours eux, conduisent la France à la ruine, convaincus qu'ils sont d'être « les seuls détenteurs de la vérité ».[32]

En un sens, il ne s'agit là que du dernier épisode de l'éternelle bataille entre les deux France. La confrontation actuelle entre la France confiante et la France anxieuse se déroule principalement sur le terrain de l'intégration des populations d'origine maghrébine, une question qui brasse toutes sortes d'interrogations : la question de la justice et de l'équité sociale dans *les banlieues** ; des réflexions idéologiques relatives à la sécularisation de la société et à la défense de la *laïcité** ; le basculement dans la violence d'une toute petite minorité d'extrémistes islamistes nés sur le sol français ; et le conflit entre des mémoires historiques divergentes sur l'héritage de la colonisation. En effet, selon Gilles Kepel, l'un des plus grands spécialistes de ces questions, aucun pays européen n'a « avec une ex-colonie le rapport à la fois fusionnel et violent, d'amour et de ressentiment également intenses, perpétuant le malentendu jusqu'à nos jours[33] ». Ainsi que nous l'avons vu précédemment, la pensée française a dérivé vers une forme étriquée de nationalisme ethnique, souvent accompagné d'une diabolisation des immigrants. Mais, en dépit des discours hyperboliques et malgré l'absence de données chiffrées (car, rappelons-le, il est illégal de dresser des statistiques officielles sur la base de critères ethniques en France), la réalité de ce que les Français appellent l'*intégration** est indéniable. En atteste le rejet des politiques confessionnelles ou communautaristes par une écrasante majorité des immigrés maghrébins et la coexistence harmonieuse des différentes communautés dans la plupart des zones urbaines. L'intégration se manifeste également par le nombre de mariages mixtes annoncés quotidiennement dans la presse régionale et par le développement d'une classe moyenne d'origine maghrébine – tout particulièrement présente dans les secteurs de la santé, de l'éducation et de la banque. Sans compter que le couscous figure régulièrement dans la liste des plats français les plus populaires. Au niveau de la vie politique, une même tendance se dégage : il y a de plus en plus de candidats issus de l'immigration qui se présentent aux élections municipales. Ce sentiment d'appartenance commune s'est exprimé de façon très puissante au lendemain des attentats terroristes qui ont frappé Paris en janvier 2015, par le biais notamment d'une pétition qui a reçu un très large écho parmi les Français musulmans et qui proclamait : « Nous sommes musulmans mais citoyens français et européens à part entière. » Cependant, bien qu'il soit revendiqué par un certain nombre d'intellectuels, ce multiculturalisme modéré ne se traduit pas encore dans le discours public. Cela témoigne de l'emprise toujours aussi forte, dans l'imaginaire collectif, du mythe cartésien d'une identité nationale homogène, immuable et unie. Cela désigne également une caractéristique plus générale de la culture intellectuelle française, dont nous avons donné de multiples exemples dans ce livre : l'écart entre les représentations et la réalité. Comme le dit Olivier Roy, autre expert de la question de l'intégration en France : « Il y a un décalage complet entre la sociabilité réelle des gens et leur discours idéologique. »[34]

Il serait erroné de conclure en donnant l'impression que la xénophobie ou le repli intellectuel sont devenus des traits exclusifs des Français d'aujourd'hui ou qu'ils resteront pour toujours dominants. Dans des secteurs plus spécialisés tels que l'édition universitaire ou les instituts de recherche comme dans toute une partie des quotidiens nationaux et des hebdomadaires, ou dans des revues telles que le magazine littéraire *Books*, la culture française est, à bien des égards, plus ouverte et transnationale que jamais. Le changement s'annonce aussi bien dans le monde de la fiction : en 2007, après que plusieurs auteurs d'origine étrangère ont gagné les prix littéraires les plus prestigieux[35], un groupe de romanciers distingués (parmi lesquels Jean-Marie Le Clézio, Amin Maalouf, Erik Orsenna, Patrick Rambaud ou Ananda Devi) a publié une tribune dans *Le Monde* saluant la mort de l'idéal de la francophonie[36]. Ce groupe en appelait à un nouveau style de fiction qui s'ouvrirait sur le monde, depuis trop longtemps « le grand absent de la littérature française[37] ».

L'exemple le plus frappant de la capacité des artistes s'exprimant en français d'attirer un public international est peut-être celui du rappeur MC Solaar, qui se considère lui-même comme un *flâneur** baudelairien d'aujourd'hui et emprunte librement aux œuvres de Rimbaud, de Descartes, de Rousseau. Il s'est même présenté en héritier de la tradition structuraliste, qui « pose, compose, recompose, décompose, en linguiste structuraliste, de la nouvelle prose [38] ». L'interaction croissante avec le reste du monde se manifeste également de manière extrêmement concrète et physique : depuis 2000, le nombre de Français vivant à l'étranger a augmenté de 60 %, pour atteindre désormais le chiffre de 1,6 million. Près de 80 000 étudiants partent chaque année pour un séjour d'études au-delà des frontières, dont l'intégralité des étudiants de troisième année de Sciences-Po Paris [39].

La France n'est évidemment pas le seul pays à expérimenter une transition intellectuelle et culturelle difficile en ce début de XXIe siècle. À certains égards, la tension entre l'ouverture et le repli affecte toutes les grandes nations industrialisées. Mais il est frappant de constater que ce mélange de pessimisme et d'optimisme particulier à la France trouve si peu d'échos en Grande-Bretagne, en Allemagne et même aux États-Unis, où les lignes de fractures intellectuelles et sociales sont significativement différentes. Cela nous permet de toucher du doigt la façon très singulière dont les Français voient le monde. Nous avons vu au chapitre 3 que le communisme français était très profondément enraciné dans l'histoire et la culture françaises – une analyse dont on pourrait étendre la portée. Ainsi, le modèle républicain français tel qu'il a évolué depuis la fin du XIXe siècle demeure lui aussi singulier, tant par son mode de raisonnement holistique manifesté par ses idéaux civiques que par son adhésion très forte à la notion rousseauiste de souveraineté populaire. De même, le gaullisme, héritier de la tradition bonapartiste, en faisant appel à la figure du chef providentiel et aux notions collectives de l'intérêt général et de la grandeur de la France, a non seulement radicalement remodelé la culture politique française, mais il s'est également démarqué très nettement du conservatisme britannique ou de la démocratie chrétienne européenne. Autre exemple de la singularité française : l'anticapitalisme virulent de la gauche française et son hostilité de toujours à la bourgeoisie n'ont aucun équivalent en Europe, ni dans le travaillisme anglais ni dans la social-démocratie scandinave. Même si ces idéologies françaises se sont effritées au cours des dernières décennies, elles influencent toujours la culture politique nationale : elles ont empêché, par exemple, le libéralisme de devenir une force politique et intellectuelle cohérente, et elles ont encore recours de nos jours à des mythes puissants tels que la division du monde entre amis et ennemis, la peur de la dépossession et le sentiment que refuser la fatalité est une caractéristique inhérente de l'identité française.

À l'aube d'un nouveau millénaire, malgré leur fragilité croissante, les Français demeurent un peuple intellectuel, lyrique et pugnace, énergique et impatient, empli de générosité, de fierté et d'un insatiable désir de perfectibilité. Mais ils sont également déchirés entre de multiples contradictions : ils sont viscéralement attachés à l'idéal de la démocratie mais vulnérables à la tentation du héros providentiel. Ils demeurent convaincus de la capacité d'action de l'État mais le jugent à mille lieues de leurs préoccupations et ne cessent de se rebeller contre ses décisions. Ils sont prêts à reprendre la « critique sociale » formulée par les penseurs mais restent obstinément attachés à un système éducatif qui favorise le conformisme. Ils sont mécontents de leurs élites mais continuent à faire preuve de loyauté (voire de respect) envers leurs vieilles gloires (tout particulièrement les *immortels** de l'Académie française et l'indestructible Johnny Hallyday). Ils sont allergiques aux conceptions communautaristes qui risqueraient de morceler la société en différents « groupes » mais tous prêts à accorder davantage de liberté aux institutions politiques régionales. Ils méprisent le pouvoir de la « technocratie » (l'un des mots les plus péjoratifs du français) mais considèrent qu'il n'y a pas de plus grande réussite pour leur progéniture que d'intégrer une grande école. Ils sont les chevilles ouvrières d'une Europe libérale tout en méprisant profondément le capitalisme. Plus méfiants que jamais à l'égard de leurs leaders, ils se mettent de plus en plus en retrait de la sphère publique mais restent capables de se rassembler par millions dans les rues de toute la France pour réaffirmer les valeurs républicaines. Vue sous cet angle, la défiance qui s'empare des Français aujourd'hui exprime leur rébellion contre un monde qui leur semble de plus en plus chaotique et dominé par le mercantilisme anglo-américain. Une chose est certaine, cependant : alors qu'ils s'apprêtent à relever les défis du XXIe siècle, les Français continueront à peindre la condition humaine avec élégance et sophistication et demeureront le plus intellectuel de tous les peuples.

REMERCIEMENTS

Un livre est toujours, en un certain sens, une aventure collective qui repose sur les recherches et la sagesse accumulées au cours des générations passées et présentes. J'en ai été tout particulièrement conscient pendant la rédaction de cet ouvrage et voudrais commencer par rendre hommage à tous ceux, amis, collègues et étudiants, qui ont façonné ma manière de considérer la France au cours des trois dernières décennies. J'aimerais distinguer deux hommes remarquables qui, malheureusement, nous ont quittés : Tony Judt, dont le cours sur la politique française m'a captivé lorsque je suis arrivé à Oxford pour y faire mes études, au début des années 1980 ; et Vincent Wright, qui a dirigé ma thèse de doctorat et m'a légué, entre autres particularités, une passion durable pour l'histoire du bonapartisme. Tous deux sont devenus des amis très chers, dont la connaissance encyclopédique et la profonde compréhension de la culture française continuent de m'inspirer, tout comme leur conviction qu'il n'y a pas de différence significative entre l'histoire, la politique et la pensée politique.

Mon approche a aussi été influencée par de multiples échanges avec des amis et collègues français que je ne peux malheureusement pas tous nommer, mais qui se sont toujours montrés prêts à me faire partager les riches trésors de la pensée française et à en débattre, tout particulièrement Jean-Pierre Azéma, Marc-Olivier Baruch, Gilles Candar, Jean-Claude Caron, Jean-Claude Casanova, Vincent Duclert, Patrice Gueniffey, Patrice Higonnet, Jacqueline Lalouette, Thierry Lentz, Jean-Pierre Machelon, Emmanuelle Loyer, Pierre Nora, Natalie Petiteau, Christophe Prochasson, Pierre Rosanvallon, Philippe Roussin et Jean-François Sirinelli. Je remercie tout particulièrement Henri Bovet pour sa *fidélité* sans faille et ses analyses toujours stimulantes des tours et détours les plus récents de la dialectique française.

Ce livre a bénéficié des commentaires inestimables d'un groupe de lecteurs avisés, David Bell, Henri Bovet, Alain Chatriot, Robert Darnton, Laurent Douzou, Emmanuel Fureix, Chloé Gaboriaux, Cécile Laborde, Marc Lazar, Michel Leymarie, Karma Nabulsi, Olivier Postel-Vinay, Graham Robb, Anne Simonin, Adam Swift, Abdel Takriti, Max Thompson et Robert Tombs. Je leur dois à chacun de chaleureux remerciements pour l'acuité de leur regard, leurs encouragements constants et leurs précieuses suggestions.

J'ai également eu le privilège de travailler avec trois éditeurs exceptionnels : Sophie Berlin chez Flammarion, Lara Heimert chez Basic Books et Stuart Proffitt chez Allen Lane. Ils ont lu très attentivement les premières versions de ce livre et j'ai tiré le plus grand profit de leurs avis, tant sur la forme que sur le fond. Je sais gré aussi à Cédric Weis, qui a été un éditeur exemplaire autant par son efficacité que par ses remarquables connaissances, et à Marie-Anne de Béru, qui a traduit le livre avec grand brio. Il m'est très agréable de dire également toute ma gratitude à Stuart Proffitt, sans qui ce livre n'existerait pas et qui n'a ménagé ni ses encouragements ni ses conseils, me suggérant de nouvelles approches, m'aidant à effacer les défauts du texte et à lutter parfois contre une forme d'obscurité à la française, tout en me faisant profiter de ses trésors d'érudition sur l'histoire culturelle et politique de la France. Il a aussi tenté (sans toujours y parvenir) de refréner mon penchant pour les longues phrases. Ce fut un privilège de travailler avec lui.

J'ai également bénéficié de l'appui du Balliol College et du département Politique et Relations internationales de l'université d'Oxford, qui m'ont accordé deux trimestres de congé sabbatique en 2013, pendant lesquels j'ai pu mener à bien la majeure partie de mes recherches et la rédaction d'une première version. James Gill, mon agent littéraire, m'a apporté un soutien sans faille et je ne le remercierai jamais assez de son efficacité et de sa loyauté.

Par-dessus tout, c'est à Karma que vont mes remerciements, pour ses remarques lumineuses, sans lesquelles ce livre n'aurait pas été ce qu'il est, pour son inépuisable énergie et son rayonnement qui me remplissent d'admiration. Je lui suis chaque jour reconnaissant pour cette vie partagée d'aventures intellectuelles, d'horizons toujours plus vastes et de pure joie.

Sudhir HAZAREESINGH,
Paris, octobre 2014.

Notes

Préface

1. Edgar Morin, *Autocritique*, Paris, 1975, p. 97 ; Alfred Fouillée, *Psychologie du peuple français*, 3e édition, Paris, 1903, p. 379.

Introduction

1. Pour une analyse complète du discours de Villepin, voir Frédéric Bozo, *Histoire secrète de la crise irakienne*, Paris, 2013, p. 249-250.

2. Blaise Pascal, *Pensées* (1669), Paris, Garnier-Flammarion, 1976, nº 82, p. 75 ; Antoine Rivarol, *De l'universalité de la langue française* (1784), Clermont-Ferrand, 2009, p. 43 ; Hippolyte Taine, *La Fontaine et ses fables*, Paris, 1875, p. 15 ; Montesquieu, *De l'esprit des lois*, Paris, 1973, livre XIX, ch. V ; Ernest Lavisse, « L'état d'esprit qu'il faut », *La Revue de Paris*, janvier 1915 ; Jules Michelet, *Le Peuple*, Paris, 1974, p. 160 ; Émile de Montégut, *Libres Opinions morales et historiques*, Paris, 1858, p. 3 ; Julien Benda, *Du style d'idées. Réflexions sur la pensée*, Paris, 1948, p. 45.

3. Axelle Choffat, « Métaphysique du pain quotidien », *L'Est républicain*, 17 août 2014 ; Philippe Corcuff, « Qui a tué l'esprit à gauche ? », *Libération*, 27 décembre 2012 ; Michel Lacroix, *Éloge du patriotisme. Petite philosophie du sentiment national*, Paris, 2011, p. 19 ; Bruno Frappat, « Mots de France », *La Croix*, 3 mai 2014 ; <www.festivaldumot.fr>.

4. « Thèse, antithèse, synthèse ! », *L'Est républicain*, 17 juin 2014.

5. Louis Pinto, *Le Café du commerce des penseurs*, Broissieux, 2009, p. 142.

6. Cité *in* Stuart Macintyre, *A Proletarian Science. Marxism in Britain, 1917-1933*, Londres, 1980, p. 1.

7. Rifâ'at Badawî Râfi'al-Tahtâwî, *L'Or de Paris. Relation de voyage, 1826-1831*, Paris, 1989, p. 118.

8. *Instructions for British Servicemen in France* (1944), Oxford, 2005 ; la dépouille de Césaire repose toujours dans son île natale, mais une fresque en son honneur a été inaugurée au Panthéon en 2011 par le président Sarkozy : voir « Hommage national à Aimé Césaire », *L'Express*, 6 avril 2011 ; Germaine Tillion, dont la dépouille a été transférée au Panthéon en mai 2015, fait partie d'un groupe de quatre grandes figures de la Résistance choisies par le président Hollande : voir « Germaine Tillion, une grande femme bientôt au Panthéon », *Libération*, 19 février 2014.

9. Jacques-Bénigne Bossuet, *Lettres sur l'éducation du Dauphin*, Paris, 1920, p. 128 ; Nicolas de Condorcet, *Cinq Mémoires sur l'instruction publique*, Paris, 1994, p. 61 ; le parti de l'intelligence : David Caute, *Le Communisme et les Intellectuels français, 1914-1966*, 1967, p. 252 ; Ben Macintyre, « The bare-chested cheek of a French thinker », *The Times*, 29 mars 2011 ; Pierre Bourdieu, *La Noblesse d'État. Grandes écoles et esprit de corps*, Paris, 1989.

10. Louis-Sébastien Mercier, *Tableau de Paris*, vol. II, Amsterdam, 1783, p. 145 ; esprit philosophique : Patrice Higonnet, *Paris, capitale du monde. Des Lumières au surréalisme*, Paris, 2005, p. 105 ; Charles Dupont-White, *L'Individu et l'État*, Paris, 3e édition, 1865, p. lxvii.

11. Lettre du 24 février 1878, cité *in* Gilles Candar et Vincent Duclert, *Jean Jaurès*, Paris, 2014, p. 62.

12. Voir Benedetta Craveri, *L'Âge de la conversation*, Paris, 2002.

13. Ernest Lavisse, *Études et Étudiants*, Paris, 1890, p. 89.

14. Jean d'Ormesson, « Être français », *Le Point*, 13 janvier 2011.

15. Voir les chapitres rédigés par Raoul Girardet et Michel Vovelle, *in* Pierre Nora (dir.), *Les Lieux de mémoire*, vol. I, Paris, 1984.

16. Voir le chapitre sur les traditions républicaines *in* Sudhir Hazareesingh, *Political Traditions in Modern France*, Oxford, 1994.

17. Voir Jack Hayward, *Fragmented France. Two Centuries of Disputed Identity*, Oxford, 2007.

18. Jean Picq, *Il faut aimer l'État. Essai sur l'État en France à l'aube du XXIe* siècle, Paris, 1995.

19. Pour l'analyse classique du gaullisme comme forme de bonapartisme, voir René Rémond, *Les Droites en France*, Paris, 1998.

20. Laurent Martin, *Le Canard enchaîné. Histoire d'un journal satirique (1915-2005)*, Paris, 2005, p. 341.

21. « L'homme qui voulait être roi », *Le Nouvel Observateur*, 2 février 1981 ; Jean Guitton, « Le philosophe, le président et la mort », *Libération*, 16 décembre 1994 ; Alain Duhamel, *La Marche consulaire*, Paris, 2009.

22. Louis XIV, *Mémoires*, éd. Joël Cornette, Paris, 2007, p. 65 et 337.

23. Sur ce thème, voir Jean-Marc Largeaud, *Napoléon et Waterloo. La défaite glorieuse de 1815 à nos jours*, Paris, 2006.

24. Entrée du 13 octobre 1950 *in* Julien Green, *Journal 1950-1954*, Paris, 1955, p. 33-34.

25. Norman Hampson, *The Enlightenment*, Londres, 1968 ; Patrice Higonnet, *Goodness Beyond Virtue*, Harvard, 1998 ; Theodore Zeldin, *Histoire des passions françaises : 1848-1945*, vol. II, « Orgueil et intelligence », Paris, 2003 ; Tony Judt, *Un passé imparfait. Les intellectuels en France, 1944-1956*, Paris, 1992 ; Jeremy Jennings, *Revolution and the Republic : A History of Political Thought in France since the Eighteenth Century*, Oxford, 2013 ; David A. Bell, *The Cult of the Nation in France*, Cambridge, Mass., 2003 ; Marc Lazar, *Le Communisme. Une passion française*, Paris, 2005.

26. Voir Quentin Skinner, *La Liberté avant le libéralisme*, Seuil, 2000.

27. Alfred Delvau, *Histoire anecdotique des cafés et cabarets de Paris*, Paris, 1862, p. 2 ; « Réfugiés », *Libération*, 19-20 avril 2014.

28. Voir Dena Goodman, *The Republic of Letters : A Cultural History of the French Enlightenment*, Ithaca, 1994.

29. Erica Harth, *Cartesian Women : Versions and Subversions of Rational Discourse in the Old Regime*, Ithaca, 1992, p. 4.

30. Cité *in* Steven Kale, *French Salons : High Society and Political Sociability from the Old Regime to the Revolution of 1848*, Baltimore, 2006, p. 6.

31. Cité *in* Vincent Laisney, *L'Arsenal romantique. Le salon de Charles Nodier, 1824-1834*, Paris, 2002, p. 66.

32. Entrée du 19 janvier 1832 *in* Heinrich Heine, *De la France*, Paris, 1994, p. 51.

33. Publié dans le recueil posthume édité par Michael Otsuka et G. A. Cohen, *Finding Oneself in the Other*, Princeton, 2013.

34. Alain Duhamel, « François Hollande et le pessimisme français », *Libération*, 26 juin 2013.

35. Patrice Bollon, « La France pense-t-elle encore ? », *Le Magazine littéraire*, 7 septembre 2012

36. Louis-Antoine de Caraccioli, *Paris, le modèle des nations étrangères ou l'Europe française*, 1777, p. 3.

37. Arno Mayer, *Les Furies. Violence, vengeance, terreur aux temps de la révolution française et de la révolution russe*, Paris, 2002 ; Alice L. Conklin, Sarah Fishman et Robert Zaretsky, *France and Its Empire since 1870*, New York, 2010 ; sur l'influence de Comte au Brésil, voir Paul Arbousse-Bastide, Annie Petit et Francis Utéza, *Le Positivisme politique et religieux au Brésil*, Turnhout, 2010 ; et Isabel di Vanna, « Reading Comte across the Atlantic : Intellectual Exchanges between France and Brazil and the Question of Slavery », *Journal of the History of European Ideas*, juillet 2012.

38. Chant traditionnel tatar : J. Collin de Plancy, *La Vie et les Légendes intimes des deux empereurs Napoléon Ier et Napoléon II jusqu'à l'avènement de Napoléon III*, Paris, 1867, p. 405 ; Giáp : voir Bui Diem, *In the Jaws of*

History, Bloomington, Indiana, 1999, p. 13. Je remercie M. Pierre Brocheux d'avoir attiré mon attention sur cette source.

39. Voir Jonathan I. Israel, *Democratic Enlightenment, Philosophy, Revolution and Human Rights 1750-1790*, Oxford, 2011.

40. Lettre à Laure de Gasparin, septembre 1857, cité *in* Laurent Theis, *François Guizot*, Paris, 2008, p. 273.

41. Lettre de Tocqueville à Kergorlay, 18 octobre 1847, cité *in* Lucien Jaume, *Tocqueville. Les sources aristocratiques de la liberté*, Paris, 2008, p. 14 ; Jules Michelet, *Légendes démocratiques du Nord*, Paris, 1877, p. 12 ; Olivier Todd, *André Malraux. Une vie*, Paris, 2001, p. 491.

42. « One thing is for certain, I am not a Marxist », cité *in* Leslie Derfler, *Paul Lafargue and the Founding of French Marxism, 1842-1882*, Cambridge, Mass., 1991, p. 207.

43. Cité par François Mitterrand, in *De l'Allemagne, de la France*, Paris, p. 20.

44. Talleyrand cité *in* Philippe Roger, *L'Ennemi américain*, Paris, 2002, p. 70 ; Ernest Renan, *La Réforme intellectuelle et morale*, Paris, 1872, p. x ; Voltaire, *Lettres anglaises*, Paris, 1999, 13e lettre ; sur l'Angleterre comme modèle politique, voir Aurelian Craiatu, *A Virtue for Courageous Minds : Moderation in French Political Thought 1748-1830*, Princeton, 2012, p. 2 ; sur Hugo et les exilés français, voir Sylvie Aprile, *Le Siècle des exilés. Bannis et proscrits, de 1789 à la Commune*, Paris, 2010.

45. Flora Tristan, *Promenades dans Londres*, Paris, 2003, p. 72 ; Jean Guiffan, *Histoire de l'anglophobie en France. De Jeanne d'Arc à la vache folle*, Rennes, 2004 ; « La perfide Albion », *in* G. Faurie, *Le Réveil populaire. Chants et poèmes*, Paris, 1888, p. 5 ; Jean-Louis Crémieux-Brilhac, *La France libre de l'Appel du 18 juin à la Libération*, Paris, 1996, p. 310 ; Christophe (pseudonyme de Georges Colomb), *La Famille Fenouillard*, Paris, 1893.

46. Jean-François Revel, *Le Style du Général* (1959), Bruxelles, 1988, p. 118.

47. Ernest Mignon (*alias* Constantin Melnik), *Les Mots du Général*, Paris, 1962, p. 57.

1. Le crâne de Descartes

1. Depuis 1967, La Haye-Descartes est désigné sous le nom de « Descartes ». Un extrait de l'entretien réalisé par Dumayet a été diffusé lors de l'émission « Concordance des temps », présentée par Jean-Noël Jeanneney : « Descartes, symbole national et mythe universel », France Culture, 14 mai 2011.

2. Abbé de Saint-Pierre, « Discours sur les différences du grand homme et de l'homme illustre », *in* Abbé Séran de la Tour, *Histoire d'Epaminondas*, Paris, 1739, p. xliv ; sur la place de Descartes dans la pensée moderne française, l'ouvrage de référence est celui de François Azouvi, *Descartes et la France. Histoire d'une passion nationale*, Paris, 2002.

3. Anthony Kenny, *Descartes : A Study of His Philosophy*, New York, 1968, p. 5.

4. René Descartes, *Discours de la méthode*, Geneviève Rodis-Lewis (dir.), Paris, 1966, p. 60.

5. Marcelle Joignet, *La Solitude de M. Descartes*, Paris, 1940. Pour des exemples de textes écrits par des féministes influencées par le cartésianisme, voir François Poullain de la Barre, *De l'inégalité des deux sexes, discours physique et moral où l'on voit l'importance de se défaire des préjugez*, Paris, 1676.

6. Voltaire, *Lettres philosophiques*, Paris, 1734, p. 151 ; Jean-François Revel, *Descartes inutile et incertain*, Paris, 1976 ; Colleen Boggs, « Humans that Harm Animals Should be Held Accountable », *The Guardian*, 17 avril 2013.

7. Charles Péguy, « Note conjointe sur M. Descartes et la philosophie cartésienne », in *Œuvres complètes de Charles Péguy, 1873-1914*, vol. IX, Paris, 1924, p. 61-62.

8. Fernand Giraudeau, *Nos mœurs politiques. Lettres au rédacteur du* Constitutionnel, Paris, 1868, p. 100.

9. Ce crâne est désormais conservé au musée de l'Homme, à Paris. [N.d.T.]

10. Le fantôme savant et illustre : Stéphane Van Damme, « Restaging Descartes. From the Philosophical Reception to the National Pantheon », *Les Dossiers du Grihl*, Blumenthal Lectures, Colorado, 8 octobre 2002 ; sur les controverses scientifiques autour de la dépouille de Descartes, voir Russell Shorto, *Descartes' Bones. A Skeletal History of the Conflict between Faith and Reason*, New York, 2008 ; sur le crâne du Jardin des plantes, voir Philippe Comar, *Mémoires de mon crâne. René Des-Cartes*, Paris, 1997, p. 61.

11. Convention nationale, *Rapport fait à la Convention nationale au nom du Comité d'instruction publique et des inspecteurs, par Marie-Joseph Chénier*, Paris, 2 octobre 1793, p. 3 ; Louis Lavelle, « L'esprit cartésien », *Le Temps*, 26 janvier 1936.

12. Paul Valéry, « Seconde vue de Descartes », *in* Paul Valéry, *Variété V*, Paris, 1944, p. 258.

13. Émile Durkheim, *L'Éducation morale*, Paris, 1925, p. 290.

14. Theodore Zeldin, *Histoire des passions françaises : 1848-1945*, vol. III, « Goût et corruption », Paris, 2003, p. 254.

15. Auguste Comte, *Discours d'ouverture du cours de philosophie positive de M. Auguste Comte*, Paris, 1829, p. 33 ; Auguste Comte, *Discours sur l'ensemble du positivisme*, Paris, 1907, p. 238.

16. Georges Cantecor, *Le Positivisme*, Paris, 1904, p. 103-104.

17. François Guizot, *Cours d'histoire moderne* (1829), cité *in* Azouvi, *Descartes et la France*, *op. cit.*, p. 174 ; Descartes, *Discours de la méthode*, Paris, 2000, p. 56 ; Charles de Rémusat, « Descartes », in *Essais de philosophie*, vol. I, Paris, 1842, p. 102.

18. Discours de De Broglie pendant un débat parlementaire (1844), cité *in* Lucien Jaume, *L'Individu effacé ou le Paradoxe du libéralisme français*, Paris, 1997, p. 258 ; voir aussi Jan Goldstein, *The Post-Revolutionary Self : Politics and Psyche in France 1750-1850*, Cambridge, Mass., 2008.

19. Sur l'absence de « chimères » dans la pensée de Descartes, voir Victor Cousin, *Histoire générale de la philosophie*, Paris, 1884, p. 365 ; sur la « révélation » des vérités connues, voir le discours de Cousin devant la chambre des Pairs ; sur l'enseignement de la philosophie (1844), voir Claude Bernard (dir.), *Victor Cousin ou la Religion de la philosophie*, Toulouse, 1991, p. 80.

20. Jules Michelet, *Ma jeunesse*, Paris, 1884, p. 204 ; Claude Husson, *Philosophie de la république ou Exposition des principes républicains d'après la raison pure*, Paris, 1848, p. 17-18.

21. Étienne Vacherot, *Essais de philosophie critique*, Paris, 1864, p. 305 ; Jules Simon, *La Politique radicale*, Paris, 1868, p. 2. Le discours de Jules Ferry au cours du débat parlementaire sur l'éducation (décembre 1880) est cité *in* Azouvi, *Descartes et la France*, *op. cit.*, p. 223.

22. Jules Steeg, *La Vie morale. Recueil de lectures choisies et annotées*, Paris, 1889, p. 81-82 ; sur Descartes et la franc-maçonnerie, voir Léo Taxil, *Supplément à* La France maçonnique, Paris, 1889, p. 66.

23. Maurice Barthélemy, *La Libre-pensée et ses Martyrs. Petit dictionnaire de l'intolérance cléricale*, Paris, 1904, p. 56 ; Léon Blum, « Souvenirs sur l'affaire », in *L'Œuvre de Léon Blum*, Paris, 1965, p. 540.

24. P.-Félix Thomas, « De l'individualisme », *Revue de l'enseignement primaire et primaire supérieur*, vol. IX, n° 3, 9 octobre 1898, p. 18.

25. Hippolyte Taine, *Les Origines de la France contemporaine*, vol. I, Paris, 1901, p. 315 ; *ibid.*, p. 316.

26. Claude Nicolet, *L'Idée républicaine en France*, Paris, 1982, p. 55 ; Henri Bergson, « Message au congrès Descartes » (1937), in *Mélanges*, Paris, 1972, p. 1579 ; Gérard Milhaud, « Descartes vu par la génération française contemporaine », *Revue de synthèse*, vol. XIV, n° 1, avril 1937, p. 67.

27. Charles Adam, « Descartes : ses trois notions fondamentales », in *Descartes*, numéro spécial du tricentenaire de la *Revue philosophique*, Paris, 1937, p. 14 ; Charles Adam, *Descartes. Sa vie et son œuvre*, Paris, 1937, p. 173 et 175 ; Maxime Leroy, *Descartes social*, Paris, 1931.

28. Alain, « Étude sur Descartes », *in* René Descartes, *Discours de la méthode*, Paris, édition de 1927, p. 2-3.

29. « La vie intérieure », 21 juin 1932, Alain, *Propos*, I, Paris, 1956, p. 1089 ; propos sans titre du 28 janvier 1914, *Propos*, II, Paris, 1970,

p. 343 ; « Se penser soi-même », 15 avril 1930, *Propos*, I, p. 929 ; propos sans titre de novembre 1931, *Propos*, II, p. 881 ; propos sans titre de janvier 1934, *Propos*, II, p. 1000-1001 ; « Contre les nouveautés », 10 janvier 1936, *Propos*, I, p. 1302 ; « Le fanatisme », 24 janvier 1928, *Propos*, I, p. 755.

30. Sur l'analogie entre républicanisme et cartésianisme, voir « La vraie république », 1er avril 1914, *Propos*, I, p. 186 ; sur la « puissance de refus », voir le propos du 25 novembre 1922, *Propos*, II, p. 524 ; sur l'individualité de la pensée, voir *Le Citoyen contre les pouvoirs*, Genève, édition de 1979, p. 159.

31. Henri Petit, *Images. Descartes et Pascal*, Paris, 1930, p. 33 et 50.

32. Je suis reconnaissant à Emmanuel Blondel pour ses observations constructives sur la pensée d'Alain.

33. Sur Foch, voir Jacques Chevalier, *Descartes*, Paris, 1921, p. 347 ; sur le bien commun, *ibid.*, p. 5 ; sur les « tendances diverses », *ibid.*, p. 3-4 ; sur la libération de la pensée française, *ibid.*, p. 2.

34. Georges Duhamel, « Ligne Maginot et ligne Descartes », *Le Figaro*, 5 novembre 1938 ; Henri Berr, *Machiavel et l'Allemagne*, Paris, 1939, p. 30.

35. Sur la nature masquée du cartésianisme, voir « La dissolution des sociétés secrètes », *Le Journal des débats*, 4 août 1940 ; sur la nécessité de rejeter Descartes, voir Marc Bernard, « La foi est nécessaire », *Le Figaro*, 23 novembre 1940 ; Bonnard cité *in* Marcelle Barjonet, « Ce qui mourait et ce qui naissait chez Descartes », *La Pensée*, n° 32 (sept-oct. 1950), p. 23.

36. Paul Masson-Oursel, « Francs et raison », *La Nouvelle Revue française*, décembre 1941, p. 665-666 et p. 669.

37. Henri Michel, *Les Courants de pensée de la Résistance*, Paris, 1962, p. 763 ; Georges Politzer, « Qu'est-ce que le rationalisme ? », *La Pensée*, vol. I, n° 2 (juillet-sept. 1939), p. 19 ; Georges Canguilhem, *Vie et mort de Jean Cavaillès*, Paris, 1996, p. 36 ; sur cette conférence, voir Yves Soulignac, *Les Camps d'internement en Limousin, 1939-1945*, Saint-Paul, 1995, p. 37 (je remercie Laurent Douzou de m'avoir communiqué cette information) ; sur la citation communiste honorant Descartes, voir André Voguet, « Souvenirs de l'année universitaire 1940-1941 », *La Pensée*, n° 89 (janv.-fév. 1960), p. 25.

38. Sur l'« ébranlement » des normes, voir Pierre Bourdan, *Carnet des jours d'attente*, Paris, 1945, p. 12 ; sur l'appel à la conscience, voir Alya Aglan, *Le Temps de la Résistance*, Paris, 2008, p. 39 ; sur le « droit chemin » de De Gaulle, voir le discours à l'Albert Hall du 18 juin 1942, *in* Charles de Gaulle, *Discours et messages*, vol. I, Paris, 1946, p. 198 ; Descartes, *Discours de la méthode*, *op. cit.*, p. 57.

39. Sur Descartes « penseur à explosions », voir Jean-Paul Sartre, *Carnets de la drôle de guerre. Septembre 1939-mars 1940*, Paris, 1995, p. 284-285 ; sur la notion de l'absurde, voir Albert Camus, *Le Mythe de Sisyphe*, Paris, 1942, p. 37 ; sur la pesanteur du monde, voir Jean-Paul Sartre, *L'Être et le Néant*, Paris, 1943, p. 598.

40. Sur Descartes architecte de la démocratie, voir Jean-Paul Sartre, *Descartes*, Paris, 1944, p. 19 ; sur l'autonomie absolue, *ibid.*, p. 47 ; sur le cogito, voir Jean-Paul Sartre, *L'existentialisme est un humanisme*, Paris, 1996, p. 57.

41. Voir, par exemple, le commentaire de Pierre Naville, *ibid.*, p. 86.

42. Jean-Paul Sartre, « La République du silence » (1944), in *Situations*, vol. III, Paris, 2003, p.11.

43. Sartre, *L'existentialisme est un humanisme*, *op. cit.*, p. 39.

44. Jean-Paul Sartre, *Qu'est-ce que la littérature ?*, Paris, 1948, p. 27, 72 et 283.

45. Albert Camus, *L'Homme révolté*, Paris, 1951, p. 36 ; *ibid.*, p. 292-299.

46. Sur l'éthique positive, voir Simone de Beauvoir, *L'Existentialisme et la Sagesse des nations* (1945), Paris, 2008, p. 37 ; sur la « morale de l'ambiguïté », voir Simone de Beauvoir, *Pour une morale de l'ambiguïté*, Paris, 1947, p. 196-197.

47. Sur le passage à l'action sans garantie, voir Simone de Beauvoir, *Le Sang des autres* (1945), Paris, 1979, p. 212 ; sur la nécessité de choisir, Simone de Beauvoir, « Idéalisme moral et réalisme politique » (1945), *in* de Beauvoir, *L'Existentialisme et la Sagesse des nations*, p. 68 ; sur les limites de cette approche, voir Simone de Beauvoir, *La Force des choses*, Paris, 1963, p. 79-80.

48. Simone de Beauvoir, *Le Deuxième Sexe*, tome II, Paris, 1976, p. 130.

49. Georges Cogniot, « Chronique politique », *La Pensée*, n° 13 (juillet-août 1947), p. 76.

50. Marcel Cachin, « Les communistes célèbrent la mémoire du philosophe et du savant », *L'Humanité*, 11 mai 1937.

51. Sur Descartes gloire de la France, voir « La grandiose manifestation du mur », *L'Humanité*, 31 mai 1937 ; sur la tradition d'excellence, voir *L'Humanité*, 27 septembre 1944.

52. Voir, par exemple, « Importantes interventions des élus communistes », *L'Humanité*, 17 décembre 1938.

53. *Discours de la méthode*, avec une préface et un commentaire de Marcelle Barjonet, Paris, 1950.

54. Jean-Louis Lecercle, « La réforme de l'enseignement et les humanités classiques », *La Pensée*, n° 62 (juillet-août 1955), p. 17.

55. « Le discours de Maurice Thorez », *L'Humanité*, 3 mai 1946.

56. Sur l'unité de l'intelligence, voir Henri Mougin, « L'esprit encyclopédique et la tradition philosophique française, I », *La Pensée*, n° 5 (oct-déc. 1945), p. 16 ; sur « l'installation de la pensée dans le monde », voir Henri Mougin, « L'esprit encyclopédique et la tradition philosophique française, II et III », *La Pensée*, n° 6 (janv-mars 1946) et n° 7 (avril-juin 1946).

57. Henri Lefebvre, *Descartes*, Paris, 1947, p. 309 ; Karl Marx, « Descartes et les sources du matérialisme français », *La Pensée*, n° 28 (janvier-février 1950).

58. « Les voyageurs et la terre », *L'Humanité*, 4 mars 1937.

59. Jean Cassou, « Le oui de Descartes », *Les Lettres françaises*, 1946 ; voir Jean Cassou, *Une vie pour la liberté*, Paris, 1981, p. 273-274.

60. Jean-Richard Bloch, *L'Homme du communisme. Portrait de Staline*, Paris, 1949, p. 13.

61. André Glucksmann, *Descartes, c'est la France*, Paris, 1987, p. 275.

62. Pierre Guénancia, *Descartes et l'ordre politique*, Paris, 2012 (première édition en 1983) ; Denis Moreau, *Dans le milieu d'une forêt. Essais sur Descartes et le sens de la vie*, Paris, 2012 ; Bruno Latour, *Cogitamus. Six lettres sur les humanités scientifiques*, Paris, 2010, p. 101.

63. « Le crâne de Descartes au Panthéon ? », *Le Figaro*, 10 janvier 2011.

64. Europe : Jean-Claude Brisville, *L'Entretien de M. Descartes avec M. Pascal le jeune*, Paris, 1986, p. 13 (créée en 1985, cette pièce a été reprise au Théâtre de Poche, à Montparnasse, pendant l'automne 2014) ; Dieu : Brigitte Hermann, *Histoire de mon esprit. Le Roman de la vie de René Descartes*, Paris, 1996 ; amour pour sa fille : Jean-Luc Quoy-Bodin, *Un amour de Descartes*, Paris, 2013, p. 112 ; humilité vertueuse : Huguette Bouchardeau, *Mes nuits avec Descartes*, Paris, 2002, p. 196-201 et 213 ; doute : Frédéric Schiffter, *Sur le blabla et le chichi des philosophes*, Paris, 2002, p. 24 ; chevalier de l'impossible : Alexandre Astruc, *Le Roman de Descartes*, Paris, 1989, p. 245.

65. « "Terre de Breizh : Révélation" en tournage au temple de Lanleff », *Ouest-France*, 14 août 2014 ; Frédéric Pagès, *Descartes et le cannabis. Pourquoi partir en Hollande ?*, Paris, 1996 ; « René Descartes, c'est aussi le nom d'une rose », *La Nouvelle République du Centre-Ouest*, 14 mai 2012 ; Lorient FC : *Le Progrès*, Lyon, 17 mai 2014 ; « L'art géométrique de Brigitte Clamon », *Ouest-France*, 3 juillet 2013 ; et Frédéric Serror et Herio Saboga, *L'Échelle de Monsieur Descartes*, Paris, 1999.

2. Les ténèbres et la lumière

1. Pour une excellente biographie, voir Philip Short, *François Mitterrand. Portrait d'un ambigu*, Paris, 2015.

2. Elizabeth Teissier, *Sous le signe de Mitterrand. Sept ans d'entretiens*, Paris, 1997, p. 78 et 168-169.

3. Le titre de sa thèse est « Situation épistémologique de l'astrologie à travers l'ambivalence fascination-rejet dans les sociétés postmodernes ».

4. *Libération*, 2 janvier 1995.

5. Sur la constellation Robespierre, voir Jules Michelet, *Les Femmes de la Révolution*, Paris, 1855, p. 284 et 287 ; sur l'étoile de Napoléon, voir *Mémoires du général Rapp, aide-de-camp de Napoléon*, Paris, 1823, p. 23-24 ;

sur Home, voir Georges Lacour-Gayet, *L'Impératrice Eugénie*, Paris, 1925, p. 48.

6. Voir, par exemple, « Jaurès spiritualiste », *Annales du spiritisme*, mars 1925 ; sur Auriol et Pinay, voir Georges Minois, *Histoire de l'avenir. Des prophètes à la prospective*, Paris, 1996, p. 576-577.

7. Connu sous le pseudonyme professionnel de Regulus, Vasset a révélé le rôle qu'il avait joué dans un entretien en 2000. Voir Josette Alia, « L'astrologue de De Gaulle parle », *Le Nouvel Observateur*, n° 1865, 3 août 2000 ; Charles de Gaulle, *Mémoires de guerre*, vol. III, Paris, 1999, p. 344.

8. Sur la fascination exercée par les écrits de Nostradamus, voir Stéphane Gerson, *Nostradamus : How an Obscure Renaissance Astrologer Became the Modern Prophet of Doom*, New York, 2012 ; sur l'occultisme en 1934, *Histoire des passions françaises : 1848-1945*, *op. cit.*, vol. III, « Goût et corruption », p. 60-63 ; sur l'occultisme contemporain, voir Cyril Hofstein, « La France occulte », *Le Figaro*, 30 octobre 2013.

9. *L'Édition en perspective 2010-2011*, Paris, 2011. En 2011, la littérature ésotérique a représenté 1 % du marché global de l'édition en France (contre 1,1 % pour l'histoire), mais les ventes moyennes s'élèvent à 5 077 exemplaires par titre, juste derrière la littérature (5 362), mais bien au-delà de l'histoire (967). Des chiffres plus récents (pour 2012-2013) montrent une chute du volume des ventes à la fois pour l'histoire et l'ésotérisme ; voir *L'Édition en perspective 2012-2013*, Paris, 2013, p. 67-68.

10. Edgar Morin, *La Croyance astrologique moderne*, Lausanne, 1982, p. 145.

11. Cité *in* Girolamo Imbruglia, « Raison », *in* Vincenzo Ferrone et Daniel Roche (dir.), *Le Monde des Lumières*, Paris, 1999, p. 88.

12. Sur « l'esprit d'observation et de justesse », voir *Encyclopédie, ou Dictionnaire raisonné des sciences, des arts et des métiers*, vol. XII, Neuchâtel, s.d., p. 509 ; sur l'urine de vache, *ibid.*, vol. I, p. 612.

13. Lettre [D13805] au roi Frédéric II, 5 janvier 1767, in *Les Œuvres complètes de Voltaire*, W. H. Barber et T. Besterman (dir.), vol. XXXI, Genève, 1974, p. 184.

14. Sur l'opinion de Voltaire sur la sorcellerie, voir Margaret Libby, *The Attitude of Voltaire to Magic and the Sciences*, New York, 1935, p. 222 ; sur les « qualités occultes », voir l'entrée « Occultes » dans le *Dictionnaire philosophique*, *in* Voltaire, *Œuvres complètes*, vol. XIX, Paris, 1876, p. 86 ; sur la cité de Dieu, voir Carl Becker, *The Heavenly City of the Eighteenth-century Philosophers* [1932], New Haven, 1974, p. 31.

15. Abbé de Saint-Pierre, « Discours sur les différences du grand homme et de l'homme illustre », *in* Abbé Séran de la Tour, *Histoire d'Epaminondas*, *op. cit.*, p. xxvii ; Diderot, *Le Prosélyte répondant par lui-même*, in *Œuvres complètes de Diderot*, vol. II, p. 80-88 ; Jean-Jacques Rousseau, *Émile, ou De*

l'éducation, édition révisée, Paris, 1924, p. 313 ; Nicolas de Condorcet, *Esquisse d'un tableau historique des progrès de l'esprit humain*, Paris, 1970, p. 201 et 239.

16. Abbé Barruel, *Mémoires pour servir à l'histoire du jacobinisme*, Chiré-en-Montreuil, 2005.

17. Louis-Claude de Saint-Martin, *Lettre à un ami, ou Considérations politiques, philosophiques et religieuses sur la Révolution française*, Paris, 1795, p. 13, 59 et 73 ; sur les morts demeurant vivants, voir Louis-Claude de Saint-Martin, *Le Cimetière d'Amboise*, Paris, 1913, p. 1.

18. Joseph de Maistre, *Les Soirées de Saint-Pétersbourg*, Paris, 1895 ; sur Mme de Staël, voir Germaine de Staël-Holstein, *De l'Allemagne*, nouvelle édition, vol. V, Paris, 1960, p. 96, et aussi Nicole Jacques-Chaquin et Stéphane Michaud, « Documents sur Saint-Martin dans l'entourage de Mme de Staël et de Baader », *Cahiers de Saint-Martin*, 1978, p. 59-119 ; sur l'ordre martiniste, voir Robert Ambelain, *Le Martinisme. Histoire et doctrine*, Saint-Martin-de-Castillon, 2011, p. 149-151. Sur l'histoire du martinisme, voir David Allen Harvey, *Beyond Enlightenment : Occultism and Politics in Modern France*, DeKalb, Illinois, 2005.

19. Robert Darnton, *La Fin des Lumières. Le mesmérisme et la Révolution*, Paris, 1995, p. 54 ; sur La Fayette, voir *Mémoires, correspondance et manuscrits du général La Fayette*, Londres, 1837 ; Brissot est cité *in* Darnton, *La Fin des Lumières* , *op. cit.*, p. 102.

20. Louis Blanc, *Histoire de la Révolution française*, vol. II, Paris, 1869, p. 100.

21. Fabre cité *in* Pierre Rosanvallon, *Le Modèle politique français. La société civile contre le jacobinisme de 1789 à nos jours*, Paris, 2004, p. 36 ; sur les rituels républicains et catholiques, voir Albert Mathiez, *Les Origines des cultes révolutionnaires (1789-1792)*, Paris, 1904, p. 144 ; sur la Déclaration de 1789 comme nouveau cathéchisme, voir Mona Ozouf, *La Fête révolutionnaire, 1789-1799*, Paris, 1976, p. 450-51 ; sur le catéchisme napoléonien, voir André Latreille, *Le Catéchisme impérial de 1806*, Paris, 1935 ; sur le symbolisme de la montagne, voir Monique Mosser, « Le temple et la montagne : généalogie d'un décor de fête révolutionnaire », *Revue de l'art* 83 (1989), p. 21-35 ; Bias Parent, *Cathéchisme français, républicain, enrichi de la Déclaration des droits de l'homme, et de maximes de morale républicaine, par un sans-culotte*, Paris, 1794, p. 14. Sur Bias Parent plus généralement, voir Nicole Bossut, « Bias Parent curé jacobin, agent national du district de Clamecy en l'an II », *Annales historiques de la Révolution française*, 274, 1988, p. 444-474.

22. Sur le culte des dépouilles de grands hommes, voir Clémentine Portier-Kaltenbach, *Histoire d'os et autres illustres abattis*, Paris, 2007 ; Robespierre cité *in* Ruth Scurr, *Fatal Purity : Robespierre and the French Revolution*, Londres, 2006, p. 173 ; sur le culte de Rousseau, voir Gordon McNeil, « The

Cult of Rousseau and the French Revolution », *Journal of the History of Ideas*, vol. IV, n° 6, avril 1945, p. 207 ; sur Rousseau considéré comme « premier dieu parmi les hommes », voir *Voyage à Ermenonville, ou Lettre sur la translation de J.-J. Rousseau au Panthéon*, Paris, 1794, p. 24.

23. Sur le tableau de David, voir Antoine Schnapper, *David, la politique et la Révolution*, Paris, 2013, p. 237. Sur le culte de Marat et des saints patriotiques, voir Albert Soboul, « Sentiment religieux et cultes populaires pendant la Révolution. Saintes patriotes et martyrs de la liberté », *Archives des sciences sociales des religions*, n° 2, 1956, p. 76 et 78-80 ; sur Sainte-Pataude, voir Joël Bigorgne, « La tombe à la fille, lieu de culte populaire », *Ouest-France*, 18-19 août 2007. Sur le phénomène contemporain des cultes populaires en général, voir Dominique Camus, *Dévotions populaires et tombes guérisseuses en Bretagne*, Rennes, 2011.

24. Ernest Marré, *Comment on parle avec les morts. Guide complet et abrégé de spiritisme pratique*, Paris, 1910, p. 48, fig. 10.

25. Philippe Muray, *Le XIXe siècle à travers les âges*, Paris, 1999, p. 482.

26. Apparitions de Napoléon et rumeurs mentionnées dans les rapports de l'administration locale française, citées *in* Sudhir Hazareesingh, *La Légende de Napoléon*, Paris, 2006, p. 62, 67 et 86.

27. Sur l'« Homme rouge », voir Honoré de Balzac, *Le Médecin de campagne*, Paris, 1974, p. 228-229 ; Louis-Napoléon Geoffroy-Château, *Napoléon et la Conquête du monde, 1812-1832, histoire de la monarchie universelle*, Paris, 1836, p. 51 ; sur l'obsession napoléonienne de Chateaubriand, voir Jean Boorsch, « Chateaubriand and Napoleon », *Yale French Studies*, n° 26 (1960), p. 55-62 ; pour Gérard de Nerval, voir lettre à Jules Janin du 16 mars 1841, in *Œuvres complètes*, tome I, Paris, 1989 ; pour Towiański, voir Gustave Vapereau, *Dictionnaire universel des contemporains*, 3e édition, Paris, 1865, p. 1738.

28. Jean-Claude Bésuchet de Saunois, *Réflexions sur la mort de Napoléon, suivie de quelques considérations sur l'empoisonnement par les substances introduites dans l'estomac*, Paris, 1821. Sur les théories conspirationnistes plus généralement, voir Thierry Lentz et Jacques Macé, *La Mort de Napoléon. Mythes, légendes et mystères*, Paris, 2009.

29. Laure Murat, *L'homme qui se prenait pour Napoléon*, Paris, 2011, p. 17 et 187.

30. « Apothéose de Napoléon », poème traduit de l'arabe par Victor Lavagne, Paris, 1829, p. 24

31. Voir l'entrée « Évadisme », *in* Pierre Larousse, *Grand Dictionnaire universel du XIXe* siècle, Paris, 1873 ; citations de Simon Vanneau, « Retour des cendres de Napoléon en France », Paris, 1840, p. 3 et 5 ; sur les adeptes républicains de l'évadisme, voir Jean Wallon, *La Presse de 1848, ou Revue critique des journaux publiés à Paris depuis la Révolution de février jusqu'à la*

fin de décembre, Paris, 1849, p. 133 ; citation d'Alexandre Dumas tirée des *Mémoires d'Alexandre Dumas*, vol. VIII, Paris, 1884, p. 48.

32. Gustave Simon, *Chez Victor Hugo. Les tables tournantes de Jersey*, Paris, 1923, p. 33. Ce sont les transcriptions officielles des séances de spiritisme organisées à Marine Terrace, à partir des notes prises par Hugo et d'autres participants (notamment son fils Charles).

33. Auguste Vacquerie, *Les Miettes de l'histoire*, Paris, 1863, p. 408.

34. Gustave Simon, *Chez Victor Hugo*, *op. cit.*, p. 288.

35. *Ibid.*, p. 39.

36. Sur la bibliothèque de Faure et d'Hugo, voir Claudius Grillet, *Victor Hugo spirite*, Paris, 1929, p. 12 et 14. Voir plus généralement Lynn L. Sharp, *Secular Spirituality : Reincarnation and Spiritism in Nineteenth-century France*, Lanham, Maryland, 2006.

37. Adèle Hugo, commentaire de décembre 1853, rapporté in *Le Journal d'Adèle Hugo*, vol. II, Paris, 1971, p. 409.

38. Narcissisme : Simon, *Les Tables tournantes*, *op. cit.*, p. 370 ; Napoléon : *ibid.*, p. 71-72 ; *La Marseillaise* : *ibid.*, p. 107 ; républicains au biberon : *ibid.*, p. 64 ; Danton : *ibid.*, p. 67-68 ; Chénier : *ibid.*, p. 120 ; le prophète Mahomet : *ibid.*, p. 114.

39. Adèle Hugo, *Le Journal d'Adèle Hugo*, vol. III, Paris, 1984, p. 291.

40. Égalitarisme : Simon, *Chez Victor Hugo*, *op. cit.*, p. 370 ; voyage de l'âme, *ibid.*, p. 303 ; Moïse : *ibid.*, p. 77 ; apothéose de l'être : *ibid.*, p. 307.

41. Sur la doctrine de Kardec, voir Guillaume Cuchet, *Les Voix d'outre-tombe. Tables tournantes, spiritisme et société au XIX*e siècle, Paris, 2012, p. 107-170.

42. En 1912, le *Livre des esprits* compte déjà cinquante-deux éditions. Voir Nicole Edelman, *Voyantes, Guérisseuses et Visionnaires en France 1785-1914*, Paris, 1995, p. 110.

43. Maxime du Camp, *Souvenirs littéraires*, Paris, 1906, p. 116 ; croyances occultistes : Jacques Lantier, *Le Spiritisme ou l'Aventure d'une croyance*, Paris, 1971, p. 110 ; Maurice Barrès, *La Grande Pitié des églises de France*, Lille, 2012, p. 88.

44. André Breton, *Premier Manifeste du surréalisme* (1924), in *Manifestes du surréalisme*, Paris, 1962, p. 41.

45. Simon, *Chez Victor Hugo*, *op. cit.*, *p.* 369.

46. Édouard Charton, *Mémoire d'un prédicateur saint-simonien*, Paris, 1832, p. 23. Pour une analyse du saint-simonisme de Charton, voir Marie-Laure Aurenche, *Édouard Charton et l'invention du* Magasin pittoresque, *1833-1870*, Paris, 2002, p. 83-120.

47. Georges Weill, *L'École saint-simonienne. Son histoire, son influence jusqu'à nos jours*, Paris, 1896, p. 290-291.

48. Cet héritage intellectuel transparaît nettement dans les mémoires de Charton publiées vers la fin du siècle ; voir Édouard Charton, *Le Tableau de Cébès*, Paris, 1882.

49. Fondé par Désirée Véret, Marie-Reine Guindorf et Suzanne Voilquin en août 1832, le journal change de titre et devient *La Femme de l'avenir*, puis *La Femme nouvelle* ; consultable à la bibliothèque de l'Arsenal, à Paris (8-JO-20530).

50. Cité *in* Antoine Picon, *Les Saint-Simoniens. Raison, imaginaire et utopie*, Paris, 2002, p. 39.

51. Barthélemy-Prosper Enfantin *et al.*, *Doctrine saint-simonienne : exposition*, Paris, 1854.

52. Sébastien Charléty, *Histoire du saint-simonisme, 1825-1864*, Paris, 1896, p. 143.

53. Jules Michelet, *L'Insecte*, Paris, 1858, p. 306 ; Barthélemy-Prosper Enfantin, *Lettre du Père à Charles Duveyrier sur la vie éternelle*, Paris, 1830, p. 11 ; Pierre Leroux, *De l'humanité, de son principe et de son avenir*, 2 vols., Paris, 1845 ; Alphonse Esquiros, *De la vie future au point de vue socialiste*, Paris, 1850 ; Jean Reynaud, *Philosophie religieuse. Terre et ciel*, Paris, 1854.

54. Camille Flammarion, *La Pluralité des mondes habités*, Paris, 1877, p. 320.

55. Louis-Auguste Blanqui, *L'Éternité par les astres*, Paris, 1872 ; sosies : p. 74 ; infini p. 76.

56. Entrée datée d'avril 1898, *Journal inédit de Ricardo Viñes*, éd. Suzy Levy, Paris, 1987, p. x ; André Breton, « Lettre aux voyantes », in *La Révolution surréaliste*, n° 5, 15 octobre 1925 ; Mircea Eliade, *Occultism, Witchcraft and Cultural Fashions : Essays in Comparative Religions*, Chicago, 1976, p. 53.

57. Élisée Reclus, *La Terre*, vol. II, Paris, 1869, p. 747.

58. Ruth Harris, *Lourdes. La grande histoire des apparitions, des pèlerinages et des guérisons*, Paris, 2001, p. 91-92.

59. Réunions de groupes spirites : Anne Osmont, *Mes souvenirs. 50 années d'occultisme*, Paris, 1941, p. 40 ; ambitions progressistes du spiritisme : Anna Blackwell, *De l'effet probable des idées spirites sur la marche sociale de l'avenir*, Paris, 1877 ; la méthode Coué : Hervé Guillemain, *La Méthode Coué. Histoire d'une pratique de guérison au XX*e siècle, Paris, 2010, p. 11.

60. Eugène Pelletan, *Heures de travail*, vol. II, Paris, 1854, p. 355 ; Charles Fauvety, *La Question religieuse*, Paris, 1864, p. 2 ; authentification des pouvoirs de Palladino : Christine Blondel, « Eusapia Palladino : la méthode expérimentale et la "diva des savants" », *in* Bernadette Bensaude-Vincent et Christine Blondel (dir.), *Des savants face à l'occulte 1870-1940*, Paris, 2002, p. 143-144 ; Charles Richet, *Traité de métapsychique*, Paris, 1922, p. 2.

61. Pour un exemple de l'influence de l'occultisme sur la pensée radicale, voir Louis Dramard, « L'occultisme », « La doctrine ésotérique », *Revue socia-*

liste, vol. VIII, août 1885, et vol. IX, septembre 1885 ; pour les romans de Lermina, voir Jules Lermina, *Le Fils de Monte-Cristo*, Paris, 1881 ; *Le Trésor de Monte-Cristo*, Paris, 1885 ; sublimes intuitions : Jules Lermina, « Le congrès de 1889 », in *La Religion de l'avenir*, n° 1, 1er novembre 1889 ; éblouissement : Jules Lermina, *La Science occulte. Magie pratique, révélation des mystères de la vie et de la mort*, Paris, 1890, p. 267 ; message de l'au-delà de Kardec : « Communication de l'esprit Allan Kardec », *Annales du spiritisme*, novembre 1921, p. 5.

3. *Paysages utopiques*

1. Louis-Sébastien Mercier, *L'An deux mille quatre cent quarante, rêve s'il en fut jamais*, éd. Raymond Trousson, Paris, 1971, p. 170. La première traduction en anglais fut publiée à Londres en 1772. Curieusement, elle fut intitulée *Memoirs of the Year 2500*.
2. Voir Robert Darnton, *The Forbidden Bestsellers of Pre-revolutionary France*, New York, 1995.
3. Mercier, *L'An deux mille quatre cent quarante*, *op. cit.*, p. 338.
4. Raymond Trousson, *Voyages aux pays de nulle part*, Bruxelles, 1975, p. 175.
5. Alain Touraine, *Le Mouvement de mai ou le Communisme utopique*, Paris, 1968. Pour un réexamen récent des événements, voir Julian Jackson, Anna-Louise Milne et James S. Williams (dir.), *May 68 : Rethinking France's Last Revolution*, Basingstoke, 2011.
6. Louis-Sébastien Mercier, *De Jean-Jacques Rousseau considéré comme l'un des premiers auteurs de la Révolution*, vol. I, Paris, 1791, p. 4.
7. Pour une étude plus complète de la pensée politique républicaine de Rousseau, voir Karma Nabulsi, *Traditions of War : Occupation, Resistance and the Law*, Oxford, 1999, p. 177-204.
8. Jean-Jacques Rousseau, *Discours sur les sciences et les arts*, éd. François Bouchardy, Paris, 1964, p. 32.
9. Jean-Jacques Rousseau, *Discours sur l'origine et les fondements de l'inégalité*, éd. Angèle Kremer-Marietti, Paris, 2009, p. 124.
10. Voir Jean Fabre, « Réalité et utopie dans la pensée politique de Jean-Jacques Rousseau », *Annales de la société Jean-Jacques Rousseau*, vol. XXXV (1959-1962), p. 181-221. L'analyse la plus complète est celle d'Antoine Hatzenberger, *Rousseau et l'utopie*, Paris, 2012.
11. Jean-Jacques Rousseau, *Du contrat social*, éd. Bruno Bernardi, Paris, 2001, p. 60.
12. *Ibid.*, p. 80.

13. Sur l'impact de Rousseau sur la pensée politique du début de la Révolution, voir James Swenson, *On Jean-Jacques Rousseau, Considered as One of the First Authors of the Revolution*, Stanford, 2000.

14. Saint-Just, « Fragments d'institutions républicaines », in *Théorie politique*, Paris, 1976, p. 295.

15. « La souveraineté ne peut être représentée, par la même raison qu'elle ne peut être aliénée ; elle consiste essentiellement dans la volonté générale, et la volonté ne se représente point : elle est la même, ou elle est autre ; il n'y a point de milieu. Les députés du peuple ne sont donc ni ne peuvent être ses représentants, ils ne sont que ses commissaires ; ils ne peuvent rien conclure définitivement. » (*Du contrat social, op. cit.*, p. 134.)

16. Jean Starobinski, *L'Invention de la liberté, 1700-1789*, Paris, 2006, p. 187.

17. Mercier, *L'An deux mille quatre cent quarante*, *op. cit.*, p. 232.

18. Absence de cacophonie : *ibid.*, p. 90 ; végétation : *ibid.*, p. 114 ; avancées scientifiques : *ibid.*, p. 300 ; égalité naturelle : *ibid.*, p. 101 ; disproportion des fortunes : *ibid.*, p. 9 et 102 ; clergé : *ibid.*, p. 174 ; régime : *ibid.*, p. 385-386 ; politesse et considération : *ibid.*, p. 414.

19. Âmes dépravées : *ibid.*, p. 186 ; frontières naturelles : *ibid.*, p. 234-235 ; alliée intime : *ibid.*, p. 236 ; raison universelle : *ibid.*, p. 133-134 ; mélancolie anglaise : *ibid.*, p. 236 ; suicide au Japon : *ibid.*, p. 392.

20. Lois : *ibid.*, p. 327-328 et 331 ; souveraineté absolue : *ibid.*, p. 333 ; dissection des cadavres : *ibid.*, p. 142 ; gens du peuple : *ibid.*, p. 342 ; perfection de la nature humaine : *ibid.*, p. 225 ; leçon : *ibid.*, p. 108 ; vengeur du Nouveau Monde : *ibid.*, p. 205.

21. Mona Ozouf, *L'Homme régénéré. Essais sur la Révolution française*, Paris, 1989, p. 14.

22. Mercier, *L'An deux mille quatre cent quarante*, *op. cit.*, p. 220.

23. Rousseau, *Du contrat social*, *op. cit.*, p. 167-168.

24. Discussion : Mercier, *L'An deux mille quatre cent quarante*, *op. cit.*, p. 151, 366 et 124 ; âme : *ibid.*, p. 319 ; autodafé : *ibid.*, p. 250 ; Rousseau préservé : *ibid.*, p. 265-266.

25. Cité *in* Michèle Riot-Sarcey, *Le Réel de l'utopie. Essai sur le politique au XIX*ᵉ siècle, Paris, 1998, p. 146.

26. Mona Ozouf, « La Révolution française au tribunal de l'utopie », in *L'Homme régénéré*, *op. cit.*, p. 234.

27. Cité *in* Louis Reybaud, *Étude sur les réformateurs sociaux*, vol. I, Genève, 1979, p. 69.

28. Charles Fourier, *Théorie des quatre mouvements et des destinées générales*, Leipzig, 1808, p. 283.

29. *Ibid.*, p. 369.

30. Charles Fourier, *Hiérarchie du cocuage*, Paris, 2000.

31. Satisfaction des passions : Fourier, *Théorie des quatre mouvements, op. cit.*, p. 116 ; collations : *ibid.*, p. 251, n. 1.

32. Nicolas de Condorcet, *Esquisse d'un tableau historique des progrès de l'esprit humain*, Paris, 1970, p. 236.

33. Citoyen du globe : Fourier, *Théorie des quatre mouvements, op. cit.*, p. 211 ; Suez et Panama : *ibid.*, p. 246 ; aigresel : *ibid.*, p. 66.

34. Fourier, *Traité de l'association domestique-agricole*, vol. I, Paris, 1822, p. 243.

35. L'étude qui fait autorité sur le sujet est celle de Bernard Desmars, *Militants de l'utopie ? Les fouriéristes dans la seconde moitié du XIX*e siècle, Dijon, 2010.

36. Fourier, *Théorie des quatre mouvements, op. cit.*, p. 180 ; Charles Bergeron, *Le Chemin de fer sous-marin entre la France et l'Angleterre*, Paris, 1873.

37. « Les hommes naissent et demeurent libres et égaux en droits. »

38. Godefroy Cavaignac, « La force révolutionnaire », *in* G. Cavaignac (éd.), *Paris révolutionnaire*, Paris, 1848, p. 9 ; participation égale de tous les citoyens : « Petit catéchisme républicain », in *Les Révolutions du XIX*e siècle, 1re série, vol. III, p. 6 ; amélioration du sort des plus pauvres : *Déclaration du comité de la Société des droits de l'homme et du citoyen de la ville de Marseille*, p. 1 ; Jules Ferry, *La Lutte électorale en 1863*, Paris, 1863, p. 105 ; Adolphe Rion, « Droits et devoirs du républicain », *Les Révolutions du XIX*e siècle, 1re série, vol. IX ; impôts progressifs : « Société des droits de l'homme et du citoyen. De l'égalité », *Les Révolutions du XIX*e siècle, 1re série, vol. III ; égalité jusqu'à l'absurde : « De la misère des ouvriers et de la marche à suivre pour y remédier », *Les Révolutions du XIX*e siècle, 1re série, vol. IV.

39. Olympe de Gouges, *Déclaration des droits de la femme et de la citoyenne*, *in* Olympe de Gouges, *Œuvres*, Paris, 1986, p. 102 ; « Sur l'admission des femmes au droit de cité », 3 juillet 1790, in *Œuvres de Condorcet*, A. Condorcet O'Connor et F. Arago (dir.), vol. X, Paris, 1847, p. 121 ; Jeanne Deroin, *Association fraternelle des démocrates socialistes des deux sexes pour l'affranchissement politique et sociale des femmes*, Paris, 1849, p. 3.

40. Sur les femmes écrivains du XIXe siècle, voir Sarah Kay, Terence Cave et Malcolm Bowie, *A Short History of French Literature*, Oxford, 2003, p. 239-341 ; sur Sand et Flaubert, voir Gustave Flaubert-George Sand, *Correspondance*, éd. A. Jacobs, Paris, 1981 ; sur les convictions politiques de Sand, voir le recueil de ses articles édité par Michelle Perrot, *George Sand, politique et polémique, 1843-1850*, Paris, 1996 ; sur Adam, voir Anne Hogenhuis-Seliverstoff, *Juliette Adam (1836-1936), l'instigatrice*, Paris, 2002 ; Aldo d'Agostini, « L'agency de Juliette Adam », *Rives méditerranéennes*, 41, 2012, p. 101-115.

41. Louis Blanc, *L'Organisation du travail*, Paris, 1839 ; Pierre-Joseph Proudhon, *Qu'est-ce que la propriété ?*, Paris, 1840 ; Philippe Buonarroti,

Conspiration pour l'égalité, dite de Babeuf [1828], Paris, 1869, p. 17 ; principe de communauté : « Almanach de la communauté » (1843), in *Les Révolutions du XIX*e siècle, *1835-1848*, 2e série, vol. VIII ; Jean-Jacques Pillot, « Histoire des Égaux, ou Moyens d'établir l'égalité absolue parmi les hommes », Paris, 1840, in *Les Révolutions du XIXe siècle, 1835-1848*, 2e série, vol. VI.

42. Étienne Cabet, « Comment je suis communiste », in *Les Révolutions du XIXe siècle, 1835-1848*, 2e série, vol. V.

43. Étienne Cabet, *Le Vrai Christianisme suivant Jésus-Christ*, Paris, 1847, p. 165.

44. Égalité : Étienne Cabet, *Voyage en Icarie*, Paris, 1846, 4e éd., préface ; livraison des provisions : *ibid.*, p. 56 ; proportions parfaites : *ibid.*, p. 42 ; médecins : *ibid.*, p. 112 ; bateaux sous-marins : *ibid.*, p. 73 ; comités populaires : *ibid.*, p. 176 ; religion : *ibid.*, p. 168 ; machines : *ibid.*, p. 100-101.

45. Art : *ibid.*, p. 48 ; habits : *ibid.*, p. 57 ; menus : *ibid.*, p. 51 ; couples : *ibid.*, p. 141 et 143 ; commission de perfectionnement : *ibid.*, p. 122 ; tribunaux locaux : *ibid.*, p. 132 ; consentement : *ibid.*, p. 125 et 127.

46. Crespy-Noher (pseudonyme d'Alexis Manières), *Les Prières républicaines du citoyen Xiléas*, Bordeaux, 1875.

47. Maximilien Robespierre, *Discours sur l'organisation des gardes nationales*, Besançon, 1791, p. 56. Sur la citoyenneté active, voir la remarquable étude d'Anne Simonin, *Le Déshonneur dans la République. Une histoire de l'indignité, 1791-1958*, Paris, 2008.

48. « Déclaration des droits de l'homme et du citoyen, avec des commentaires par le citoyen Laponneraye », Paris, 1833, p. 8. Sur l'impact de la situation polonaise sur les politiques révolutionnaires en Europe, voir Karma Nabulsi, « Patriotism and Internationalism in the "Oath of Allegiance" to Young Europe », *European Journal of Political Theory*, n° 5, 2006.

49. *La Tribune*, 31 janvier 1833.

50. Gaëtan Delmas, *Curiosités révolutionnaires. Les Journaux rouges : histoire critique de tous les journaux ultra-républicains publiés à Paris depuis le 24 février jusqu'au 1er octobre 1848*, Paris, 1848.

51. Paris centre du monde : cité *in* Philippe Darriulat, *Les Patriotes. La gauche républicaine et la nation*, Paris, 2001, p. 239 ; Émile Littré, « République occidentale », *Le National*, 24 septembre 1849 ; Jean-Joseph Brémond, *Plan de la confédération européenne et universelle du livre précurseur*, Paris, 1867 ; sur la solidarité universelle, voir « Système de fraternité », *Le Populaire*, juillet 1850 ; alliance de la jeunesse : Gustave Flourens *et al.*, *Appel de la Rive gauche à la jeunesse européenne*, Bruxelles, 1864 ; *Aux républicains : appel de Kossuth, Ledru-Rollin et Mazzini*, septembre 1855.

52. Sur l'Internationale, voir le recueil de pamphlets rassemblés *in* « L'Association internationale des travailleurs », *Les Révolutions du XIXe siècle*, 3e série, vol. V. Pour la liste complète des 1 867 délégués, voir Auguste

Scheurer-Kestner, *Souvenirs de jeunesse*, Paris, 1905, p. 108-109 ; Charles Lemonnier, *Les États-Unis d'Europe*, Paris, 1872.

53. Jules Barni, *La Morale dans la démocratie*, 2e édition, Paris, 1885, p. 116.

54. Voir Claudine Rey, Annie Limoge-Gayat et Sylvie Pépino, *Petit Dictionnaire des femmes de la Commune. Les oubliées de l'histoire*, Paris, 2013.

55. Blanqui : Gustave Geffroy, *L'Enfermé*, Paris, 1897, p. 243 ; la pensée politique de la Commune : Charles Rihs, *La Commune de Paris 1871. Sa structure et ses doctrines*, Paris, 1973 ; nouvelle page de l'Histoire : discours d'Arthur Ranc, 29 mars 1871, *in* Georges Bourgin et Gabriel Henriot, *Procès-verbaux de la Commune de 1871*, vol. I, Paris, 1924, p. 42 ; Jules Vallès, *L'Insurgé*, Paris, 1975, p. 257 ; sur la Commune plus généralement, voir Robert Tombs, *Paris, bivouac des révolutions. La Commune de 1871*, Paris, 2014 ; et John Merriman, *Massacre : The Life and Death of the Paris Commune*, New York, 2014.

56. Émile Littré, *De l'établissement de la Troisième République*, Paris, 1880, p. x.

57. Étienne Cabet, *Voyage en Icarie*, Paris, 1846, 4e éd., p. 274 ; discours de Ferry à l'Assemblée nationale, 27 mars 1884 : Jules Ferry, *Discours et Opinions*, éd. Paul Robiquet, vol. V, Paris, 1897, p. 159 ; représentation négative des Noirs : Carole Reynaud Paligot, *La République raciale 1860-1930*, Paris, 2006, p. 140 et 235 ; l'abandon de l'égalité révolutionnaire : Olivier Le Cour Grandmaison, *La République impériale. Politique et racisme d'État*, Paris, 2009.

58. Grand soir : Maurice Tournier, « Le grand soir, un mythe de fin de siècle », *Mots*, vol. XIX, juin 1989, p. 79-94 ; Paul Adam, *Lettres de Malaisie*, Paris, 1898 ; Jaurès cité *in* Gilles Candar et Vincent Duclert, *Jean Jaurès*, Paris, 2014, p. 285 ; pouvoir destructeur : *L'Humanité*, 31 mars 1912 ; défense de la civilisation islamique : cité *in* Gilles Manceron, « La gauche et la colonisation », *in* Jean-Jacques Becker et Gilles Candar (dir.), *Histoire des gauches en France*, vol. I, Paris, 2004, p. 543.

59. Maurice Thorez, rapport au comité central du Parti communiste français, *L'Humanité*, 20 mai 1939.

60. Maurice Thorez, *Fils du peuple*, Paris, 1949 ; communisme, idéal le plus pur, *ibid.*, p.101 ; raison prométhéenne : *ibid.*, p. 241 et 248 ; authentique démocratie : *ibid.*, p. 50.

61. Cité *in* Jean Goulemot, *Pour l'amour de Staline. La Face oubliée du communisme français*, Paris, 2009, p. 85-86.

62. Herriot cité *in* Fred Kupferman, *Au pays des soviets. Le Voyage français en Union soviétique, 1917-1939*, Paris, 1979, p. 87 ; Charles Vildrac, *Russie neuve*, Paris, 1937, p. 206 ; lendemains qui chantent, voir Sophie Cœuré, *La Grande Lueur à l'Est. Les Français et l'Union soviétique, 1917-1939*, Paris, 1999.

63. L'enveloppe contenant la lettre était adressée à « Monsieur Picasso, grand peintre » ; l'enveloppe et la lettre sont reproduites in *Les Archives de Picasso*, Paris, 2003, p. 308-309.

64. Annette Wieviorka, *Maurice et Jeannette. Biographie du couple Thorez*, Paris, 2010, p. 647.

65. Anatole de Monzie, *Du Kremlin au Luxembourg*, Paris, 1924, p. 125 ; Roger Vailland, *Drôle de jeu*, Paris, 1945, p. 15 ; utopie positive : François Furet, *Le Passé d'une illusion. Essai sur l'idée communiste au XXe siècle*, Paris, 1995, p. 243 ; Sartre cité *in* François Hourmant, *Au pays de l'avenir radieux. Voyages des intellectuels français en URSS, à Cuba et en Chine populaire*, Paris, 2000 ; Jean Daniel, « Avec Castro à l'heure du crime », *L'Express*, 28 novembre 1963 ; sur l'internationalisme fraternel, voir Catherine Simon, *Algérie, les années pieds-rouges. Des rêves de l'indépendance au désenchantement*, Paris, 2011. Kristeva citée *in* Richard Wolin, *The Wind from the East : French Intellectuals, the Cultural Revolution and the Legacy of the 1960s*, Princeton, NJ, 2010, p. 274.

66. Louis Aragon, *La Pensée*, mai-août 1952 ; Romain Rolland, *Voyage à Moscou, juin-juillet 1935*, Paris, 1992 ; célébration des jacobins : discours de Jacques Duclos, *Cahiers du bolchevisme*, juillet 1939 ; Thorez sur Robespierre : *L'Humanité*, 4 mars 1939 ; fragment de la maison de Saint-Just : Goulemot, *Pour l'amour de Staline*, p. 94.

67. Jean Guéhenno, *Journal des années noires 1940-1944*, Paris, 2014, p. 454.

68. Alexis de Tocqueville, *L'Ancien Régime et la Révolution*, Paris, 1964, p. 230 et 232 ; sur la critique par Foucault de la rationalité des Lumières, voir Lois McNay, *Foucault : A Critical Introduction*, Oxford, 1994, p. 26-31 ; sur la pensée politique de Lefort, voir plus généralement Bernard Flynn, *La Philosophie politique de Claude Lefort*, Paris, 2012.

69. Voir, par exemple, Emmanuel Le Roy Ladurie, *Paris-Montpellier. PC-PSU, 1945-1963*, Paris, 1982 ; et Mona Ozouf, *Composition française. Retour sur une enfance bretonne*, Paris, 2009.

70. Paul Nizan, *La Conspiration*, Paris, 1938, p. 22.

71. Mona Ozouf, « L'idée républicaine et l'interprétation du passé national », *Annales*, vol. LIII, n° 6, 1998, p. 1087.

72. Colonies de vacances : voir Laura Lee Downs, *Childhood in the Promised Land : Working-class Movements and the « Colonies de vacances » in France, 1880-1960*, Durham et Londres, 2002 ; bonheur : cité *in* Hervé Hamon et Patrick Rotman, *Génération*, Paris, 1988, p. 287 ; Furet, *Le Passé d'une illusion*, p. 134.

4. Les idéaux de la science

1. Abbé Louis-Mayeul Chaudon, *Bibliothèque d'un homme de goût*, vol. II, Avignon, 1772, p. 335.

2. République des sciences : voir Stéphane Van Damme, *Paris, capitale philosophique, de la Fronde à la Révolution*, Paris, 2005 ; sur les Cassini, voir le chapitre *in* Jerry Brotton, *Une histoire du monde en 12 cartes*, Paris, 2013 ; sur l'expansion de la science en général, voir « La république des sciences », éd. Irène Passeron, *Dix-Huitième siècle*, n° 40, 2008 ; sur le développement des sociétés savantes dans la France provinciale, voir Daniel Roche, *Les Républicains des lettres. Gens de culture et Lumières au XVIIIe siècle*, Paris, 1988, p. 205-216 ; Daniel Mornet, « Les enseignements des bibliothèques privées, 1750-1780 », *Revue d'histoire littéraire*, vol. XVII, 1910, et Daniel Mornet, *Les Sciences de la nature en France au XVIIIe siècle*, 1911, Genève, 2001, p. 182.

3. Bouteille de Leyde : Colm Kiernan, *The Enlightenment and Science in Eighteenth-century France*, Oxford, 1973, p. 154 ; René Antoine Ferchault de Réaumur, *Mémoires pour servir à l'histoire des insectes*, 7 vol., Paris 1734-1742 ; sur Gersaint, voir Guillaume Glorieux, *Á l'enseigne de Gersaint. Edme-François Gersaint, marchand d'art sur le pont de Notre-Dame, 1694-1750*, Seyssel, 2002, p. 279-281.

4. Cité *in* Mornet, *Les Sciences de la nature*, *op. cit.*, p. 3.

5. Peter Gay, *The Science of Freedom*, Londres, 1977, p. 126-133.

6. Jean-Jacques Rousseau, *Confessions*, Paris, 1931, livre V, p. 53-54.

7. Corps comparé à une horloge : Aram Vartanian (dir.), *La Mettrie's* L'Homme machine : *A Study in the Origins of an Idea*, Princeton, 1960, p. 186 ; machine : *ibid.*, p. 154 ; causes premières cachées : cité par Aram Vartanian, « Interpretation of *L'Homme machine* », *in* Vartanian, *La Mettrie's* L'Homme machine, *ibid.*, p. 29 ; effet puissant des repas : *ibid.*, p. 155. Dans une lettre à Mme Denis (14 novembre 1751), Voltaire affirme qu'il s'agissait d'« un pâté d'aigle déguisé en faisan, [...] bien farci de mauvais lard, de hachis de porc, et de gingembre ». Pierre Pénisson, « La Mettrie à Berlin », *in* Sophie Audidière *et al.* (dir.), *Matérialistes français du XVIIIe siècle*, Paris, 2006, p. 98.

8. Pour la liste complète, voir Mornet, « Les enseignements des bibliothèques privées », art. cité, p. 489-490.

9. Cité *in* Mornet, *Les Sciences de la nature*, *op. cit.*, p. 15-17.

10. Kiernan, *The Enlightenment and Science*, *op. cit.*, p. 145.

11. Jessica Riskin, *Science in the Age of Sensibility : The Sentimental Empiricists of the French Enlightenment*, Chicago, 2002, p. 7.

12. Mornet, *Les Sciences de la nature*, *op. cit.*, p. 32-33 et 49-50.

13. Montesquieu : Kiernan, *The Enlightenment and Science*, *op. cit.*, p. 132-136 ; Rousseau : *ibid.*, p. 58.

14. Carl Becker, *The Heavenly City of the Eighteenth-century Philosophers*, New Haven, 1974, p. 44-45.

15. Nicole et Jean Dhombres, *Naissance d'un pouvoir. Sciences et savants en France, 1793-1824*, Paris, 1989, p. 30-31.

16. Jean-Paul Marat, *Les Charlatans modernes*, Paris, 1791, p. 290.

17. Académies, symboles du despotisme : article in *L'Auditeur national*, 9 août 1793, cité *in* Joseph Fayet, *La Révolution française et la science, 1789-1795*, Paris, 1960, p. 132 ; sciences spéculatives comparées à un poison : Gabriel Bouquier, *Rapport et Projet de décret formant un plan général d'instruction publique* (1793), cité *in* Fayet, *op. cit.*, p. 199 ; Montesquieu sur l'imagination : *Pensées et Fragments inédits de Montesquieu, publiés par le Baron Gaston de Montesquieu*, vol. II, Bordeaux, 1901, p. 182.

18. « A Catalogue of the Library of the Late Emperor Napoleon Removed from the Island of Saint Helena by Order of His Majesty's Government (Londres, 1823) », *in* Victor Advielle (dir.), *La Bibliothèque de Napoléon à Sainte-Hélène*, Paris, 1894, p. 22.

19. Las Cases : « Mémorial », entrée datée du 25 novembre 1815, *in* Emmanuel de Las Cases, *Mémorial de Sainte-Hélène*, éd. Marcel Dunan, vol. I, Paris, 1951, p. 264 ; Étienne Geoffroy Saint-Hilaire, *Sur une vue scientifique de l'adolescence de Napoléon Bonaparte*, Paris, 1835, p. 7 ; équations différentielles : Dhombres, *Naissance d'un pouvoir*, p. 667 ; résoudre la question de l'Univers : cité *in* Étienne Geoffroy Saint-Hilaire, *Études progressives d'un naturaliste*, Paris 1835, p. 183.

20. Sur l'expédition égyptienne, voir Patrice Gueniffey, *Bonaparte, 1769-1802*, Paris, 2013, p. 334-339 ; poudre à canon : Robert Solé, *Les Savants de Bonaparte*, Paris, 1998, p. 37 ; l'article de Monge : « Mémoire sur le phénomène d'optique connu sous le nom de mirage, par le citoyen Gaspard Monge », *La Décade égyptienne*, vol. II, an VII, 1798-1799, p. 37-46.

21. Éric Sartori, *L'Empire des sciences. Napoléon et ses savants*, Paris, 2003, p. 9.

22. Prix prestigieux : Georges Barral, *Histoire des sciences sous Napoléon Bonaparte*, Paris, 1889, p. 81 ; Rousseau cité *in* Dhombres, *Naissance d'un pouvoir*, p. 684 ; soutien appuyé au Muséum : *ibid.*, p. 685 ; les grands phénomènes de la physique du globe : Barral, *Histoire des sciences sous Napoléon Bonaparte*, p. 275 ; « A Catalogue of the Library of the Late Emperor Napoleon », *op. cit.*, p. 27.

23. Brutus Bonaparte : Georges Dumas, *Psychologie de deux messies positivistes, Saint-Simon et Auguste Comte*, Paris, 1905, p. 144-145 ; état définitif de l'intelligence humaine : Auguste Comte, *Cours de philosophie positive* (1830), vol. I, Paris, 1968, p. 10 ; apogée de la tradition encyclopédique : lettre du 7 août 1852, in *Auguste Comte, correspondance générale et confessions*, vol. VI, Paris, 1973-1990, p. 325.

24. Le romantisme mécanique : voir John Tresch, *The Romantic Machine : Utopian Science and Technology after Napoleon*, Chicago, 2012 ; les trois phases du positivisme : *Cours*, vol. I, p. 3 et 4 ; méditation nocturne : Henri Gouhier, *La Vie d'Auguste Comte*, Paris, 1965, p. 102.

25. Besoin le plus urgent : *Cours*, vol. I, p. 18 ; réorganisation spirituelle : Auguste Comte, *Discours sur l'ensemble du positivisme* (1848), Paris, 1907, p. 112 ; nouvelle classe : *Cours*, vol. I, p. 24.

26. Sur la nouvelle religion de Comte, voir Andrew Wernick, *Auguste Comte and the Religion of Humanity*, Cambridge, 2001 ; Jowett cité *in* Mary Pickering, *Auguste Comte : An Intellectual Biography*, Cambridge, 2009, vol. III, p. 580 ; J. S. Mill, *Auguste Comte et la philosophie positive*, Paris, 1890, p. 197 ; valeurs morales : Mary Pickering, *Auguste Comte : An Intellectual Biography*, vol. I, Cambridge, 1993, p. 5 ; méfiance à l'égard des scientifiques : Pickering, *Auguste Comte*, vol. III, p. 319.

27. Priorité de l'affection : lettre de 1846, citée *in* Pickering, *Auguste Comte*, vol. II, *op. cit.*, p. 224 ; vivre au grand jour : Auguste Comte, *Catéchisme positiviste* (1852), Paris, 1891, p. 297 ; tabac : *ibid.*, p. 574 ; confession annuelle à Clotilde : *Testament d'Auguste Comte, avec les documents qui s'y rapportent : pièces justificatives, prières quotidiennes, confessions annuelles, correspondance avec Mme de Vaux, publiés par ses exécuteurs testamentaires, conformément à ses dernières volontés*, Paris, 1884, édité par Pierre Laffite ; les morts gouvernant les vivants : Comte, *Catéchisme*, *op. cit.*, p. 67.

28. Comparaisons animales dans la sociologie de Comte : Jean-François Braunstein, *La Philosophie de la médecine d'Auguste Comte. Vaches carnivores, Vierge Mère et morts vivants*, Paris, 2009, p. 95 ; force vitale : voir Pascal Nouvel (dir.), *Repenser le vitalisme. Histoire et philosophie du vitalisme*, Paris, 2011 ; fonctions du cerveau : voir Auguste Comte, *Système de politique positive* (1851), vol. I, Paris, 1969, p. 726-727 ; biocratie : voir Braunstein, *La Philosophie de la médecine d'Auguste Comte*, p. 175-181 ; veuvage éternel : Comte, *Système*, vol. I, p. 238-239.

29. Gustave Flaubert, *Dictionnaire des idées reçues*, Paris, 1988, p. 454.

30. Pierre Macherey, *Comte. La Philosophie et les sciences*, Paris, 1989, p. 6.

31. *Collège de France. Cours sur l'histoire générale des sciences : discours d'ouverture prononcé par M. Pierre Laffitte*, Paris, 1892 ; sur la religion positiviste de la période postcomtienne, voir Annie Petit, « Les disciples de la religion positiviste », *Revue des sciences philosophiques et théologiques*, vol. LXXXVII, 2003, p. 75-100.

32. Sur Durkheim et Comte, voir Steven Lukes, *Émile Durkheim : His Life and Work*, Stanford, 1985, p. 67-68 ; sur la démolition de la colonne Vendôme, voir *Système* (vol. IV, p. 397), où Comte avait appelé de ses vœux la démolition de ce symbole de l'oppression dont la capitale française devait être « purifiée » ; sur Maurras et Comte, voir Charles Maurras, *Romantisme*

et révolution, Paris, 1922, p. 101 ; sur Barrès et Comte, voir Maurice Barrès, *Mes Cahiers*, Paris, 1929, vol. I, p. 129 ; sur Houellebecq et Comte, voir Bruno Viard, *Houellebecq au scanner. La Faute à Mai 68*, Nice, 2008, p. 36-37, 49-50.

33. Sur les Francs-maçons, voir Sudhir Hazareesingh et Vincent Wright, *Francs-maçons sous le second Empire*, Rennes, 2001, p. 168-172 ; Gambetta cité *in* Pierre Barral, « Ferry et Gambetta face au positivisme », *Romantisme*, vol. VIII, n°s 21-22, 1978, p. 152 ; Jules Ferry, « Marcel Roulleaux et la philosophie positive », *La Philosophie positive*, sept.-oct. 1867, in *Discours et opinions de Jules Ferry*, éd. P. Robiquet, vol. I, Paris, 1893, p. 586 ; Bert cité *in* Anne Rasmussen, « Science et progrès, des mythes pour la République ? », *in* M. Fontaine, F. Monier et C. Prochasson (dir.), *Une contre-histoire de la IIIe République*, Paris, 2013, p. 263 ; monuments dédiés aux scientifiques : voir June Hargrove, *Les Statues de Paris*, Paris, 1989 ; sur les aspects scientifiques de l'expansion coloniale, voir Emmanuelle Sibeud, *Une science impériale pour l'Afrique ? La construction des savoirs africanistes en France, 1878-1930*, Paris, 2002, p. 275-276.

34. Louis Pasteur, « Pourquoi la France n'a pas trouvé d'hommes supérieurs au moment du péril » (1871), *in* Louis Pasteur, *Pour l'avenir de la science française*, Paris, 1947, p. 63 ; Charles Moureu, *Maurice Barrès et la science française*, Paris, 1925, p. 21 ; Biot cité *in* Robert Fox, « Scientific Enterprise and Patronage of Research in France, 1800-1870 », in *The Culture of Science in France, 1700-1900*, Aldershot, 1992, p. 455 ; sur Bernard et Pasteur, voir Theodore Zeldin, *Histoire des passions françaises : 1848-1945*, vol. III, « Goût et corruption », *op. cit.*, p. 265-268.

35. Ernest Renan, *L'Avenir de la science*, Paris, 1890 : nature humaine, p. 150-151 ; progrès, p. vii ; perfectibilité, p. 433 ; expliquer l'homme par lui-même, p. 23 ; nouvelle religion, p. 108 ; multiplicité, p. 314 ; privilège d'une élite, p. ix ; erreur, p. xix.

36. Sur Zola, voir Sarah Kay, Terence Cave et Malcolm Bowie, *A Short History of French Literature*, New York, 2006, p. 249 ; sur l'imagination scientifique de Verne, voir Jean-Jacques Bridenne, *La Littérature française d'imagination scientifique*, Paris, 1950 ; fusiller les socialistes, voir lettre de novembre 1870, in *Correspondance inédite de Jules Verne à sa famille*, Lyon, 1988, p. 454.

37. Sur Verne et la religion : Jean-Paul Dekiss, « Jules Verne et le futur », *in* Philippe de la Cotardière *et al.*, *Jules Verne. De la science à l'imaginaire*, Paris, 2004, p. 173 ; légendes : Michel Serres, *Jouvences sur Jules Verne*, Paris, 1974, p. 14 ; Franceville : Michel Clamen, *Jules Verne et les sciences*, Paris, 2005, p. 107-120.

38. Jules Verne, *Paris au XXe* siècle, Paris, 1994, p. 60 (oxygène) et p. 196 (électricité).

39. Gaston Palewski, « La science, clé de l'avenir français », Paris, 1963, p. 16 (sphère de la politique), p. 19 (face à l'échec), p. 20 (élévation spirituelle).

40. Sur la science d'État en France, voir Robert Gilpin, *France in the Age of the Scientific State*, Princeton, 1968. Voir aussi Alain Chatriot et Vincent Duclert (dir.), *Le Gouvernement de la recherche. Histoire d'un engagement politique, de Pierre Mendès France à Charles de Gaulle, 1953-1969*, Paris, 2006 ; « Pas de pétrole mais des idées », cité *in* Jean-Marie Domenach, *Enquête sur les idées contemporaines*, Paris, 1970 ; sur la critique rationaliste de la science, voir Edgar Morin, *Science avec conscience*, Paris, 1982, p. 65 ; Jean Baudrillard, *La Société de consommation*, Paris, 1970, p. 312 ; René Dumont, *L'Utopie ou la Mort !*, Paris, 1973.

41. Jacques Bernot, *Gaston Palewski. Premier baron du gaullisme*, Paris, 2010, p. 234-235 et 302-303.

42. Sur les conceptions de l'administration au XIXe siècle, Hippolyte Carnot, *D'une école d'administration*, Versailles, 1878, p. 26. Voir plus généralement Guy Thuillier, *L'ENA avant l'ENA*, Paris, 1983 ; Renan, *L'Avenir de la science*, p. 350 ; sur l'essor des idées technocratiques après la Libération, voir Philip Nord, *France's New Deal*, Princeton, 2010, p. 8-10 ; projet de l'ENA : voir Michel Debré, *Réforme de la fonction publique*, Paris, 1945, p. 23-25 ; *ibid.*, p. 16 (désir de réussite) ; déclassement de l'ENS par l'ENA : voir Ezra Suleiman, *Les Élites en France : grands corps et grandes écoles*, Paris, 1979, p. 41 ; sur la présence importante des énarques dans les ministères et la haute administration française, voir Luc Rouban, « L'État à l'épreuve du libéralisme : les entourages du pouvoir exécutif de 1974 à 2012 », *Revue française d'administration publique*, n° 142 (2012), p. 467-490.

43. Sur la critique sociologique des processus de décision en France, voir Michel Crozier, *La Société bloquée*, 3e éd., Paris, 1994 ; sur le financement de la recherche, voir Olivier Postel-Vinay, *Le Grand Gâchis. Splendeur et misère de la science française*, Paris, 2002 ; énarques et maturité sexuelle : Jacques Mandrin (pseud. de J.-P. Chevènement), *L'Énarchie, ou Les Mandarins de la société bourgeoise*, Paris, 1967 ; Madelin cité *in* Luc Rouban, *La Fin des technocrates ?*, Paris, 1998, p. 13 ; indécence pédagogique : Olivier Saby, *Promotion Ubu Roi. Mes 27 mois sur les bancs de l'ENA*, Paris, 2012, p. 274 ; conformisme : Saint-Preux, *À l'ENA, y entrer, [s']en sortir*, Paris, 2013, p. 51. Pour une analyse d'ensemble des insuffisances du système d'éducation des élites en France, voir Peter Gumbel, *Élite Academy. Enquête sur la France malade de ses grandes écoles*, Paris, 2013 ; pour une défense vigoureuse de l'ENA, voir Jean-François Kesler, *Le Pire des systèmes, à l'exception de tous les autres. De l'énarchie, de la noblesse d'État et de la reproduction sociales*, Paris, 2007 ; monde parallèle : voir « Chômage, c'est la faute à Voltaire », *Le Figaro*, 1er mars 2014.

44. Voir Martin Leprince, *Le Roman de la promotion Voltaire*, Paris, 2013 ; Bernard Domeyne, *Petits meurtres entre énarques*, Paris, 2011, p. 386.

5. *À droite et à gauche*

1. « Manifeste de la gauche », Paris, 20 avril 1870, in *Les Révolutions du XIXe siècle, 1852-1872*, 4e série, vol. X.

2. Napoléon III : discours de Bordeaux, 9 octobre 1852, *in* Napoléon III, *Discours, Messages et Proclamations de l'empereur*, Paris, 1860 ; sur le caractère cartésien de la distinction droite-gauche, voir Maurice Agulhon, « La droite et la gauche », in *Histoire vagabonde*, vol. II, Paris, 1988, p. 222 ; sur le bonapartisme de gauche, voir Gilles Candar, « La mémoire d'un bonapartisme de gauche », *in* Jean-Jacques Becker et Gilles Candar (dir.), *Histoire des gauches en France*, vol. I, Paris, 2005, p. 152-160 ; sur l'influence du bonapartisme sur la IIIe République, voir Sudhir Hazareesingh, « La fondation de la République : histoire, mythe et contre-histoire », *in* Marion Fontaine, Frédéric Monier et Christophe Prochasson (dir.), *Une contre-histoire de la IIIe République*, Paris, 2013, p. 243-256.

3. Sur les conflits entre royalistes et bonapartistes, voir Pierre Triomphe, « La contribution paradoxale du légitimisme à l'enracinement de la République dans le Midi de la France de 1830 à 1870 », *in* Luis P. Martin, Jean-Paul Pelligrinetti et Jérémy Guedj (dir.), *La République en Méditerranée*, Paris, 2012 ; sur le conflit entre les gaullistes et les colons en Algérie, voir Jeannine Verdès-Leroux, *Les Français d'Algérie, de 1830 à nos jours*, Paris, 2001 ; Mollet cité *in* Jean-Jacques Becker, « L'homme de gauche au XXe siècle », *in* Jean-Jacques Becker et Gilles Candar, *Histoire des gauches en France*, vol. II, Paris, 2005, p. 729 ; Étienne Fajon, *L'union est un combat*, Paris, 1975.

4. Patrice Gueniffey, *Le Nombre et la Raison. La Révolution française et les élections*, Paris, 1993.

5. Marcel Gauchet, « La droite et la gauche », *in* Pierre Nora (éd.), *Les Lieux de mémoire*, vol. III, n° 1, Paris, 1992 ; Marc Crapez, « De quand date le clivage gauche/droite en France ? », *Revue française de science politique*, vol. IIL, n° 1 (1998), p. 42-75.

6. Discours devant l'Assemblée nationale, 29 janvier 1891, cité *in* Pierre Barral, *Les Fondateurs de la IIIe République*, Paris, 1968, p. 114.

7. Marie-Pierre-Henri Durzy, *Guerre aux passions ! ou Dictionnaire du modéré*, Paris, 1821, p. 73. « Gauche » était défini de manière similaire par les termes « démocratie » et « nouveaux intérêts » (p. 73).

8. Charles Morazé, *Les Français et la République*, Paris, 1956, p. 252.

9. François-Joseph Liger, *La Souveraineté du peuple*, Rouen, 1848, p. 3 et p. 4.

10. La monarchie comme tyrannie : « Déclaration des droits de l'homme et du citoyen, avec des commentaires par le citoyen Laponneraye », Paris, 1833 ; vie vertueuse : Ernest Richard (éd.), *Le Catéchisme des droits de l'homme et du citoyen*, Sceaux, s.d., p. 4 ; le peuple est bon : « Pourquoi nous sommes républicains et ce que nous voulons », par le citoyen Guérineau, ouvrier, membre de la Société des droits de l'homme, Paris, s.d., p. 2 ; perfectibilité : société des droits de l'homme et du citoyen, *De l'instruction*, Paris, s.d.

11. Joseph de Maistre, *Considérations sur la France*, Paris, 1877 : régénération, p. 79 ; quant à l'homme, p. 176 ; Marc Fumaroli, *Chateaubriand. Poésie et terreur*, Paris, 2003 ; Louis de Bonald, *Théorie du pouvoir politique et religieux*, *in* Louis de Bonald, *Œuvres complètes*, Jacques Paul Migne (éd.), vol. I, Paris, 1859, p. 305 ; plus de société possible : Louis de Bonald, *Législation primitive*, Paris, 1802, p. 25.

12. Infirmités de l'enfance : Louis de Bonald, *Pensées sur divers sujets, et discours politiques*, vol. I, Paris, 1817, p. 360 ; inanité, mise en danger, effet pervers : Albert O. Hirschman, *The Rhetoric of Reaction : Perversity, Futility, Jeopardy*, Cambridge, Mass., 1991 ; vagabonds imberbes : A. Clozel de Boyer, *Monarchie ou anarchie*, Paris, 1851, p. 23-24.

13. Devoir sacré de combattre la Révolution : Louis Gaston Adrien de Ségur, *La Révolution*, Paris, 1861, p. 12 ; Gabriel de Belcastel, *La Citadelle de la liberté*, Toulouse, 1867, p. 27 ; société formant un tout : Jean-Baptiste-Victor Coquille, *Politique chrétienne*, Paris, 1868, p. vi.

14. Respect de l'autorité : E.S. (anonyme), *Causeries avec mes concitoyens des villes et des campagnes*, Compiègne, 1869, p. 6 ; constitution comme tradition : Antoine-Eugène de Genoude (pseud.) et Henri de Lourdoueix, *La Raison monarchique*, Paris, 1838, p. vi ; l'Église réparant l'homme : Antoine Blanc de Saint-Bonnet, *Politique réelle*, Paris, 1858, p. 49 ; Louis Veuillot, *L'Illusion libérale*, Paris, 1866, p. 18.

15. Voir Emmanuel Fureix, *La France des larmes. Deuils politiques à l'âge romantique, 1814-1840*, Paris, 2009.

16. Cafés : Jérôme Grévy, « Les cafés républicains de Paris au début de la Troisième République », *Revue d'histoire moderne et contemporaine*, avril-juin 2003, p. 52 ; célébration à Saint-Gilles : rapport de police, Saint-Gilles, 2 mai 1900, Archives nationales, Paris, F7 12529 ; Agricol Perdiguier, *Mémoires d'un compagnon*, Paris, 1992, p. 87-88 ; menu « rouge » : Maurice Dommanget, *Histoire du drapeau rouge*, Paris, 1967, p. 460. Sur la culture gastronomique de la gauche française, voir Thomas Bouchet, *Les Fruits défendus. Socialismes et sensualité du XIXe siècle à nos jours*, Paris, 2014.

17. Maurice Barrès, *Mes cahiers*, vol. I, Paris, 2010.

18. Daniel Stern (pseudonyme de Marie d'Agoult), *Esquisses morales et politiques*, Paris, 1849, p. 300.

19. Athlète vigoureux : A.-F. Lacroix, « Au scrutin ! », *Le Père Duchesne*, 1849 ; « Brisons les vieux engrenages », affiche représentée *in* Charles Perussaux (éd.), *Les Affiches de Mai 68, ou L'Imagination graphique*, Paris, 1982 ; Mitterrand, citation du discours d'Épinay, 11 juin 1971, *in* Jacques Julliard et Grégoire Franconie (dir.), *La Gauche par les textes, 1762-2012*, Paris, 2012, p. 414.

20. Nous empruntons cette distinction entre quatre « familles » de la gauche française à Jacques Julliard, *Les Gauches françaises. Histoire, politique, imaginaire, 1762-2012*, Paris, 2012 ; citation de Briand : p. 491.

21. Voir ces contributions *in* Maurice Agulhon (éd.), *Le XIX*e *Siècle et la Révolution française*, Paris, 1992.

22. Léon Blum, « Anniversaire de la Révolution de 1848 », conférence prononcée à la Sorbonne le 24 février 1948, in *L'Œuvre de Léon Blum*, vol. VIII, Paris, 1963.

23. Jules Simon, *Souvenirs du 4 Septembre*, Paris, 1874, p. 251 ; sur de Gaulle néobonapartiste, voir Jacques Duclos, *De Napoléon III à de Gaulle*, Paris, 1964 ; manifeste radical : Jean Touchard, *La Gauche en France depuis 1900*, Paris, 1977, p. 48 ; les communistes alliés objectifs de la bourgeoisie : Annie Kriegel, *Les Communistes français*, Paris, 1968, p. 246 ; Jean Rony, citation in *Trente ans de parti. Un communiste s'interroge*, Paris, 1978, p. 114.

24. Jules Michelet, *Introduction à l'histoire universelle*, in *Œuvres de M. Michelet*, Bruxelles, 1840, p. 21 ; patriotisme : Philippe Darriulat, *Les Patriotes. La Gauche républicaine et la nation, 1830-1870*, Paris, 2001, p. 281.

25. Henri Martin, *De la France, de son génie et de ses destinées*, Paris, 1847, p. 24 ; Lafargue, citation de son article in *Le Socialiste*, 10 juin 1893, cité *in* Michel Winock, *Le Socialisme en France et en Europe*, Paris, 1992, p. 369 ; Mollet comme symbole de la faillite de la gauche : Julliard, *Les Gauches françaises, op. cit.*, p. 746.

26. Voir Robert Tombs (éd.), *Nationhood and Nationalism in France : From Boulangism to the Great War, 1889-1918*, Londres, 1991 ; Bertrand Joly, *Nationalistes et Conservateurs en France, 1885-1902*, Paris, 2008 ; et Zeev Sternhell, *La Droite révolutionnaire*, Paris, 1978.

27. Jules Barbey d'Aurevilly, *L'Ensorcelée*, Paris, 1916, p. 2 ; Charles Maurras, *L'Idée de décentralisation*, Paris, 1898 ; Carole Reynaud-Paligot, « Maurras et la notion de race », *in* Olivier Dard, Michel Leymarie et Neil McWilliam (dir.), *Le Maurrassisme et la Culture*, vol. III, Villeneuve-d'Ascq, 2010.

28. *La Voix de Jeanne d'Arc*, Poitiers, nov-déc. 1934 ; cruauté des Anglais : voir Yvonne Pirat, *Jeanne d'Arc devant ses juges*, Lyon, 1942, p. 123 ; préférence nationale : Michel Winock, « Jeanne d'Arc », *in* Pierre Nora (éd.), *Les Lieux de mémoire*, vol. III, Paris, 1992.

29. Famille : voir Christophe Capuano, *Vichy et la famille. Réalités et faux-semblants d'une politique publique*, Rennes, 2009 ; dialectes régionaux :

R. de Verduillet, « La décentralisation sous l'Ancien Régime et la centralisation révolutionnaire », *L'Action française*, n° 212, 15 mai 1908, p. 140 ; Pampille (pseudonyme de Marthe Daudet), *Les Bons Plats de France*, Paris, 2008.

30. Colonne vertébrale de la nation : discours de Poujade, 9 mai 1955, cité *in* Romain Souillac, *Le Mouvement Poujade*, Paris, 2007, p. 92 ; bordel : cité *in* Jean Touchard, « Bibliographie et chronologie du poujadisme », *Revue française de science politique*, 6e année, n° 1, 1956 ; défécations : cité *in* Thierry Bouclier, *Les Années Poujade*, Paris, 2006, p. 100.

31. Voir Jean Charlot, « Le gaullisme », *in* Jean-François Sirinelli (éd.), *Histoire des droites en France*, vol. I, Paris, 1992, p. 653-689 ; sur la gauche et le marché, voir Alain Bergounioux et Gérard Grunberg, *L'Ambition et le Remords. Les Socialistes français et le pouvoir, 1905-2005*, Paris, 2005, p. 458 ; Frédéric Beigbeder, *L'Égoïste romantique*, Paris, 2005, p. 21.

32. Abbé Augustin Barruel, *Mémoires pour servir à l'histoire du jacobinisme*, vol. I, Paris, 1974, p. 422 ; théories pernicieuses : Armand Neut, *Attentats de la franc-maçonnerie à l'ordre social*, Gand, 1868, p. 32 ; publication vichyste citée *in* Pierre Birnbaum, « Accepter la pluralité : haines et préjugés », *in* Jean-François Sirinelli (dir.), *Histoire des droites en France*, *op. cit.*, vol. III, p. 449 ; Georges Bernanos, *La France contre les robots*, Paris, 1947.

33. Auguste Romieu, *Le Spectre rouge de 1852*, Paris, 1851. Sur ce thème, voir Dominique Lejeune, *La Peur du rouge en France. Des partageux aux gauchistes*, Paris, 2003.

34. Sarrault cité *in* Sophie Cœuré, « Communisme et anticommunisme », *in* Jean-Jacques Becker et Gilles Candar (dir.), *Histoire des gauches en France*, vol. II, Paris, 2004, p. 489 ; pigeons voyageurs : « Rapport d'expertise », daté du 3 juin 1952 et signé par le professeur Letard, de l'École vétérinaire d'Alfort, par le capitaine Lefort, de l'armée française, et par M. Poulain. Archives Jacques Duclos 293 J/1 (42), PCF archives, Archives départementales de la Seine-Saint-Denis ; panique conservatrice post-1981 : Pierre Favier, *Dix Jours en mai*, Paris, 2011, p. 26.

35. Le juif vu comme un étranger : voir Malcolm Bowie, *Proust among the Stars*, Londres, 1998, p. 141-147 ; Jérôme et Jean Tharaud, *Quand Israël n'est plus roi*, cité *in* Michel Leymarie, *La Preuve par deux. Jérôme et Jean Tharaud*, Paris, 2014, p. 169 ; serment d'allégeance de l'Action française : Rémond, *Les droites en France*, *op. cit.*, p. 287.

36. Sur *La France juive*, voir Pierre Birnbaum, *Le Peuple et les gros. Histoire d'un mythe*, Paris, 1979, p. 40 et 74 ; sur le Front national, voir James Shields, *The Extreme Right in France : From Pétain to Le Pen*, Londres, 2007.

37. Tirer la France de l'abîme : Pierre-Jean de Béranger, *Ma biographie*, Paris, 1868, p. 68 ; Guizot cité *in* Adrien Dansette, *Louis-Napoléon à la conquête du pouvoir*, Paris, 1961, p. 280.

38. Thiers, citation *in* Jules Simon, *Le Gouvernement de M. Thiers 1871-1873*, vol. I, Paris, 1878, p. 67 ; Pétain, figure paternelle : Jean Garrigues, *Les*

Hommes providentiels. Histoire d'une fascination française, Paris, 2012, p. 89 ; citation sur Lyautey *in* Edward Berenson, *Les Héros de l'empire. Brazza, Marchand, Lyautey, Gordon et Stanley à la conquête de l'Afrique*, Paris, 2012, p. 300 et 329.

39. Jules Michelet, *Le Peuple*, Paris, 1974, p. 160.

40. Exploiteurs : Eugène Pottier, « L'insurgé », in *Le Cri du peuple*, 19 mars1886 ; la Commune comme libération de l'exploitation : « En avant pour les 8 heures ! », affiche de la CGT (1906) ; sur les représentations du mythe prolétarien dans la littérature communiste française, voir Bernard Pudal, « Récits édifiants du mythe prolétarien et réalisme socialiste en France », *Société et Représentations*, n° 15, 2003, p. 77-96 ; Jean Daniel, *Les Miens*, Paris, 2009, p. 24.

41. Robespierre, discours du 7 févier 1794 ; François Mitterrand, *Le Coup d'État permanent*, Paris, 1964.

42. Béranger et Blanc : cités *in* Jacqueline Lalouette, *La République anticléricale*, Paris, 2002, p. 27 ; discours de Gambetta, 4 mai 1877 : cité *in* Pierre Barral, *Les Fondateurs de la IIIe République*, Paris, 1968, p. 176 ; « J'ai enculé le pape », *Charlie-Hebdo*, cité *in* Stéphane Mazurier, *Bête, méchant et hebdomadaire. Une histoire de* Charlie Hebdo*, 1969-1982*, Paris, 2009, p. 463.

43. Cupidité bourgeoise : voir Albert Laponneraye, *Catéchisme démocratique*, Paris, 1837, p. 12-13 ; norme bourgeoise : Roland Barthes, préface de *Mythologies*, Paris, 1970, p. 8 ; François Mitterrand, *Mémoires interrompus*, Paris, 1996, p. 168 ; François Furet, *Le Passé d'une illusion. Essai sur l'idée communiste au XXe siècle*, Paris, 1995, p. 34-35.

44. Pierre Mauroy, *Ce jour-là*, Paris, 2012, p. 43.

45. Voir les contributions *in* Jacques Le Bohec et Christophe Le Digol (dir.), *Gauche-droite. Genèse d'un clivage politique*, Paris, 2012.

46. Julien Licourt, « Quand le FN reprend Jaurès », *Le Figaro*, 31 juillet 2014 ; plus généralement, sur les tentatives d'appropriation de Jaurès par l'extrême droite, voir Alexis Corbière, *Le Parti de l'étrangère. Marine Le Pen contre l'histoire républicaine de France*, Bruxelless, 2012, p. 96-108.

47. Jean-Louis Andreani, « Les raisons d'un rejet », *Le Monde*, 4 juin 2005. Pour une discussion plus large du concept « anglo-saxon » dans le discours public français, voir Émile Chabal, « The Rise of the Anglo-Saxon : French Perceptions of the Anglo-American World in the Long Twentieth Century », *French Politics, Culture and Society*, vol. XXXI, n° 1, printemps, 2013.

48. François Hollande, *Changer de destin*, Paris, 2012, p. 50 ; Jean-Luc Mélenchon, *Qu'ils s'en aillent tous !*, Paris, 2011, p. 10 ; Stéphane Hessel, *Indignez-vous !*, Montpellier, 2011, page 11 ; Olivier Dard, *La Synarchie. Le Mythe du complot permanent*, Paris, 1998, p. 226 ; Laurent Joffrin, « Béquille intellectuelle », *Libération*, 20 janvier 2015.

49. Sarkozy comme protecteur : « Nicolas Sarkozy adopte la ligne gaulliste de l'homme providentiel », *Le Monde*, 10 juillet 2013 ; tweet du 19 septembre 2014, cité in *Libération*, 20-21 septembre 2014 ; Alain Auffray, « Carla joue la carte usée de l'homme providentiel », *Libération*, 2 mai 2014 ; de Villiers, cité in *Le Figaro*, 18 août 2014.

50. Marine Le Pen, *Pour que vive la France*, Paris, 2012 ; « Pour la présidente du FN, les résultats des Bleus sont liés à l'"ultralibéralisme" », *Le Monde*, 18 novembre 2013 ; Proudhon, cité *in* Touchard, *La Gauche en France depuis 1900*, p. 35.

6. La somme des parties

1. Rapport du maire de Foix au préfet du Nord, 17 août 1866, archives départementales du Nord (Lille), M 141 (95), fête du 15 août 1864-1870.

2. Alexis de Tocqueville, *L'Ancien Régime et la Révolution* (1856), in *Œuvres complètes*, Georges Lefebvre et André Jardin (dir.), vol. II, Paris, 1952, n° 1, p. 74.

3. Ernest Renan, *Qu'est-ce qu'une nation ?*, Paris, 1882.

4. Louis Veuillot, *L'Illusion libérale*, Paris, 1866, p. 128.

5. Michel Chevalier, « La vallée de l'Ariège et la république d'Andorre », *Revue des Deux Mondes*, décembre 1837, p. 627.

6. Voir Thomas Dodman, « Un pays pour la colonie : mourir de nostalgie en Algérie française, 1830-1880 », *Annales*, juillet-septembre 2011, p. 743-784

7. Rapport du préfet du Var, 7 juillet 1856, cité *in* Bernard Le Clère et Vincent Wright, *Les Préfets du second Empire*, Paris, 1973, p. 132.

8. Mérimée : lettre de janvier 1836, cité *in* Fanch Morvannou, *Le Breton. La jeunesse d'une vieille langue*, 3e éd., Lannion, 1994, p. 20 ; personnes d'un autre monde : cité *in* Alain Corbin, « Paris-Province », *in* Pierre Nora (dir.), *Les Lieux de mémoire*, vol. III, n° 1, Paris, 1992, p. 778 ; Charles Dupont-White, *La Centralisation. Suite de « l'individu et l'État »*, Paris, 1861, p. 350 ; voir aussi du même auteur *Le Progrès politique en France*, Paris, 1868, p. 52 ; Hippolyte Taine, *Carnets de voyage. Notes sur la province 1863-1865*, Paris, 1897, p. 33 ; danses folkloriques bretonnes : Denise Delouche, « De l'image au mythe, la caractérisation d'une province : la Bretagne », in *Du provincialisme au régionalisme*, Montbrison, 1989, p. 38 ; Pierre Durand (pseudonyme d'Eugène Guinot), *Physiologie du provincial à Paris*, Paris, 1842, p. 7.

9. Sur les récits de voyages romantiques, voir Odile Parsis-Barubé, *La Province antiquaire. L'invention de l'histoire locale en France, 1800-1870*, Paris, 2011 ; Michelet cité *in* Raoul Girardet, *Mythes et mythologies politiques*, Paris, 1986, p. 156 ; Dorothée de Courlande, Duchesse de Dino, *Chronique*

de 1830 à 1862, Paris, 1910, p. 46 ; Alfred de Falloux, *Mémoires d'un royaliste*, vol. II, Paris, 1888, p. 241-242 ; Pierre-Joseph Proudhon, *Du principe fédératif*, in *Œuvres complètes*, vol. XV, Paris, 1959, p. 549.

10. Émile Boutroux, « La pensée française et l'idéal classique », *Revue bleue*, janvier 1915.

11. Stéphane Gerson, *The Pride of Place : Local Memories and Political Culture in Nineteenth-century France*, Ithaca, p. 34-35.

12. Balneolum : « Préface de M. H. Monin », *in* Eugène Toulouze, *Histoire d'un village ignoré (Balneolum)*, Paris, 1898, cité *in* François Ploux, *Une mémoire de papier : les historiens de village et le culte des petites patries rurales, 1830-1930*, Rennes, 2011, p. 211 ; participations aux cérémonies municipales : Gerson, *The Pride of Place*, *op. cit.*, p. 53.

13. Lettre de Napoléon III à Eugène Rouher, 27 juin 1863, Archives nationales, Papiers Rouher, 45 AP 11 ; Ernest Pinard, *Mon Journal*, vol. I, Paris, 1892, p. 223-224 ; point de vue libéral : Auguste Pougnet, *Hiérarchie et décentralisation*, Paris, 1866, p. 130 ; Charles Muller, *La Légitimité*, Paris, 1857, p. 147 ; point de vue fédéraliste : Gustave Chaudey, *L'Empire parlementaire est-il possible ?*, Paris, 1870, p. 48.

14. Invités à la cérémonie de Bondues *in* F. Nazé, « Maires et municipalités de mon village, Bondues », in *Jacobus, bulletin du club d'histoire locale de Bondues*, numéro spécial, 1984 ; musique dans le Doubs : Vincent Petit, *La Clef des champs. Les sociétés musicales du Haut-Doubs horloger au XIX*e *siècle*, Maiche, 1998, p. 31 ; musicien : *L'Orphéon*, 1er mai 1867, cité *in* Pierre Rosanvallon, *Le Modèle politique français*, Paris, 2004, p. 311.

15. Valeurs maçonniques : Sudhir Hazareesingh et Vincent Wright, *Francs-Maçons sous le second Empire*, Rennes, 2001, p. 125 ; humble journaliste : in *Bulletin du Grand Orient de France*, juillet-août 1870, p. 339 ; liberté maçonnique : « La liberté : discours d'un F. M. », Aix, 1872, p. 3 ; André Rousselle, « Des scissions en maçonnerie », *L'Action maçonnique*, n° 27, 15 décembre 1868.

16. Cité *in* Gerson, *Pride of Place*, *op. cit.*, p. 230.

17. Voir James Lehning, *To be a Citizen. The Political Culture of the Early French Third Republic*, Ithaca, 2001.

18. Edmond Groult, *Annuaire des musées cantonaux*, Lisieux, 1880, p. 13 ; conquête de l'Univers : Daniel Stern (pseudonyme de Marie d'Agoult), *Esquisses morales et politiques*, Paris, 1849, p. 7 ; Eugène Pelletan, *Droits de l'homme*, Paris, 1867, p. 281-282 ; institutions municipales : Alexandre Laserve, *La République et les Affaires*, Paris, 1875, p. 10.

19. Écrasement de la Commune : Dionys Ordinaire, *La République, c'est l'ordre*, Paris, 1875 ; Hippolyte Maze, *La Fin des révolutions par la République*, Paris, 1872 ; 61 % de la population française était employée dans l'agriculture en 1851 ; le chiffre tombe à 45 % en 1891, puis à 32,5 % à la fin des

années 1930. Voir Theodore Zeldin, *Histoire des passions françaises : 1848-1945*, vol. I, « Ambition et amour », Paris, 2003, p. 167 ; discours de Gambetta du 24 mai 1878 ; discours de Ferry du 30 août 1885, cité *in* Chloé Gaboriaux, *La République en quête de citoyens*, Paris, 2010, p. 306-307 ; discours du ministre de l'Agriculture Albert Viger à Rouen, 1910, cité *in* Pierre Barral, *Les Agrariens français de Méline à Pisani*, Paris, 1968, p. 137.

20. Inspecteur de l'Instruction publique en 1906, cité *in* Jean-François Chanet, *L'École républicaine et les Petites Patries*, Paris, 1996, p. 150 ; G. Bruno (pseudonyme d'Augustine Fouillée), *Le Tour de la France par deux enfants. Devoir et patrie*, Paris, 1889, p. iv, p. 153 et p. 217 ; granit des nations : « Un poète du sol et du foyer », *Le Figaro*, 5 juillet 1905.

21. Hippolyte Taine, *La Fontaine et ses fables*, *op. cit.*, p. 16 ; délibérations sur le 14 Juillet : voir Jean-Pierre Bois, *Histoire des 14 Juillet, 1789-1919*, Rennes, 1991, p. 10 ; Renan, *Qu'est-ce qu'une nation ?*, *op. cit.*, p. 13.

22. La République, consécration de la monarchie : Henri Martin, devant le Sénat au cours du débat sur le choix de la fête nationale, 29 juin 1880, *Journal officiel de la République française*, 1880, p. 7236-7237 ; sens du devoir cité *in* Rosemonde Sanson, *Les 14 Juillet 1789-1975. Fête et conscience nationale*, Paris, 1976, p. 65 ; drapeau à la fenêtre : voir Maurice Agulhon, *Marianne au combat. L'imagerie et la symbolique républicaines de 1789 à 1880*, Paris, 1979, p. 223.

23. Banquets en plein air : Olivier Ihl, « Convivialité et citoyenneté : les banquets commémoratifs dans les campagnes républicaines à la fin du XIXe siècle », *in* A. Corbin *et al.* (dir.), *Les Usages politiques des fêtes aux XIXe-XXe siècles*, Paris, 1994, p. 144 ; Marianne : Olivier Ihl, *La Fête républicaine*, Paris, 1996, p. 160 ; Soubise (Charente-Maritime), 15 juillet 1885 : *ibid.*, p. 145 ; rapport du maire de Vinon (Cher), 15 juillet 1882 : *ibid.*, p. 177.

24. Incident du curé d'Ormes : cité *in* Rémi Dalisson, *Célébrer la nation. Les Fêtes nationales en France de 1789 à nos jours*, Paris, 2009, p. 279 ; anarchistes : « Fête du 14 Juillet », pamphlet du Groupe Avant-Garde de Londres, 1889, AN F7-12518 (anarchistes) ; Bretagne : « Le réveil de l'esclave », pamphlet anarchiste, Paris (1913), AN F7-13055 (anarchistes).

25. Royalistes en Vendée : Pascal Ory, *Une nation pour mémoire : 1889, 1939, 1989. Trois jubilés révolutionnaires*, Paris, 1992, p. 116 ; Sohier : Mona Ozouf, *Composition française*, *op. cit.*, p. 43 ; sur les étudiants socialistes parisiens, voir Alexandre Zevaès, *Notes et souvenirs d'un militant*, Paris, 1913, p. 87-88. Drapeaux rouges sur les bâtiments : rapport de police, 14 juillet 1900, APP DA-289 (*manifestations 14 Juillet* 1886-1913).

26. Philippe Dujardin, « D'une commémoration à l'autre : Lyon 1889, 1939 », *in* Jean Davallon, Philippe Dujardin et Gérard Sabatier (dir.), *Politique de la mémoire. Commémorer la Révolution*, Lyon, 1993, p. 171.

27. Jean-William Dereymez, « Le patron, l'ouvrier, la République : fêtes patronales, fêtes ouvrières et fêtes républicaines au Creusot et à Montceau-les-Mines (fin XIXe-début XXe siècle) », *in* M. Agulhon (dir.), *Cultures et folklores républicains*, Paris, 1995, p. 135-136.

28. Sur le socialisme et le patriotisme, voir Paul Lafargue, *Le Patriotisme de la bourgeoisie*, Paris, 1895 ; perversion de 1789 : Jean Lardennois, « Critique socialiste des principes de 89 », *Revue socialiste*, vol. VIII, juillet-décembre 1888, p. 501-516 ; Jules Delmorès, *Du quatorze juillet*, Montbrison, 1887, p. 5-6 ; critique anarchiste : *La Révolte*, juillet 1893 ; syndicaliste : Jacques Toesca, « Le 14 Juillet », *Le Fonctionnaire syndicaliste*, avril 1930.

29. Pâques socialistes : Benoît Malon, « Le congrès de Marseille », *Revue socialiste*, juillet-décembre 1886, p. 1080. Voir plus généralement Danielle Tartakowski, *Nous irons chanter sur vos tombes. Le Père-Lachaise, XIXe-XXe* siècles, Paris, 1999 ; Blanquistes : Patrick Hutton, *The Cult of the Revolutionary Tradition : The Blanquists in French Politics, 1864-1893*, Berkeley, 1981, p. 15 et p. 168-169.

30. Cri de révolte sociale : voir article in *Action*, 23 janvier 1905 ; sur les révoltes lyonnaises des années 1830, voir Ludovic Frobert, *Les Canuts ou la Démocratie turbulente. Lyon, 1831-1834*, Paris, 2009 ; organisation tuant la Commune : discours du délégué anarchiste Dumas à la réunion du 1er Mai, Union des syndicats ouvriers, Saint-Étienne, 1898, AN F7-12528 ; État bourgeois centralisateur : « La Commune », *La Bataille syndicaliste*, 28 mai 1911.

31. Combat intense : Édouard Vaillant, « La Commune », *Le Socialiste*, 15-22 mars 1903 ; programme socialiste de la Commune : Jules Guesde, « Le 18 mars », *Le Socialiste*, 15-22 mars 1903 ; modèle non socialiste : Jean Jaurès, « Hier et demain », *L'Humanité*, 18 mars 1907 ; socialisme municipale : « Le réveil des travailleurs de l'aube », *ibid.*, 1er mai 1900.

32. Rapport de police sur le discours de Louise Michel, Rouen, 30 mai 1897, AN F7-12505.

33. Vincent Auriol, *Souvenirs sur Jean Jaurès*, Alger, 1944, p. 4.

34. Cité *in* Robert Gildea, *The Past in French History*, New Haven, 1994, p. 170.

35. Voir Sudhir Hazareesingh, « Republicanism, War and Democracy : The Ligue du Midi in France' s War against Prussia, 1870-1871 », *French History*, vol. 17, n° 1, p. 48-78.

36. Jean Estèbe, *Les Ministres de la République*, Paris, 1982, p. 53 et 67-68.

37. Comte de Charencey, H. Gaidoz et Charles de Gaulle, *Pétition pour les langues provinciales au corps législatif de 1870*, Paris, 1903, p. 18-19 ; nationalisme breton : « Manifeste du Parti national breton », octobre 1911, cité *in* Michel Nicolas, *Histoire de la revendication bretonne*, Spézet, 2007,

p. 321 ; régionalisme : voir Caroline Ford, *Creating the Nation in Provincial France : Religion and Political Identity in Brittany*, Princeton, 1993.

38. Flexibilité du jacobinisme : voir Alain Chatriot, « French Politics, History, and a New Perspective on the Jacobin State », *in* Julian Wright et H. S. Jones (dir.), *Pluralism and the Idea of the Republic in France*, Houndmills et New York, 2012, p. 249.

39. Irritations amères de la politique : lettre de Mistral à A. Dumas, 3 octobre 1859, *in* Frédéric Mistral, *Correspondance de Frédéric Mistral et Adolphe Dumas*, Gap, 1859, p. 55 ; Mistral monarchiste : conversation avec J. Ajalbert, cité *in* R. Jouveau et P. Berengier (dir.), *Frédéric Mistral. Écrits politiques*, Marseille, 1989, p. 159 ; régionalisme fortifiant la culture nationale : voir Sextius Michel, *La Petite Patrie. Notes et documents pour servir à l'histoire du mouvement félibréen à Paris*, Paris, 1894 ; Ricard : voir Fernand Clerget, *Louis-Xavier de Ricard*, Reims, 1906, p. 29 ; sur Clovis Hugues, voir Jean-Claude Izzo, *Clovis Hugues, un rouge du Midi*, Marseille, 1978, p. 107 ; ses poèmes écrits en provençal sont publiés *in* Tricío Dupuy, *Clovis Hugues*, Marseille, 2013.

40. Assemblées régionales : Maurice Barrès, « Notes sur les idées fédéralistes », *La Quinzaine*, 15 décembre 1895 ; vitalité de la nation : Maurice Barrès, *Scènes et Doctrines du nationalisme*, Paris, 1925, p. 492-493 ; résistance aux influences germaniques : Zeev Sternhell, *Maurice Barrès*, Paris, 1872, p. 333.

41. Entités concentriques : Jean Charles-Brun, *Le Régionalisme*, Paris, 2004, p. 133 ; républicanisme de Charles-Brun : Julian Wright, *The Regionalist Movement in France 1890-1914. Jean Charles-Brun and French Political Thought*, Oxford, 2003, p. 195 ; écrits folkloriques de Charles-Brun : voir *Intérieurs rustiques* (Paris, 1928), *Costumes des provinces françaises* (Paris, 1932) et *Costumes de notre terroir* (Paris, 1945) ; déjeuner entre Poincaré et Mistral : voir Maurice Agulhon, « Conscience nationale et conscience régionale en France », *in* M. Agulhon, *Histoire vagabonde*, vol. II, Paris, 1988, p. 150.

42. Opinions de Guesde : Maurice Dommanget, *Histoire du premier mai*, Paris, 1972, p. 130 ; citations sur Fourmies : voir Madeleine Rebérioux (dir.), *Fourmies et les Premier Mai*, Paris, 1994, p. 15.

43. Célébrer leur esclavage : « 1893 : *1er Mai* – 1er mai », affiche anarchiste, 1893, AN F7-12518 ; célébrations de Bordeaux : rapport de police, Bordeaux, 28 avril 1899, AN F7-12528 ; rapport de police, Lorient, 2 mai 1898, AN F7-12528.

44. Commémoration de Fourmies : voir, par exemple, le rapport de police d'Anor (Nord), 2 mai 1898, où les socialistes locaux ont commémoré l'anniversaire en déposant une gerbe à la mémoire des victimes de Fourmies, AN F7-12528 ; violences policières à Lyon en 1891 : Dommanget, *Histoire du*

premier mai, *op. cit.*, p. 155 ; Italiens invités : rapport du préfet de l'Isère, 2 mai 1900, AN F7-12529 ; Thizy : rapport de police, Cahors, 2 mai 1898, AN F7-12528 ; rapport de police, Besançon, 2 mai 1898, AN F7-125298.

45. Exemples de ces chansons, voir rapport du préfet, Nevers, 2 mai 1901, AN F7-12529 ; rapport de police, Dijon, 2 mai 1908, F7-12533 ; rapport de police, Calais, 1er juin 1891, AN F7-12527 ; et Dommanget, *Histoire du premier mai*, *op. cit.*, p. 155.

46. Fernand Braudel, *L'Identité de la France*, vol. I, Paris, 1986, p. 18.

47. Péguy cité *in* Raoul Girardet, *Le Nationalisme français. Une anthologie, 1871-1914*, Paris, 1983, p. 23 ; instituteur de Digne : « La petite patrie », discours de M. Aubin à la remise des prix, lycée Gassendi, Digne, 12 juillet 1919.

48. Joseph de Maistre, *Considérations sur la France*, Paris, 1797, p. 11 ; Edgar Quinet, *Le Christianisme et la Révolution*, *in* Edgar Quinet, *Œuvres complètes*, vol. III, Lyon, 1891, p. 272 ; discours de Gambetta à Annecy, 1er octobre 1872, *in* Pierre Barral, *Les Fondateurs de la IIIe République*, Paris, 1968, p. 164-165 ; discours de Renan devant l'Alliance pour la propagation de la langue française, 2 février 1888, *in* Ernest Renan, *Feuilles détachées*, Paris, 1892, p. 257 ; les votes des lecteurs du *Parisien* se répartissaient ainsi : Pasteur (1 338 425), Hugo (1 227 103), Gambetta (1 155 672) et Napoléon (1 118 034), *Le Parisien*, 13 janvier 1907, cité *in* Alain Corbin, *Les Héros de l'histoire de France expliqués à mon fils*, Paris, 2011, p. 193-194.

49. Retour à la terre : Gérard de Puymège, *Chauvin, le soldat-laboureur. Contribution à l'étude des nationalismes*, Paris, 1993, p. 236-238 ; monuments construits : Rémi Dalisson, *Les Guerres et la Mémoire*, Paris, 2013, p. 110-111 ; curé de Marchampt : Abbé E. Montaland, *Petite Patrie dans la mère patrie*, Lyon, 1919, p. 77 ; indifférence religieuse : E. Jeanne et P. Ruel, « Aux jeunes », *La Petite Patrie*, n° 1, janvier 1922 ; Daniel Halévy, *Visites aux paysans du Centre*, Paris, 1978 ; Sarah Kay, Terence Cave et Malcolm Bowie, *A Short History of French Literature*, New York, 2006, p. 268 ; Mauriac cité *in* Anne-Marie Thiesse, *Écrire la France. Le Mouvement littéraire régionaliste de langue française entre la Belle Époque et la Libération*, Paris, 1991, p. 99.

50. Communistes : Marc Lazar, « Damné de la terre et homme de marbre : l'ouvrier dans l'imaginaire du PCF du milieu des années trente à la fin des années cinquante », *Annales. Économies, sociétés, civilisations*, vol. VL, n° 5 (1990), p. 1078-1079 ; exposition coloniale : voir Herman Lebovics, *La Vraie France. Les enjeux de l'identité culturelle, 1900-1945*, Paris, 1995 ; Pétain cité *in* Anne-Marie Thiesse, *Ils apprenaient la France. L'Exaltation des régions dans le discours patriotique*, Paris, 1997, p. 71.

51. Sur l'excellence culinaire, voir Vincent Martigny, « Le goût des nôtres : gastronomie et sentiment national en France », *Raisons politiques*, n° 37, 2010, p. 39-52 ; d'après un sondage de novembre 2013, 57 % des

personnes interrogées ont une opinion positive de leur maire : voir l'article de Denis Daumin, *La Nouvelle République du Centre-Ouest*, 19 novembre 2013.

52. Jean-Marie Domenach, *Regarder la France. Essai sur le malaise français*, Paris, 1997, p. 173.

53. Pour une discussion de ces thèmes, voir « Astérix : un mythe et ses figures », numéro spécial d'*Ethnologie française*, juin-sept. 1998, et Nicolas Rouvière, *Astérix ou les Lumières de la civilisation*, Paris, 2006.

Interlude. De nouveaux chemins vers le présent

1. Flamme de la Résistance : cité *in* Jonathan Fenby, *The General : Charles de Gaulle and the France He Saved*, Londres, 2010, p. 38 ; « Lady de Gaulle » : cité *in* Philippe de Gaulle, *De Gaulle, mon père*, vol. I, Paris, 2003, p. 162 ; homme providentiel : Ludovic Bron, *Le Général de Gaulle. L'Homme providentiel*, Le Puy, 1945.

2. Charles de Gaulle, *Mémoires de guerre*, vol. I, Paris, 1989, p. 9.

3. Romain Gary, *Ode à l'homme qui fut la France*, Paris, 1997, p. 112.

4. *Hara-Kiri*, n° 94, 16 novembre 1970. Cet irrespect ne fut pas du goût du gouvernement français, qui interdit le magazine, lequel reparut immédiatement sous le titre de *Charlie Hebdo*.

5. Lettre du 11 août 1884, cité *in* Thierry Paquot, *Les Faiseurs de nuages. Essai sur la genèse des marxismes français, 1880-1914*, Paris, 1980, p. 57.

6. Voir Isabelle Gouarné, *L'Introduction du marxisme en France : philosoviétisme et sciences humaines, 1920-1939*, Rennes, 2013.

7. Voir Jeannine Verdès-Leroux, *Au service du parti : le Parti communiste, les intellectuels et la culture, 1944-1956*, Paris, 1983.

8. Régis Debray, *Loués soient nos seigneurs*, Paris, 1996, p. 45 ; avoir tort ou raison : cité *in* Sudhir Hazareesingh, *Intellectuals and the French Communist Party*, Oxford, 1991, p. 151 ; lettre d'Althusser (1955) à sa femme Hélène, *in* Louis Althusser, *Lettres à Hélène, 1947-1980*, Paris, 2011, p. 283.

9. Petit-bourgeois : entretien publié dans le quotidien communiste italien *L'Unita*, reproduit *in* Louis Althusser, *Positions*, Paris, 1976, p. 37 ; philosophie de l'ordre : Jacques Rancière, *La Leçon d'Althusser*, Paris, 1974, p. 9 ; fierté d'être communiste : Daniel Lindenberg, *Le Marxisme introuvable*, Paris, 1975, p. 26 ; se faire althusser : François Dufay et Pierre-Bertrand Dufort, *Les Normaliens. De Charles Péguy à Bernard-Henri Lévy*, Paris, 1993, p. 200.

10. Abstractions philosophiques : voir l'analyse éclairante de Tony Judt sur l'évolution intellectuelle du marxisme français entre 1945 et 1975, in *Le Marxisme et la Gauche française : 1830-1981*, Paris, 1987, p. 181-245 ; Maurice Merleau-Ponty, *Les Aventures de la dialectique*, Paris, 1955, p. 321 ; Raymond Aron, *L'Opium des intellectuels*, Paris, 1986.

11. Cité *in* Alain Peyrefitte, *C'était de Gaulle*, Paris, 2002, p. 57.

12. André Malraux, *Les Chênes qu'on abat*, Paris, 1971, p. 32 et 108.

13. J'exprime ma gratitude à Mme Agnès Callu, ancien conservateur du fonds documentaire de Gaulle aux Archives nationales (Paris), pour m'avoir communiqué cet élément d'information.

14. André Gorz, *Adieux au prolétariat*, Paris, 1980, p. 18.

7. *Liberté et domination*

1. Claude Lévi-Strauss et Didier Eribon, *De près et de loin*, Paris, 2008, p. 47.

2. Meilleur livre de voyage : voir François Dosse, *Histoire du structuralisme*, vol. I, Paris, 1992, p. 164 ; Lévi-Strauss refusa le prix ; Claude Lévi-Strauss, *Tristes Tropiques*, Paris, 1990, p. 192 (à la mesure de son univers) et p. 227 (mythes).

3. James Boon, « Claude Lévi-Strauss », *in* Quentin Skinner (dir.), *The Return of Grand Theory in the Social Sciences*, Cambridge, 1990, p. 161.

4. Le monde a commencé sans l'homme : Lévi-Strauss, *Tristes Tropiques*, *op. cit.*, p. 529 ; philosophe ethnographe : *ibid.*, p. 499 ; tendresse : *ibid.*, p. 373 ; absence de patriarcat : *ibid.*, p. 403 ; fraternité : *ibid.*, p. 501 ; nous pouvons tout reprendre : *ibid.*, p. 502 ; une sorte de métaphysique pour midinettes, *ibid.*, p. 77.

5. Un homme neuf : Frantz Fanon, *Les Damnés de la terre* [1961], Paris, 1991, p. 376 ; négations de l'homme : *ibid.*, p. 372-373 ; combat des opprimés : *ibid.*, p. 126.

6. Ronald Walters, « The Impact of Frantz Fanon on the Black Liberation Movement in the United States », in *Mémorial international Frantz Fanon*, Paris, 1984, p. 210.

7. Alice Cherki, *Frantz Fanon, portrait*, Paris, 2011, p. 25.

8. Mal : Fanon, *Les Damnés de la terre*, *op. cit.*, p. 71 ; se substituer à leurs maîtres : *ibid.*, p. 83.

9. Sartre, préface à Fanon, *Les Damnés de la terre*, *op. cit.*, p. 52.

10. Cherki, *Frantz Fanon*, *op. cit.*, p. 273.

11. Voir Albert Memmi, « La vie impossible de Frantz Fanon », *Esprit*, septembre 1971.

12. Voir David Macey, *Frantz Fanon, une vie*, Paris, 2011, p. 505.

13. François Bondy, « The Black Rousseau », *New York Review of Books*, 31 mars 1966.

14. *La Quinzaine littéraire*, caricature de Maurice Henry, 1er juillet 1967 ; fièvre : G. Lapouge, « Encore un effort et j'aurai épousé mon temps », *La*

Quinzaine littéraire, 16 mars 1986 ; football : Dosse, *Histoire du structuralisme*, *op. cit.*, vol. I, p. 9.

15. Barthes, *Mythologies*, Paris, 1957, p. 206 ; fouilleur de bas-fonds : entretien de Foucault avec Jacques Chancel, *Radioscopie*, Radio France, 10 mars 1975 ; Jacques Lacan, « L'instance de la lettre dans l'inconscient », in *Écrits*, Paris, 1966, p. 276-277.

16. Expérimentateur : « Interview with Michel Foucault » (1980), *in* James D. Faubion (dir.), *The Essential Works of Michel Foucault, 1954-1984*, vol. III, New York, 2000, p. 239-240 ; fictions : Michel Foucault, *Dits et Écrits*, vol. II, 2001, p. 805 ; libertés prises avec la chronologie : Lévi-Strauss, *De près et de loin*, *op. cit.*, p. 105.

17. Michel Foucault, *Histoire de la folie à l'âge classique*, Paris, 1976.

18. Michel Foucault, *L'Ordre du discours*, Paris, 1979.

19. Michel Foucault, *Qu'est-ce que les Lumières ?*, 2004, p. 81.

20. Michel Foucault, « Confinement, Psychiatry, Prison », *in* L. Kritzman (dir.), *Michel Foucault : Politics, Philosophy, Culture : Interviews and Other Writings, 1977-1984*, New York, 1988, p. 197.

21. Claude Lévi-Strauss, *Le Cru et le Cuit*, Paris, 1964, p. 26 ; Roland Barthes, « La mort de l'auteur », *Manteia*, n° 5, 4e trimestre 1968, p. 12-17 ; Foucault, *Les Mots et les Choses*, Paris, 1966, p. 398.

22. Tentative de suicide : Didier Eribon, *Michel Foucault*, Paris, 2011, p. 49 ; Roger Crémant, *Les Matinées structuralistes*, Paris, 1969, p. 41.

23. Jacques Derrida, « From Moscow and Back » (1992), cité *in* Mark Lilla, « The Politics of Jacques Derrida », *New York Review of Books*, 25 juin 1998.

24. Benoît Peteers, *Derrida*, Paris, 2010 ; sur les influences qui formèrent la pensée de Derrida, voir Edward Baring, *The Young Derrida and French Philosophy*, Cambridge, 2011.

25. David Hoy, « Jacques Derrida », *in* Skinner (dir.), *The Return of Grand Theory*, *op. cit.*, p. 44

26. Mark C. Taylor, *Deconstruction in Context : Literature and Philosophy*, Chicago, 1986.

27. François Dosse, *Histoire du structuralisme*, vol. II, Paris, 1992, p. 36-45 et 52.

28. Jacques Derrida, *Politiques de l'amitié*, Paris, 1994, p. 339.

29. Révolution : Jacques Derrida, « L'esprit de la Révolution », *in* Jacques Derrida et Elisabeth Roudinesco, *De quoi demain…*, Paris, 2001, p. 138 ; fantôme : Jacques Derrida, *Spectres de Marx. L'état de la dette, le travail du deuil et la nouvelle Internationale*, Paris, 1993, p. 15 ; « Il n'y a rien hors du texte » : Jacques Derrida, *De la grammatologie*, 1967, p. 233.

30. Andrew Boyd, *Life's Little Deconstruction Book*, Londres et New York, 1999.

31. Pour une discussion plus approfondie sur la dissémination du structuralisme français aux États-Unis, voir Michèle Lamont et Marsha Witten, « Surveying the Continental Drift : The Diffusion of French Social and Literary Theory in the United States », *French Politics and Society*, vol. VI, n° 3, juillet 1988 ; voir aussi Michèle Lamont, « How to Become a Dominant French Philosopher : The Case of Jacques Derrida », *American Journal of Sociology*, vol. XCIII, n° 3, novembre 1987, p. 584-622.

32. Il garda ce poste jusqu'à sa mort, en 2004. Les archives de Derrida sont conservées à l'UCI : elles incluent des documents datant de la période où il était élève à l'ENS, des cours, des séminaires et des textes de conférences, ainsi que des enregistrements audio et vidéo datant du milieu des années 1980 à la fin des années 1990.

33. Déconstruction et Amérique : Jacques Derrida, *Mémoires. Pour Paul de Man*, Galilée, 1988, p. 44 ; compte rendu du dévot : Anselm Haverkamp, « Deconstruction is/as Neopragmatism ? », *in* A. Haverkamp (dir.), *Deconstruction is/in America : A New Sense of the Political*, New York, 1995, p. 3.

34. Irrévérence : Edward Said, « The Franco-American Dialogue : A Late-Twentieth-century Reassessment », *in* I. Van der Poel et S. Bertho (dir.), *Travelling Theory : France and the United States*, Cranbury, NJ, 1999, p. 143-144 ; Edward Said, *L'Orientalisme. L'Orient créé par l'Occident*, trad. Catherine Malamoud, Paris, 1996, p. 15 ; Jane Gallop, « French Theory and the Seduction of Feminism », *in* Alice Jardine et Paul Smith (dir.), *Men in Feminism*, New York, 1987, p. 111.

35. Réduire au silence les minorités : Emily Eakin, « Derrida : The Excluded Favourite », *New York Review of Books*, 25 mars 2013 ; sadomasochisme : Jim Miller, *The Passion of Michel Foucault*, New York, 1993.

36. Camille Paglia, « Junk Bonds and Corporate Raiders », in *Sex, Art and American Culture*, New York, 1992, p. 174 et 211.

37. Le sociologue français Pierre Bourdieu arrive en deuxième position : « Most Cited Authors of Books in the Humanities », *Times Higher Education Supplement*, 26 mars 2009.

38. Wendy Brown, « Neo-liberalism and the End of Liberal Democracy », *Theory and Event*, vol. VII, n° 1 (2003) ; sur Spivak, voir François Cusset, *French Theory. Foucault, Derrida, Deleuze & Cie et les mutations de la vie intellectuelle aux États-Unis*, Paris, 2005, p. 136.

39. John M. Ellis, *Against Deconstruction*, Princeton, 1989, p. 101, n° 5.

40. Alan Sokal, « Transgressing the Boundaries : Towards a Transformative Hermeneutics of Quantum Gravity », *Social Text*, printemps-été 1996.

41. Sur les impasses morales et politiques du postmodernisme, voir Alan Sokal et Jean Bricmont, *Intellectual Impostures : Postmodernist Philosophers' Misuse of Science*, Londres, 1998, p. 193-196.

42. Jean Monnet, *Mémoires*, Paris, 1976, p. 35.

43. Cité *in* Tony Judt, *Postwar : A History of Europe since 1945*, Londres, 2005, p. 154-155.

44. Monnet, *Mémoires, op. cit.*, p. 441.

45. Mémorandum de 1943, cité *in* Eric Roussel, *Jean Monnet*, Paris, 1996, p. 335-336.

46. Idées générales : Monnet, *Mémoires, op. cit.*, p. 610 ; rester dans l'ombre : *ibid.*, p. 273.

47. François Mitterrand, « Allocution lors du transfert des cendres de Jean Monnet au Panthéon, 9 novembre 1988 », Paris, 1988.

48. Sens pratique : Monnet, *Mémoires*, p. 615 ; avocats et journalistes : *ibid.*, p. 321 ; moraliser les États : *ibid.*, p. 460 ; bénéfices de la coopération : *ibid.*, p. 461 ; convergence d'interêts : *ibid.*, p. 459.

49. Maria Grazia Melchionni, « Le comité d'action pour les États-Unis d'Europe : un réseau au service de l'Union européenne », *in* Gérard Bossuat et Andreas Wilkens (éd.), *Jean Monnet. L'Europe et les Chemins de la paix*, Paris, 1999 ; voir aussi Pascal Fontaine, *Jean Monnet. L'Inspirateur*, Paris, 1988.

50. Monnet, *Mémoires*, p. 478 (pouvoir fédéral intellectuel) et p. 574 (égalité).

51. Voir Marc Joly, *Le Mythe Jean Monnet. Contribution à une sociologie historique de la construction européenne*, Paris, 2007.

52. Voir Jacques Delors, *Mémoires*, Paris, 2004, p. 456-457 ; marchands de cognac : Laurent Lessous, *Jean Monnet, bâtisseur d'Europe*, Poitiers, 2006 ; Jean-Pierre Chevènement, *La Faute de M. Monnet. La République et l'Europe*, Paris, 2006, p. 30, 40-41 et p. 58.

53. L'homme de l'Amérique, commentaire de 1963, cité *in* Alain Peyrefitte, *C'était de Gaulle*, Paris, 2002, p. 370 ; François Duchêne, *Jean Monnet : The First Statesman of Interdependence*, New York, 1994, p. 384 ; haricots à la bostonienne : Sherrill Brown Wells, *Jean Monnet : Unconventional Statesman*, Boulder, Co., 2011, p. 233.

54. Cité *in* Andrei Markovits, *Uncouth Nation : Why Europe Dislikes America*, Princeton, 2007, p. 207.

55. Jean-François Revel, *L'Obsession anti-américaine. Son fonctionnement, ses causes, ses inconséquences*, Paris, 2002, p. 102 ; Maurras cité *in* Pierre Rigoulot, *L'Anti-américanisme : critique d'un prêt-à-penser rétrograde et chauvin*, Paris, 2004, p. 56 ; Thorez cité *in* Alessandro Brogi, *Confronting America : The Cold War between the United States and the Communists in France and Italy*, Chapel Hill, 2011, p. 158.

56. Construction civilisationnelle : Philippe Roger, *L'Ennemi américain*, Paris, 2002, p. 441-443 ; mode de vie à la française : Yves Roucaute, *Éloge du mode de vie à la française*, Paris, 2012, p. 302 ; Georges Duhamel, *Scènes de la vie future*, Paris, 1930, p. 211 ; sur le Coca-Cola, voir Richard Kuisel,

Seducing the French : The Dilemma of Americanization, Berkeley, 1993 ; *Témoignage chrétien*, 3 mars 1950, cité *in* Rigoulot, *L'Anti-Américanisme*, *op. cit.*, p. 45.

57. José Bové et François Dufour, *Le monde n'est pas une marchandise*, Paris, 2000, p. 24 ; Tony Caron, « Why Courts Don't Deter France's Anti-McDonald's Astérix », *Time*, 15 février 2001 ; Paul Ariès, *Petit Manuel anti-McDo à l'usage des petits et des grands*, Villeurbanne, 1999, p. 12 ; Noël Mamère et Olivier Warin, *Non merci, Oncle Sam !*, Paris, 1999, p. 186.

58. Régime anglo-saxon : Emmanuel Godin et Tony Chafer, « Introduction », *in* E. Godin et T. Chafer (dir.), *The French Exception*, New York et Oxford, 2004, p. xiii ; Mélenchon cité *in* Jennifer Fuks, *L'Anti-Américanisme au sein de la gauche socialiste française*, Paris, 2010, p. 176 ; Roucaute, *Éloge du mode de vie à la française*, *op. cit.*, p. 84.

59. René Étiemble, *Parlez-vous franglais ?*, Paris, 1973, p. 344.

60. Robin Adamson, *The Defence of French : A Language in Crisis ?*, Clevedon, 2007, p. 28.

61. Voir Alfred Gilder, *En vrai français dans le texte. Dictionnaire franglais-français*, Paris, 1999.

62. Jacques Derrida, *Le Monolinguisme de l'autre ou la Prothèse d'origine*, Paris, 1936.

63. Universalisme : Dominique Noguez, *La Colonisation douce*, Paris, 1998, p. 49 ; apprentissage de l'anglais : Dominique Noguez, *Comment rater complètement sa vie en onze leçons*, Paris, 2003, p. 140 ; Jean Dutourd, *À la recherche du français perdu*, Paris, 1999, p. 21, 26 et 91 ; Jacques Myard, « *Non !* », *in* Jacques Myard, *Langue française en colère. Manifeste pour une résistance*, Paris, 2000, p. 109.

64. Agents de l'empire : Albert Salon, *Colas colo, Colas colère. Un enfant de France contre les empires*, Paris, 2007, p. 14 ; Michel Serres cité *in* Catherine Girard-Augry, *Langue francaise en péril*, Paris, 2011, p. 118 ; choc des civilisations : Jean-Philippe Immarigeon, *American Parano*, Paris, 2006, p. 230.

65. Esclavage : Claude Duneton, *La Mort du français*, Paris, 1999, p. 132-133 ; globalisation : Albert Salon, préface, *in* Girard-Augry, *Langue française en péril*, *op. cit.*, p. 12 ; marchés : Claude Hagège, *Combat pour le français. Au nom de la diversité des langues et des cultures*, Paris, 2008, p. 82 et 232 ; Chirac : Nicholas Watt, « Chirac Leaves EU Summit as Frenchman Speaks English », *The Guardian*, 24 mars 2006 ; complot de la CIA : Girard-Augry, *Langue française en péril*, *op. cit.*, p. 115.

66. René Étiemble, « Vive le franglais, crève la France ! », *Cahiers laïques*, n° 180, nov.-déc. 1981, p. 198.

67. « Jean-François Copé carpette anglaise 2011 », <www.avenir-langue-francaise.fr/news>, 17 décembre 2011.

68. « *"I Loches You"* nuit-il à la langue française ? », *La Nouvelle République du Centre-Ouest*, 1er février 2014.

69. Marc Fumaroli, *Quand l'Europe parlait français*, Paris, 2001, p. 23 ; *Frenchies* : Alain Schifres, *My Tailor is Rich but My Franglais is Poor*, Paris, 2014, p. 130 ; Dutourd, *À la recherche du français perdu*, *op. cit.*, p. 11 ; beurre : Dominique Noguez, *La Colonisation douce*, *op. cit.*, p. 278 ; accident d'Épinal : *Avenir de la langue française*, n° 32, octobre 2007.

70. Claude Hagège, « Refusons le sabordage du français ! », *Le Monde*, 25 avril 2013.

71. « Ne nous laissons pas submerger par la "langue des affaires" », *L'Humanité*, 15 mai 2012.

72. « Je lance un appel pour faire la grève de l'anglais », *La Dépêche du Midi*, 20 octobre 2013.

8. Écrire pour tout le monde

1. Jean-Paul Sartre, *Marxisme et Existentialisme*, Paris, 1962.

2. Jean-Paul Sartre, « L'Espoir, maintenant… », in *Le Nouvel Observateur*, n° 802, 24-30 mars 1980, p. 134. La question n'est pas tranchée de savoir si, à cette époque, Sartre jouissait encore de toutes ses facultés intellectuelles.

3. Sur l'influence de Voltaire sur les écrivains français du XIXe siècle, voir Michel Winock, *Les Voix de la liberté. Les écrivains engagés au XIXe siècle*, Paris, 2001 ; sur le sacre de l'écrivain, voir Paul Bénichou, *Le Sacre de l'écrivain, 1750-1830. Essai sur l'avènement d'un pouvoir spirituel laïc dans la France moderne*, Paris, 1973, p. 470 ; voir aussi du même auteur *Le Temps des prophètes*, Paris, 1977, et *Les Mages romantiques*, Paris, 1988 ; sur l'histoire des intellectuels, voir Pascal Ory et Jean-François Sirinelli, *Les Intellectuels en France, de l'Affaire Dreyfus à nos jours*, Paris, 1986.

4. Écrire pour tous : Jean-Paul Sartre, *Qu'est-ce que la littérature*, in *Situations*, vol. III, Paris, 1949, p. 138 ; les devoirs : Jean-Paul Sartre, *Plaidoyer pour les intellectuels*, Paris, 1972, p. 12 (ce qui ne le regarde pas) et 71 (association concrète).

5. Cité *in* Jonathan Fenby, *The General : Charles de Gaulle and the France He Saved*, p. 453.

6. « Rompre avec leur maîtresse » : *Les Lettres françaises* (éd. clandestine), avril 1943 ; complicité avec l'oppresseur : Jean-Paul Sartre, « La nationalisation de la littérature », *Les Temps modernes*, n° 1, 1945, rééd. in *Situations*, vol. II, *op. cit.*, p. 51 ; chien : Jean-Paul Sartre, *Situations*, vol. IV, Paris, 1964, p. 248-249.

7. Existentialisme : Annie Cohen-Solal, *Sartre*, Paris, 1985, p. 33-35 ; valeur de chaque homme : Albert Camus, *Carnets, mai 1935-février 1942*, Paris, 2013, p. 152.

8. Albert Camus, *L'Homme révolté*, Paris, 1951, p. 302.

9. Jean-Paul Sartre, « Réponse à Albert Camus », in *Les Temps modernes*, n° 82, août 1952, rééd. in *Situations*, vol. IV, *op. cit.*, p. 90.

10. Vérité : Jean-Paul Sartre, *Critique de la raison dialectique*, Paris, 1985 ; justification du stalinisme : Tony Judt, *Le Marxisme et la Gauche française*, *op. cit.*, p. 242 ; putréfaction : « Le seul [parti] qui vive, qui grouille de vie, quand les autres grouillent de vers » : Jean-Paul Sartre, *Les Communistes et la Paix*, in *Situations*, vol. VI, Paris, 1964, p. 259.

11. Pour une analyse éclairante de la façon dont Sartre s'est imposé sur la scène intellectuelle dans l'immédiat après-guerre, voir Patrick Baert, « The Sudden Rise of French Existentialism : A Case Study in the Sociology of Intellectual Life », *Theory and Society*, 40, 2011, p. 619-644.

12. Régis Debray, « Cela s'appelait un intellectuel », *Le Nouvel Observateur*, n° 806, 21-27 avril 1980, p. 105. Sur l'évolution de la pensée politique de Sartre, voir Sunil Khilnani, *Arguing Revolution : The Intellectual Left in Post-war France*, New Haven, 1993.

13. Althusser écrivit plus tard des mémoires qui s'ouvrent sur la description de cet acte ; voir Louis Althusser, *L'avenir dure longtemps*, Paris, 2007.

14. Silence des intellectuels : Philippe Boggio, « Le silence des intellectuels de gauche », *Le Monde*, 27-28 juillet 1983 ; Jean-François Lyotard, « Tombeau de l'intellectuel », *Le Monde*, 8 octobre 1983, *in* Jean-François Lyotard, *Tombeau de l'intellectuel et autres papiers*, Paris, 1984, p. 20-21.

15. Hervé Hamon et Patrick Rotman, *Les Intellocrates*, Paris, 1981, p. 221-225.

16. Simone de Beauvoir, *La Cérémonie des adieux*, Paris, 1981, p. 15. La correspondance de Sartre avec Beauvoir a également été publiée en 1983, en deux volumes : *Lettres au Castor et à quelques autres*, Paris, 1983 ; Benny Lévy, *Le Nom de l'homme*, Paris, 1984 ; Olivier Todd, *Un fils rebelle*, Paris, 1981, p. 263-276.

17. Claude Roy, « Le "colloque" permanent », *in* Claude Lanzmann (dir.), *Témoins de Sartre*, Paris, 2005, p. 134 ; Jean Cau, « Croquis de mémoire », *ibid.*, p. 61 ; Claude Imbert, « Sartre : la passion de l'erreur », *Le Point*, 14 janvier 2000 ; Denis Moreau, *Dans le milieu d'une forêt*, p. 48, n. 21.

18. Jacques Julliard et Michel Winock (éd.), *Dictionnaire des intellectuels français*, Paris, 1996, nouvelle édition, 2002 ; Jean-François Sirinelli, *Sartre et Aron. Deux Intellectuels dans le siècle*, Paris, 1999, p. 376 ; attitude sous le régime de Vichy : Gilbert Joseph, *Une si douce occupation. Simone de Beauvoir et Jean-Paul Sartre, 1940-1944*, Paris, 1991 ; Tony Judt, *Un passé imparfait. Les intellectuels en France, 1944-1956*, *op. cit.*

19. Action collective : Pierre Bourdieu, *Les Règles de l'art. Genèse et structure du champ littéraire*, Paris, 1992, p. 461 ; destruction : Pierre Bourdieu, « Contre la destruction d'une civilisation », in *Contre-feux*, Paris, 1998, p. 30-33 ; intellectuel dominant : *Le Magazine littéraire*, n° 369, octobre 1998.

20. Pierre Grémion, « Écrivains et intellectuels à Paris », *Le Débat*, n° 103, janv-fév. 1999, p. 82 ; Bernard Fauconnier, *L'Être et le Géant*, Paris, 2000 ; Bernard-Henri Lévy, *La Barbarie à visage humain*, Paris, 1977, p. 222 ; Bernard-Henri Lévy, *Éloge des intellectuels*, Paris, 1987, p. 122 ; Bernard-Henri Lévy, *Le Siècle de Sartre*, Paris, 2000, p. 33.

21. Raymond Aron, *L'Opium des intellectuels*, Paris, 1955.

22. Raymond Aron, *Le Spectateur engagé*, Paris, 1981, p. 331.

23. Jean-Luc Barré, préface, *in* Jean Mauriac, *Le Général et le Journaliste. Conversations avec Jean-Luc Barré*, Paris, 2008, p. 7.

24. Hayek : François Denord, *Néolibéralisme version française. Histoire d'une idéologie politique*, Paris, 2007, p. 302 ; Guy Sorman, *La Solution libérale*, Paris, 1984 ; Édouard Balladur, *Je crois en l'homme plus qu'en l'État*, Paris, 1987.

25. « Entretien avec Marcel Gauchet », *Esprit*, n° 195, octobre 1993, p. 89.

26. Intellectuel-oracle : Pierre Nora, « Que peuvent les intellectuels ? », *Le Débat*, n° 1, mai 1980, p. 7 ; sur Furet, voir la biographie intellectuelle de Christophe Prochasson, *François Furet. Les chemins de la mélancolie*, Paris, 2013 ; pour deux exemples notables de la pensée libérale française, voir Pierre Rosanvallon, *Le Moment Guizot*, Paris, 1985 ; Marcel Gauchet, *La Révolution des droits de l'homme*, Paris, 1989 ; Pierre Manent, *Tocqueville et la nature de la démocratie*, Paris, 1982, p. 181.

27. François Furet, Jacques Julliard et Pierre Rosanvallon, *La République du centre*, Paris, 1988, p. 10 (âge post-idéologique) ; p. 51 et 54 (normalité démocratique) ; p. 129 (limiter les passions) ; p. 137 (ennui) et p. 181 (diagnostics).

28. Pour une liste complète, voir *Les Notes de la Fondation Saint-Simon, 1983-1998. Cent Textes pour réfléchir le monde contemporain*, Paris, 1998.

29. Sur l'Europe, voir le pamphlet d'Antoine Winckler, « Europe : la nostalgie du modèle impérial », septembre 1991 ; Pierre Bouretz, « Les formes politiques de l'Europe après Maastricht », octobre 1992 ; Thierry Chopin, « Fédération et Europe », avril 1998 ; pour la perspective comparatiste, voir Patrick Weil, « Les politiques d'immigration : une comparaison internationale », février 1991 ; Thomas Piketty, « Les créations d'emploi en France et aux États-Unis », décembre 1997 ; sur les dysfonctionnements, voir Pierre Rosanvallon, « La nouvelle crise de l'État-Providence », septembre 1993 ; Lucile Schmid, « Crise et réforme de la haute fonction publique », mai 1997 ; Denis Olivennes, « La préférence française pour le chômage », février 1994 ; et « Le modèle social français », janvier 1998 ; sur l'État, voir « L'État impartial », octobre 1995.

30. Moment tocquevillien : voir le numéro spécial du journal *Raisons politiques*, n° 1, février 2001 ; sur le bicentenaire de 1989, voir Steven Kaplan, *Adieu 89*, Paris, 1993 ; Pierre Nora, « Dix ans de débat », *Le Débat*,

n° 60, mai-août 1990, p. 5 ; abandon des grandes théorisations : Pierre Rosanvallon, « La Fondation Saint-Simon : une histoire accomplie », *Le Monde*, 23 juin 1999.

31. François Furet, Jacques Julliard et Pierre Rosanvallon, *La République du vide*, janv-fév. 1995, p. 23 ; Aron, *Le Spectateur engagé*, *op. cit.*, p. 317.

32. *Esprit*, « Splendeurs et misères de la vie intellectuelle », mars-avril 2000 et mai 2000 ; Daniel Lindenberg, *Le Rappel à l'ordre. Enquête sur les nouveaux réactionnaires*, Paris, 2002.

33. Sur la mythologisation négative de Mai 68 par les intellectuels sarkozistes, voir Serge Audier, *La Pensée anti-68. Essai sur une restauration intellectuelle*, Paris, 2008, p. 23-38.

34. Sur le tournant conservateur pris par les intellectuels français, voir Serge Halimi, *Les Nouveaux Chiens de garde*, Paris, 2005 ; Gérard Noiriel, *Les Fils maudits de la République. L'Avenir des intellectuels en France*, Paris, 2005 ; et Pascal Boniface, *Les Intellectuels faussaires. Le Triomphe médiatique des experts en mensonge*, Paris, 2011 ; Perry Anderson, *La Pensée tiède. Un regard critique sur la culture française*, suivi de « La pensée réchauffée », réponse de Nora à Anderson, Paris, 2005.

35. « Une Europe au pluriel », *Esprit*, juillet 2005, p. 5.

36. Yves Bertoncini et Thierry Chopin, « Impressions de campagne », *Le Débat*, n° 137, nov.-déc. 2005, p. 191.

37. Voir Nicolas Sauger, Sylvain Brouard et Emilio Grossman, *Les Français contre l'Europe ? Le sens du référendum du 29 mai 2005*, Paris, 2007.

38. *Libération*, 30 avril 2005 ; *Le Monde*, 12 mai 2005.

39. Jean Baudrillard, *Simulacre et Simulation*, Paris, 1981 ; disparition des grands récits : Jean Baudrillard, *L'Illusion de la fin ou la Grève des événements*, Paris, 1992 ; Jean Baudrillard, *La guerre du Golfe n'a pas eu lieu*, Paris, 1991 ; événements fantômes : Jean Baudrillard, *À l'ombre du millénaire ou le Suspens de l'an 2000*, Paris, 1999, p. 34 ; sur le 11 Septembre : Jean Baudrillard, *L'Esprit du terrorisme*, Paris, 2001.

40. Le sujet fait l'objet de controverses entre experts depuis les années 1990 ; voir Patrick Simon, « The Choice of Ignorance : The Debate on Ethnic and Racial Statistics in France », *French Politics, Culture et Society*, vol. XXVI, n° 1, printemps 2008.

41. Voir Jeremy Jennings, « Citizenship, Republicanism and Multiculturalism in France », *British Journal of Political Science*, vol. XXX, 2000.

42. Dominique Schnapper, *La Communauté des citoyens*, Paris, 1994 ; voir aussi Patrick Weil, *La République et sa diversité*, Paris, 2005 ; sur le multiculturalisme français, voir, en particulier, Françoise Gaspard et Farhad Khosrokhavar, *Le Foulard et la République*, Paris, 1995 ; Jean-Loup Amselle, *Vers un multiculturalisme français. L'Empire de la coutume*, Paris, 1996 ; et les contributions rassemblées dans la collection éditée par Michel Wieviorka,

Une société fragmentée ? Le Multiculturalisme en débat, Paris, 1996 ; voir également l'ambitieuse étude de Cécile Laborde, qui cherche à réconcilier républicanisme français et libéralisme anglo-américain, in *Critical Republicanism : The Hijab Controversy and Political Philosophy*, Oxford, 2008.

43. Sophie Heine, « The *Hijab* Controversy and French Republicanism : Critical Analysis and Normative Propositions », *French Politics*, vol. VII, n° 2, 2009, p. 177.

44. Comparaison avec Munich : « Profs, ne capitulons pas ! », *Le Nouvel Observateur*, 2-8 novembre 1989 ; Christian Jelen, « La régression multiculturaliste », *Le Débat*, n° 97, nov.-déc. 1997, p. 139 ; Pierre Manent, « Le sentiment national en déshérence », *Le Figaro*, 22 mai 2002.

45. Modernité archaïque : Régis Debray, *Que vive la République*, Paris, 1989, p. 117 ; discipline à l'école : « Républicains, n'ayons plus peur ! », *Le Monde*, 10 juillet 1998 ; soutien à Milošević : Régis Debray, « Lettre d'un voyageur au président de la République », *Le Monde*, 13 mai 1999 ; effets de groupe : Régis Debray, *Ce que nous voile le voile*, Paris, 2004, p. 34 et 38 ; communauté de destin : *ibid.*, p. 52, 57-58 et 71 ; contraception : Régis Debray, *Le Moment fraternité*, Paris, 2009, p. 105 ; fondamentalistes républicains : Jean Baubérot, *L'Intégrisme républicain contre la laïcité*, Paris, 2006.

46. Pierre Rosanvallon, *La Contre-démocratie. La Politique à l'âge de la défiance*, Paris, 2006 ; *La Légitimité démocratique*, Paris, 2008 ; et *La Société des égaux*, Paris, 2011.

47. Rosanvallon, *La Contre-démocratie*, *op. cit.*, p. 322.

48. Pour une critique sévère de Rosanvallon, voir l'article de Frédéric Lordon in *Le Monde diplomatique*, 7 février 2014.

49. Alain Badiou, *De quoi Sarkozy est-il le nom ?*, Paris, 2007 ; sur l'histoire, voir, en particulier, son pamphlet *L'Hypothèse communiste*, Paris, 2009, et son ouvrage *Le Réveil de l'histoire*, Paris, 2011 ; sur la vacuité de la rhétorique républicaine, voir Alain Badiou, *Le Siècle*, Paris, 2005, ainsi que *Circonstances, 3. Portées du mot « juif »*, Paris, 2005 ; Alain Badiou, « Foulard », *Le Monde*, 22-23 février 2004, reproduit in *Circonstances, 2. Irak, foulard, Allemagne/France*, Paris, 2004, p. 109-125.

50. Philosophe pour les lycéens : Jean-Jacques Brochier, *Albert Camus. Philosophe pour classes terminales*, Paris, 2001 ; mère : Tony Judt, *The Burden of Responsibility. Blum, Camus, Aron and the French Twentieth Century*, Chicago, 1998, p. 134-135 ; Stéphane Camus : *Le Nouvel Observateur*, 2 mai 2012. Sarkozy a également confondu Roland Barthes avec Fabien Barthez, le gardien de but de l'équipe de France de football victorieuse de la Coupe du monde en 1998.

51. Olivier Todd, *Albert Camus. Une vie*, Paris, 1996, p. 756-760 ; « Camus, le nouveau philosophe », *Le Nouvel Observateur*, 19 novembre 2009 ; André Comte-Sponville, « L'absurde dans *Le Mythe de Sisyphe* », *in*

André Comte-Sponville, *Camus. De l'absurde à l'amour*, Vénissieux, 1995, p. 10 ; Alain Finkielkraut, *Un cœur intelligent*, Paris, 2009 ; Jean Sarocchi, *Camus le juste ?*, Biarritz, 2009 ; Michel Onfray, *L'Ordre libertaire. La Vie philosophique d'Albert Camus*, Paris, 2012 ; Stéphane Giocanti, *Une histoire politique de la littérature*, Paris, 2009, p. 145 ; colons algériens : Jean-Louis Saint-Ygnan, *Le Premier Homme ou le Chant profond d'Albert Camus*, Paris, 2006, p. 144 ; « Abd al Malik slame Albert Camus », *Le Point*, 13 mars 2013 ; discours de François Hollande au Bourget, in *Le Journal du dimanche*, 22 janvier 2012.

52. Monde meilleur : Bernard-Henri Lévy, *Ce grand cadavre à la renverse*, Paris, 2007, p. 411 ; unité libyenne : Bernard-Henri Lévy, *La Guerre sans l'aimer*, Paris, 2011, p. 180-182.

53. Bertrand Rothé, « La fin de Saint-Germain-des-Prés », *Marianne*, n° 826, 16 février 2013.

54. Bruno Latour, « Why Has Critique Run out of Steam ? », *Critical Inquiry*, vol. XXX (hiver 2004) ; Depardieu : Giampiero Martinotti, « Où sont passés les intellos français ? », *Courrier international*, 19 avril 2012 ; sur les intellectuels et les partis politiques, voir Marion van Renterghem et Thomas Wieder, « Intellectuels et politiques, une planète en recomposition », *Le Monde*, 29 avril 2012 ; J. M. G. Le Clézio, « Les îlois des Chagos contre le Royaume-Uni, suite et fin ? », *Libération*, 15 mai 2013.

55. Pierre Rosanvallon, *Le Parlement des invisibles*, Paris, 2014, p. 63.

56. Ces titres sont disponibles sur <http://raconterlavie.fr>.

57. Voir, par exemple, le livre de l'écrivain et journaliste socialiste Serge Moati, *Le Pen, vous et moi*, Paris, 2014.

58. Sondage : « L'influence des intellectuels sur l'opinion publique », Institut CSA-*Marianne*, juin 2010 ; Pierre Nora, « Continuer "Le Débat" », *Le Débat*, n° 160, mai-août 2010, p. 3.

9. La fin de l'Histoire

1. Les événements qui se sont déroulés en Haïti après l'indépendance ont suscité un très grand intérêt en France et de nombreux ouvrages ont été rédigés par des écrivains, des poètes et des pamphlétaires. Voir, par exemple, Pamphile de Lacroix, *Mémoires pour servir l'histoire de la Révolution de Saint-Domingue*, Paris, 1819.

2. Charles de Rémusat, *L'Habitation de Saint-Domingue ou l'Insurrection* [1824], Paris, 1977, p. 52-60.

3. Augustin Thierry, *Dix Ans d'études historiques*, Paris, 1835, p. 321 ; François-René de Chateaubriand, *Études, ou Discours historiques*, Paris, 1831,

préface ; voir, plus généralement, Patrick Garcia et Jean Leduc, *L'Enseignement de l'histoire en France, de l'Ancien Régime à nos jours*, Paris, 2003.

4. François Guizot, *Histoire des origines du gouvernement représentatif*, Paris, 1880, p. iv.

5. Thierry, *Dix Ans d'études historiques*, *op. cit.*, p. 324.

6. *Ibid.*, « Histoire véritable de Jacques Bonhomme », p. 311.

7. François Mignet, *Histoire de la Révolution française depuis 1789 jusqu'en 1814*, Paris, 1824, p. 4.

8. *Ibid.*, p. 436. Pour un panorama de ces débats, voir les documents rassemblés *in* François Furet, *La Gauche et la Révolution au milieu du XIXe siècle*, Paris, 1986.

9. François Guizot, *Histoire de la civilisation en Europe*, Paris, 1870, p. 6.

10. Citation de Guizot sur 1789, *in* Ceri Crossley, *French Historians and Romanticism*, Londres, 1993, p. 77 ; citation sur la bourgeoisie *in* François Guizot, *Histoire de la civilisation en France*, vol. I, n° 4, Paris, 1846, cité *in* Pierre Rosanvallon, *Le Moment Guizot*, Paris, 1985, p. 196.

11. Laurent Theis, *François Guizot*, Paris, 2008, p. 367.

12. Aucun cas de l'homme ou de la nature : Adolphe Thiers, *Histoire du Consulat et de l'Empire*, Paris, vol. XX, 1862, p. 606 ; vaste génie : *ibid.*, vol. XX, p. 613.

13. Alexis de Tocqueville, *L'Ancien Régime et la Révolution*, Paris, 1866.

14. Pierre Guiral, *Adolphe Thiers*, Paris, 1986, p. 287.

15. Tocqueville, *L'Ancien Régime et la Révolution*, *op. cit.*, p. 311.

16. « Défense du citoyen Laponneraye, prononcée aux assises du département de la Seine, le 21 avril 1832 », Paris, 1832, p. 2-4.

17. Entrée du 2 septembre 1850, *in* Jules Michelet, *Journal* [1849-1860], P. Viallaneix (éd.), vol. II, Paris, 1962.

18. Paul Viallaneix, *La Voie royale. Essai sur l'idée de peuple dans l'œuvre de Michelet*, Paris, 1959, p. 218.

19. Crossley, *French Historians and Romanticism*, *op. cit.*, p. 222.

20. Jules Michelet, préface de 1869, *in* Jules Michelet, *Histoire de France*, vol. I, Paris, 1869, p. 3.

21. Viallaneix, *La Voie royale*, *op. cit.*, p. 313-314.

22. Jules Michelet, *Introduction à l'histoire universelle*, Paris, 1831, p. 5 et 49.

23. Michelet, *Histoire de la Révolution française*, vol. I, *op. cit.*, p. 38 et 88-89.

24. Louis Blanc, *Histoire de dix ans*, vol. V, Paris, 1844, p. 507.

25. Victor Hugo, *Napoléon le petit*, Londres, 1852, p. 368.

26. Taxile Delord, *Histoire du second Empire*, vol. I, Paris, 1869, p. 1-2.

27. Louis-Antoine Garnier-Pagès, *Histoire de la Révolution de 1848*, vol. I, Paris, 1866, p. 4 ; terreur blanche : A. de Rolland, *Histoire populaire de la*

terreur blanche, Paris, 1873 ; récits d'héroïsme : Édouard Rastoin-Brémond, *Histoire populaire de la Révolution de 1830*, Paris, s.d. ; liste des victimes civiles publiée dans l'appendice (p. 293-297) d'Eugène Ténot, *Paris en décembre 1851*, Paris, 1868 ; Prosper Lissagaray, *Jacques Bonhomme. Entretiens de politique primaire*, Paris, 1870, p. 5 ; sur Bonhomme : Jean-Baptiste Jouancoux, *Jacques Bonhomme. Histoire des paysans français*, vol. II, Paris, 1876, p. 70.

28. Voir Suzanne Citron, *Le Mythe national. L'Histoire de France en question*, Paris, 1987.

29. Renan : Viallaneix, *La Voie royale*, *op. cit.*, p. 278 ; 14 Juillet : Olivier Ihl, *La Fête républicaine*, Paris, 1996, p. 124 ; Jean Jaurès, « Introduction », in *Histoire socialiste de la Révolution française*, *op. cit.*

30. Ernest Lavisse, *Histoire de France. Cours élémentaire*, Paris, 1913, p. 168.

31. Charles-Olivier Carbonell, *Histoire et Historiens. Une mutation idéologique des historiens français 1865-1885*, Toulouse, 1976, p. 297.

32. Ernest Renan, *Vie de Jésus*, Paris, 1863, p. 32.

33. Science impartiale : cité *in* James Friguglietti, « La querelle Mathiez-Aulard et les origines de la Société des études robespierristes », *Annales historiques de la Révolution française*, n° 353, juillet-sept. 2008 ; histoire positive : *Revue historique*, n° 1, janv-juin 1876, p. 36 ; objectivité : Gérard Noriel, « Naissance du métier d'historien », *Genèses*, n° 1, septembre 1990, p. 58-95 ; pour une évaluation critique approfondie de l'*école méthodique*, voir Isabel DiVanna, *Writing History in the Third Republic*, Newcastle, 2010.

34. Febvre : cité *in* André Burguière, *L'École des* Annales. *Une histoire intellectuelle*, Paris, 2006, p. 29 ; origines : Sylvain Venayre, *Les Origines de la France. Quand les historiens racontaient la nation*, Paris, 2013, p. 205 ; sciences sociales : Jacques Revel, « Histoire et sciences sociales : les paradigmes des *Annales* », *Annales*, vol. XXXIV, n° 6, nov.-déc. 1979, p. 1362.

35. Fernand Braudel, *La Méditerranée et le Monde méditerranéen à l'époque de Philippe II*, Paris, 1949.

36. Fernand Braudel, « Histoire et sciences sociales : la longue durée », *Annales*, n° 4, oct.-déc. 1958, p. 725-753.

37. Peter Burke, *The French Historical Revolution : The Annales School, 1929-1989*, Cambridge, 1990, p. 54-55 ; voir aussi Lynn Hunt, « French History in the Last Twenty Years : The Rise and Fall of the *Annales* Paradigm », *Journal of Contemporary History*, vol. XXI, n° 2, avril 1986.

38. Marc Bloch, *L'Étrange Défaite*, Paris, 1990, p. 31-32.

39. Voir la lettre de Febvre à Bloch, 13 avril 1941, *in* Marc Bloch et Lucien Febvre, *Correspondance, 1938-1943*, vol. III, Paris, 2003, p. 115-119. Dans sa réponse trois jours plus tard, Bloch refuse : « La suppression de mon nom serait une abdication » (*ibid.*, p. 123).

40. Conférence du 2 décembre 1942, *in* Lucien Febvre, *Michelet et la Renaissance*, Paris, 1992, p. 17.

41. Marleen Wessel, « "Honneur ou patrie ?" Lucien Febvre et la question du sentiment national », *Genèses*, n° 25, 1996.

42. Positions de l'histoire en 1950 : *in* Fernard Braudel, *Écrits sur l'histoire*, Paris, 1969, p. 21 ; Furet et Richet : cité *in* Richard Cobb, « Nous des *Annales* », in *A Second Identity*, Oxford, 1969, p. 79.

43. Pierre Bourdieu, *Homo academicus*, Paris, 1984, p. 148 ; théorie marxiste : Hervé Coutau-Bégarie, *Le Phénomène nouvelle histoire. Grandeur et décadence de l'école des* Annales, Paris, 1989, p. 214-215 ; paysannerie : Krzysztof Pomian, « L'heure des *Annales* », *in* Pierre Nora (dir.), *Les Lieux de mémoire*, vol. II, Paris, 1986, n° 1 ; Fernand Braudel, *L'Identité de la France. Les Hommes et les choses*, vol. II, Paris, 1986, p. 430.

44. Voir Jacques Le Goff et Pierre Nora (dir.), *Faire de l'histoire*, Paris, 1974.

45. Emmanuel Le Roy Ladurie, *Montaillou, village occitan*, Paris, 1975.

46. Louis Aragon, *La Semaine sainte*, Paris, 1958, p. 600.

47. De Gaulle, *Mémoires de guerre*, Paris, 1989, p. 82 et 128.

48. Pierre Nora, « Les mémoires d'État : de Commynes à de Gaulle », in *Les Lieux de mémoire*, vol. I, Paris, 1997, p. 1417.

49. Charles de Gaulle, *Mémoires de guerre*, vol. III, Paris, 1944-1946, p. 883.

50. Charles de Gaulle, *Mémoires de guerre*, vol. II, Paris, 1942-1944, p. 576 (présence) et p. 425 (révolutionaire)

51. *Ibid.*, p. 583-585.

52. *Ibid.*, p. 580.

53. De Gaulle, *Mémoires de guerre*, vol. I, *op. cit.*, p. 79.

54. Henry Rousso, *Le Syndrome de Vichy*, Paris, 1990, p. 19.

55. Lutte contre l'injustice : cité *in* Maurice Agulhon, *De Gaulle. Histoire, symbole, mythe*, Paris, 2000, p. 127 ; Tintin : cité *in* André Malraux, *Les Chênes qu'on abat*, Paris, 1971, p. 37.

56. François Furet, *La Révolution française*, vol. II, Paris, 1988, p. 467.

57. Robert Paxton, *La France de Vichy*, Paris, 1997 ; histoire complexe de la Résistance : voir Laurent Douzou, *La Résistance française : une histoire périlleuse*, Paris, 2005 ; désorientation : François Hartog, « Le temps désorienté », *Annales*, vol. L, n° 6, nov.-déc. 1995 ; crise : Gérard Noiriel, *Sur la « crise » de l'histoire*, Paris, 1996.

58. Sur l'histoire du colonialisme, voir N. Bancel *et al.* (dir.), *La Fracture coloniale*, Paris, 2005 ; Raphaëlle Branche, *La Guerre d'Algérie. Une histoire apaisée ?*, Paris, 2005 ; sur l'histoire des femmes, voir le travail de Michelle Perrot, en particulier *Les Femmes ou les Silences de l'histoire*, Paris, 1998 ; biographies : voir, par exemple, Éric Roussel, *Jean Monnet*, Paris, 1996 ;

Grégoire Kauffmann, *Édouard Drumont*, Paris, 2008 ; Annette Wieviorka, *Maurice et Jeannette. Biographie du couple Thorez*, Paris, 2010. Depuis 1987, l'Académie française décerne un prix annuel à l'auteur d'une biographie remarquable.

59. Pierre Rosanvallon, *Le Modèle politique français*, Paris, 2004.

60. Roger Chartier, « Le monde comme représentation », *Annales*, vol. XLIV, n° 6, nov.-déc. 1989.

61. Maurice Agulhon, *Marianne au combat*, Paris, 1979 ; *Marianne au pouvoir*, Paris, 1989 ; et *Les Métamorphoses de Marianne*, Paris, 2001.

62. Mémoires de groupe : Pierre Nora, « General Introduction », *in* Pierre Nora (dir.), *Rethinking France. Les Lieux de mémoire*, Chicago, 1999, p. xv ; Pierre Nora, « Lavisse, instituteur national : le "Petit Lavisse", évangile de la République », in *Les Lieux de mémoire*, vol. I, Paris, 1984 ; « Gaullistes et communistes », *in* Pierre Nora (dir.), *Les Lieux de mémoire*, vol. III, n° 1, Paris, 1992.

63. Voir Steven Englund, « The Ghost of Nation Past », *Journal of Modern History*, vol. LXIV, n° 2, 1992.

64. Perry Anderson, « Union sucrée », *London Review of Books*, vol. XXVI, n° 18, 23 septembre 2004.

65. Pierre Nora, « Patrimoine », *Le Débat*, n° 160, mai-août 2010, p. 244.

66. François Hartog, *Croire en l'histoire*, Paris, 2013, p. 31.

67. Pour un récit nuancé des controverses suscitées par ces lois, voir Marc-Olivier Baruch, *Des Lois indignes ? Les Historiens, la politique et le droit*, Paris, 2013.

68. Sur ce thème de la nostalgie coloniale plus généralement, voir Kate Marsh et Nicola Frith (dir.), *France's Lost Empires : Fragmentation, Nostalgia and « la fracture coloniale »*, Lanham, MD, 2011.

69. « Lettre ouverte de Pierre Nora à Frédéric Mitterrand sur la Maison de l'Histoire de France », *Le Monde*, 11 novembre 2010. Nora a dénoncé ces *lois mémorielles* en déclarant que « l'heure est à une dangereuse radicalisation de la mémoire et de son utilisation intéressée, abusive et perverse » (Pierre Nora et Françoise Chandernagor, *Liberté pour l'histoire*, Paris, 2008, p. 15).

70. Charles de Gaulle, *Mémoires d'espoir*, vol. II, Paris, 1996, p. 239.

71. Il y a, bien évidemment, d'excellents historiens qui exercent ailleurs qu'à Paris, notamment dans les universités régionales. Mais ils seraient les premiers à reconnaître (et à déplorer) le fait que les centres de pouvoir institutionnels, intellectuels et éditoriaux restent la chasse gardée des élites parisiennes.

72. Lucien Febvre, *Combats pour l'histoire*, Paris, 1992, p. 9.

73. Parmi les exemples récents, voir Philippe Séguin, *Louis Napoléon le Grand*, Paris, 1990 ; Nicolas Sarkozy, *Georges Mandel. Le Moine en politique*,

Paris, 1994 ; François Bayrou, *Ils portaient l'écharpe blanche*, Paris, 1998 ; Dominique de Villepin, *Les Cent-Jours ou l'esprit de sacrifice*, Paris, 2001 ; Jean-François Copé, *La Bataille de la Marne*, Paris, 2013 ; Philippe de Villiers, *Le Roman de Saint Louis*, Paris, 2013 ; et Lionel Jospin, *Le Mal napoléonien*, Paris, 2014.

74. Il n'y a évidemment rien d'exceptionnel au fait que le passé modèle l'identité collective d'une nation. La France se distingue par le fait que sa culture politique ne repose pas sur une référence à une identité ethnique commune – d'où la nécessité de s'appuyer plus fortement sur l'histoire.

75. Alexis Jenni, *L'Art français de la guerre*, Paris, 2011, p. 161.

76. Fernand Braudel, *L'Identité de la France*, Paris, 1990, p. 15.

77. Michelet, *Histoire de France*, vol. I, *op. cit.*, p. 11 ; Fernand Braudel, *L'Identité de la France*, *op. cit.*, p. 19.

78. Voir Pierre Nora (dir.), *Essais d'ego-histoire*, Paris, 1987.

79. Stéphane Audoin-Rouzeau, *Quelle histoire. Un récit de filiation, 1914-2014*, Paris, 2013, p. 141.

80. Jean-François Sirinelli, *L'Histoire est-elle encore française ?*, Paris, 2011, p. 21 (moins susceptibles de lire le français) ; p. 46 (crise démographique) ; p. 48 (nécrose).

10. Le repli de la pensée française

1. « La France, championne d'Europe du pessimisme », *Le Monde*, 6 mai 2013 ; sondages : voir, par exemple, celui publié in *La Croix*, 19 novembre 2013, sous le titre : « Le pays décline » ; « La France naufragée », *Le Figaro*, 18 novembre 2013 ; Eric Le Boucher, « La préférence pour le déclin », *Les Échos*, 8 novembre 2013.

2. Trop de réflexion : Christel Peticollin, *Je pense trop. Comment canaliser ce mental envahissant*, Paris, 2010 ; Georges Minois, *Histoire du mal de vivre*, Paris, 2003, p. 429 ; François Fillon, « La France est en train de perdre sa substance », *Paris-Match*, août 2013 ; séminaire socialiste : « Le progrès face aux idéologies du déclin », dépêche de l'Agence France Presse, 18 novembre 2013 ; droitisation : Gaël Brustier, entretien in *Libération*, 13 novembre 2013.

3. « L'État face à la désindustrialisation inacceptable », *Le Monde*, 6 novembre 2013 ; « L'inexorable déclin de la production automobile française », *L'Usine nouvelle*, 20 novembre 2013 ; « Grandeur et décadence des pianos Pleyel », *Le Temps*, 15 novembre 2013 ; Caen : « L'inexorable déclin ? », *L'Express*, 18 septembre 2013 ; désindustrialisation : « L'inquiétante fracture territoriale française », *Le Point*, 9 novembre 2013 ; monde rural

moribond : Jean-Pierre Le Goff, *La Fin du village*, Paris, 2012, p. 39 ; Michel Houellebecq, *La Carte et le Territoire*, Paris, 2010, p. 416.

4. Pierre Nora, entretien in *Le Figaro*, 11 novembre 2013 ; idiots : Jean-Marie Paul, *Du pessimisme*, Paris, 2013, p. 283 ; Franz-Olivier Giesbert, « La marinisation des esprits », *Le Point*, 21 septembre 2013.

5. Sur l'antimodernisme, voir Antoine Compagnon, *Les Antimodernes, de Joseph de Maistre à Roland Barthes*, Paris, 2005 ; lettre de Proudhon à Gustave Chaudey, 11 septembre 1863, *in* Pierre-Joseph Proudhon, *Correspondance de Pierre-Joseph Proudhon*, vol. XIII, Genève, 1971, p. 147.

6. Robert Aron et Arnaud Dandieu, *Décadence de la nation française*, Paris, 1931, p. 188 ; sur ce thème de la décadence dans les années 1930, voir Debbie Lackerstein, *National Regeneration in Vichy France : Ideas and Policies, 1930-1944*, Farnham, Surrey, 2011 ; François-Guillaume Lorrain, « Au secours, les années 30 sont de retour ! », *Le Point*, 8 avril 2013 ; *L'Humanité*, 8 novembre 2013 ; *Le Nouveau Marianne*, 21 septembre 2013 ; Gaspard Koenig, « Pour un réveil libéral de la philosophie française », *Libération*, 1er novembre 2013.

7. Michel Winock, *Parlez-moi de la France*, Paris, 1995, p. 288.

8. Sans auréole : Emil Cioran, *Précis de décomposition*, *in* Emil Cioran, *Œuvres*, Paris, 2011, p. 52 ; la grande affirmation : Cioran, *La Tentation d'exister* (1957), *ibid.*, p. 416 ; peur de la mort : Cioran, *De l'inconvénient d'être né*, *ibid.*, p. 732.

9. Perfectionnisme étroit : Emil Cioran, *De la France*, Paris, 2009, p. 31 ; terrifié par l'avenir : *ibid.*, p. 36.

10. Frédéric Schiffter, *Traité du cafard*, Bordeaux, 2007, p. 11 et 27.

11. Alain Peyrefitte, *Le Mal français*, Paris, 2006, p. 100 (État interventionniste), p. 450 (immobilisme convulsif), p. 445 (idolâtrie de la tradition), p. 450 (spasmophilie), p. 480 (refus de la différence), p. 492 (esprit magique), p. 503 (dichotomies simples) et p. 505 (conclusion laconique).

12. Interventionnisme d'État : Peyrefitte, *Le Mal français*, p. 9 ; décadence : Pierre-André Taguieff, « Les droites radicales en France », *Les Temps modernes*, n° 465, avril 1985, p. 1783 ; inspiration idéologique : Michel Winock, « L'éternelle décadence », in *Nationalisme, antisémitisme et fascisme en France*, Paris, 2004, p. 101 ; Jacques du Perron, *Décadence et complot*, vol. II, Paris, 1998, p. 9 (corruption) et p. 5 (aliénation).

13. Cité *in* Gabriel Goodliffe, *The Resurgence of the Radical Right in France : From Boulangisme to the Front national*, Cambridge, 2012, p. 40, n. 34.

14. Voir le chapitre 8.

15. Alain Finkielkraut, *La Défaite de la pensée*, Paris, 1987, p. 165 ; Jean-François Mattéi, *La Barbarie intérieure. Essai sur l'immonde moderne*, Paris, 1999.

16. Jean-Marie Domenach, *Le Crépuscule de la culture francaise ?*, Paris, 1995, p. 15 et 37 ; Michel Crépu, « Le roman français est-il mort ? », *L'Express*, 29 mars 2001 ; Patrick Besson, « La littérature française est-elle morte ? », *Le Point*, 12 décembre 2013. (Les réponses étaient positives.)

17. Laurence Marie, « Mais bien sûr que si, les livres français se vendent à l'étranger ! », *Le Nouvel Observateur*, 1er janvier 2014.

18. Stanley Hoffmann, « Paradoxes of the French Political Community », *in* Stanley Hoffmann *et al.* (dir.), *In Search of France*, Cambridge, Mass., 1963, p. 1-21 ; Nicolas Baverez, *La France qui tombe*, Paris, 2003, p. 72 (investissement) et p. 18 (déclin).

19. Jacques Marseille, *Du bon usage de la guerre civile en France*, Paris, 2006, p. 166 ; Christian Saint-Étienne, *L'Incohérence française*, Paris, 2012, p. 47 ; Philippe Manière, *Le Pays où la vie est plus dure*, Paris, 2012 ; Simone Wapler, *Pourquoi la France va faire faillite*, Bruxelles, 2012 ; Nicolas Baverez, *Réveillez-vous !*, Paris, 2012, p. 56.

20. Voir Roger Fauroux et Bernard Spitz (dir.), *Notre État. Le Livre vérité de la fonction publique*, Paris, 2000. Pour un panorama plus large du phénomène, voir John Micklethwait et Adrian Wooldridge, *The Fourth Revolution : The Global Race to Reinvent the State*, Londres, 2014.

21. Marc Le Bris, *Et vos enfants ne sauront pas lire… ni compter ! La faillite obstinée de l'école française*, Paris, 2004, p. 323 et 328. La notion de « catastrophe culturelle » a été reprise *in* Fanny Capel, *Qui a eu cette idée folle un jour de casser l'école ?*, Paris, 2006, p. 34.

22. Jean-Paul Brighelli, *La Fabrique du crétin. La mort programmée de l'école*, Paris, 2005, p. 43 et 153 ; p. 46 (classes défavorisées), p. 91 (échec des ZEP), p. 164 (égalité des chances).

23. Fracture culturelle : voir Paola Mattei, « The French Republican School under Pressure : Falling Basic Standards et Rising Social Inequalities », *French Politics*, vol. X, n° 1, 2012, p. 84-95 ; intérêts du capitalisme mondial : Jean-Claude Michéa, *L'Enseignement de l'ignorance et ses conditions modernes*, Paris, 2006 ; Alain Planche, *L'Imposture scolaire*, Bordeaux, 2012, p. 232.

24. Discours de Tours, 15 janvier 2011.

25. Peter Gumbel, *On achève bien les écoliers*, Paris, 2010, p. 14 (nullité) et p. 27 (échec) ; Anne Muxel, *Avoir vingt ans en politique. Les Enfants du désenchantement*, Paris, 2010, p. 201 ; Claudia Senik, « La dimension culturelle du bonheur… et du malheur français », *Le Monde*, 28 octobre 2011 ; Yann Algan, Pierre Cahuc et André Zylberberg, *La Fabrique de la défiance*, Paris, 2012, p. 11.

26. Michel Charzat, *La France et le Déclin*, Paris, 1988, p. 5 et 12 (masochisme) ; p. 34 (malaise) ; p. 51 et 53 (nostalgie) ; p. 55 (repli).

27. Guy Debord, *Commentaires sur la société du spectacle*, Paris, 1988, p. 29 ; Guy Debord, *Panégyrique*, vol. I, Paris, 1993, p. 84.

28. Lionel Jospin, *Le Mal napoléonien*, *op. cit.*

29. Marie Radović et Loïc Rivalain, *21 Avril. Les lendemains qui déchantent*, Paris, 2007, p. 45 (moutons) ; p. 28 (ne reconnaît plus la France) ; p. 29 (lepénisation) ; p. 51 et 75 (décomposition intellectuelle).

30. Michael Hardt et Toni Negri, *Empire*, Harvard, 2000 ; Giorgio Agamben, *State of Exception*, Chicago, 2005.

31. Luc Boltanski et Eve Chiapello, *The New Spirit of Capitalism*, Londres, 2007.

32. Gérard Grunberg et Zaki Laïdi, *Sortir du pessimisme social. Essai sur l'identité de gauche*, Paris, 2006, p. 8 (pessimisme social) ; p. 11 (repli nationaliste) ; p. 10 (utopie conservatrice).

33. Jean-Claude Michéa, *Impasse Adam Smith. Brèves Remarques sur l'impossibilité de dépasser le capitalisme sur sa gauche*, Paris, 2006, p. 16 ; Jean-Claude Michéa, *L'Empire du moindre mal. Essai sur la civilisation libérale*, Paris, 2010, p. 203.

34. Disparition du sujet : Marcel Gauchet, « Les tâches de la philosophie politique », in *La Condition politique*, Paris, 2005, p. 540 ; décomposition : Marcel Gauchet, *Un Monde désenchanté ?*, Paris, 2007, p. 312 ; pessimisme : Marcel Gauchet, *La Condition historique*, Paris, 2003, p. 415-416 ; Pierre-André Taguieff, *Les Contre-Réactionnaires. Le Progressisme entre illusion et imposture*, Paris, 2007, p. 558.

35. Régis Debray, *Supplique aux nouveaux progressistes du XXIe siècle*, Paris, 2006, p. 44 (appartenance) et p. 61 et 65 (désespoir sans optimisme) ; Bernard-Henri Lévy, *Ce grand cadavre à la renverse*, *op. cit.* ; Guy Hermet, *L'Hiver de la démocratie ou le nouveau régime*, Paris, 2007.

36. Jacques Julliard, *Le Malheur français*, Paris, 2005, p. 13 et 14 (inconscient collectif) ; p. 72 (perdre la partie contre les Anglo-Saxons) ; p. 99-100 (perte de compétitivité) ; p. 139 (attachement aux privilèges) ; p. 19 (résistance au changement).

37. Philippe Corcuff, *La gauche est-elle en état de mort cérébrale ?*, Paris, 2012 (la réponse était positive) ; Évelyne Pieiller, « Alain Soral tisse sa toile », *Le Monde diplomatique*, octobre 2013 ; site Internet : <www.egaliteetreconciliation.fr>.

38. Pascal Perrineau, « Le pessimisme français : nature et racines », *Le Débat*, n° 166, sept.-oct. 2011, p. 85-86.

39. Voir Cécile Laborde, *Français, encore un effort pour être républicains !*, Paris, 2010.

40. Voir Marika Mathieu, *La Droite forte année zéro*, Paris, 2013, p. 298.

41. Éric Zemmour, *Mélancolie française*, Paris, 2010, p. 221 (intégration) ; p. 224 et 244 (envahissement et déchristianisation) ; p. 245 (langue du diable) ; p. 226 (fertilité) ; p. 233 (mariages mixtes) ; p. 241 (substitution) ; p. 250-251 (désintégration).

42. Entretien à RTL, 22 janvier 2015.

43. Nicolas Offenstadt, *L'Histoire bling-bling. Le Retour du roman national*, Paris, 2009.

44. Jean Sévillia, *Historiquement incorrect*, Paris, 2011, p. 335 ; *Histoire passionnée de la France*, Paris, 2013, p. 530.

45. Entretien au *Figaro*, 5 mars 2011.

46. Lorànt Deutsch, *Métronome. L'Histoire de France au rythme du métro parisien*, Paris, 2009, p. 348-349 (irrationalité du peuple) ; Résistance, p. 353.

47. Lorànt Deutsch, *Hexagone. Sur les routes de l'histoire de France*, Paris, 2013, p. 231-232.

48. Renaud Camus, *Le Grand Remplacement*, Paris, 2011, p. 19 (immigrants) ; p. 23 (choc des civilisations) ; p. 30 et p. 44-45 (village planétaire) ; p. 56 (contre-colonisation) ; Éric Zemmour, *Le Suicide français*, Paris, 2014, p. 527.

49. Hervé Juvin, *La Grande Séparation*, Paris, 2013, p. 12-13 et 51 (nation chrétienne blanche) ; p. 268 (intérêts économiques) ; p. 18-19 (histoire et géographie) ; p. 65-66 (sociétés postnationales) ; p. 187 et 192 (nouveau totalitarisme) ; p. 371 (invasion) ; p. 130 (islam) ; p. 277 (apartheid social) ; p. 143 (misère de tous).

50. Alain Finkielkraut, *L'Identité malheureuse*, Paris, 2013, p. 147 (identité nationale) ; p. 153 (élites hyperconnectées) ; p. 156 (dernier clou) ; p. 156 (culture vaincue) ; p. 106-108 (identité nationale) ; p. 97 et 101 (Fanon).

51. Voir, par exemple, Aude Lancelin, « L'identitaire national », *Le Nouveau Marianne*, 12 octobre 2013.

52. Finkielkraut, *L'Identité malheureuse*, p. 206 (inculture) ; p. 65 (galanterie) ; p. 83 (identité commune) ; p. 115 (effacement des autochtones) ; p. 92 (race) ; p. 169 (Hobbes) ; p. 211 (Strauss) ; p. 104-105 (Scruton) ; p. 123 et 214 (désintégration nationale).

Conclusion. Anxiété et optimisme

1. André Siegfried, préface, *in* Cristobal de Acevedo, *Valeurs spirituelles françaises*, Paris, 1946, p. vi.

2. Michel Foucher, *Atlas de l'influence française au XXIe siècle*, Paris, 2013, p. 17.

3. Ce point de vue est exprimé chaque année dans la presse française au moment du sommet annuel de l'organisation : pour des exemples récents, voir Jean-Baptiste Piriou, « La francophonie pour quoi faire ? », *Le Spectacle du monde*, n° 598, 1er mars 2013 ; « Francophonie : la France fait-elle cavalier seul ? », *Le Monde*, 11 mars 2014.

4. Baisse du nombre de traductions : Gisèle Sapiro, « Conclusion », *in* Gisèle Sapiro (dir.), *Traduire la littérature et les sciences humaines. Conditions et obstacles*, Paris, 2012, p. 378 ; Tahar Ben Jelloun, *Par le feu*, Paris, 2011, p. 50 ; « Michèle Alliot-Marie et la Tunisie, retour sur une polémique », *Le Monde*, 7 février 2011.

5. Astérix : Jacques Drillon, « Alors, ce nouvel album ? », *Le Nouvel Observateur*, 31 oct.-6 nov. 2013 ; Gérard Cazalis, *La République des Pyrénées*, 28 juin 2013 ; Sibylle Vincendon, *Pour en finir avec les grincheux. Contre le discours du déclin*, Paris, 2013, p. 148 ; Frédéric Dabi (directeur de l'Institut français d'opinion publique [Ifop]), « Le pessimisme des Français est une réalité », *La Croix*, 6 mars 2014.

6. Anne Chemin, « Liberté, égalité, morosité », *Le Monde*, 22 juin 2013 ; pour un échange récent sur le déclin de la culture française entre un journaliste américain et un historien de la littérature français, voir Donald Morrison et Antoine Compagnon, *The Death of French Culture*, Londres, 2010 ; sur les festivals culturels : Sophian Fanen, « Peut-on aller quelque part en France sans tomber sur un festival ? », *Libération*, 28 juillet 2014 ; sur les subventions à la culture, voir Jules Bonnard, Samuel Laurent et Jonathan Parienté, « Associations : à qui profitent les subventions ? », *Le Monde*, 1er juillet 2013. Le ministère français de la Culture est le plus généreux : en 2011, il a accordé 228 millions d'euros à plus de 5 000 bénéficiaires.

7. La liste des *librairies labellisées* dans chaque département français est disponible sur le site Internet du Centre national du livre (CNL).

8. « Et pourtant les Français lisent », éditorial, *Le Monde*, 21 mars 2014.

9. Mohammed Aïssaoui, « La France des festivals littéraires », *Le Figaro*, 4 juillet 2013.

10. Alain Beuve-Méry, « Le secteur du livre ne veut pas céder à la morosité », *Le Monde*, 20 mars 2014 ; « Bestselling Books of 2013 », *The Guardian*, 27 décembre 2013.

11. Voir Jean-Yves Mollier, *Édition, presse et pouvoir au XXe siècle*, Paris, 2008, p. 439-440.

12. Voir, par exemple, l'édition du 9-15 octobre 2008, « Le pouvoir intellectuel en France », et celle du 9-15 mai 2013, « Les penseurs qui comptent ».

13. Blois pèlerinage républicain : Gaïdz Minassian, « L'histoire globale peine encore à supplanter le "roman national" en France », *Le Monde*, 19 octobre 2011 ; sur l'enseignement de la philosophie, voir Amandine Schmitt, « Bac de philo : si je comprends pas ce que j'écris, c'est bon ! », *Le Nouvel Observateur*, 17 juin 2013.

14. Nathalie Brafman et Nicolas Weill, « Les nouveaux clients de la philo », *Le Monde*, 25 juin 2012 ; Nicolas Truong, « La philo contre la philosophie ? », *Le Monde*, 28 juillet 2014.

15. Macha Séry, « Les Français accros à la culture gé », *Le Monde*, 1er février 2013.

16. Bruno Latour, *Reassembling the Social : An Introduction to Actor-network Theory*, Oxford, 2005.

17. Singularités personnelles : François Miquet-Marty, *Les Nouvelles Passions françaises*, Paris, 2013, p. 195 ; sur le bonheur personnel, voir, par exemple, les sondages de *La Tribune*, 5 juin 2013, et du *Figaro Magazine*, 29 novembre 2013 ; douceur de vivre : François-Guillaume Lorrain, « Pourquoi il ne faut pas désespérer de la France », *Le Point*, 15 août 2013 ; Cioran, *De la France*, *op. cit.*, p. 60.

18. Benjamin Constant, « De la liberté des anciens comparée à celle des modernes » (1819), *in* Benjamin Constant, *Écrits politiques*, éd. Marcel Gauchet, Paris, 1977, p. 602 ; Antoine Compagnon, *Un été avec Montaigne*, Paris, 2013 ; contemplation sensuelle : Frédéric Lenoir, *Du bonheur. Un voyage philosophique*, Paris, 2013, p. 206-207 ; Bertrand Vergely, *Dictionnaire philosophique et savoureux du bonheur*, Paris, 2011, p. 249-250 ; Luc Deborde, *Douze sentiers vers le bonheur + un treizième en bonus !*, Paris, 2013, p. 14 ; Deschamps : cité *in* « Culture : y a-t-il encore un style français ? », *Le Figaro*, 8 avril 2013 ; Albert Camus, *Les Noces*, cité *in* Michel Faucheux, *Histoire du bonheur*, Paris, 2007, p. 222.

19. Cité *in* Pierre Assouline, « L'esprit du 18 Juin », *La République des livres*, 18 juin 2010.

20. Voir Olivier Wieviorka, *La Mémoire désunie. Le Souvenir politique des années sombres, de la Libération à nos jours*, Paris, 2010.

21. Henry Rousso, *La Dernière Catastrophe. L'Histoire, le présent, le contemporain*, Paris, 2012, p. 22.

22. Robert Frank, *La Hantise du déclin*, Paris, 1994 ; voir aussi son entretien sur la résurgence des thèmes du déclin et de la décadence dans la France contemporaine in *Libération*, 12 juillet 2014.

23. René Rémond, « Le temps du marasme », *Le Débat*, n° 141, sept.-oct. 2006, p. 5-6 ; Marcel Gauchet, « La France est inquiète », *Le Journal du dimanche*, 16 septembre 2013.

24. Pour une discussion plus approfondie des dimensions littéraires et historiques du roman, voir Emmanuel Bouju, « La transcription de l'histoire dans le roman contemporain », *Annales*, vol. LXV, n° 2, 2010, p. 421-425.

25. Alain Geismar, *Mon Mai 1968*, Paris, 2008, p. 247.

26. Thomas Piketty, *Le Capital au XXIe siècle*, Paris, 2013 ; article de Paul Krugman, « Why We're in a New Gilded Age », *New York Review of Books*, 8 mai 2014.

27. Ezra Suleiman, « La France est championne du monde dans le gaspillage des talents », *Les Échos*, 4 juillet 2014.

28. Henri Mendras, *La Seconde Révolution française, 1965-1984*, Paris, 1988.

29. Hervé Le Bras et Olivier Todd, *Le Mystère français*, Paris, 2013, p. 70-72 (résultats scolaires) ; p. 226 (assimilation des immigrants) ; p. 39-40 (rejet du choc des civilisations) ; p. 194-195 (perte d'énergie).

30. D'après un récent sondage, ces trois écrivains sont ceux qui incarnent le mieux l'optimisme dans la littérature française contemporaine. Voir *Le Point*, 14 mai 2014.

31. Aline Gérard, « Plus optimistes qu'on croit », *Aujourd'hui en France*, 10 avril 2014.

32. Pour une version de cette distinction entre la France confiante et la France anxieuse, voir Emiliano Grossman et Nicolas Sauger (dir.), *France's Political Institutions at Fifty*, Londres, 2009, ch. 8 ; sur les mouvements de protestation populistes, voir Ronan Le Coadic, « Les "Bonnets rouges", la Bretagne et l'écotaxe », *Le Nouvel Observateur*, 7 novembre 2013 ; « Génération "Manif pour tous" », *Le Figaro*, 27 mai 2013 ; Natacha Polony, « Qu'est-ce que Paris a fait de la France ? », *Le Figaro*, 16 août 2014 ; critiques contre l'ENA : entretien avec Pierre Lacroix, *La Nouvelle République du Centre-Ouest*, 10 octobre 2012, et « Ça va et ça vient », *Le Télégramme*, 6 avril 2014.

33. Gilles Kepel, *Passion française. Les voix des cités*, Paris, 2014, p. 252.

34. Pétition des Français de confession musulmane : Yamna Chrirra, Felix Marquardt, Tareq Oubrou et Omero Marongiu-Perria, « Français de confession musulmane : "Khlass" (ça suffit) le silence ! », *Libération*, 22 janvier 2015 ; multiculturalisme modéré : voir Alain Renaut, « La France doit faire le choix d'un multiculturalisme tempéré », *Le Monde*, 14 janvier 2015 ; disjonction entre sociabilité et discours : entretien avec le sociologue Olivier Roy, *Le Monde*, 30 mai 2014.

35. En 2006, le Franco-Américain Jonathan Littell a remporté le prix Goncourt et le grand prix du roman de l'Académie française pour *Les Bienveillantes* ; Alain Mabanckou, d'origine congolaise, a remporté le prix Renaudot pour *Mémoires de porc-épic* ; la Franco-Canadienne Nancy Huston a remporté le prix Femina pour *Lignes de faille* ; et la Camerounaise Léonora Miano a remporté le Goncourt des lycéens pour *Contours du jour qui vient.*

36. Pour reprendre le jeu de mots de Derek Walcot, faudrait-il parler de *franco-phoney* (*phoney* signifiant « imposture, hypocrisie » [N.d.T.]) ?

37. « Pour une "littérature-monde" en français », *Le Monde*, 15 mars 2007.

38. Cité *in* Alison Finch, *French Literature : A Cultural History*, Cambridge, 2010, p. 219.

39. Ces chiffres sont disponibles sur <www.diplomatie.gouv.fr/en/french-overseas>.

Index

Table des crédits

Page 129 – « Pour que la famille soit heureuse, votez communiste », affiche électorale communiste, 1936.
Page 159 – « Jules Verne. Le plus grand prophète du monde », illustration tirée de *Science and Invention*, vol. VIII, nº 4, août 1920, p. 369 : photo © University of Illinois.
Page 167 – André Gill, affiche de campagne pour les élections législatives de 1879, Pontivy, 1879 : © BNF (ENT DO-1 (GILL, André)-FT6).
Page 177 – « Brisons les vieux engrenages » (anonyme), affiche de Mai 68 : photo © BNF (ENT QB-1 (1968/1)-FT6).
Page 184 – R. Vachet, *Les Deux Maisons France*, affiche de propagande commandée par le gouvernement de Vichy (1940-1942), collection privée : photo © Bridgeman Images.
Page 197 – « Place au peuple ! », affiche du Front de gauche de 2012.
Page 221 – Jules Girardet, *L'Arrestation de Louise Michel*, huile sur toile, 1883, musée d'Art et d'Histoire, Saint-Denis : photo © Bridgeman Images.
Page 332 – La descente des Champs-Élysées, 26 août 1944 : © avec l'aimable autorisation du Franklin D. Roosevelt Presidential Library and Museum, Hyde Park, New York.
Page 339 – Brochure « Lieux de beauté, lieux de mémoire » (Hautes-Pyrénées, octobre 2013) : photo © direction régionale de l'Environnement, de l'Aménagement et du Logement Midi-Pyrénées.
Page 353 – Une affiche du Front national (2010) : photo © AFP/Getty Images.

Table

DANS LA MÊME COLLECTION

Götz ALY, *Les Anormaux.*
Alessandro BARBERO, *La Bataille des trois empires. Lépante, 1571.*
– *Divin Moyen-Âge. Histoire de Salimbene de Parme et autres destins édifiants.*
Michael BARRY, *Le Royaume de l'insolence. L'Afghanistan 1504-2011.*
Jean-Paul BERTAUD, *Les Royalistes et Napoléon.*
– *L'Abdication. 21-23 juin 1815.*
Jerry BROTTON, *Une histoire du monde en 12 cartes.*
Olivier CHALINE, *L'Année des quatre dauphins.*
– *Le Règne de Louis XIV.*
Christopher CLARK, *Les Somnambules. Été 1914 : comment l'Europe a marché vers la guerre.*
Liliane CRÉTÉ, *Les Tudors.*
Daniel DESSERT, *Les Montmorency. Mille ans au service des rois de France.*
Ray M. DOUGLAS, *Les Expulsés.*
Jean-Marc DREYFUS, *L'Impossible Réparation.*
Christopher DUGAN, *Ils y ont cru. Une histoire intime de l'Italie de Mussolini.*
Richard EVANS, *Le Troisième Reich* (3 volumes).
Victor Davis HANSON, *La Guerre du Péloponnèse.*
Lauric HENNETON, *Histoire religieuse des États-Unis.*
Françoise HILDESHEIMER, *La Double Mort du roi Louis XIII.*
Paulin ISMARD, *L'Événement Socrate.*
Julian JACKSON, *La France sous l'Occupation.*
Ian KERSHAW, *La Chance du diable. Le récit de l'opération Walkyrie.*
Richard OVERY, *Sous les bombes. Nouvelle histoire de la guerre aérienne (1939-1945).*
Paul PAYAN, *Entre Rome et Avignon. Une histoire du Grand Schisme (1378-1417).*
Jonathan PHILLIPS, *Une histoire moderne des croisades.*
Marie-Pierre REY, *L'Effroyable Tragédie. Une nouvelle histoire de la campagne de Russie.*
– *1814, un tsar à Paris.*
Graham ROBB, *Sur les sentiers ignorés du monde celte.*
Constance SÉRÉNI et Pierre-François SOUYRI, *Kamikazes.*
Bertrand VAN RUYMBEKE, *L'Amérique avant les États-Unis. Une histoire de l'Amérique anglaise (1497-1776).*
Laurent VIDAL, *Ils ont rêvé d'un autre monde.*

Mise en pages par Meta-systems
59100 Roubaix

Cet ouvrage a été achevé d'imprimer en juillet 2015
dans les ateliers de Normandie Roto Impression s.a.s.
61250 Lonrai
N° d'édition : L.01EHBN000626.N001
N° d'impression : 1502820
Dépôt légal : juillet 2015

Imprimé en France